# Y Llyfr Melyn:

## Sut i hybu
## sgiliau cymdeithasol
## ac emosiynol
## plant

Seicolegydd clinigol a nyrs yw Carolyn Webster-Stratton. Mae'n arbenigwr cydnabyddedig ar hyfforddi rhieni ac ar helpu plant ifanc i ddatblygu sgiliau cymdeithasol, datrys problemau a rheoli dicter. Mae'n Gyfarwyddwr Y Clinig Rhiantu *(The Parenting Clinic)* ac yn Athro ym Mhrifysgol Washington, Unol Daleithiau America. Yno mae'n hyfforddi seicolegwyr, nyrsys, gweithwyr cymdeithasol ac athrawon. Bu'n datblygu a gwerthuso rhaglenni hyfforddiant ar gyfer rhieni, athrawon a phlant ers dros 20 mlynedd. Caiff y rhaglenni hyn eu cynnig bellach mewn sawl rhan o'r Deyrnas Unedig, yn cynnwys ysgolion, ysbytai a rhaglenni a noddir gan y Gwasanaeth Iechyd Gwladol. Fe'u gwerthuswyd yn ddiweddar yn y Deyrnas Unedig gan ddyfarnu eu bod yn rhaglenni effeithiol dros ben. Mae Carolyn Webster-Stratton yn byw yn Seattle gyda'i gŵr a dau o blant.

# Y LLYFR MELYN:

## Sut i hybu
## sgiliau cymdeithasol
## ac emosiynol plant

**Carolyn Webster-Stratton**

Yn y llyfr hwn cyflwynir sgriptiau, gemau, gweithgareddau, darluniau, sefyllfaoedd chwarae rôl a chynlluniau i'w defnyddio gyda phlant pedair i wyth oed.

Seiliwyd y llyfr ar egwyddorion y *Dinosaur Social Skills, Problem Solving and Anger Management Curriculum* sy'n cynorthwyo disgyblion i adnabod eu hemosiynau a gwerthfawrogi safbwyntiau pobl eraill.

Mae'n cynnwys cynghorion ymarferol ynghylch hybu sgiliau cymdeithasol, datrys problemau a rheoli dicter.

Rhoddir sylw arbennig i reoli disgyblion gorfywiog, disgyblion sy'n methu canolbwyntio a disgyblion sy'n ymddwyn yn ymosodol.

Cyflwynwyd y rhaglen yng Nghymru dan yr enw 'Cwricwlwm Ysgol Dina'. Datblygwyd y fersiwn Gymraeg fel rhan o brosiect Y Blynyddoedd Rhyfeddol *(The Incredible Years)* ym Mhrifysgol Bangor.

Gomer

*Ar gyfer fy mhlant*
*Seth ac Anna*
*a holl blant y byd.*
*Boed iddynt fyw mewn byd cynhaliol, rhydd o drais.*

Cyhoeddwyd yn 2010 gan
Gwasg Gomer, Llandysul, Ceredigion, SA44 4JL

ISBN 978 1 84851 085 2

Hawlfraint © Carolyn Webster-Stratton 1999

Cyhoeddwyd y fersiwn Saesneg gyntaf, sef
*How to Promote Children's Social and Emotional Competence*
gan Paul Chapman Publishing Ltd. yn 1999.

Cyfieithwyd i'r Gymraeg gan Parabl Cyf
gyda chymorth Rhiain Gwyn.

Noddwyd gan Lywodraeth Cynulliad Cymru.

Argraffwyd a rhwymwyd yng Nghymru gan
Wasg Gomer, Llandysul, Ceredigion.

# Cynnwys

## Pennod 4: Hyrwyddo ymddygiad positif – sylw, anogaeth a chanmoliaeth     76

## Pennod 10: Problemau cyfoedion a sgiliau cyfeillgarwch    264

## Pennod 11: Helpu disgyblion i ddysgu delio gyda'u hemosiynau   293

# Nodyn cefndir a diolchiadau gan Yr Athro Judy Hutchings, Cyfarwyddwr Blynyddoedd Rhyfeddol Cymru

Sefydlwyd Canolfan Blynyddoedd Rhyfeddol Cymru ym Mhrifysgol Cymru, Bangor yn 2003 i hyrwyddo rhaglenni'r Blynyddoedd Rhyfeddol *(The Incredible Years)* ar gyfer rhieni, plant ac athrawon. Roedd sefydlu'r Ganolfan yn adeiladu ar saith mlynedd o brofiad o ddefnyddio rhaglenni'r Blynyddoedd Rhyfeddol yng Nghymru. Mae diddordeb rhyngwladol yn ein gwaith.

Lansiwyd y Ganolfan gan Jane Hutt, a oedd bryd hynny yn Weinidog Iechyd a Gofal Cymdeithasol yn Llywodraeth Cynulliad Cymru, ac yna'n Weinidog gyda chyfrifoldeb am Blant, Addysg, Dysgu Gydol Oes a Sgiliau.

Mae'r Ganolfan yn cynnig:

- hyfforddiant i arweinyddion grwpiau sy'n dilyn rhaglenni Blynyddoedd Rhyfeddol ar gyfer rhieni, plant ac athrawon
- cymorth i ddefnyddwyr rhaglenni werthuso eu canlyniadau
- amgylchedd sy'n annog gwaith ymchwil
- cefnogaeth i bobl ddefnyddio'r rhaglenni yn y modd y cawsant eu datblygu a'u hymchwilio.

Rydym yn cynnal llawer iawn o ymchwil, yn cynnwys rhedeg rhaglen riantu sylfaenol mewn 11 Canolfan Cychwyn Cadarn *(Sure Start)*, lle cafwyd canlyniadau da dros ben. Wrth wneud yr ymchwil hwn (a ariannwyd gan yr *Health Foundation*) buom yn gweithio mewn partneriaeth â rhieni yng Ngogledd a Chanolbarth Cymru gan ddefnyddio ein rhaglen riantu sylfaenol fel dull ymyrraeth gynnar gyda phlant cyn-ysgol risg uchel. Roedd y canlyniadau'n drawiadol ac fe'u cyhoeddwyd yn y *British Medical Journal* yn 2007 ynghyd ag astudiaeth ddilynol o'r canlyniadau dros gyfnod hwy yn British Medical Journal yn 2009.

Rydym hefyd yn rhedeg rhaglen riantu i ofalwyr maeth yn siroedd Fflint, Wrecsam a Phowys, a ariannir gan Swyddfa Cymru ar gyfer Ymchwil i Ofal Iechyd a Chymdeithasol.

Mewn cydweithrediad â Gwasanaeth Addysg Gwynedd datblygwyd rhaglen Hybu Sgiliau Cymdeithasol a Datrys Problemau ar gyfer athrawon a disgyblion (a elwir yn y Gymraeg yn 'Cwricwlwm Ysgol Dina'). Sylweddolodd Gwasanaeth Addysg Gwynedd bosibiliadau'r rhaglenni hyn yn 2002 a bu'n gweithio ochr yn ochr â'r Ganolfan Blynyddoedd Rhyfeddol i hyrwyddo'r gwaith.

Secondiwyd Rhiain Gwyn, pennaeth ysgol, i hyfforddi staff ym mhob rhan o'r sir. Buom hefyd yn gweithio mewn partneriaeth â Chyngor Gwynedd i noddi myfyriwr PhD, Pam Martin, a fu'n treialu'r Rhaglen Athrawon mewn ffordd wyddonol gadarn. Dangosodd ei hymchwil fanteision y rhaglen i athrawon a phlant. Bellach mae'r rhaglenni Athrawon ac Ysgol Dina ar waith ym mhob un o ysgolion cynradd Gwynedd – dros 100 ohonynt i gyd.

Gan ddefnyddio Cwricwlwm Therapiwtig yr Ysgol Dina rydym hefyd yn gweithio gyda Stella Griffith, Pennaeth Ysgol Bro Lleu, Penygroes, Gwynedd, i werthuso'r cefnogaeth angenrheidiol i blant er mwyn atgyfnerthu eu sgiliau cymdeithasol a llythrennedd emosiynol.

Mae Llywodraeth Cynulliad Cymru yn cefnogi ein gwaith o werthuso'r rhaglen newydd ar gyfer plant ifanc iawn. Rydym yn gweithio gyda gwasanaethau Dechrau'n Deg *(Flying Start)* ym mhob rhan o Gymru i wneud hynny.

Ar hyn o bryd mae Llywodraeth Cynulliad Cymru yn talu'r gost o hyfforddi arweinyddion rhaglenni rhiantu'r Blynyddoedd Rhyfeddol ym mhob rhan o Gymru. Mae'r ffocws ar ansawdd yr oruchwyliaeth ac ar ymgynghori er mwyn datblygu arweinwyr a mentoriaid cymwys lleol. Yn 2008, oherwydd y canlyniadau ardderchog a'r ymateb brwd i'r rhaglenni Athrawon a Phlant, penderfynodd Llywodraeth Cynulliad Cymru y dylid hyfforddi staff ym mhob rhan o Gymru i gyflwyno'r rhaglenni hyn. Mae'r broses yn parhau gyda Phowys a Blaenau Gwent wedi dilyn arweiniad Gwynedd a bwrw mlaen â'r gwaith.

Ymysg ein gweithgareddau eraill, cynhaliwn gynhadledd flynyddol, cyhoeddwn newyddlen flynyddol a chynigiwn raglen barhaus o hyfforddiant ar gyfer pob un o raglenni'r Blynyddoedd Rhyfeddol. Cewch ragor o fanylion am ein gwaith yn ein gwefan www.incredibleyearswales.co.uk

Mae staff y Ganolfan yn cynnwys Gweinyddwraig, Dilys Williams; Cydlynydd Profion Ymchwil, Dr Tracey Bywater; tîm o fyfyrwyr PhD; ymchwilwyr rhan amser a staff gweinyddol. Derbyniodd y Ganolfan statws elusennol fel adnodd ar gyfer cefnogi amcanion rhaglenni'r Blynyddoedd Rhyfeddol.

*'Y nod cyntaf yw datblygu rhaglenni cynhwysfawr i drin plant ifanc sy'n amlygu problemau ymddygiad yn gynnar yn eu hoes. Yr ail nod yw datblygu rhaglenni cost effeithiol, seiliedig ar y gymuned, byd-eang eu hapêl, y gellir eu defnyddio gan bob teulu a phob athro neu*

*athrawes plant ifanc i hyrwyddo sgiliau cymdeithasol ac atal plant
rhag datblygu arferion ymddygiad problemus yn y lle cyntaf.'
(Webster-Stratton, 2003).*

Dymunwn ddiolch i'r Athro Webster-Stratton am ei chymorth a'i
chefnogaeth i'n gwaith yng Nghymru. Hoffem ddiolch hefyd i
Lywodraeth Cynulliad Cymru am grant i gyfieithu a chyhoeddi'r llyfr
hwn i gefnogi athrawon o Fôn i Fynwy. Gwerthfawrogwn ymrwymiad y
Llywodraeth i gynnig cefnogaeth seiliedig ar dystiolaeth i rieni, plant ac
athrawon ein gwlad.

Yr Athro Judy Hutchings
(Ionawr 2010)

Cyfarwyddwr Blynyddoedd Rhyfeddol Cymru
Prifysgol Bangor
Gwynedd
LL57 2DG
Ebost: j.hutchings@bangor.ac.uk
www.incredibleyearswales.co.uk

# Rhagair Yr Athro Carolyn Webster-Stratton

Fel seicolegydd addysgol rwyf wedi gweithio'n helaeth gydag athrawon. Rwyf hefyd yn rhiant i ddau o blant. Weithiau, ymddengys fod y ddwy rôl yma'n gorgyffwrdd rhyw gymaint. Fel pob rhiant rwy'n ymroi i gefnogi datblygiad cymdeithasol ac emosiynol gorau posib fy mhlant, yn ogystal â'u cyflawniad addysgol. Yn naturiol, dros y blynyddoedd mae hyn wedi golygu cael llawer o sgyrsiau gyda'u hathrawon – yn ddelfrydol sgyrsiau a ddylai fod wedi bod yn gyfraniadau gan y naill a'r llall ohonom. Fodd bynnag, bu adegau pan ymatebodd athrawon fy mhlant i'm cyfraniadau mewn ffyrdd nad oeddynt yn annog cydweithio. O ganlyniad, roeddwn yn petruso rhag ceisio gwneud hynny eto.

Rai blynyddoedd yn ôl daeth fy merch, oedd yn fywiog a hunanhyderus fel arfer, adref o'r ysgol a dweud, 'Fi yw'r un mwyaf twp yn y dosbarth. Mae pawb arall yn gallu darllen!' Gallwn weld fod ei hanhawster gyda dysgu darllen nid yn unig yn effeithio ar ei mwynhad o'r ysgol a'i pharodrwydd i gymryd rhan, ond yn dylanwadu hefyd ar ei hunanhyder. Teimlwn ei bod yn bwysig i mi siarad gyda'i hathrawon am y mater yma. Ond pan alwais i drefnu dyddiad ac amser cyfleus i ni gwrdd, teimlais oddi wrth eu hymateb fod trefnu cyfarfod gyda mi yn feichus. Ond fe ddaru ni gwrdd. Dywedwyd wrth fy ngŵr a minnau fod ein merch yn cyflawni'n dda iawn ac na ddylem boeni am ei darllen. Nid oedd fy mhryderon ynglŷn â dylanwad y sefyllfa ddarllen ar frwdfrydedd fy merch tuag at yr ysgol wedi cael eu tawelu. Roeddwn yn dechrau teimlo'n euog am gymryd amser yr athrawon yn ddiangen er fy mod fel person proffesiynol yn gwybod am bwysigrwydd cydweithio rhwng athrawon a rhieni.

Flwyddyn yn ddiweddarach nodwyd fod gan ein merch oediad gyda'i darllen. Roeddwn yn teimlo'n flin wrth yr athrawon am fychanu fy nghonsýrn ac yn teimlo'n ddiymadferth fel rhiant am fethu mynegi fy mhryderon a phledio dros ei hanghenion yn fwy effeithiol.

Byddai'r profiad yma wedi llesteirio fy awydd i gydweithio gydag athrawon oni bai am brofiad arall a gefais y flwyddyn ddilynol. Un diwrnod derbyniais alwad gan yr athrawes yn dweud wrthyf am rywbeth ardderchog a wnaeth fy merch yn y dosbarth yn helpu plant eraill i ddatrys problem mewn sefyllfa ddyrys. Roedd fy ngŵr a minnau wrth ein bodd! Rai wythnosau'n ddiweddarach daeth yr athrawes i'w gweld yn chwarae pêl fasged. (Canfyddais wedyn fod ei hathrawes yn mynychu achlysuron arbennig ei *holl* ddisgyblion.) O ganlyniad roedd ein merch yn frwdfrydig unwaith eto yn yr ysgol a byddem ninnau wedi gwneud unrhyw beth i'r athrawon. Roedd fy ngŵr a minnau wedi'n plesio i'r fath raddau gyda'r athrawon nes ein bod yn canu eu clodydd wrth unrhyw un a oedd yn barod i wrando. Drwy ddangos caredigrwydd ac ymroddiad gofalgar o bryd i'w gilydd roedd yr athrawon yn sylfaenol wedi pontio'r bwlch rhwng yr ysgol a'r cartref.

## Cefndir Ymchwil

Treuliais yr ugain mlynedd diwethaf yn gwerthuso rhaglenni rhiantu ar gyfer rhieni plant ifanc sy'n ymosodol iawn ac yn gwrthod cydymffurfio. Bûm yn helpu rhieni i ddeall y ffyrdd mwyaf effeithiol o hybu sgiliau cymdeithasol ac academaidd eu plant, a phrinhau eu problemau ymddygiad. Mae fy ymchwil (Webster-Stratton, 1984,1985, 1989, 1994, 1998a; Webster-Stratton, Hollinsworth & Kolpacoff, 1989; Webster-Stratton, Kolpacoff & Hollinsworth,1988) yn ogystal ag ymchwil pobl eraill wedi dangos y ffaith a ganlyn: Wedi i rieni ddysgu sut i ddefnyddio eu sgiliau rheoli plant yn effeithiol, mae eu plant yn ymddwyn yn fwy cymdeithasol ac mae gan eu plant well hunanddelwedd a llai o broblemau ymddygiad ymosodol. Fodd bynnag, pan fo rhieni'n llwyddo i sicrhau gwelliannau o'r fath yn eu bywyd teuluol, nid yw hynny o reidrwydd yn arwain at welliant cymharol yn ymddygiad eu plant yn yr ysgol. Roedd llawer o'u hathrawon yn cwyno fod y plant yn parhau'n heriol, yn torri ar draws, yn methu talu sylw yn y dosbarth ac yn profi anawsterau gyda chyd-ddisgyblion. Adroddodd athrawon eu bod o dan bwysau oherwydd yr amser a'r egni angenrheidiol i reoli'r plant anodd o fewn dosbarth o dri deg neu fwy o ddisgyblion. Teimlent nad oeddent wedi cael eu paratoi'n ddigonol yn y technegau disgyblu angenrheidiol i ddelio â'r disgyblion yma a darparu'r sgiliau cymdeithasol priodol ar eu cyfer.

Yn 1991 datblygais gwricwlwm rheoli dicter, datrys problemau a meithrin sgiliau cymdeithasol plant ifanc (y Cwricwlwm Ysgol Dina). Cynigiwyd y rhaglen hon i ddosbarthiadau plant a dosbarthiadau rhieni yr un pryd. Hefyd, trefnwyd rhaglen ar ôl ysgol bob wythnos ar gyfer rhai plant. Er mwyn gwerthuso effeithiau cyfuno hyfforddiant plant gyda hyfforddiant rhieni trefnais astudiaeth reoledig o sampl a ddewiswyd ar siawns. Canfyddais fod gan y plant a gymrodd ran yn y Cwricwlwm Dina sgiliau datrys problemau ac ymddygiadau cymdeithasol gwell o lawer wrth ymwneud â chyd-ddisgyblion na phlant nad oeddent wedi cymryd rhan yn y rhaglen. (Webster-Stratton & Hammond, 1997). Yn achos plant a oedd yn cael anhawster gyda'u cyd-ddisgyblion yn yr ysgol yn ogystal ag anawsterau ymddygiad yn y cartref, deuthum i'r casgliad y byddent yn elwa o gael cwricwlwm wedi ei gynllunio i hyrwyddo'r hyn a alwodd rhai yn 'lythrennedd emosiynol' *(emotional literacy)* (Goleman, 1995). Y termau a ddefnyddiaf i yw 'medr', 'sgil' neu 'gymhwysedd cymdeithasol' *(social comptetence).*

Roedd yn ymddangos i mi y gallai *pob* plentyn elwa o gael addysg a oedd yn anelu at feithrin sgiliau cymdeithasu a datrys problemau'n effeithiol, yn ogystal â chanolbwyntio ar eu cyrhaeddiad academaidd. O ganlyniad, dechreuais raglen ymchwil i werthuso dylanwad hyfforddi athrawon yn ogystal â rhieni. Arweiniodd hyn at newid sylfaenol ym mherthynas rhieni ac athrawon fel bod y naill yn cefnogi'r llall ac yn cyd-gynllunio ar gyfer anghenion plant unigol. Roedd y rhieni a'r athrawon yn teimlo llai o straen ac yn llai gwrthwynebus o'i gilydd. Teimlai'r naill a'r llall eu bod yn cael mwy o gefnogaeth i ddarparu ar gyfer anghenion eu plant. Er mai dim ond megis dechrau casglu data yr ydym, mae'r canlyniadau'n awgrymu fod ymddygiad plant ymosodol yn gwella, a'r dosbarth cyfan yn dangos mwy o gydweithrediad ac ymroddiad academaidd pan fo athrawon a rhieni ill dau yn ymwneud â'r rhaglen hyfforddi (Webster-Stratton, 1998b).

Dros y saith mlynedd diwethaf rydym wedi hyfforddi cannoedd o athrawon plant cyn oedran ysgol dan gynllun o'r enw *Head Start*, ynghyd ag athrawon plant 3-5 oed. Roedd rhannau o'r hyfforddiant yma ar ffurf rhaglenni a dargedwyd yn arbennig i helpu disgyblion ymosodol. Roedd rhannau eraill ar ffurf rhaglenni ataliol gyda'r nod o wella sgiliau cymdeithasol yr holl ddisgyblion. Canlyniad uniongyrchol y rhaglenni hyfforddi yma, a'r llu o syniadau a gyflwynwyd gan yr athrawon a'u mynychodd, yw'r llyfr hwn. Rwy'n ddyledus i'r athrawon yma am fy nysgu ac am rannu gyda mi eu gweledigaeth a'u strategaethau i hyrwyddo sgiliau cymdeithasol plant. Heb eu cyfraniad hwy ni fyddai'r llyfr hwn wedi cael ei ysgrifennu.

**Pwrpas y Llyfr**

Paratowyd y llyfr hwn ar gyfer athrawon plant ifanc (3-10 oed), gyda sawl nod mewn golwg. Y nod cyntaf yw awgrymu ffyrdd y gall athrawon gydweithio gyda rhieni i gwrdd ag anghenion addysgol ac emosiynol eu disgyblion. Mae Pennod 1 yn ymwneud yn uniongyrchol â'r pwnc yma, ond mae'r holl benodau eraill hefyd yn cynnwys deunydd perthnasol. Er enghraifft, mae Pennod 2, 4 a 5 yn trafod sut y gall athrawon ddatblygu perthynas ystyrlon gyda disgyblion drwy gynnwys rhieni mewn sgyrsiau cyson, gweithgareddau sy'n cysylltu'r cartref a'r ysgol, helpu yn y dosbarth a chynllunio rhaglenni cymell i helpu plant i oresgyn problemau anodd. Mae Penodau 7 ac 8 yn awgrymu ffyrdd y gall rhieni gael eu cynnwys mewn cynlluniau disgyblaeth a chynorthwyo athrawon i ddeall yr hyn sy'n gweithio orau gyda phlant unigol. Mae Penodau 9, 10 ac 11 yn edrych ar ffyrdd i gynnwys rhieni mewn cwricwlwm sydd wedi cael ei gynllunio i hyrwyddo sgiliau cymdeithasol, rheoli dicter a datrys problemau yn yr ysgol ac yn y cartref.

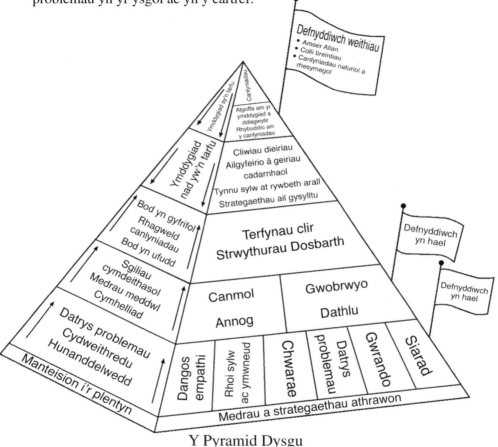

Y Pyramid Dysgu

Ail bwrpas y llyfr hwn yw cyflwyno amrywiaeth o strategaethau dosbarth y gall athrawon eu defnyddio i gryfhau sgiliau cymdeithasol ac academaidd plant. Ystyrir bod sgiliau emosiynol plant yr un mor bwysig â'u sgiliau academaidd. Mae'r 'pyramid dysgu' yn dangos sut mae pob pennod yn adeiladu ar benodau blaenorol. Mae'r penodau cyntaf yn edrych ar ffyrdd o annog ymddygiadau cadarnhaol disgyblion gan gynyddu eu hyder, eu hunanddelwedd, eu gallu i ddatrys problemau a'u hawydd i ddysgu. Mae'r adran yma'n darparu'r sylfeini ar gyfer perthynas lwyddiannus rhwng yr athro, y disgybl a'r teulu. Mae Penodau 3 a 6 yn edrych ar strategaethau dosbarth rhagweithiol *(proactive)* nad ydynt yn or-ymwthiol. Gall y rhain gynnwys gosod rheolau clir, ffiniau rhagweladwy, strategaethau dychwelyd at dasg a strwythur disgyblaeth a gynlluniwyd i leihau aflonyddu, osgoi gwrthdaro a chreu dosbarth fydd yn rhedeg yn esmwyth, gyda'r disgyblion yn cymryd cyfrifoldeb cynyddol am eu hymddygiad. Mae Penodau 7 ac 8 yn edrych ar strategaethau mwy ymwthiol eu natur megis 'Amser Allan' a cholli breintiau. Bydd angen gweithredu'r rhain pan fydd disgyblion yn ymddwyn yn dreisgar, yn gorfforol neu yn eiriol. Mae Penodau 9, 10 ac 11 yn cyflwyno gweithgareddau cwricwlaidd, gemau a sgriptiau ar gyfer dysgu sgiliau cymdeithasol, rheoli dicter a datrys problemau.

Trydydd pwrpas neu thema'r llyfr hwn yw dangos sut y gall athrawon sefydlu rhaglenni unigol i ddelio ag anghenion cymdeithasol ac emosiynol sy'n arbennig o berthnasol i blant risg uchel. Gall plant fod yn wynebu risg uchel oherwydd problemau cymdeithasol neu academaidd sy'n deillio o ffactorau biolegol, oediad datblygiadol megis anabledd dysgu, gorfywiogrwydd, byrbwylledd, anhawster talu sylw, oediad iaith a darllen ac ymddygiad ymosodol iawn. Gall rhai plant fod â risg uchel o wynebu anawsterau am eu bod yn dod o gartrefi lle mae'r oedolion yn ddianogaeth neu yn ymagweddu'n sarhaus, neu gartrefi lle mae'r oedolion wedi cael eu llethu gan straen i'r fath raddau nes eu bod yn methu cyfarfod ag anghenion eu plant. Mae'r llyfr yma'n dangos sut y gall athrawon integreiddio ymyriadau unigol ar gyfer plant risg uchel o fewn dosbarth prif lif gan hyrwyddo sgiliau cymdeithasol eu holl ddisgyblion yr un pryd.

## Pwysigrwydd ymyrryd yn gynnar

Dangosodd ymchwil fod plant yn ymddwyn yn fwy ymosodol nag yn y gorffennol, a bod plant yn arddangos y duedd yma'n iau (Campbell, 1990, 1991; Webster-Stratton, 1991,1998b). Adroddwyd mewn astudiaethau diweddar fod rhwng 10% a 20% o blant cyn oedran ysgol neu oedran ysgol cynnar yn cyrraedd y meini prawf am anhwylder gwrthwynebus a heriol neu'n dangos arwyddion cynnar o broblemau ymddygiadol. Maent yn ymosodol, yn torri ar draws, yn wrthwynebus ac yn cael problemau ymddygiad gorfywiog dwys.

Mae i'r tueddiad hwn oblygiadau pryderus i bawb ohonom, ac nid dim ond i deuluoedd plant o'r fath. Os yw plant yn amlygu'r nodweddion yma'n ifanc iawn, dangoswyd fod hynny'n rhagflas o broblemau dwysach pan fyddant wedi tyfu'n bobl ifanc ac oedolion – problemau megis cam-ddefnyddio cyffuriau, iselder ysbryd, troseddau ieuenctid ac ymddygiad gwrthgymdeithasol ac ymosodol (Kazdin,1985; Kupersmidt and Coie,1990; Loeber,1990,1991; Moffitt,1993). Mae achosion o lofruddiaeth, trais, lladrad, cynnau tanau, gyrru dan ddylanwad alcohol a chamdriniaeth yn cael eu cyflawni i raddau helaeth gan rai gyda hanes o ymddygiad ymosodol cronig yn deillio o'u plentyndod (Kazdin,1995). Felly, mae'r cynnydd mewn ymddygiad ymosodol mewn plant ifanc nid yn unig yn achos i ni bryderu am ein diogelwch ni ein hunain a'n plant, ond yn fater o gonsýrn i'r gymdeithas gyfan. Ac mae hyn yn wir beth bynnag fo'n lliw a'n statws economaidd neu gymdeithasol. Mae ymddwyn yn amhriodol yn un o'r anhwylderau meddwl mwyaf costus i gymdeithas (Robins,1981). Mae cyfran helaeth o blant anghymdeithasol yn parhau mewn cysylltiad ag asiantaethau salwch meddwl drwy eu hoes ac/neu'n cael eu hunain o fewn y gyfundrefn cyfiawnder troseddol. Mewn geiriau eraill, mae pris i'w dalu gan bawb yn y pen draw – yn bersonol, yn ariannol, neu'r ddau – pan fo'r plant yma'n cael eu gadael heb ofal, a'u problemau ymddygiad yn aros heb gael eu goresgyn.

Dros yr ugain mlynedd diwethaf datblygwyd ymyriadau amrywiol gan deuluoedd ac ysgolion i ddelio â phroblemau ymddygiad plant (Estrada & Pinsof,1995). Mewn astudiaethau a fu'n pwyso a mesur effeithiolrwydd yr ymyraethau hyn mae'r canlyniadau'n awgrymu fel a ganlyn: Os bydd yr ymyriadau'n digwydd yn gynnar – pan fo'r plentyn yn yr oedran cyn-ysgol neu oedran ysgol cynnar yn hytrach nag yn ddiweddarach – mae'r ymyrraeth honno'n fwy effeithiol ac yn debycach o rwystro arferion rhag dwysau. Yn wir, mae tystiolaeth yn dangos yr ieuengaf yn y byd yw'r plentyn ar adeg yr ymyrraeth, y mwyaf positif yw addasiad y plentyn hwnnw gartref ac yn yr ysgol (Strain *et al., 1982).* Felly mae'n strategol ddoeth i gynnig ymyriadau i blant yn ystod y blynyddoedd cynnar i rwystro datblygiad anawsterau ymddygiad afreolus, a chadw'r plant sy'n dangos arwyddion cynnar o fod yn ymosodol oddi ar y llwybr sy'n arwain at droseddu.

Pedwerydd pwrpas y llyfr yma yw cynnig cefnogaeth i ymdrechion ein hysgolion i roi mwy o sylw i ddatblygu sgiliau cymdeithasol a lles emosiynol plant. Mae athrawon yn deall fod sgiliau cymdeithasol a sicrwydd emosiynol plant, yn yr un modd â'u sgiliau gwybyddol, yn effeithio ar eu gallu i ddysgu. Fy ngobaith yw y bydd y llyfr yma'n arf defnyddiol i gefnogi'r ymdrech hon.

Mae athrawon ymroddedig a gofalgar sy'n rhoi addysg emosiynol o'r fath yn medru creu amddiffynfa i rai plant ifanc rhag dylanwad seicopatholeg rhieni a thyndra teuluol. Maent yn cynnig cefnogaeth pan na fydd rhieni'n llawn gyflawni'r swyddogaeth honno gyda'u plant. Pan fo rhieni ac athrawon yn gallu cydweithio mewn partneriaeth i hyrwyddo sgiliau cymdeithasol plant, rydym nid yn unig yn helpu'r plant sydd mewn perygl ond yn helpu pob plentyn a phob teulu. Ein gobaith ni oll yw cael rhieni i ymwneud mwy gydag ysgolion eu plant, cael plant sy'n cyflawni'n well yn academaidd am fod eu hanghenion cymdeithasol ac emosiynol yn cael eu diwallu, a chael athrawon sy'n teimlo'n fwy bodlon am fod ganddynt gefnogaeth rhieni. I ymestyn y weledigaeth hon, ein nod yw cael teuluoedd gyda bywyd cartref hapusach, rhieni sy'n defnyddio llai o ddisgyblaeth galed, plant sy'n dysgu sgiliau cydberthynas a fydd yn ddiweddarach yn arwain at briodasau hapusach, llai o iselder ysbryd a llai o ysgariadau. Byddwn oll yn y pen draw yn elwa o greu cymdeithas sy'n llai ymosodol a mwy gofalgar.

**Deunydd darllen pellach**

Campbell, S. B. (1990) *Behavior Problems in Preschool Children: Clinical and Developmental Issues*, New York: Guilford Press.

Campbell, S. B. (1991) Longitudinal studies of active and aggressive preschoolers: individual differences in early behavior and outcomes. In D. Cicchetti and S. L. Toth (eds.) *Rochester Symposium on Developmental Psychopathology* (pp.57-90), Hillsdale, NJ: Erlbaum

Estrada, A. U. and Pinsof, W. M. (1995) The effectiveness of family therapies for selected behavioral disorders in childhood, *Journal of Marital and Family Therapy,* 21(4), 403-40.

Goleman, D. (1995) *Emotional Intelligence*, New York: Bantam.

Kazdin, A. (1995) *Treatment of Antisocial Behavior in Children and Adolescents,* Homewood, IL: Dorsey Press.

Kazdin, A. (1995) Child, parent and family dysfunction as predictors of outcome in cognitive-behavioral treatment of antisocial children, *Behavior Research and Therapy*, 3, 271-81.

Kupersmidt, J. B. and Coie, J. D. (1990) Preadolescent peer status, aggression, and school adjustment as predictors of externalizing problems in adolescence, *Child Development*, 61(5), 1350-62.

Loeber, R. (1990) Development and risk factors of juvenile antisocial behavior and delinquency. *Clinical Psychology Review*, 10, 1-41.

Loeber, R. (1991) Antisocial behavior: more enduring than changeable? *Journal of the American Academy of Child and Adolescent Psychiatry*, 30, 393-7.

Moffitt, T. E. (1993) Adolescence-limited and life-course-persistent antisocial behavior: a developmental taxonomy, *Psychological Review*, 100, 674-701.

Robins, L. N. (1981) Epidemiological approaches to natural history research: antisocial disorders in children, *Journal of the American Academy of Child Psychiatry*, 20, 566-80.

Strain, P. S., Steele, P., Ellis, T. and Timm, M. A. (1982) Long-term effects of oppositional child treatment with mothers as therapists and therapist trainers, *Journal of Applied Behavior Analysis*, 15, 1163-69.

Webster-Stratton, C. (1984) Randomized trial of two parent-training programs for families with conduct-disordered children, *Journal of Consulting and Clinical Psychology*, 52(4), 666-78.

Webster-Stratton, C. (1985) Predictors of treatment outcome in parent training for conduct disordered children, *Behavior Therapy*, 16, 223-43.

Webster-Stratton, C. (1989) Systematic comparison of consumer satisfaction of three cost-effective parent training programs for conduct problem children, *Behavior Therapy*, 20, 103-15.

Webster-Stratton, C. (1991) Annotation: strategies for working with families of conduct-disordered children, *British Journal of Child Psychiatry and Psychology*, 32(7), 1047-62.

Webster-Stratton, C. (1994) Advancing videotape parent training: a comparison study, *Journal of Consulting and Clinical Psychology*, 62(3), 583-93.

Webster-Stratton, C. (1998a) Parent training with low-income clients: promoting parental engagement through a collaborative approach. In J. R. Lutzker (ed.) *Handbook of Child Abuse Research and Treatment* (pp.183-210), New York: Plenum Press.

Webster-Stratton, C. (1998b) Preventing conduct problems in Head Start children: strengthening parent competencies, *Journal of Consulting and Clinical Psychology*, 66, 715-30.

Webster-Stratton, C. and Hammond, M. (1997) Treating children with early-onset conduct problems: a comparison of child and parent training interventions, *Journal of Consulting and Clinical Psychology*, 65(1), 93-109.

Webster-Stratton, C., Hollinsworth, T. and Kolpacoff, M. (1989) The long-term effectiveness and clinical significance of three cost-effective training programs for families with conduct-problem children, *Journal of Consulting and Clinical Psychology*, 57(4), 550-3.

Webster-Stratton, C., Kolpacoff, M. and Hollinsworth, T. (1988) Self-administered videotape therapy for families with conduct-problem children: comparison with two cost-effective treatments and a control group, *Journal of Consulting and Clinical Psychology*, 56(4), 558-66.

Cyhoeddir chwaer-gyfrol y Llyfr Melyn, sef arweinlyfr i rieni, *Y Blynyddoedd Rhyfeddol* (ISBN 978 1 84323 960 4 Pris £16.00) gan Wasg Gomer ac mae modd archebu yn uniongyrchol o'r wasg neu drwy unrhyw siop lyfrau.

    Gwasg Gomer: 01559 363 092

neu

    archebion@gomer.co.uk

**Mae llyfrau a deunyddiau eraill ar gael oddi wrth:**
    Blynyddoedd Rhyfeddol Cymru,
    Adeilad Nantlle, Safle'r Normal,
    Prifysgol Bangor, Gwynedd, LL57 2PZ
    Ffôn 01248 383 758
    Ffacs: 01248 382 652
    Gwefan: www.incredibleyearswales.co.uk
    e-bost: j.hutchings@bangor.ac.uk

a

    Parent, Child and Teacher Training Series:
    The Incredible Years
    1411 8th Avenue West
    Seattle, WA 98119
    Gwefan: www.incredibleyears.com
    Ebost: incredibleyears@incredibleyears.com

# Diolchiadau Yr Athro Carolyn Webster-Stratton

Hoffwn ddiolch i'r llu o athrawon a rhieni y bûm yn gweithio gyda nhw dros yr 20 mlynedd diwethaf. Dysgais gymaint oddi wrth eu profiadau hwy yn magu plant anodd eu hanian. Eu cydymdeimlad, amynedd, ynni ac ymrwymiad wrth helpu plant i ddatblygu sgiliau cymdeithasol a'm sbardunodd i ysgrifennu'r llyfr hwn. Rwy'n ddiolchgar hefyd i'r plant a fynychodd yr Ysgol Dina yn y Clinig Rhiantu. Buont o gymorth mawr i fireinio llawer o'r syniadau ac awgrymiadau a geir yn y llyfr hwn. Nhw am argyhoeddodd fod modd rhoi terfyn ar ymosodedd, bwlio, gwrthodiad gan gyfoedion ac, yn y pen draw, rhoi terfyn ar drais. Yn olaf, diolchaf i'm teulu am eu hamynedd a chefnogaeth wrth imi weithio ar y llyfr hwn yn ystod cyfnod sabothol yn Rhydychen.

# Cyflwyniad:
# Rheoli straen personol

Mae pob athro yn teimlo'n flin, yn isel ei ysbryd, yn rhwystredig ac yn euog wrth ddelio gyda disgyblion a dosbarthiadau anodd. Mae gofidiau o'r fath yn gwbl naturiol, ond mewn gwirionedd mae'r teimladau hyn hefyd yn hanfodol ac yn fuddiol. Dangosant yr angen i newid a datrys problem, ac maent yn darparu cymhelliad. Mae perygl, fodd bynnag, os yw'r teimladau yma'n effeithio ar athrawon gymaint nes eu bod yn cael eu llethu gan iselder neu'n colli rheolaeth ar eu dicter. Yn hytrach nag osgoi'r teimladau hyn neu ddileu gwrthdaro, dylid dysgu dygymod ag ymatebion emosiynol i wrthdaro drwy ddefnyddio dulliau sy'n ymarfer mwy o hunanreolaeth.

Mae ymchwilwyr (e.e. Seligman 1990) wedi dangos perthynas glir rhwng yr hyn yr ydym yn ei *feddwl* ac yn ei *deimlo* am sefyllfa, a'r modd yr ydym yn *ymddwyn ac yn perthnasu tuag at unigolion yn y sefyllfa honno.* Gadewch inni ystyried yr amrywiol ffyrdd y gallai athro ymateb i'r sefyllfa ganlynol. Mae'r dosbarth yn teimlo'n anhrefnus ryfeddol – mae'n swnllyd, mae dau blentyn yn gweiddi ar draws y dosbarth, a dau arall yn sgwrsio'n breifat tra bo'r athro'n ceisio cyflwyno gwers. Mae dau ddisgybl arall yn crwydro mewn i'r dosbarth yn hwyr, a'r disgyblion eraill yn dechrau ymateb drwy weiddi, 'Hei, rydych yn hwyr!' Ag yntau wedi gwylltio gyda'r sŵn, efallai y dywed yr athro wrtho'i hun, 'Mae'r dosbarth yma'n amhosibl, anystyriol, anghyfrifol a diog. Mae'n frwydr barhaus i geisio tawelu'r disgyblion cyn y gallaf eu haddysgu.' Wrth i'r athro gronni'r meddyliau negyddol yma, mae ei ddicter yn cynyddu ac mae'n dechrau beirniadu'r disgyblion a gweiddi arnynt. Fe allai'r athro ddod i gredu fod y sefyllfa'n anobeithiol neu feddwl mai ef sydd ar fai. 'Fy mai i yw fy mod yn athro gwael. 'Does yna ddim y gallaf ei wneud.' Mewn amgylchiadau o'r fath, mae'n fwy tebygol o deimlo'n isel a phetrus, ac yn debygol o osgoi gofyn am gydymffurfiad neu gymryd camau disgyblu. Pe bai ar y llaw arall yn canolbwyntio'i feddyliau ar ei allu ei hun i ymdopi ac ymdawelu, efallai y dywedai wrtho'i hun 'Rhaid i mi atgoffa'r disgyblion am y rheol siarad.' Byddai hynny'n hyrwyddo ymatebion mwy synhwyrol ac effeithiol i gamymddwyn y disgyblion.

Y gwir yw ein bod yn mynd yn flin oherwydd ein hagwedd tuag ar ddigwyddiad yn hytrach nag oherwydd y digwyddiad ei hun. Hwyrach y byddwch wedi sylwi'n barod nad yw dosbarth swnllyd yn drafferthus i chi ambell ddiwrnod, ond ar ddyddiau eraill ei fod yn mynd dan eich croen. Pwrpas y bennod yma yw helpu athrawon i adnabod rhai hunan-osodiadau negyddol sy'n cynyddu eu gofid, a dysgu sut i reoli sefyllfaoedd mewn cyfnodau o wrthdaro.

## CAM 1:  Bod yn ymwybodol o'ch meddyliau negyddol a chadarnhaol

Mae eich meddyliau gyda chi bob amser, ac maent dan eich rheolaeth chi a neb arall. Ond gan eu bod gyda chi bob amser, rydych yn eu cymryd yn ganiataol ac yn rhoi fawr iawn o sylw iddynt. Oni bai eich bod yn dysgu rhoi sylw i'ch meddyliau, fyddwch chi ddim yn gallu eu newid. Dychmygwch y sefyllfa ganlynol:

> Mae gennych ddosbarth anodd. Buoch yn ceisio 'diffodd tanau' drwy'r dydd. Mae lefel y sŵn yn teimlo fel iard chwarae. Mae un bachgen yn codi ar ei draed ac yn crwydro o amgylch y dosbarth drwy'r amser gan aros i ymyrryd â gwaith disgybl arall. Mae disgyblion eraill yn chwerthin ac yn siarad yn breifat yn hytrach na gwrando arnoch chi'n cyflwyno gwers. Beth yw eich meddyliau yn awr? Negyddol, fwy na thebyg.

## CAM 2: Lleihau eich meddyliau negyddol

Wedi i chi ddod yn ymwybodol o'ch patrymau meddwl negyddol, y cam nesaf yw eu lleihau. Mae pedair ffordd o wneud hyn.

*1. Torri ar draws y meddyliau:* Cyn gynted â'ch bod yn sylweddoli eich bod yn meddwl yn negyddol, stopiwch hynny. Hwyrach y dywedwch wrthych eich hun, 'Rwy'n mynd i stopio meddwl am hynna rŵan.' Mae rhai athrawon yn gwisgo band rwber ar eu harddwrn ac yn cyffwrdd ynddo bob tro y daw meddwl negyddol, i'w hatgoffa i stopio meddwl felly. 'Stopia boeni. Ni fydd poeni o unrhyw gymorth.'

*2. Ail drefnu'r adegau y byddwch yn teimlo'n flin neu boenus:* Mae meddwl drosodd a throsodd am y ffyrdd y mae disgybl neu ddosbarth penodol yn eich gwneud yn flin, neu ddwyn i gof eich holl bryderon, yn eich blino'n lân. Penderfynwch pa mor hir y mae'n rhaid i chi feddwl meddyliau o'r fath. Yna rhaglennwch yr amser hwnnw o fewn eich diwrnod. Er enghraifft, dywedwch wrthych eich hun eich bod, am 9.30, yn mynd i ganiatáu i chi eich hun fod mor flin ag y dymunwch fod. Yn ystod gweddill y dydd peidiwch â chaniatáu i'r meddyliau yma ymyrryd a'ch hwyliau, eich gwaith na'ch chwarae. Nid peidio meddwl am y pethau annymunol yma'n llwyr yw'r syniad, ond dewis pa bryd yw'r amser gorau i wneud hynny. Dylai un cyfnod o hanner awr bob dydd fod yn ddigon.

*3. Gwrthrychu'r sefyllfa:* Y drydedd ffordd o stopio hunan-siarad negyddol yw gofyn i chi eich hun yn ystod cyfnodau o dyndra a yw'r hyn yr ydych yn ei feddwl neu yn ei ddweud yn eich helpu i gyrraedd y nod:

- *(a)* Beth yw fy nod? (I lefel sŵn y dosbarth ostwng ac i'r disgybl sy'n crwydro dreulio mwy o amser yn eistedd ar ei gadair)
- (b) Beth ydw i'n ei wneud rŵan? (Mynd yn rhwystredig a blin)
- (c) Ydi'r hyn 'rwy'n ei wneud yn fy helpu i gyrraedd fy nod tymor hir? Nac ydi, 'rydym yn dadlau, ac 'rydw i'n gweiddi.
- (ch) Os nad ydyw, beth sydd raid i mi ei wneud yn wahanol? Meddwl yn fwy cadarnhaol a chreu cynllun.

Galwyd y dull yma o weithredu y 'dull crwban' am eich bod, fel crwban, yn encilio i gragen dros dro i asesu eich ymddygiad. Yn ddelfrydol, dylech ddefnyddio'r dull crwban cyn i chi golli rheolaeth. Ar y dechrau, fodd bynnag, hwyrach y defnyddiwch yr ymateb yma yng nghanol digwyddiad, ychydig cyn i chi weiddi ar y dosbarth neu yn syth wedyn.

*4. Normaleiddio'r sefyllfa:* Ffordd arall o wrthrychu sefyllfa yw ei normaleiddio drwy gofio fod pob athro'n cael dyddiau anodd a gwrthdrawiadol gyda'u disgyblion, a bod gan bob disgybl broblemau ymddygiad. Yn ogystal, mae pob athro a phlentyn yn cael teimladau euog, isel, blin a gofidus. Unwaith y byddwch wedi normaleiddio'ch teimladau, mae'n bwysig stopio'r teimladau negyddol. Gellwch ddweud wrthych eich hun, 'Rwy'n teimlo'n nerfus, ond mae hynna'n naturiol,' neu, 'Mae llawer o athrawon yn teimlo'n ddigalon weithiau. Bydd y teimlad yma'n cilio.'

## CAM 3: Cynyddu eich meddyliau cadarnhaol

Nid yw lleihau nifer y meddyliau negyddol ynddo'i hun yn mynd i gynyddu'r rhai cadarnhaol. Dyma chwech cam i'ch helpu i gynyddu eich meddyliau cadarnhaol.

*1. Heriwch hunan-siarad negyddol:* Ceisiwch wrthsefyll hunan-siarad sy'n cynnwys gosodiadau *dylwn* a *rhaid* neu osodiadau cyffredinol sy'n cynnwys geiriau fel *ofnadwy* a *dychrynllyd.* Yn hytrach na meddwl, 'Fe ddylwn fod yn well athrawes' dywedwch wrth eich hun, 'Nid oes yna'r fath beth ag athrawes berffaith' Yn hytrach na chwyno wrthych eich hun, 'Mae fy nisgyblion fel anifeiliaid!' dywedwch, 'Dydi fy nisgyblion ddim mor ddrwg â hynny.' Mae'r meddyliau hyn yn normaleiddio'r sefyllfa ac mae'r camymddwyn yn cael ei wrthrychu. Os cofiwch am sefyllfa lle bu ichi or-ymateb, nid drwg o beth fyddai meddwl pam y digwyddodd hynny, adnabod yr hunan-siarad negyddol a meddwl am ffyrdd o herio'r sefyllfa.

2. *Defnyddio meddyliau ymdawelu ac ymdopi yn hytrach na hel meddyliau negyddol:* Dull arall yw newid meddyliau gofidus a hunan-siarad negyddol am feddyliau sy'n eich ymdawelu. Os byddwch yn meddwl am ddisgybl mewn ffordd elyniaethus ('Mae'n camymddwyn yn fwriadol am ei fod yn hoffi fy ypsetio') yna stopiwch feddwl fel hyn a cheisiwch hel meddyliau sy'n pwysleisio eich gallu i ymdopi. ('Dwi'n mynd i'w helpu i ddysgu rheoli ei hun. Mae hyn i fyny i mi' neu, 'Mae'n camymddwyn am nad yw ei deulu wedi dysgu sgiliau cymdeithasol iddo. Felly bydd raid i mi wneud hynny.')

3. *Neidio amser:* Y syniad yma yw meddwl yn fwy cadarnhaol drwy neidio neu symud ymlaen yn feddyliol at yr amser pan fydd y cyfnod o straen drosodd. Er enghraifft, gallech ddweud wrthych eich hun, ''Rwyf wedi cael disgyblion eraill fel hyn o'r blaen. Ar ôl imi ddilyn cynllun ymddygiad a'i weithredu'n gyson am rai wythnosau fe ddaethant yn llawer gwell.' 'Rydych yn derbyn y bydd y broblem ymddygiad a'ch teimladau isel neu flin yn diflannu gydag amser. Os yw'r disgybl yn camymddwyn am eich bod yn ei anwybyddu mae'n debyg y cymer rai munudau i'w stremp stopio. Os yw disgybl yn ymateb i sefyllfa o straen yn y cartref, megis ysgariad neu wahanu, bydd y cyfnod gwella yn hirach o lawer. Fodd bynnag, mae'n bwysig cydnabod y bydd y problemau'n lleihau wrth i'r misoedd fynd heibio. Mae'r dull 'neidio amser' yn adnabod teimladau o straen ac yn eich atgoffa nad yw poen seicolegol yn angheuol!

Gellwch hyd yn oed atgoffa eich disgyblion mai problem dros dro yw hon. Gallech ddweud wrth blentyn 7 oed sy'n teimlo'n rhwystredig am ei fod yn methu darllen, 'Fe fyddi di'n gallu darllen amser yma flwyddyn nesaf. Bydd hynna'n ardderchog!' Neu enghraifft arall, 'Mae'n amser caled ar hyn o bryd ond bydd pethau'n gwella cyn bo hir.'

4. *Meddwl a mynegi meddyliau hunan ganmol:* Pedwaredd ffordd o feddwl yn fwy cadarnhaol yw canmol eich hun am eich llwyddiannau. Mae llawer o bobl nad ydynt yn canmol eu hunain am y pethau a wnânt, yn arbennig am y gwaith anodd o addysgu plant. Yna, maent yn bychanu eu hunain pan aiff pethau o chwith. Cofiwch y pethau da a gyflawnwyd gennych bob dydd.

*5. Hiwmor:* Mae hiwmor yn helpu i leihau dicter ac iselder. Peidiwch â chymryd eich hun ormod o ddifrif. Fe allech ddweud wrthych eich hun yn hwyliog, tra'n bygwth danfon eich disgyblion i'r lleuad am beidio gwrando, 'O ie,'rwy'n berffaith. Dydw i byth yn colli fy nhymer!' Bydd chwerthin am eich pen eich hun yn eich helpu i ymdawelu a meddwl am y sefyllfa'n fwy rhesymol. Fe allech hyd yn oed gadw llyfr jôcs ar eich desg i droi ato pan fo tensiynau yn y dosbarth.

*6. Modelu dulliau dygymod drwy hunan-siarad a hunan ganmol:* Wrth i chi ddysgu defnyddio meddyliau ymdopi a hunan ganmol wrth wynebu problem, ceisiwch ddweud y pethau hyn yn uchel. Mae athrawon yn fodelau cryf i'w disgyblion. Yn ystod y dydd mae llawer iawn o gyfleoedd i athrawon fodelu eu hunain ar lafar i'w disgyblion drwy ddweud sut y bu iddynt feddwl ac ymdopi gyda sefyllfa anodd. Drwy sylwi ar yr ymatebion hynny bydd disgyblion maes o law yn dysgu eu defnyddio hefyd.

**Enghreifftiau o feddyliau ymdawelu, ymdopi a hunan ganmol**
- Biti ei fod o'n ymddwyn fel yna. Ond mi fedra'i ddelio hefo'r sefyllfa.
- Fy ngwaith i yw aros yn dawel a'i helpu i ddysgu ffyrdd gwell o ofyn am yr hyn a geisia.
- Gallaf ei helpu i ddysgu ffyrdd gwell o ymddwyn.
- Dim ond profi'r ffiniau y mae. Gallaf ei helpu i wneud hynny.
- Dydi hyn ddim yn ddiwedd y byd. Mae o'n blentyn galluog ac 'rwyf yn athro gofalgar. Fe lwyddwn i groesi'r bont yma.
- Dydi o ddim yn gwneud hynna'n aml bellach. Llithriad dros dro ydoedd.
- Ddylwn i ddim ei feio fo am fy niffyg amynedd. Fe siaradaf efo fo am hyn.
- 'Rwy'n gwneud fy ngorau i'w helpu i ddysgu ymddygiadau mwy positif.
- Gallaf ddatblygu cynllun i ddelio gyda hyn.
- Rhaid i mi ganolbwyntio ar y dasg a pheidio â chymryd hyn yn bersonol!
- Dydi o ddim wir yn deall ystyr y rhegfeydd a ddefnyddia. Dydw i ddim yn mynd i adael i hyn fy nghynhyrfu.
- Paid â bod mor galed arnat ti dy hun. Paid disgwyl perffeithrwydd. Cymer un cam ar y tro.
- Edrycha am y cadarnhaol, paid â neidio i ganlyniadau.
- 'Rydym yn llwyddo – mae pob dydd yn well na'r un cynt.

- Gallaf ymdopi.
- Ni all neb fy ngyrru'n benwan. Fi sydd i benderfynu.
- Gallaf reoli fy meddwl a'm dicter.
- 'Rwy'n athrawes dda.
- 'Rwy'n ymdrechu'n galed.
- Rhaid i mi ganolbwyntio ar y rheswm sylfaenol yn hytrach na'r niwsans sy'n cael ei achosi gan y camymddygiad.

Wrth gwrs fe fydd amseroedd pan fyddwch yn ei chael yn anodd defnyddio technegau hunan reoli. Peidiwch â phoeni – gallwch ddisgwyl cyfnodau o lithro'n ôl a phroblemau. Byddwch yn gwella eich techneg wrth ymarfer. Meddyliwch yn nhermau un cam ar y tro a pheidiwch â dibrisio cynnydd graddol. Canmolwch eich *ymdrechion.* Gofynnwch i'ch hun a ddylech fod wedi mynd yn flin yn y lle cyntaf? A pheidiwch ag anghofio canmol eich hun am fod yn barod i fentro.

**Deunydd darllen**

Seligman, M. (1990) *Learned Optimism*, Sydney: Random House.

# Gweithio gyda rhieni

## Pam ei bod yn bwysig i athrawon gydweithio a ffurfio partneriaethau gyda rhieni

Mae cefnogaeth eang i gynnwys rhieni o fewn y broses addysgu plant. Deillia hyn o dystiolaeth bendant fod cael teuluoedd i ymwneud â'r broses yn cael effeithiau cadarnhaol ar gyrhaeddiad academaidd a galluoedd cymdeithasol plant, ac ar ansawdd yr ysgol. Llyfr sy'n cael ei ganmol yn fawr yw *New Generation of Evidence: The Family Is Critical to Student Achievement*. Agora'r llyfr hwnnw drwy ddweud, 'Mae'r dystiolaeth yn awr y tu hwnt i bob amheuaeth. Pan fo ysgolion yn cydweithio gyda rhieni i gefnogi dysgu, mae plant yn dueddol o lwyddo – nid yn unig yn yr ysgol ond drwy gydol eu hoes.' (Henderson and Berla). Sylweddola ysgolion fod cefndiroedd diwylliannol, amgylchiadau economaidd ac awyrgylch cartrefi disgyblion yn gallu dylanwadu'n fawr ar eu gallu i addasu i ysgol, ac ar eu cyraeddiadau yno. Maent yn canfod y byddant yn diwallu anghenion eu disgyblion orau drwy gadw'r teulu'n fwy canolog a chanolbwyntio mwy ar anghenion emosiynol a chymdeithasol y plant yn ogystal â'u hanghenion academaidd. Mae rhai ysgolion arloesol yn darparu gwasanaethau anacademaidd i blant a'u teuluoedd, megis cynnal dosbarthiadau addysgu rhieni gydag ystafelloedd adnoddau ar eu cyfer. Byddant yn cynnal cyrsiau i rieni ar gyfer bod yn gymorthyddion dosbarth, dosbarthiadau yn arwain at Ddiploma a gweithdai hyfforddiant tuag at gyflogaeth. Bydd hefyd ddosbarthiadau arbennig i helpu plant ddysgu sgiliau cymdeithasol priodol, dysgu datrys problemau a strategaethau rheoli dicter. Mae ysgolion o'r fath yn dangos fod y berthynas rhwng y cartref a'r ysgol yn dechrau newid mewn ffyrdd sylfaenol.

Ond er y dystiolaeth o'r effeithiau cadarnhaol y mae ymwneud rhieni ag addysg yn ei gael ar berfformiad academaidd disgybl, mae'r posibiliadau'n parhau i gael eu hanwybyddu i raddau helaeth iawn gan lawer o ysgolion. Nid yw llawer o athrawon yn systematig yn annog teuluoedd i ymwneud ag addysg a ffurfio partneriaethau gyda nhw. Ac nid yw rhieni bob amser yn cymryd rhan, hyd yn oed pan anogir hwy i wneud hynny. Mae rhwystrau sylweddol yn gwneud ysgolion yn amharod i gynnwys teuluoedd. Y rhwystr cyntaf sy'n gwneud i athrawon ymwrthod â chyfraniad rhieni yw teimlad nad oes ganddynt hwy fel athrawon ddigon o amser. Credant eu bod dan ormod o bwysau oherwydd galwadau'r dosbarth i ymwneud â rhieni. Mae dosbarthiadau mawr yn gwneud i athrawon gredu mai ychydig o amser sydd ganddynt i'w dreulio gyda disgyblion unigol, heb sôn am eu rhieni. Hefyd, yn arbennig yng ngoleuni gofynion sy'n pwyso ar amser ac egni athrawon, efallai y credant na fuasai'r rhai sy'n gyfrifol am reoli'r ysgol yn cefnogi eu hymwneud â theuluoedd.

Ail rwystr i rieni ymwneud ag addysg plant yw camddealltwriaeth rhwng athrawon a rhieni. Efallai bod athrawon yn credu nad oes gan rieni'r diddordeb na'r cymhwyster i gymryd rhan yn addysg eu plant. Gall y rhieni hwythau deimlo'n ofnus wrth siarad â rheolwyr yr ysgol a theimlo nad oes ganddynt wybodaeth a allai fod o gymorth. Efallai fod y rhieni wedi cael profiadau negyddol eu hunain yn yr ysgol, a hynny'n eu harwain at fod â theimladau negyddol tuag at ysgolion, a diffyg ymddiriedaeth mewn athrawon. Mae'r newidiadau mewn patrymau demograffig a chyflogaeth weithiau'n milwrio ymhellach yn erbyn datblygiad partneriaethau cryf rhwng cartref ac ysgol. Fel y mae'r boblogaeth yn dod yn gynyddol o amrywiol gefndiroedd ethnig, efallai fod rhieni'n dod o wahanol gefndiroedd diwylliannol ac economaidd, a hynny weithiau'n arwain at werthoedd a chredoau gwrthgyferbyniol. Gall teuluoedd o gefndiroedd difreintiedig a lleiafrifol wynebu rhwystrau iaith a llythrennedd, a gallant fod allan o gyrraedd cludiant i'r ysgol ac oddi yno. Hwyrach nad oes ganddynt brofiad o ofyn cwestiynau i athrawon, a'u bod yn ofni mynychu cyfarfodydd yn yr ysgol fin nos os ydynt yn byw mewn ardaloedd penodol. Gall rhieni o'r fath fod wedi eu llethu gan gymaint o straen yn eu bywydau fel nad oes ganddynt ynni i ymwneud ag addysg eu plant. Mae hefyd nifer cynyddol o deuluoedd sydd â'r ddau riant yn gweithio neu deuluoedd o rieni sengl sy'n gweithio hefyd, a hynny'n golygu bod gan rieni lai o amser i'w dreulio'n ymwneud ag ysgol. Mae rhwystrau o'r fath, boed yn ddiffyg hyder, tlodi, ysgariad, salwch neu straen yn y gwaith, yn cyfrannu tuag at ddiffyg ymwneud rhieni gydag athrawon. Yn anffodus, mae hyn hefyd yn cryfhau dirnadaeth negyddol athrawon nad oes gan rieni ddiddordeb mewn ffurfio partneriaethau gyda nhw.

Trydydd rhwystr yw nad oes gan rai athrawon yr hyder na'r sgiliau i wybod sut i gyd-weithio gyda theuluoedd (Epstein 1992). Efallai na pharatowyd athrawon yn ddigonol ynglŷn â materion teuluol, ffyrdd o gynnwys rhieni, sut i gynnal cynadleddau rhieni llwyddiannus a strategaethau cyfathrebu a thrafod (Burton 1992). Mae astudiaethau wedi dangos mai prin yw'r sylw a roddir i ddulliau o adeiladu perthynas a phartneriaeth gyda rhieni, o fewn rhaglenni hyfforddi athrawon (Chavkin 1991). I gyflawni hyn yn effeithiol mae athrawon angen sgiliau penodol a gwybodaeth ac agweddau cadarnhaol tuag at gyfranogiad teuluoedd. Maent angen hyfforddiant ynglŷn â chynnwys rhieni, gyda phwyslais ar gael mwy o gyswllt na'r hyn sy'n digwydd yn arferol mewn cyfarfodydd rhieni ac athrawon. Dylai'r hyfforddiant hwnnw gydnabod fod teuluoedd angen cymorth ychwanegol (e.e. dosbarthiadau addysgu rhieni a gwasanaethau cefnogi) ynghyd ag anogaeth i deuluoedd gefnogi eu plant yn yr ysgol. Awgryma'r dystiolaeth fod cymorth o'r fath yn hanfodol i lawer o rieni difreintiedig a rhai sydd o gefndiroedd lleiafrifol, yn arbennig y rhai sy'n aml yn cael ymwneud ag ysgol yn frawychus ac yn weithred anodd.

Er mwyn i athrawon gyd-weithio'n llwyddiannus gyda rhieni mae angen iddynt adnabod gwerth cynhenid rhieni fel rhai'n cyfrannu tuag at addysg eu plant. Rhaid i athrawon fod yn barod i estyn allan ymhellach na'r hyn a fu'n arferol o fewn eu rôl draddodiadol. Canlyniad cael partneriaeth lwyddiannus rhwng athrawon a rhieni fydd datblygu rhaglenni addysgol i'r disgyblion wedi eu selio ar ddeall anghenion emosiynol ac academaidd pob disgybl. Bydd llai o straen ar athrawon hefyd wrth iddynt deimlo'u hunain yn cael eu gwerthfawrogi a'u cefnogi gan deuluoedd y plant yn eu gofal.

## Ffyrdd o hyrwyddo ymwneud â rhieni

### Dechrau cyn i'r ysgol gychwyn

Dylai ymdrechion i gynnwys rhieni ddechrau hyd yn oed cyn i'w plant gyrraedd yr ysgol. Mae angen i chi estyn allan i ddod i adnabod rhieni'n syth. Gellwch wneud hyn drwy ddanfon 'pecyn croeso' i'r holl rieni a'r disgyblion newydd, a gofyn i'r teuluoedd lenwi holiaduron ynglŷn â diddordebau a hoff weithgareddau plant a'u diddordebau hwythau. Os bydd plentyn sydd â hanes o anawsterau yn yr ysgol yn dod i'ch gofal bydd yn bwysig eich bod yn galw'r rhieni i mewn cyn i'r tymor gychwyn. Bydd cyfle i sefydlu deialog gadarnhaol, rhoi sicrwydd i'r rhieni o'ch consyrn, a mynegi hyder yn eich gallu i weithio gyda'r plentyn.

Cyn i'r tymor gychwyn dylech baratoi eich cynllun disgyblaeth ac anfon llythyr cyflwyniad i'r holl rieni, fydd yn cynnwys:

- eich athroniaeth ynglŷn â disgyblaeth (rheolau dosbarth, canlyniadau a gwobrau )
- gwybodaeth amdanoch chi fel athro
- eich ymroddiad i gynnwys rhieni
- eich polisi gwaith cartref
- sut a phryd i gysylltu â chi
- gwahoddiad i'r cyfarfod rhieni cyntaf

**Danfon llythyrau adref a gwneud galwadau ffôn cadarnhaol**

Dechreuwch ddanfon negeseuon adref am ymddygiad da plentyn ar ddechrau'r flwyddyn. Ffoniwch rieni i sôn wrthynt am rywbeth arbennig y mae eu plentyn wedi'i gyflawni, neu rannu gyda nhw eich teimladau am ymddygiad cadarnhaol y disgybl. Gofynnwch i'r rhiant rannu cynnwys yr alwad ffôn gyda'r plentyn. Pan fyddwch yn cymryd amser i adeiladu cronfa o deimladau cadarnhaol gyda rhieni, deuant i sylweddoli gymaint yr ydych yn ei fuddsoddi yn addysg eu plentyn. Unwaith y byddwch wedi sefydlu perthynas gadarnhaol gyda rhieni byddant yn llawer parotach i wrando os bydd angen i chi eu galw i mewn i drafod rhyw gonsyrn yn nes ymlaen yn ystod y flwyddyn.

Mae'r mwyafrif o rieni'n dweud mai'r unig amser y byddant yn clywed oddi wrth athrawon yw pan fydd problem, neu yn ystod cyfarfodydd rhieni ac athrawon. Pan fydd cyfathrebu'n ffurfiol neu'n negyddol mae'n hawdd gweld pam fod partneriaethau gyda rhieni'n methu. Dylech fanteisio ar bob cyfle i ddangos eich gofal i deuluoedd (e.e. danfonwch gardiau pen-blwydd adref, gwybodaeth am wobrwyon arbennig, cardiau 'brysiwch wella', llythyrau diolch, a galwadau ffôn newyddion da). Mae'n syniad da cadw cofnod o alwadau ffôn cadarnhaol a llythyrau, i sicrhau eich bod wedi cyfathrebu'n rheolaidd gyda rhiant pob plentyn yn eich dosbarth. Gwnewch yn siŵr hefyd eich bod, drwy daflenni newyddion a nodiadau personol, yn cydnabod y rhieni sy'n eich helpu drwy gynnig amser gwirfoddol yn y dosbarth, drwy ymuno â chi ar dripiau maes a thrwy gyfrannu rhoddion a llawer mwy.

**Newyddlen wythnosol**

Byddwch yn ennill cefnogaeth gynyddol oddi wrth rieni os darparwch wybodaeth ar eu cyfer am y cwricwlwm a'r hyn sy'n digwydd yn yr ysgol. Danfonwch newyddlen wythnosol adref yn sôn wrth y rhieni am y gweithgareddau yn y dosbarth yr wythnos honno ac yn eu hatgoffa am ddigwyddiadau arfaethedig. Yn y newyddlenni yma gellwch wahodd rhieni i alw heibio'r ysgol ac awgrymu ffyrdd y gallant helpu yn y dosbarth yr wythnos honno. Gwnewch yn siŵr eich bod yn cyfieithu'r newyddlenni i ieithoedd eraill ar gyfer teuluoedd nad ydynt yn siarad Cymraeg na Saesneg.

**'Cinio bocs bwyd' – cyfle i gynnwys rhieni**

Yn ogystal â nosweithiau 'dychwelyd i'r ysgol' ar ddechrau'r flwyddyn a'r cyfarfodydd arferol a drefnir i adolygu cynnydd plentyn, mae hefyd yn bwysig sefydlu cyfleoedd anffurfiol a rheolaidd i rieni gysylltu gydag athrawon. Bydd rhai athrawon yn trefnu 'cinio bocs bwyd' unwaith neu ddwywaith y mis gyda'r rhieni. Yn ystod y cyfnodau yma bydd unrhyw riant yn cael ymuno gyda'r athro gan ddod â bocs bwyd, a chael sesiwn cwestiwn ac ateb anffurfiol dros ginio.

### Ymweliadau cartref

Mae'n debyg mai ymweliad cartref yw'r ffordd fwyaf personol i athro ddangos gofal a chonsyrn am ddisgybl. I riant mae'n gyfle i gyfarfod yr athro mewn amgylchedd cyfarwydd. I'r disgybl, mae'n gyfle i weld fod ei riant a'i athro'n cydweithio. Ac i'r athro, bydd yr ymweliad yn rhoi gwell trosolwg o fywyd teulu'r disgybl ac yn cyfrannu tuag at berthynas bositif a chryf.

### Grwpiau addysgu rhieni

Mewn rhai ysgolion mae athrawon yn ymuno gydag arbenigwyr megis nyrsys ysgol a seicolegwyr addysg i gynnig cyfarfodydd addysgu rhieni. Mae'r cyfarfodydd yma'n gyfle i chi ddatblygu cynlluniau ar y cyd gyda rhieni i gwrdd ag anghenion disgyblion. Maent hefyd yn helpu rhieni i ddeall y ffyrdd y gallant gefnogi addysg eu plant drwy weithio gyda nhw yn y cartref. Mae grwpiau rhieni yn gyfrwng hefyd i rieni ddod i adnabod athrawon, i fynegi eu pryderon, a sôn am sefyllfaoedd teuluol a all fod yn dylanwadu ar agweddau emosiynol, cymdeithasol ac academaidd ar addysg eu plant. Pan fo grwpiau rhieni'n cynnwys athrawon fel cyd-arweinwyr, datblygir partneriaethau hirdymor a fydd yn grymuso rhieni ac athrawon, yn ogystal â'r plant.

## Creu partneriaeth rhwng athro a rhiant

Mae'r berthynas ddelfrydol rhwng athro a rhiant wedi ei selio ar bartneriaeth gydweithredol. Dyma'r gwrthwyneb i drefn awdurdodol lle mae athrawon, ar sail eu gwybodaeth dybiedig, yn arbenigwyr sy'n rhannu cyngor neu orchmynion i rieni. Mae 'cydweithio' yn awgrymu perthynas ddwy ffordd rhwng rhieni ac athrawon, perthynas sy'n defnyddio gwybodaeth, cryfderau a safbwyntiau ei gilydd yn gytbwys gan ystyried pawb yr un mor bwysig â'i gilydd. Mae gan yr athro fwy o wybodaeth am egwyddorion addysgu, cwricwlwm ac anghenion dysgu plentyn, tra bo'r rhiant yn gwybod mwy am anian y plentyn, yr hyn mae'n ei hoffi neu beidio, a'i anghenion emosiynol. Mae cydnabod arbenigedd y naill a'r llall yn creu perthynas rhwng rhieni ac athrawon sy'n barchus a chefnogol o'i gilydd. O fewn y model yma o beidio gweld bai a pheidio ag ymddwyn yn awdurdodol, mae'r athro'n hyrwyddo cydweithrediad drwy adfyfyrio, crynhoi awgrymiadau rhieni, atgyfnerthu, cefnogi a derbyn, gyda hiwmor ac optimistiaeth. Bydd yr athro'n annog rhieni i gymryd rhan a bydd yn rhannu awgrymiadau a chysyniadau dysgu gyda nhw.

---

### Enghraifft o gyfarfod 'Adnabod ein gilydd' i athrawon a rhieni a gynhelir ym mis Medi

**Athro:** Helo Ms Jones. Ms Parks ydw i. Diolch am ddod i mewn inni gael adnabod ein gilydd. Rwyf wedi mwynhau gweithio gyda Takisha yn ystod pythefnos cyntaf y tymor ysgol. (*Cydnabod ymdrech y rhieni i ddod i'ch cyfarfod*)

**Rhiant:** Mae'n dda cael eich cyfarfod yn gynnar yn y flwyddyn fel hyn. Mae Takisha wedi bod yn dweud wrthyf gymaint mae'n mwynhau Amser Cylch. Mae mor frwdfrydig ynglŷn ag Amser Cylch fel mai ychydig iawn ydw i'n clywed am weddill y diwrnod. Mi fyddwn i wrth fy modd yn clywed beth arall sy'n digwydd, fel fy mod yn gallu holi cwestiynau am y pethau yma hefyd.

**Athro:** Rydym yn cychwyn y diwrnod gydag Amser Cylch. Mae'n gyfle da i'r plant siarad amdanynt eu hunain. Byddwn yn trafod y calendr a'r tywydd, a dydd Gwener yw diwrnod dangos a rhannu Takisha. (*Egluro trefn y diwrnod*)

**Rhiant:** Mae'n dda cael gwybod hynna. Doeddwn i ddim yn gwybod y gallai ddod a phethau i mewn i'r ysgol i'w rhannu.

**Athro:** Dwi'n hoffi i'r plant ddod â rhywbeth i'r ysgol – rhywbeth sydd heb fod yn ddrud, megis llyfr y buont yn ei ddarllen, neu degan bach, neu rywbeth a gawsant yn ystod ymweliad. Mae croeso i chi ddod i mewn hefyd. (*Croesawu'r rhiant i'r dosbarth*)

**Rhiant:** Mae gan Takisha gerrig bach a gasglodd ar lan y môr. 'Rwy'n siŵr yr hoffai ddod â'r rheiny i'r ysgol.

**Athro:** Dyna syniad da. Ar ôl Amser Cylch mae'r plant yn cael dewis eu 'hardal' gyntaf. Mae gweithgareddau'n ymwneud â darllen a mathemateg cynnar ym mhob ardal.

**Rhiant:** Ys gwn i pa ardal fydd Takisha yn dewis mynd iddi? Dydi hi ddim wir yn gallu darllen na gwneud mathemateg.

**Athro:** Dwi wedi sylwi ei bod yn hoffi'r bwrdd darganfod. Yn yr ardal yma mae bocsys yn cynnwys arian, cerrig a blociau, ac mae'r plant yn cael cyfrif, gwneud patrymau a dosbarthu'r amrywiol wrthrychau. Mae'n ymddangos fel mai dim ond chwarae mae'r plant, ond mewn gwirionedd maen nhw'n prysur ddod yn gyffyrddus gyda'r cysyniad o rifau. Wedi cyfnod yn yr ardal gyntaf bydd y plant yn cael cyfle i newid drosodd a chael profiadau mewn ardaloedd eraill. Yna, rydym yn cael tamed i'w fwyta ac 20 munud yn chwarae allan.

**Rhiant:** Mae Takisha weithiau'n swil gyda phlant ein cymdogion. Ydi hi'n gwneud ffrindiau yma yn ystod amser chwarae rhydd ac egwyl?

**Athro:** Dydw i ddim wedi sylwi ar unrhyw broblemau, ond diolch i chi am adael i mi wybod. Mi wna i gadw golwg ar bethau. Os yw'n cael unrhyw broblem byddaf yn gadael i chi wybod, ac wedyn fe allwn drafod sut i'w helpu. Ar hyn o bryd mae'n ymuno gyda'r lleill yn dda. *(Cydnabod pryderon y rhiant a gadael iddi wybod y bydd yn cyd-weithio gyda hi ynglŷn â phroblem bosib)*

**Rhiant:** Sut fedra i helpu Takisha i wneud yn dda eleni?

**Athro:** Yn ystod yr wythnos nesaf byddaf yn danfon rhestr o lyfrau adref i'r rhieni ddarllen gyda'u plant. Byddai'n ardderchog pe gallech chi a Takisha ddarllen gyda'ch gilydd am 10 munud bob nos. Mae yna lyfrau yn y dosbarth os hoffech gael eu benthyg, neu mae'r rhan fwyaf o'r llyfrau ar gael i'w benthyg yn y llyfrgell. Wrth ddweud 'darllen gyda'ch gilydd' rwy'n golygu eich bod chi yn darllen iddi hi, neu eich bod yn edrych ar y lluniau efo'ch gilydd, ac yn sgwrsio am y pethau sy'n digwydd yn y lluniau. Does dim angen i chi fynnu ei bod yn seinio'r geiriau. Gwnewch y cyfan yn hwyl, yn amser pleserus i chi a'r plentyn. *(Mae'n rhannu rhywbeth y gall y rhiant ei gyflawni yn y cartref i gefnogi dysgu'r plentyn)*

**Rhiant:** Bydd hynna'n hawdd, mae hi wrth ei bodd yn edrych ar lyfrau â lluniau ynddynt. Diolch i chi am roi eich amser i gwrdd â fi. Os oes yna rywbeth y gallaf ei wneud i helpu, neu os oes unrhyw beth y dylwn ei wybod am gynnydd Takisha, cofiwch roi galwad i mi.

**Athro:** Roedd yn hyfryd cwrdd â chi. 'Rwy'n gwybod eich bod yn gweithio'n llawn amser, ond os bydd yna unrhyw ddiwrnod yr hoffech ddod i mewn i'r ysgol i weld beth sy'n digwydd neu helpu yn y dosbarth, byddwn wrth fy modd yn eich croesawu yma. Rwy'n meddwl y bydd Takisha'n cael blwyddyn dda yn y dosbarth meithrin.

# Cyfathrebu effeithiol gyda rhieni:
## Awgrymiadau ar gyfer trefnu cyfarfodydd llwyddiannus

Yr allwedd i sicrhau cydweithrediad llwyddiannus gyda rhieni yw bod yr athro'n defnyddio sgiliau cyfathrebu, datrys problemau a thrafod effeithiol. Mae'r drafodaeth sy'n dilyn yn cynnwys rhai o'r rhwystrau i gyfathrebu effeithiol rhwng athrawon a rhieni, a rhai ffyrdd o'u goresgyn.

### Cynnwys rhieni o'r cychwyn – siarad plaen

Boed hynny'n digwydd yn ystod yr wythnos gyntaf neu hyd yn oed ar y diwrnod cyntaf yn yr ysgol, mae angen i athrawon gysylltu â rhieni cyn gynted ag y deuant yn ymwybodol fod problem academaidd neu ymddygiadol gan blentyn. Mae hyn yn greiddiol i gael cydweithrediad llwyddiannus gyda theuluoedd. Weithiau, bydd athrawon yn ceisio osgoi gwrthdaro, anghytundeb neu anghymeradwyaeth rhieni drwy beidio siarad gyda nhw am broblemau dysgu neu ymddygiad eu plant. Hwyrach y byddant yn osgoi trefnu cyfarfodydd gyda'r rhieni a gofyn am eu cymorth yn y gobaith y bydd y plentyn yn gwella neu'r anhawster yn diflannu ohono'i hun gydag amser. Yna, os bydd y plentyn yn parhau i gam-ymddwyn, efallai y bydd athrawon yn storio gofidiau. Er nad ydynt wedi galw am gymorth y rhieni, hwyrach y byddant yn dechrau rhoi'r bai ar y rhieni am y cam-ymddwyn. Mae'r athro yn yr enghraifft ganlynol yn amlwg wedi bod yn storio llawer o ofidiau.

*Athro:* Dyna ddigon! 'Rwyf wedi trio'n galed am dri mis gyda'r plentyn yma. Does dim byd yn helpu. Alla i ddim gwneud hyn gyda dosbarth mawr. Dwi'n cael dim cefnogaeth gan y rhieni. Dydw i byth yn gweld y rhieni yn yr ysgol a dydw i ddim yn meddwl eu bod nhw'n poeni. Os nad ydyn *nhw'n* poeni, pam ddylwn i?

Mae llawer o resymau pam y dylai athrawon siarad yn blaen a chysylltu gyda rhieni pan fyddant yn gweld yr arwydd cyntaf o broblem. Yn gyntaf, os na fyddwch yn cynnwys y rhieni wrth gynllunio i ddelio â phroblem ymddygiad plentyn, hwyrach y byddwch yn dechrau teimlo'n ddig wrth y rhieni am eu methiant i adnabod eich ymdrechion. (Wrth gwrs, ni allant eich cefnogi os nad ydynt yn gwybod am yr hyn a wnaethoch). Yn ail, drwy gynnwys rhieni yn gynnar yn y cynllunio, hwyrach y byddwch yn canfod fod ffactorau teuluol eraill wedi dylanwadu ar gamymddygiad y plentyn, megis ysgariad, marwolaeth yn y teulu, neu unrhyw argyfwng teuluol arall. Bydd deall amgylchiadau teuluol y plentyn yn eich helpu i osod ei ymddygiad ef (a'i deulu) mewn cyd-destun. Yna, gallwch ganolbwyntio ar gynyddu ei deimladau o ddiogelwch yn yr ysgol, beth bynnag yw'r sefyllfa gartref. Yn drydydd, os byddwch yn aros yn rhy hir cyn siarad gyda'r rhieni, gallwch ganfod pan fyddwch yn gwneud hynny eich bod yn flin efo nhw, a hwythau'n flin efo chi, am oedi mor hir cyn sôn wrthynt am y broblem. Gall hyn niweidio ymdrechion i gydweithio yn y dyfodol. Un o'r cwynion mwyaf cyffredin ymysg rhieni yw bod athrawon yn aros yn rhy hir cyn cysylltu â nhw ynglŷn â phroblem yn yr ysgol.

Weithiau, nid yw athro'n siarad yn blaen gyda rhieni oherwydd ei fod yn ofni cael ei gosbi neu ei feirniadu gan y rhieni am beidio bod yn athro cymwys. Gall yr athrawon yma feddwl ei fod yn arwydd o fethiant os ydynt yn gorfod gofyn neu gyfaddef wrth riant fod arnynt angen eu cymorth i reoli problemau plentyn. Efallai eu bod yn credu yn y myth o 'athro da,' hynny yw, y dylai athrawon da ddelio gyda holl broblemau eu disgyblion ar eu pennau eu hunain heb gymorth y rhieni. Mewn gwirionedd, y gwrthwyneb sy'n wir. Yr athro mwyaf cymwys yw'r un a fydd yn cynnwys y rhieni o'r dechrau er mwyn cyd-gynllunio i ddelio ag anawsterau plentyn.

*Galw rhieni a chynnig dewis o amseroedd cyfarfod*
Os oes problem dylai athro yn y lle gyntaf alw'r rhieni a threfnu i'w cyfarfod. Gwnewch bob ymdrech i gysylltu â'r rhieni (mamau a thadau) a pheidiwch â stopio ar ôl ceisio unwaith neu ddwy. Os na ellwch gysylltu â nhw yn y cartref, danfonwch lythyr (neu lythyr cofrestredig) atynt yn gofyn iddynt gysylltu â chi. Os na ellwch gysylltu â nhw drwy alwad ffôn na llythyr, ceisiwch gysylltu â nhw yn y gwaith. Codwch y ffôn gan wybod ei bod yn ddyletswydd broffesiynol arnoch i wneud hynny. (A fyddai meddyg yn oedi cyn ffonio rhiant ynglŷn â phroblem feddygol?)

Unwaith y byddwch yn llwyddo i gysylltu gyda rhiant, siaradwch gydag agwedd gadarnhaol a gofalgar gan egluro eich bod wedi cysylltu oherwydd eich consýrn am y plentyn. Yn gryno, dywedwch pam eich bod yn dymuno cwrdd. Er enghraifft, 'Rwy'n cysylltu am fy mod yn bryderus am y ffordd y mae Jessie'n dod ymlaen gyda'r disgyblion eraill.' Dywedwch wrth y rhieni eich bod wedi gweithredu'n barod i geisio helpu Jessie, ond y byddech yn hoffi gwybod ganddynt a oes unrhyw beth arall a allai ei helpu. Mynegwch hyder y byddwch yn gallu cydweithio gyda'ch gilydd i ddatrys y broblem. Cynigiwch wahanol amseroedd cyfarfod i'r rhieni (yn ystod y dydd a gyda'r nos). I rai rhieni sydd dan bwysau mawr, hwyrach y byddai'n fanteisiol cynnal y cyfarfodydd yn eu cartref.

*Croesawu rhieni*
Gall eich cyswllt cychwynnol wrth groesawu'r rhieni fod yn allweddol i lwyddiant y cyfarfod. Cychwynnwch bob cyfarfod ar amser gan ddechrau drwy ddiolch i'r rhieni am roi o'u hamser. Nodwch gyda'r rhieni yr amser a glustnodwyd gennych ar gyfer y cyfarfod hwn. Er enghraifft, 'Rwy'n falch eich bod wedi gallu dod. Mae gennyf awr o amser wedi ei glustnodi. Ydi awr yn iawn hefo ch?'

*Defnyddio negeseuon 'fi' yn hytrach na 'chi'*
Mae negeseuon 'fi' yn cyfathrebu'r hyn mae'r athro ddymuno neu'r hyn y mae'n ei feddwl. Mae negeseuon o'r fath yn ddull o siarad yn blaen heb gael effaith ddinistriol. Mae negeseuon 'chi' yn dueddol o weld bai, beirniadu a barnu, ac yn aml maent yn creu dicter a chywilydd. Os meddyliwch am eich ymateb chi pe baech yn derbyn y sylwadau canlynol, fe welwch pam fod negeseuon 'fi' yn debycach o ennyn cydweithrediad.

*Athro wrth riant*: Mae eich plentyn bob amser yn hwyr yn cyrraedd yr ysgol ac mae wedi colli llawer o ddyddiau. Beth sy'n digwydd? Pam na ellwch ei gael i'r ysgol yn y boreau? (*Rydych yn canolbwyntio ar weld bai ar y rhiant*)

*Yn hytrach:* Dwi'n bryderus fod Carla'n cyrraedd yn hwyr yn y bore ac yn colli cymaint o ysgol. Tybed oes yna ffordd y gallwn ni gydweithio i helpu i'w hysgogi i ddod i'r ysgol ar amser. (*Neges 'fi' yn canolbwyntio ar deimladau'r athro a'r awydd i newid*)

*Athro wrth riant:* Mae Dan yn creu problemau mawr yn y dosbarth yma. Mae'n taro plant eraill ac mae rhieni eraill yn cwyno. Mae o yn wyllt, aflonydd ac anghyfrifol. Dydw i ddim yn gallu mynd ymlaen â'r dysgu. Beth sy'n digwydd adref efo Dan? ( *Neges 'fi' yn canolbwyntio ar feirniadu plentyn*)

*Yn hytrach*: Dwi'n bryderus fod Dan yn taro yn y dosbarth. Mi hoffwn i weithio gyda chi i ddatblygu cynllun fydd yn ei helpu i fod yn fwy parod i gydweithio. (*Neges 'fi' yn canolbwyntio ar gonsyrn a dymuniadau'r athro*)

*Athro wrth riant:* Dydw i ddim yn hapus o gwbl efo'r cynnydd y mae Sally'n ei wneud gyda'i darllen.

*Yn hytrach:* Dwi'n bryderus am y modd y mae sgiliau darllen Sally'n datblygu.

*Cychwyn gyda datganiad o bryder*
Cychwynnwch eich cyfarfodydd drwy ddweud wrth y rhieni gymaint yw eich gofal am eu plentyn ac mai lles y plentyn yw eich prif gonsyrn. Bydd gosodiad cychwynnol o fynegi consyrn yn gosod y cywair ar gyfer y sgwrs gyfan.

*Bod yn gryno, yn glir ac yn benodol*
Er mwyn gallu siarad yn blaen rhaid i chi feddwl am y pethau penodol *yr ydych yn eu dymuno* yn hytrach na chanolbwyntio ar y negyddol, a'r pethau nad ydych yn eu dymuno. Unwaith y mae gennych syniad clir am y pethau a ddymunwch, dywedwch hynny'n gryno ac yn gadarnhaol. Nid oes angen trafod problemau'r plentyn drosodd a throsodd i brofi eich pwynt ynglŷn â pha mor anhrefnus ac anghyfrifol fu'r disgybl. Yn hytrach, disgrifiwch y broblem neu'r ymddygiad yn glir ac yn gryno a chanolbwyntiwch ar y canlyniadau cadarnhaol a ddymunir. Cyfeiriwch at y negeseuon 'fi' yn yr enghreifftiau blaenorol i weld y ffordd orau ymlaen. Osgowch ddisgrifio problemau'r plentyn gyda gosodiadau aneglur megis, 'Dydi hi ddim yn ymddwyn yn briodol,' neu 'Dydi ei hagwedd hi ddim yn dda,' ac osgowch sylwadau beirniadol megis, 'Mae eich plentyn yn hunanol,' neu 'Mae eich plentyn yn ddiog.' Dydi'r rhain ddim yn rhoi gwybodaeth ddefnyddiol, a bydd y rhiant yn cael ei dramgwyddo.

*Gofyn am adborth*
Weithiau, ni fyddwch yn siŵr a yw rhiant wedi deall eich safbwynt neu beidio. Mewn amgylchiadau o'r fath dylech ofyn, 'Ydw i'n gwneud synnwyr?' Mae hyn yn llawer mwy effeithiol na thraethu ymlaen ac ymlaen. Ac mae'n rhoi sicrwydd i'r rhiant fod deall y sefyllfa'n bwysig.

*Osgoi gormod o siarad plaen a dewis eich geiriau'n ofalus*
Nid yw eich awydd i siarad yn blaen yn golygu bod yn ansensitif ynglŷn â lle, pryd, neu sut y mynegwch eich teimladau. Yn gyntaf, mae'n bwysig eich bod yn gofyn i chi eich hun, 'Oes gen i asgwrn go iawn i'w grafu neu a ydw i mewn hwyliau drwg?' 'Ydw i'n gor-ymateb?' 'A oes gen i wir ddiddordeb mewn datrys unrhyw beth?'

*Disgrifio'r camau a gymerwyd i ddatrys problem*
Mae'n bwysig i rieni wybod eich bod wedi meddwl am y broblem yn barod, eich bod wedi gweithredu'n briodol i ddelio gyda'r sefyllfa, ac nad ydych yn eu galw nhw yn hytrach na datrys y broblem eich hun. Er enghraifft, fe allai'r athro ddweud, 'Rwyf wedi cael sgwrs gyda'ch mab ynglŷn â gweiddi allan a rhegi yn y dosbarth. Buom yn bwrw golwg dros gynllun rheolau disgyblaeth y dosbarth. Yn ogystal, 'rwy'n rhoi

sylw a chanmoliaeth ychwanegol iddo am siarad yn gwrtais. Ond hoffwn ofyn am eich cymorth chithau hefyd, a chyd-drefnu cynllun yn y cartref, os yw hynny'n bosibl.'

## Gwrando gweithredol – cael mewnbwn rhieni

Cwyn arall a fynegir yn aml iawn gan rieni am athrawon yw nad ydynt yn teimlo eu bod yn gwrando arnynt ac yn eu parchu. Yn anffodus, yn hytrach na gwrando a rhoi cyfle i rieni sôn am broblem eu plentyn, bydd athrawon weithiau'n ymateb i bryderon rhieni drwy dorri ar draws, gofyn cwestiynau, dadlau, beirniadu a chynghori. Bydd rhai rhieni'n adrodd eu bod yn cael eu hwynebu gan agwedd 'gwybod y cyfan', gydag athrawon yn pregethu wrthynt beth i'w wneud neu sut i deimlo. Prin yw'r bobl sy'n medru gwrando'n dda a deall y grym a all ddeillio o wneud hynny. Bob tro y bydd rhywun yn teimlo nad oes neb yn gwrando arno, mae'n debygol o ail-ddweud y broblem drosodd a throsodd neu dynnu'n ôl yn llwyr oddi wrth y berthynas. Yn yr enghreifftiau canlynol mae'r athrawon yn gwadu'r broblem neu'n rhoi cyngor rhy fyrbwyll:

*Rhiant wrth athro*:
*Rhiant:* Rwy'n cael amser rhwystredig iawn yn darllen efo Billy. Mae'n mynd yn lloerig pan fydda i'n ei gywiro. Dydi o ddim fel pe bai o eisiau darllen efo fi.
*Athro:* Wel, hwyrach na ddylech gywiro cymaint arno. (*Cynnig ateb ffwrdd â hi*)
neu
*Rhiant:* Nid yw'n ymddangos fod gan Billy unrhyw ffrindiau. Dydi o byth yn cael ei wahodd i bartïon pen-blwydd.
*Athro:* Peidiwch â phoeni. Mae'n digwydd i bob plentyn ryw dro. (*Gwadu'r broblem*)
neu
*Rhiant:* Rhaid i chi ddeall mai mam sengl ydw i. Dwi'n gweithio. Does gen i ddim amser i ddelio efo hyn.
*Athro:* Ydach chi ddim yn pryderu am eich plentyn? (*Gweld bai*)

Gwrando'n ystyriol yw un o'r ffyrdd mwyaf pwerus o gefnogi rhiant. Ond prin yw'r enghreifftiau o hynny'n digwydd oherwydd bod gan athrawon amserlenni mor brysur. Yn aml nid yw athrawon yn rhoi'r pwys priodol ar yr amser a dreuliant yn siarad gyda rhieni. Mae gwrando'n golygu gadael i riant siarad a mynegi teimladau neu syniadau, heb dorri ar eu traws. Nid yw gwrandawyr da'n oddefol, yn nodio'u pennau'n fecanyddol, neu'n gwrando wrth farcio papurau disgyblion. Yn hytrach, maent yn gwrando drwy wylio rhieni'n agos, gan ymateb yn briodol â'u hwyneb. Maent yn gofyn cwestiynau agored mewn ymdrech i ddeall y sefyllfa ac yn ystyried meddyliau a theimladau'r rhiant. Sut y gellwch chi fod yn wrandäwr effeithiol? Dyma rai cynghorion:

- Cynnal cyswllt llygaid (Peidio gwneud unrhyw dasg arall yr un pryd)
- Sicrhau nad oes unrhyw rwystrau corfforol rhyngoch chi a'r rhiant. Mae'n well eistedd wrth ymyl y rhiant neu mewn cylch. Peidiwch ag eistedd wrth eich desg gyda'r rhiant yn eistedd yr ochr arall.
- Rhoi cyfle i'r rhiant orffen siarad cyn ymateb.
- Gwrando ar gynnwys *a* theimlad yr hyn y mae'r rhiant yn ei ddweud (mae gan bob neges elfen o gynnwys, sef yr union wybodaeth sy'n cael ei chyfleu, ac elfen o deimlad, sef y neges ddi-eiriau.)
- Mynegi diddordeb drwy ofyn cwestiynau agored am y sefyllfa. Gofynnwch beth sy'n achosi'r problemau ym marn y rhiant.
- Rhoi adborth: crynhoi yn eich geiriau eich hun, gynnwys y neges a'r teimladau a fynegwyd gan y rhiant. Ni fyddwch, wrth ymateb fel hyn, yn mynegi barn am yr hyn a ddywedwyd gan y rhiant, ac nid ydych yn cytuno nac yn anghytuno â'r hyn a ddywedwyd. Yn syml, rydych yn rhoi gwybod i'r rhiant eich bod yn deall.
- Cadarnhau: ceisiwch weld y broblem o safbwynt y rhiant. Dywedwch wrth y rhiant eich bod yn gweld ei safbwynt yn un dilys. Gall cadarnhad fod yn gymorth i leihau'r bwlch a all fodoli rhwng rhiant ac athro. Mae'n bwysig cyfaddef fod yna syniadau sy'n wahanol i'ch rhai chi ac, mewn sefyllfa wahanol, y gallai safbwyntiau newid.
- Annog y rhiant i barhau.

*Nodwch:* Wrth gwrs mae'n bwysig i athrawon ystyried *pa bryd* y byddant ar gael i siarad â rhieni. Os yw'r athro'n cerdded allan i'r maes parcio, neu yng nghanol trefnu digwyddiad yn y dosbarth, neu ar frys i fynd adref, bydd yn anodd iddo gyfathrebu'n effeithiol. Dylai athrawon roi gwybod i rieni pa amseroedd sy'n gyfleus iddynt gysylltu â nhw ynglŷn ag anghenion eu plant.

Mae'r enghreifftiau sy'n dilyn yn dangos athro'n gwrando'n ofalus ar yr hyn y mae rhiant yn ei ddweud:

*Rhiant:* 'Rwy'n cael amser rhwystredig yn darllen gyda Billy. Mae'n mynd yn lloerig pan fydda i'n ei gywiro ac nid yw fel petai am i mi ddarllen efo fo.

*Athro:* 'Rwy'n falch eich bod wedi dod ataf am sgwrs ynglŷn â hyn. Mae'n rhaid eich bod yn teimlo'n rhwystredig oherwydd gwn mor awyddus yr ydych i'w weld yn llwyddo yn yr ysgol. Dywedwch fwy wrthyf am yr hyn sy'n digwydd pan fyddwch yn darllen gyda'ch gilydd. (*Cadarnhau'r teimladau a gofyn cwestiynau i ddeall y broblem*)

*neu*

Rhiant: Mae'n ymddangos nad oes gan Billy ddim ffrindiau. Dydi o byth yn cael gwahoddiad i unrhyw barti pen-blwydd.

Athro: 'Rwy'n falch o gael gwybod am hyn. Mae'n rhaid bod Billy'n teimlo'n unig iawn. Beth mae'n ei ddweud am ffrindiau yn yr ysgol? (*Adlewyrchu teimladau'r plentyn a chasglu mwy o wybodaeth*)

*neu*

Rhiant: 'Rwyf am i chi ddeall mai mam sengl ydw i. 'Rwy'n gweithio. Does gen i ddim amser i ddelio efo hyn.

Athro: 'Rwy'n deall mor llethol yw hyn i chi (*Dilysu teimladau*)

Ar yr achlysuron yma, roedd teimladau'r rhieni'n cael eu cadarnhau wrth i'r athro geisio gweld y broblem o'u safbwynt hwy.

Bydd rhai athrawon yn ceisio darllen meddyliau, gan gredu eu bod yn gwybod cymhellion a safbwyntiau rhieni, cyn ymchwilio yn gyntaf. Os byddwch yn cael eich hun yn ffurfio barn am feddyliau neu deimladau aelod tawel o deulu yn ystod cyfarfod, rhowch anogaeth iddo siarad. Gellwch wneud hyn drwy drafod ei ddiddordebau neu drwy drafod eich profiadau chi. Hwyrach y soniwch wrth riant am ryw agwedd ar reoli sefyllfaoedd gyda'ch plant eich hun os yw hynny'n berthnasol i'r sefyllfa. Wrth annog aelod o deulu sy'n gyndyn o gyfathrebu, mae'n bwysig eich bod yn eich rhoi eich hun yn sefyllfa'r person hwnnw. Meddyliwch am y ffordd y mae rhiant yn gweld sefyllfa a chadarnhewch y teimlad yma. Hwyrach y dywedwch, 'Fe alla i weld sut y mae hyn wedi brifo'ch teimladau,' neu, 'Fe fyddai hynny wedi gwneud i minnau deimlo'n flin hefyd,' neu, 'Ie, rwyf innau'n teimlo'n rhwystredig pan fydd fy mab yn gwneud yr un peth,' neu 'Mae'n rhaid bod y newid diwylliant yn gymysglyd iddo fo ac i chi.'

## Bod yn gwrtais ac yn gadarnhaol, gan feddwl a dewis eich geiriau'n ofalus

Wrth wrando mae'n bosibl y byddwch yn teimlo'n rhwystredig gyda rhieni y credwch nad ydynt yn ymddiddori yn eu plant nac yn ymwneud yn ddigonol â nhw. Hwyrach y byddwch yn anghytuno gyda'u dull o riantu, neu'n teimlo'n flin am y ffaith eu bod yn eich beirniadu chi. Er hynny, mae'n hanfodol eich bod yn aros yn gadarnhaol ac yn osgoi beirniadu'r rhieni. Bydd sarhau rhieni yn gwneud iddynt fynd yn amddiffynnol a theimlo dicter, drwgdeimlad, euogrwydd neu iselder. Bydd hefyd yn tanseilio eu gallu i gyfathrebu a datrys problemau'n effeithiol. Dyma enghreifftiau o athrawon yn sarhau neu fychanu:

*Athro wrth riant*: Mae eich disgyblaeth yn rhy galed.

*neu*

Pe baech yn treulio mwy o amser gyda'ch plentyn ni fyddai'n camymddwyn mor aml.

Mae ymddwyn mewn ffordd broffesiynol yn bwysig iawn i ddatrys sefyllfa'n effeithiol. Dylech wneud penderfyniad ymwybodol i fod yn gwrtais sut bynnag y bydd eraill yn ymddwyn. Dydi'r ffaith fod eraill yn hyf a blin ddim yn rheswm i'r athro ymddwyn felly hefyd. Fyddwch chi ddim bob amser yn teimlo'n gwrtais fodd bynnag – felly bydd raid i chi ystyried tipyn cyn siarad! Dyma rai awgrymiadau i'ch helpu i ddewis eich geiriau'n ofalus.

*Dywedwch beth a allwch ei gyflawni, a beth yr ydych eisiau ei gyflawni*
Peidiwch â son am yr hyn na allwch ei gyflawni.

*Rhiant wrth athro:*
*Rhiant:* Pam na ellwch wneud mwy o waith unigol gyda fy mab?
*Athro:* Fedra i ddim. Mae gen i 32 o blant, a phlant eraill gydag anghenion mwy dwys na'ch mab chi! Mae gen i gant a mil o bethau i'w gwneud, ac ni allaf roi'r amser i un disgybl. (*Mae'r ffocws yma ar yr hyn na all wneud, ac mae hynny'n creu gwrthwynebiad*)
*Neu:* Mi hoffwn i roi mwy o amser iddo. Hwyrach y gallaf roi sylw un i un iddo am 20 munud bob amser cinio dydd Gwener nes inni gael cyfle i ystyried cael help cymhorthydd dosbarth. (*Canolbwyntio ar yr hyn y gall ei wneud*)

*Canolbwyntio ar y cadarnhaol*
Peidiwch â lleisio cwynion am rieni. Dychmygwch sefyllfa lle'r ydych wedi cyflwyno cynllun ymddygiad yn yr ysgol gan ddanfon adroddiad dyddiol am ymddygiad y plentyn yn yr ysgol i'r rhieni. Mae'r rhieni wedi cytuno pan oeddent yn eich cyfarfod i greu siart sêr yn y cartref, a rhoi gwobr arbennig am bob deg adroddiad cadarnhaol y bydd y plentyn yn ei dderbyn gan yr athro. Fe sylweddolwch yn ddiweddarach na lwyddodd y rhieni i greu siart sêr. Rydych wedi rhoi llawer o egni i mewn i gyflwyno rhaglen y dosbarth ac yn teimlo'n flin iawn am ei bod yn cael ei thanseilio gan y rhieni. Dydych chi ddim mwyach yn teimlo

fel parhau i ffonio na danfon nodiadau adref nes bod y rhieni'n cyflawni eu rhan nhw o'r fargen.

Ond canlyniad meddwl o'r fath gan yr athro fydd creu gwrthdaro, gyda'r plentyn yn colli allan yn y pen draw. Mae'n bwysig nad yw athrawon yn cymryd methiant rhieni i gydweithio yn bersonol. Mae'n bwysig hefyd fod athrawon yn cymryd y cyfrifoldeb o barhau i weithredu'r cynllun ymddygiad, gan barhau i ddanfon negeseuon cadarnhaol i'r cartref a sicrhau fod y plentyn yn profi llwyddiant yn y dosbarth, boed y rhieni'n cefnogi yn y cartref neu beidio. Ar y dechrau, mae'n debyg na fyddwch yn teimlo fod eich ymdrechion yn weladwy i'r rhieni. Ond gydag amser hwyrach y gwelwch y rhieni'n ymwneud mwy fel y byddant yn dechrau ymddiried a gweld eich bod chi'n fodlon mynd y filltir ychwanegol i helpu eu plentyn. Ni ddylai addysg disgyblion ddod i ben oherwydd methiant eu rhieni i wneud eu rhan.

*Meddwl am anghenion a safbwynt y plentyn*
Os ydych yn canfod mai dim ond meddwl amdanoch eich hun yr ydych, yna rhowch derfyn ar hynny. Meddyliwch, yn hytrach, am anghenion eich disgybl neu'r hyn a all fod yn digwydd o fewn ei deulu. Er enghraifft, fe allech feddwl, 'Tybed a yw'r rhieni'n teimlo'n nerfus i ddod i'm gweld yn yr ysgol. Hwyrach y byddai'n well ganddynt ymweliad cartref?' neu, 'Gan fod mam Johnny dan gymaint o bwysau am ei bod yn dlawd ac yn rhiant sengl i bedwar o blant, dydw i ddim yn teimlo bod ganddi'r amser na'r egni i gyflawni'r siart sêr yn y cartref na ffeindio sticeri. Pe bawn i'n paratoi'r siart sticeri, tybed fyddai hynny'n ei helpu?'

## Canolbwyntio ar ddatrys y broblem

Weithiau bydd gweld bai'n llesteirio cyfathrebu llwyddiannus. Gall ddigwydd pan fydd pobl yn rhoi cyfrifoldeb am broblem ar rywun arall. Efallai y gwnânt gyhuddiad uniongyrchol, yn rhoi'r bai ar eraill am greu'r broblem. Dro arall, caiff y cyhuddiad ei fynegi'n fwy cynnil. Dyma enghreifftiau cyffredin o weld bai, a fynegwyd gan rieni:

Athro:    Mae eich merch yn cael ei ffordd ei hun, a dydych chi byth yn ei disgyblu. Dyna pam fod ganddi broblem ymddygiad. Dydych chi ddim yn ddigon llym.
          *neu*
Athro:    'Rwy'n meddwl eich bod yn ei tharo. Dyna pam ei bod mor ymosodol.
          *neu*

Athro: Mae eich perthynas â'r plentyn yn rhy oeraidd. Pe bai gennych berthynas agosach, ni fyddai ganddi'r problemau yma.
*neu*
Athro: Eich plentyn yw'r un mwyaf ymosodol a welais erioed. Mae'n mynd dros ben llestri'n llwyr. Rwyf wedi delio gyda phlant caled o'r blaen – ond neb fel eich plentyn chi.

Mae gweld bai yn gosod pobl yn erbyn ei gilydd mewn brwydr yn hytrach na'u huno i ddatrys problem. Pan fydd athrawon yn siarad gyda rhieni, mae'n bwysig eu bod yn canolbwyntio ar ddatrys y broblem yn hytrach na gweld bai. Yn dilyn cyfarfodydd gydag athrawon, bydd rhieni'n aml yn dweud eu bod yn teimlo'u bod nhw'n cael eu beio gan athrawon am broblemau ymddygiad eu plant yn yr ysgol. Fodd bynnag, unwaith y sylweddola rhieni mai prif ddiddordeb athro yw cyd-weithio i ddatrys problemau'r plentyn (a pheidio gweld bai arnynt hwy) byddant yn bartneriaid yn fuan. Er enghraifft, dywed athro wrth riant, 'Mae'n ymddangos mai'r broblem yw bod Gillian yn eithafol o ymosodol. Beth am i ni benderfynu sut mae'r ddau ohonom eisiau delio gyda'r problemau yma yn y dyfodol, fel ein bod yn gweithredu mewn ffordd gyson? Gwn y gallwn helpu Gillian i gyd-weithredu'n well os gweithiwn gyda'n gilydd.' Mae'r agwedd yma, gyda'r pwyslais ar gyd-weithio a chysondeb, yn fwy tebygol o arwain at ganlyniadau llwyddiannus.

**Mae problem bob amser yn ddilys**
Weithiau ceir sefyllfa lle mae rhiant yn mynegi pryder wrth athro, a'r athro wedyn yn diystyru sylwadau'r rhiant am nad yw'n credu fod y broblem yn un ddwys. Er enghraifft, mae'n bosibl fod rhiant yn poeni fod eu plentyn yn ymddwyn yn ymosodol adref, neu'n teimlo'n orbryderus am ei waith ysgol. Nid yw'r athro'n credu fod problem yn y dosbarth ac felly nid yw'n gweld pwrpas trafod y mater. Dyma enghreifftiau o wadu neu anwybyddu problem:

*Athro:* Peidiwch â phoeni. Mae ei ymddygiad yn iawn yn yr ysgol. Mae llawer o blant sydd ag anghenion dwysach na fo.
*neu*
*Athro:* Mae hynna'n ymddygiad normal i blentyn o'r oed yma. Dydi o ddim yn broblem. Rydych yn disgwyl gormod ganddo am ei oedran.

Er nad ydych efallai'n gweld rhywbeth yn broblem i blentyn yn yr ysgol, mae ei riant yn anghytuno. Er mwyn sicrhau cydweithio da gyda rhieni, dylech ystyried y sefyllfa o ddifrif a chydweithio i geisio'i datrys.

Bydd gwrando da ac ystyrlon yn helpu os cewch eich temtio i anwybyddu'r broblem a bydd gwneud hynny'n caniatáu i chi ddeall safbwynt y rhiant yn well.

### Canolbwyntio ar newidiadau realistig

Mae negeseuon megis, 'Does dim yn gweithio i'r plentyn yma,' 'Mae o'n union fel ei frawd ac roedd hwnnw bob amser mewn trwbwl,' 'Wnaiff o byth newid,' Fe roddaf gynnig arni, ond ddaw na ddim daioni ohono,' yn cyfleu'r neges anobeithiol y bydd pob ymgais i newid yn ofer. Gellir cyfathrebu negeseuon negyddol o'r fath mewn ffyrdd cynnil hefyd, er enghraifft drwy roi atebion byr a swta megis: 'Siŵr o fod,', 'Am wn i' a 'Iawn.' Pan fydd sylwadau o'r fath yn cael eu dweud mewn goslef ddigalon a goddefol fe ddangosant ddiffyg gobaith, gydag awgrym o ddiffyg diddordeb. Gall ocheneidiau dwfn neu rowlio'r llygaid hefyd gyfleu anobaith yn ddi-eiriau.

Os byddwch chi neu'r rhiant yn teimlo'n anobeithiol wrth geisio datrys problem, dylech ganolbwyntio ar newidiadau y gellwch yn realistig eu gwneud. Er na all problem fawr gael ei datrys mewn un drafodaeth, mae modd datrys pob problem. Mae hyn yn agwedd bwysig i'w chyfleu. Efallai y gellwch gyfleu agwedd obeithiol drwy ddweud: 'Iawn, rhaid i ni fod yn amyneddgar efo fo gan ei bod yn cymryd amser i newid. Mae o wedi bod drwy lawer. Yn gyntaf, gadewch i ni drafod sut gwnawn ni ddelio â'r taro. Yna, fe awn ymlaen at y sgiliau cymdeithasol y dymunwn iddo eu dysgu. Rydym am ddatblygu cynllun tymor byr a chynllun tymor hir.'

### Stopio, ail-ganolbwyntio ac ymdawelu

Bydd rhieni neu athrawon weithiau, wrth geisio trafod problem yn 'bwrw eu boliau,' hynny yw, yn llusgo mewn bob math o gwynion am eu plentyn. Hwyrach y byddant hyd yn oed yn rhestru pob camymddygiad gan y plentyn dros y ddau fis blaenorol. Yn fuan bydd y rhieni a'r athrawon yn teimlo'n ddigalon ac yn suddo dan y don.

*Athro:*    Mae o'n anghyfrifol. Mae'n taro plant eraill, dydi o ddim yn gwrando, mae'n rhedeg o gwmpas ac yn methu aros yn ei gadair. Mae'n aflonyddu gymaint nes fy mod yn methu dysgu'r plant eraill. Mae o'n torri ar fy nhraws drwy'r amser yn y dosbarth, a dydi o ddim yn gwneud y pethau a ofynnaf. Mae'n fy ngyrru'n wallgof!

Galwch ar bawb i stopio a dowch a'r drafodaeth i ben pan sylweddolwch fod beiau'n cael eu pentyrru. I helpu hyn, dylech benderfynu ymlaen llaw sut y byddwch yn arwyddo fod angen stopio'r drafodaeth. Hwyrach y dywedwch yn syml, 'Rwyf am inni stopio siarad am hyn rŵan,' neu 'Rwy'n meddwl y dylem feddwl dros hyn am ychydig a threfnu cyfarfod arall i barhau ein cynllunio,' (Sylwch ar y defnydd o negeseuon 'fi'). Os byddwch yn torri cyfarfod yn fyr neu'n ei ohirio, mae'n bwysig eich bod yn trefnu amser ar gyfer cyfarfod arall i barhau'r trafodaethau. A gorau po gyntaf y gellwch drafod y broblem.

## Cael adborth

Bydd pobl yn mynd yn amddiffynnol pan deimlant eu bod yn cael eu beio, os byddant yn cael eu cyhuddo neu beidio, a hyd yn oed os ydynt ar fai. Gallant ymateb drwy fynd yn flin neu'n ddadleugar, gwneud esgusion, cynhyrfu a chrio, neu encilio a gwrthod cymryd rhan mewn trafodaeth bellach.

*Mam:* Mae llawer o ymddygiad ymosodol yn eich dosbarth. Mae fy mab wedi dweud wrthyf lawer gwaith iddo gael ei daro gan nifer o fechgyn.

*Athro:* *(Mae'r athro'n meddwl ei bod yn dweud nad yw'n gallu rheoli'r dosbarth ac mae'n ymateb yn amddiffynnol)* Be' wnewch chi hefo tri deg o blant yn y dosbarth drwy'r dydd, a dim cymorth. Wrth gwrs fod yna daro'n mynd i ddigwydd – mae plant ifanc i gyd yn gwneud hynny.

Dangosodd astudiaethau fod yna ddau hidlydd *(filter)* ar waith pan fo dau berson yn siarad. Mae un yn effeithio ar sut mae person yn cyfathrebu a'r llall yn effeithio ar sut mae'r neges yn cael ei derbyn. Mae'n bwysig dod yn ymwybodol o'r hidlyddion yma, a gwybod sut y gallant newid y ffordd y byddwch chi'n siarad gyda rhieni, a'r ffordd y byddant hwy yn clywed yr hyn a ddywedwch wrthynt. Er enghraifft, os teimlwch eich bod yn cael eich beio neu'n cael eich beirniadu, mae'n syniad da i stopio'r drafodaeth a chael adborth am yr hyn mae'r rhieni'n ei olygu. Yn y drafodaeth uchod gallai'r athro geisio canfod yn union beth a olygai'r rhiant, drwy ofyn cwestiwn.

*Athro:* Ydych chi'n poeni nad ydw i'n rheoli'r ymddygiad ymosodol? *(Gofyn am adborth)*

## Delio gyda gwrthwynebiad a chwynion rhieni

Bydd athrawon weithiau'n awgrymu atebion neu ddatrysiadau posib wrth rieni, a hwythau bob amser yn ymateb gydag ymadroddion 'ie – ond' *('yes-but')*. Mewn sefyllfa 'ie – ond' o'r fath mae pob ymdrech i wneud awgrym neu fynegi safbwynt yn cael ei hanwybyddu ar y sail fod rhywbeth yn anghywir. Byddwch yn dechrau teimlo, 'Dwi'n anghywir eto fyth. Does dim byd a ddywedaf yn dderbyniol i'r rhiant yma.' Canlyniad hyn fydd meddwl, 'Beth yw'r pwynt? Dydi'r rhiant yma ddim yn poeni am y plentyn, ac felly pam ddylwn i boeni?' Dydi rhieni sy'n ymateb 'ie – ond' drwy'r amser yn aml ddim yn sylweddoli eu bod yn ymwrthod ag awgrymiadau'r athro.

*Athro:*  Rwy'n meddwl y dylen ni gael cymhorthydd i Andrea i'w helpu gyda'i darllen.
*Mam:*  Mae hynna'n syniad da ond wnaiff o byth weithio. Ni fydd yn darllen y llyfrau ychwanegol adref. Ac os nad yw'n gwneud hynny, bydd yn wastraff arian.
*Athro:*  Hwyrach y gallech chi wneud gwaith cartref ychwanegol adref gyda hi?
*Mam:*  Does gen i ddim amser i wneud gwaith cartref ychwanegol efo hi. Onid gwaith yr athro yw hynny? *(Amddiffynnol)*
*Athro:*  Ydych chi ddim yn poeni am lwyddiant eich merch yn yr ysgol? *(Beirniadol)*

Fel y dywedwyd, mae'n bwysig eich bod yn aros yn bositif a hyderus yn hytrach na bod yn feirniadol gyda'r rhiant, fel yn yr esiampl uchod. Weithiau bydd rhieni'n ymateb yn amddiffynnol i gyngor athrawon am eu bod yn teimlo nad yw'r athro mewn gwirionedd yn deall eu sefyllfa. Hwyrach hefyd y bydd yr athro wedi anwybyddu eu syniadau hwy. Cyn penderfynu ar gynllun terfynol, mae bob amser yn bwysig gwneud yn siŵr fod yr athro wedi gwrando'n ofalus, dilysu agwedd y rhieni a gwahodd datrysiad gan y rhieni i'r sefyllfa.

Sefyllfa ofidus arall i athro yw bod yn darged i gwynion neu feirniadaeth rhieni. Bydd hyn fel arfer yn annisgwyl a bron bob amser yn brifo. Ystyriwch eich ymateb i'r sylwadau canlynol gan rieni:

*Rhiant:* Pam ydw i'n clywed am y broblem yma rŵan? Fe ddylech fod wedi bod yn ei helpu yn gynharach yn y flwyddyn.
*neu*
Tase chi'n athro da, ni fyddai fy mhlentyn yn cael y problemau yma.
*neu*
Mae eich gwaith cartref mor anniddorol, does ryfedd nad ydi o eisiau ei gyflawni.
*neu*
Dydi fy mab erioed wedi cael anawsterau o'r blaen yn y dosbarth. Mae'n rhaid bod rhywbeth yr ydych chi'n ei wneud yn

anghywir. Mae o'n dweud nad ydych yn gwneud dim i stopio'r plant rhag pigo arno.

Cofiwch gadw agwedd broffesiynol a pharchus, a pheidiwch ag ymateb yn amddiffynnol nac yn flin, neu fe fydd cylch dieflig o feirniadu'n cychwyn. Cofiwch eich bod yn delio gyda rhiant sy'n amlwg wedi ypsetio'n arw. Gellwch leddfu dicter rhiant drwy ddefnyddio un o'r strategaethau canlynol: cyfaddef eich camgymeriad os oes un; gwrando'n astud ar y rhiant heb amddiffyn eich hun; dangos consyrn drwy gael mwy o wybodaeth am y gŵyn; ac ail-gyfeirio'r gŵyn negyddol i fod yn argymhelliad cadarnhaol i ddelio gyda'r sefyllfa. Yn hytrach na dweud, 'Ydych chi ddim yn poeni am lwyddiant eich merch?' gallai'r athro ddweud, 'Gwnaf, fe roddaf fwy o sylw iddi yn yr ysgol ond dwi'n credu y gallai elwa o gael cymorth y tu allan i'r ysgol. 'Rwy'n gwybod eich bod am iddi fod yn llwyddiannus. Gan fy mod yn gwybod mor brysur ydych yn y gwaith, tybed oes yna ffordd arall y gallwn roi mwy o wersi iddi.' Mae'r canlynol yn enghreifftiau eraill o'r ffyrdd y gellwch ymateb i feirniadaeth o'r math uchod gan rieni:

*Athro:* Mae gennych reswm i fod yn flin. Doeddwn i ddim yn gwybod ei bod yn cael anawsterau gyda darllen, ac fe ddylwn fod wedi sylweddoli hynny.

*neu*

Ie, fe ddylwn fod wedi cysylltu â chi yn gynt. Mae gennych reswm i deimlo'n flin. *(cyfaddef camgymeriad)*

*neu*

Mae hynna'n fy mhoeni'n fawr, ellwch chi egluro beth ydych yn ei olygu? (Dangos consyrn)

*neu*

'Rwy'n clywed yr hyn yr ydych yn ei ddweud. Sut y gallwn ni wneud y gwaith cartref yn fwy diddorol iddi? *(Ail ganolbwyntio ar y positif)*

*neu*

Allwch chi ddweud mwy am y ffordd mae'r plant yn pigo arno? Oedd yna adegau eraill pan oedd yn teimlo na wnes i ddim i'w helpu? *(Ceisio mwy o wybodaeth)*

## Cytuno ar dargedau gyda'ch gilydd a meddwl am ddatrysiadau posibl

Unwaith y bydd mater neu broblem wedi cael ei thrafod gyda'r rhieni, a'r athro'n teimlo'u bod wedi mynegi eu barn a chael gwrandawiad, y cam nesaf yw iddynt gytuno ar dargedau gyda'i gilydd a rhannu datrysiadau posib. Gall athro ofyn i rieni a oes ganddynt hwy unrhyw awgrymiadau ynghylch sut i ddatrys y broblem. Bydd yr athro hefyd yn rhannu ei syniadau am yr ymdrechion a wnaed eisoes, a'r hyn a dybia a fydd o gymorth i'r plentyn, wedi iddo gael y wybodaeth gan y rhieni. Yna dylai'r athro a'r rhieni lunio cynllun yn nodi'n union beth fydd yr athro'n ei gyflawni yn yr ysgol, a sut bydd y rhieni'n cyfrannu tuag at hynny. Er enghraifft, gallai'r athro ddweud, 'Dyma'r hyn fydda i'n wneud yn yr ysgol – fe drefnaf system wobrwyo i'w helpu i gofio gwrando, a pheidio gweiddi allan yn y dosbarth. Yna, fe ddanfonaf nodyn adref bob dydd yn dweud faint o sticeri a enillodd y diwrnod hwnnw. Gellwch gofnodi hynny ar eich siart sticeri yn y cartref ac wedi iddo ennill dau ddeg pum sticer, efallai y byddwch yn trefnu sypreis iddo.'

## Mynegi hyder

Pa bryd bynnag y bydd problem gyda phlentyn, bydd y rhieni'n bryderus. Bydd angen iddynt wybod eu bod yn delio gydag athro hyderus sydd â'r gallu i ddelio gyda'r sefyllfa a gweithio gyda'r plentyn i addysgu ymddygiadau cymdeithasol eraill. Mynegwch eich hyder i'r rhieni eich bod yn credu y bydd y broblem yn cael ei datrys gyda chymorth ychwanegol yr ysgol a'r cartref.

## Cynllunio dilyniant

Mae'n bwysig trefnu cyfarfod dilynol neu alwad ffôn i fwrw golwg dros lwyddiant yr ymyrraeth a drefnwyd. Mae'r cynllunio dilyniant yn hanfodol os yw rhieni'n mynd i gredu yn eich ymroddiad i'w plentyn. Er enghraifft, hwyrach y bydd yr athro'n tynnu'r cyfarfod i ben drwy ddweud, 'Rwyf wedi cael llawer o brofiad gyda phlant fel Robbie. Gwn y cawn lwyddiant wrth weithio gyda'n gilydd. Fe gysylltaf â chi mewn dau ddiwrnod i adael i chi wybod sut mae pethau'n datblygu. Gadewch chwithau i mi wybod os oes rhywbeth arall yn digwydd y dylwn wybod amdano mewn perthynas â Robbie.'

| Cyfarfod enghreifftiol gyda rhiant i drafod problem |
| --- |

*Athro:* Mae'n dda eich gweld eto Ms Parks. Roeddech yn dweud eich bod eisiau trafod problem. (*Croesawu rhiant*)

*Rhiant:* Ie, 'rwy'n bryderus am Takisha yn gwrthod eistedd i lawr yn ystod yr amser darllen yn y cartref. Mae bob amser wedi mwynhau darllen efo fi o'r blaen. Ond yn awr mae'n dweud, 'Dydw i ddim eisiau darllen. Mae'n gas gen i wneud hynny.' Fe daflodd ei llyfr ar draws yr ystafell yr wythnos diwethaf. Dydw i ddim yn siŵr os dylwn ei gorfodi i eistedd i lawr a gwrando, neu a ddylwn i adael i bethau fod.

*Athro:* Ers pa bryd mae hyn wedi bod yn digwydd? (*Gwrando a chael gwybodaeth am broblem*)

*Rhiant:* Dim ond yn ystod y pythefnos diwethaf yma. Ddigwyddodd yna rywbeth yn yr ysgol?

*Athro:* Wyddoch chi, fe ymunodd merch newydd â'r dosbarth dair wythnos yn ôl. Mae hi rywfaint yn hŷn na'r plant eraill, a newydd ddechrau darllen ychydig o eiriau unigol mae hi. Mae wedi bod yn cael anawsterau gyda'i darllen, ac 'rwyf wedi bod yn ei chanmol bob tro y bydd yn darllen gair newydd. Hwyrach nad ydw i wedi bod yn sylwi ar gynnydd Takisha gymaint ag yr arferwn ei wneud. (*Awgrymu syniad*)

*Rhiant:* Wel, mae Takisha'n hoff iawn ohonoch chi. Os yw'r ferch newydd yn cael llawer o'ch sylw, hwyrach fod Takisha'n teimlo'i bod yn cael ei gadael allan. Adref, pan fydd ei chefnder yn galw heibio, bydd Takisha'n pwdu os bydd ei chefnder yn cael mwy o sylw na hi.

*Athro:* Tybed a oes yna blant eraill yn teimlo'u bod yn cael eu gadael allan. Hwyrach i mi roi gormod o groeso i'r ferch newydd ar draul y lleill. Efallai y dylwn wneud ymdrech i ganmol gallu arbennig pob plentyn yn amlach.

*Rhiant:* Mae hynna'n syniad da. 'Rwy'n meddwl y byddai hynny'n helpu Takisha yn yr ysgol. Beth feddyliwch chi ddylwn i ei wneud ynglŷn â chyndynrwydd Takisha i ddarllen efo fi adref?

*Athro:* Hwyrach y gallech ddarllen mewn ffordd wahanol am gyfnod. Mae gen i dapiau llyfrau plant y gellwch wrando arnynt. 'Roedd Takisha'n arfer hoffi llyfrau am ddinosoriaid. Mae gen i dapiau gwrando ardderchog o rai o'r llyfrau hynny. Ac os oes gennych beiriant chwarae DVD's mae gen i nifer ohonynt sy'n dangos storïau o'r llyfrau sydd yn y dosbarth. Gallech wrando neu edrych ar y storïau, ac wedyn troi at y llyfrau. Gallai hyn leihau'r pwysau ar Takisha i ddarllen. Efallai y gallech chi ddarllen iddi hi, a pheidio gofyn iddi hi ddarllen i chi am dipyn, fel bod y cyfnod yn hwyl i'r ddwy ohonoch. Ac os hoffech ddod i mewn i'r dosbarth i ddarllen i'r plant unrhyw bryd, mae croeso i chi wneud hynny. Mae cyfnodau darllen yn y dosbarth ddwywaith y dydd. *(Cynnig rhywbeth y gall hi ei wneud i helpu a'i gwahodd i gymryd rhan)*

*Rhiant:* Alla i ddim chwarae tapiau gwrando, ond fe alla i chwarae DVD's. Gallwn gychwyn gyda'r rheiny efallai. Rŵan fy mod yn gwybod sut mae'n teimlo, byddaf yn rhoi mwy o ganmoliaeth iddi am wrando, ac yn cynnig syniadau iddi.

*Athro:* Mae hynna'n syniad ardderchog. Hwyrach y bydd yn syniad da hefyd i beidio rhoi sylw i'w hymddygiad gwrthwynebus a'r hyrddiau o dymer ddrwg. Beth am inni gael gair pellach ddydd Llun nesaf am ddatblygiad Takisha? 'Rwy'n falch eich bod wedi tynnu fy sylw at hyn mor fuan. Mae Takisha'n gofyn cwestiynau mor dda yn ystod amser cylch. 'Rwyf wrth fy modd yn ei chael yn fy nosbarth. *(Bod yn gadarnhaol ynglŷn â datrys y broblem a chefnogi rhiant)*

*Rhiant:* Diolch yn fawr iawn i chi am roi amser i gwrdd â fi. 'Rwy'n teimlo'n well gan fy mod yn awr yn gwybod beth sy'n digwydd. Alla i'ch ffonio dydd Llun neu a wnewch chi fy ffonio i?

*Athro:* Alla i'ch ffonio gyda'r nos, gan ei bod yn anodd i mi ffonio yn ystod y dydd? *(Cynllunio i siarad eto)*

*Rhiant:* Bydd unrhyw bryd ar ôl 6.30 yn ardderchog.

## I gloi

Mae cynnwys rhieni yn y broses o addysgu plant yn gofyn am ymroddiad i weithio gyda theuluoedd, cynllun rhagweithiol wedi ei lunio'n ofalus cyn i'r tymor ysgol gychwyn ac amser athro wedi'i neilltuo i gyfathrebu a chydweithio gyda'r rhieni. Mae'n broses lafurus sy'n cymryd llawer o amser. Mae weithiau'n rhwystredig ac yn aml yn rhoi boddhad. I'r athro sydd eisoes yn gorweithio gall ymddangos yn anodd gwybod lle i ganfod unrhyw amser ar gyfer y dasg o gydweithio yn ystod y dydd. Fodd bynnag, ni ellir gorbwysleisio gwerth yr agwedd yma tuag at ffyniant academaidd a chymdeithasol plant. Yn y tymor hir, mae ymroddiad i weithio gyda rhieni mewn gwirionedd yn gallu arbed amser drwy arwain at well perthynas gyda disgyblion, llai o bwysau mewn dosbarthiadau a mwy o gefnogaeth i chi a'r teulu. I'r plentyn, bydd yn gwneud yr holl wahaniaeth.

## I grynhoi

- Gwnewch gynllun ar gyfer ymwneud gyda rhieni cyn i'r ysgol gychwyn.
- Danfonwch lythyrau positif adref a gwnewch alwadau ffôn positif.
- Sefydlwch drefniadau ffurfiol ac anffurfiol i rieni gyfathrebu gydag athrawon.
- Peidiwch â chronni cwynion; galwch gyfarfod gyda'r rhieni y tro cyntaf y bydd yna gam-ymddwyn.
- Mynegwch eich consyrn am y plentyn.
- Byddwch yn gryno, yn glir ac yn fyr pan fyddwch yn disgrifio problem ymddygiad.
- Gofynnwch am adborth gan y rhieni ac awgrymiadau am ffyrdd o ddatrys y sefyllfa.
- Peidiwch â thorri ar draws, dadlau na rhoi cyngor: gwrandewch yn ofalus ac ystyriwch bryderon y rhieni.
- Glynwch wrth y testun a pheidiwch â dadlwytho gofidiau'n ddiddiwedd.
- Dewiswch eich geiriau'n ddoeth: byddwch yn gwrtais ac yn gadarnhaol.
- Canolbwyntiwch ar ddatrys y broblem ac osgowch weld bai.
- Cydnabyddwch safbwynt y rhieni.
- Cymerwch un cam ar y tro.
- Derbyniwch a rhowch adborth.
- Peidiwch ag ymosod yn flin; arhoswch yn ddigynnwrf.
- Stopiwch a thynnwch y drafodaeth i ben os bydd dicter yn cynyddu.
- Gwnewch argymhellion cadarnhaol.
- Cynlluniwch ddilyniant gyda'r rhieni.
- Anogwch drafodaeth barhaus.

## Deunydd darllen

Burton, C. B. (1992) Defining family-centred early education: beliefs of public school, child care, and Head Start teachers, *Early Education and Development*, 3(1), 45-59.

Chavkin, N. F. (1991) Uniting families and schools: social workers helping teachers through inservice training, *School Social Work Journal*, 15, 1-10.

Epstein, A. (1992) School and family partnerships. In M. Alkin (ed.) *Encyclopedia of Educational Research* (pp. 1139-51), New York: Macmillan.

Henderson, A. and Berla, N. (1994) *A New Generation of Evidence: The Family is Critical to Student Achievement*, Columbia, MD: National Committee for Citizens in Education.

# Adeiladu perthynas gadarnhaol gyda disgyblion

## Dod i adnabod disgyblion a'u teuluoedd

Mae adeiladu perthynas gadarnhaol gyda disgyblion yn hanfodol. Hwyrach mai'r rheswm mwyaf amlwg pam y dylai athrawon wneud hynny yw er mwyn datblygu perthynas ystyrlon gyda disgyblion i feithrin cydweithrediad a chymhelliad, ac i gynyddu dysgu a chyflawniad y disgyblion yn yr ysgol. Bydd perthynas o'r fath wedi cael ei selio ar ymddiriedaeth, dealltwriaeth a gofal. Yn ogystal, i'r disgyblion sy'n dod o gartrefi lle mae anghyfiawnder ac esgeulustod, dangosodd ymchwil fod y rhagolygon tymor hir yn achos disgybl a gafodd berthynas agos gydag athro, cynhaliwr neu deulu, yn well.nag i'r rhai na chawsant berthynas o'r fath gydag oedolyn yn ystod eu blynyddoedd cynnar. Gall athrawon wneud gwahaniaeth mawr i ddyfodol plentyn pan fyddant yn mynd yr ail filltir i ddatblygu perthynas gadarnhaol.

Wrth gwrs mae'n wir fod athrawon yn ymdrechu i gael perthynas gadarnhaol gyda'u holl ddisgyblion ond, fel y gwyddoch, mae'n anos adeiladu perthynas gadarnhaol gyda rhai plant na rhai eraill. Pam? 'Rydym oll wedi cael profiadau gyda phlant anodd sy'n mynnu mwy o sylw nag eraill, plant sy'n aflonyddgar, yn heriol a heb gymhelliad, a phlant sy'n aml heb fod yn canolbwyntio ar dasg. I athrawon, mae'r plant yma'n arbennig o rwystredig. Gall dim ond un plentyn o'r fath ddod â dosbarth cyfan i stop. Dyma'r plant sy'n gwneud i ni deimlo'n ddrwg amdanom ein hunain fel athrawon, gan achosi i ni fynd yn flin, gweiddi, cosbi'n ormodol, rhoi beirniadaeth greulon, neu'n waeth, osgoi'r plant yn fwriadol. Er bod yr ymatebion yma i'r ymddygiadau yn naturiol, nid yw eu mynegi'n helpu i hyrwyddo perthynas dda yn y dosbarth. Sut y gallwn ni dorri'r cylch o deimladau negyddol tuag at rai disgyblion, a gweithio'n gynhyrchiol gyda'r holl ddisgyblion, gan gynnwys y rhai anodd?

Gadewch i ni feddwl pam fod rhai plant yn fwy anodd eu trin yn y lle cyntaf. Mae llawer o resymau posib. Hwyrach nad ydynt yn gweld athrawon mewn goleuni cadarnhaol ac, o ganlyniad, dydyn nhw ddim yn poeni beth a ddywedwch. Hwyrach nad ydynt yn ymddiried mewn athrawon oherwydd rhyw ddigwyddiad yn y gorffennol gydag athrawon

neu oedolion eraill. Hwyrach eu bod wedi dod o sefyllfaoedd cartref lle
mae'r oedolion yn ddi-ymateb, neu hyd yn oed yn amharchus. Efallai
fod yr oedolion wedi'u gorlwytho gymaint gan straen eu hunain nes eu
bod yn methu cyfarfod ag anghenion eu plant. Nid yw plant o gartrefi
o'r fath yn gweld oedolion fel rhai gofalgar, ac nid yw oedolion yn
ffynhonnell cynhaliaeth a chymorth iddynt. Gall eu hymateb i sefyllfa
beri nad oes ganddynt ymddiriedaeth mewn oedolion yn gyffredinol, a
hynny'n eu gwneud yn heriol ac anufudd. Neu, hwyrach eu bod yn anos
oherwydd problemau datblygiadol, niwrolegol neu fiolegol megis
problemau canolbwyntio, gorfywiogrwydd, byrbwylledd, diffyg sgiliau
ieithyddol, a rhesymau eraill. O ganlyniad mae'n haws tynnu eu sylw
oddi wrth eu gwaith oherwydd eu hanawsterau gwrando a dilyn
cyfarwyddiadau. Hwyrach, oherwydd eu cefndir, fod gan y plant yma
ddiffyg hunan hyder, a'u bod yn ddi-gymhelliad am nad ydynt yn credu
yn eu gallu na'u llwyddiant nhw eu hunain. Efallai eu bod yn methu talu
sylw a chanolbwyntio ar dasg am eu bod yn llwglyd neu'n flinedig. Neu
efallai eu bod angen anwes ac yn peri trafferth er mwyn derbyn y sylw a
ddaw iddynt yn sgil eu camymddygiad.

Beth bynnag fo'r rheswm gwaelodol am y camymddygiad, mae'n
bwysig nad yw athrawon yn cymryd camymddwyn nac agwedd
negyddol yn bersonol, nac yn beio'r plentyn am beidio ymdrechu na
hidio. Yn hytrach, dylai'r athro edrych heibio'r ymddygiad ymosodol ac
ymestyn allan at y plentyn. Mae datblygu perthynas gadarnhaol gyda'r
plant yma ymhell o fod yn hawdd. Fel y gwyddoch, mae'n gofyn am
ymroddiad sydd raid ei adnewyddu'n aml. Mae'n gofyn am ymdrech
gyson. Mae gofyn i ni gymryd safiad rhagweithiol (proactive)
oherwydd, os mai dim ond adweithio a wnawn, fe fyddwn fel arfer yn
ymateb oherwydd rhwystredigaeth. Mae'n haws dweud na gwneud, ond
bydd y bennod hon yn dangos i chi ffyrdd penodol o adeiladu perthynas
gadarnhaol gyda'ch holl ddisgyblion.

### Dod i adnabod pob disgybl fel unigolyn.

Y cam cyntaf wrth adeiladu perthynas bositif yw dod i adnabod eich
disgyblion fel unigolion a dangos diddordeb yn yr hyn sydd ganddynt
hwy ddiddordeb ynddo. Gellwch gyfleu eich diddordeb mewn disgyblion
unigol drwy yrru holiaduron diddordebau i rieni ar ddechrau'r flwyddyn
yn gofyn am wybodaeth bersonol megis diddordebau a hobïau arbennig y
plentyn, ei natur, ei anian a'i bersonoliaeth, beth sy'n gymorth i'r plentyn
ymdawelu, yr hyn y mae'r rhieni'n ei weld fel cryfderau a doniau ac
unrhyw gonsyrn sydd ganddynt ynglŷn â'u plentyn.

Un ffordd sicr o ddatblygu perthynas ystyrlon gyda phlentyn yw dod i adnabod teulu'r plentyn a deall unrhyw amgylchiadau arbennig. Er enghraifft, mae'n bwysig gwybod a fu ysgariad, salwch neu farwolaeth yn y teulu'n ddiweddar, beth yw'r trefniadau byw ar hyn o bryd, pa ffurf o ddisgyblaeth a ddefnyddir gan y rhieni, pa iaith a siaredir yn y cartref, a beth yw gwerthoedd a disgwyliadau diwylliannol y rhieni mewn perthynas â'r ysgol. Gall y wybodaeth yma eich helpu i ddeall persbectif ac anian y plentyn yn well. Gellwch wedyn drefnu rhai o weithgareddau a thrafodaethau'r dosbarth i gynnwys diddordebau arbennig y plentyn, ei bersonoliaeth, ei sefyllfa deuluol, a'i ddiwylliant.

**Gwneud ymweliadau cartref**

Mae ymweliadau cartref ar ddechrau blwyddyn (hyd yn oed cyn i'r ysgol gychwyn) yn ffordd bwerus o ddod i adnabod eich disgyblion a'u teuluoedd ac yn ffordd i ennill cyfoeth o wybodaeth am y plentyn a'i deulu mewn cyfnod byr o amser. Dichon nad yw'n bosib gwneud ymweliadau cartref i holl ddisgyblion y dosbarth, ond gall fod yn werthfawr iawn gyda disgyblion sydd â phroblemau arbennig yn gymdeithasol neu'n addysgol. Gellir yn gyntaf ddanfon llythyr i'r teuluoedd yn egluro pwrpas yr ymweliad cartref. (Hwyrach y gellwch ymweld yn ystod yr haf fel eich bod yn gwybod ymlaen llaw pa ddisgyblion fydd angen cynllunio ychwanegol ar eu cyfer pan gyrhaeddant fis Medi.) Gellir gofyn i'r plentyn ofalu amdanoch yn ystod eich ymweliad. Tasg y plentyn wedyn fydd penderfynu beth i'w rannu gyda'r athro pan fydd yn ymweld, a'i dywys o gwmpas y cartref.

*Oni fyddai rhieni'n teimlo fod ymweliad cartref yn ymwthiol? Sut mae athrawon yn dechrau ar yr ymweliadau hyn?*
Wrth drefnu ymweliad cartref bydd angen i chi egluro i'r rhieni pam fod yr ymweliadau yma'n llesol (h.y. i ddod i adnabod y plentyn drwy weld ei ystafell wely, hoff anifail etc. Dywedwch fod ymweliadau cartref yn helpu plentyn i deimlo'n fwy cyffyrddus gyda chi pan fydd y tymor ysgol yn dechrau. Mae'n bwysig egluro i'r rhieni nad oes angen iddynt lanhau'r tŷ ar gyfer yr ymweliad, a'u sicrhau mai'r prif reswm am yr ymweliad cartref yw dod i adnabod y plentyn a'i deulu. Gellir dosbarthu holiadur yn ystod yr Haf cyn i'r ysgol gychwyn, yn gofyn i'r rhieni ddweud a fyddent yn cytuno i gael ymweliad cartref gan yr athro cyn i'r tymor gychwyn. Trwy gynnig ymweld â'r cartref mae'r athro'n ymestyn ei hun i adeiladu pont mewn ymdrech i hyrwyddo cryfach ymlyniad rhwng yr ysgol a'r cartref. Gall hyn fod yn arbennig o bwysig i rieni sydd efallai'n gyndyn o gychwyn cyfathrebu gydag athrawon oherwydd

## Sampl o lythyr i rieni yn holi am ddiddordebau eu plant

Annwyl Rieni,

Croeso i Flwyddyn 1! 'Rwy'n edrych ymlaen at ddod i adnabod eich plentyn a gweithio gyda chi yn ystod y flwyddyn nesaf i gefnogi ei addysg. Er mwyn i ni gael dechrau da wrth ddatblygu perthynas gyda'ch plentyn gellwch fy helpu drwy ateb yr holiadur canlynol a'i ddychwelyd i mi cyn gynted â phosib.

Bydd gwybod am ddiddordebau eich plentyn yn fy helpu i ddatblygu cwricwlwm diddorol ac ystyrlon iddo ef neu hi. Bydd cael gwybod am feysydd y tybiwch eu bod yn anodd i'ch plentyn yn fy helpu i'w ymestyn a'i annog tuag at feysydd ac ardaloedd y byddai efallai yn eu hosgoi.

Diolch am eich cymorth. Rhieni yw'r bobl bwysicaf ym mywyd plentyn, ac rydym angen gweithio gyda'n gilydd er lles eich plentyn. Gyda'r ysgol a'r cartref yn cyd-weithio, gwn y gall pob un disgybl gael y flwyddyn fwyaf llwyddiannus erioed!

Enw'r plentyn:

Meysydd sy'n gryfder i'm plentyn: (academaidd a chymdeithasol)

Meysydd sy'n anoddach i'm plentyn: (academaidd a chymdeithasol)

Yr hyn yr hoffwn i'm plentyn ddysgu yn ystod y flwyddyn:

Diddordebau fy mhlentyn: (yn cynnwys hoff ddeunydd darllen, teganau, gweithgareddau, chwarae rôl, mathemateg, celf, cyfrifiadur, chwaraeon etc.)

Mae fy mhlentyn yn arbennig o hoff o'r pethau a ganlyn (e.e. cyfrifoldebau arbennig, bwyd arbennig, sticeri, cardiau pêl droed, ffilmiau etc.)

Mae'r canlynol yn bwysig iawn i'm mhlentyn (nodwch frodyr a chwiorydd, neiniau, teidiau a phobl eraill sy'n ymwneud yn agos a'r plentyn, anifeiliaid anwes, clybiau etc.)

**Edrychwn ymlaen at flwyddyn ardderchog!**

profiadau blaenorol negyddol gydag ysgolion neu athrawon, neu oherwydd gwahaniaethau ieithyddol neu ddiwylliannol.

Mae rhai athrawon yn canfod fod ymweliadau cartref yn fwy cyffyrddus os byddant wedi cael eu strwythuro. Gellir paratoi ffurflen i'w llenwi gyda'r rhieni fel ffordd o 'dorri'r iâ.' Gall y ffurflen yma gynnwys cwestiynau ynglŷn â diddordebau'r plentyn, ei anian, ei anghenion addysgol ac yn y blaen. Bydd rhai athrawon yn mwynhau mynd â bag bach gyda nhw ar yr ymweliadau cartref – y bag yn cynnwys gwrthrychau o'r dosbarth (e.e. ffrog doli, pin ffelt, bloc, lego, glud). Bydd y plentyn yn cael dewis un gwrthrych o'r bag i'w gadw hyd at ei ddiwrnod cyntaf yn yr ysgol. Pan gyrhaedda'r plant yr ysgol ar y diwrnod cyntaf eu tasg gyntaf fydd canfod lle mae'r gwrthrych yn cael ei gadw yn y dosbarth.

### Gwneud galwadau ffôn cadarnhaol a danfon llythyrau adref

Strategaethau eraill sy'n meithrin perthynas gefnogol a chydweithredol gyda disgyblion a'u rhieni yw gwneud galwadau ffôn cadarnhaol i rieni neu ddanfon llythyrau adref i ddweud wrthynt am rywbeth arbennig y bydd y plentyn wedi ei gyflawni'r diwrnod hwnnw. Er enghraifft, efallai y byddech yn ffonio rhieni i ddweud wrthynt am eu plentyn yn rhannu rhywbeth diddorol neu ddoniol yn y dosbarth, parodrwydd y plentyn i rannu rhywbeth newydd neu ei lwyddiant yn cyflawni tasg arbennig o anodd. Fe allech hefyd ffonio'r disgybl i roi canmoliaeth iddo am ryw agwedd o'i ymddygiad neu ei waith yn yr ysgol.

### Gwahodd rhieni i gymryd rhan

Gellwch ddangos eich ymroddiad i ddatblygu perthynas gadarnhaol gyda'ch disgyblion a'u teuluoedd drwy wahodd y rhieni i fynychu 'cinio bocs bwyd' neu 'swper sypreis' gyda chi yn yr ysgol. Gall athrawon ddefnyddio'r cyfarfodydd anffurfiol yma fel cyfleoedd i rannu eu hathroniaeth, eu cynllun disgyblu a manylion am y cwricwlwm yn y dosbarth. Gallant hefyd drafod ffyrdd y gall y rhieni gefnogi addysg y dosbarth drwy weithgareddau yn y cartref. Gellir annog rhieni i ofyn cwestiynau yn y cyfarfodydd yma a'u gwahodd i gymryd rhan yn y dosbarth drwy sôn am rywbeth diddorol amdanynt eu hunain a'u teulu (e.e. trip cyffrous, gwaith arbennig neu ryw agwedd ar eu diwylliant). Gellir eu gwahodd i'ch helpu drwy ddarllen i'r disgyblion yn y dosbarth, helpu gyda gweithgaredd yn y dosbarth, neu fynd ar ymweliad maes, etc. Ni ddylid anghofio'r rhieni sy'n gweithio ac yn methu mynychu cyfarfodydd o'r fath. Dylid eu hannog hwy i gymryd rhan mewn ffyrdd gwahanol, megis argymell stori arbennig yr hoffent ei darllen yn y dosbarth neu ddanfon nodyn i'r athro yn mynegi unrhyw gonsyrn neu gwestiwn.

**Neges rhiant i athro / athrawes**

I:

Sylwadau:

Oddi wrth:                    Dyddiad:


**Ateb athro / athrawes i riant**

I:

Sylwadau:

Oddi wrth:                    Dyddiad:

# Dangos eich gofal

Ffordd arall o ddod i adnabod eich disgyblion y tu allan i'r dosbarth yw drwy i chi fynychu achlysur lle mae'r plant yn cymryd rhan – e.e. gêm bêl droed, perfformiad dawns neu gerdd. Dewisiadau eraill yw bod yr athro'n treulio amser unigol gyda rhai disgyblion yn yr ystafell ginio neu'n ymuno â nhw ar yr iard yn ystod egwyl.

Ond wrth i'r plant gael egwyl neu ginio, mae'r mwyafrif o athrawon yn manteisio ar y cyfle i fwynhau cyfnod o ymlacio gwir angenrheidiol a chyfle i ail-egnio wedi bore prysur. Fe allant ddefnyddio'r amser yma fel cyfle i ddal i fyny gyda gwaith papur neu i ddychwelyd galwadau ffôn gan rieni. Bydd amser cynllunio athro ar ôl ysgol wedi'i lenwi'n barod gan baratoadau ar gyfer gwersi'r diwrnod canlynol. Mae'n siŵr felly eich bod yn gofyn, 'Ydi'r ymweliadau cartref a'r ymweliadau iard ac ystafell ginio yn wir angenrheidiol?'

Nid ydym yn disgwyl i athrawon roi eu holl amser cinio neu amser ar ôl ysgol i fod gyda phlant. Ond mae canfod amser i fod gyda disgyblion unigol yn ystod y flwyddyn yr un mor hanfodol i addysgu plant ag yw marcio'u papurau arholiad, paratoi cwricwlwm a mynychu cyfarfodydd gweinyddol yr ysgol. Mae hyn yn arbennig o wir yn achos plentyn anodd neu blentyn sy'n cael anawsterau academaidd neu gymdeithasol. Bydd gwneud yr ymdrech ychwanegol yn dangos eich gofal a'ch ymroddiad i ddatblygu perthynas gyda'r disgyblion. Bydd yn cyfrannu tuag at ddosbarth sy'n fwy cydweithredol a gofalgar gyda llai o broblemau ymddygiad. Mae ymdrechion o'r fath gan yr athro yn creu banc o deimladau a phrofiadau cadarnhaol rhwng yr athro, y disgybl a'r teulu, a hynny yn ei dro yn gymorth ar adegau o wrthdaro. Mae ymchwil yn dangos y bydd disgyblion, yn arbennig rhai ifanc, yn gweithio am sylw gan athrawon. Os byddwch yn rhoi sylw cadarnhaol iddynt gan adeiladu perthynas gadarnhaol, bydd ganddynt lai o angen creu ffyrdd anaddas o'ch gorfodi i ymateb iddynt (Brophy, 1981,1996). Dywedodd athrawon wrthym eu bod, wrth roi amser ychwanegol ar ddechrau'r flwyddyn i adeiladu perthynas gyda'r plant a'u teuluoedd, wedi canfod fod ganddynt fwy o amser personol yn nes ymlaen yn y flwyddyn. Mae hyn yn digwydd oherwydd eu bod yn treulio llai o amser yn rheoli problemau ymddygiad, ac oherwydd bod y dosbarthiadau yn lleoedd sydd â llai o straen ynddynt.

### Defnyddio llyfryn deialog / dyddiadur cartref-ysgol

Dull arall o feithrin perthynas agosach gyda disgyblion a'u rhieni yw defnyddio llyfrynnau deialog / dyddiaduron cartref-ysgol. Pan ddaw'r plant i mewn i'r dosbarth yn y bore gofynnir iddynt dreulio 10 munud yn ysgrifennu unrhyw beth o'u dewis yn eu 'llyfryn deialog.' Anogir y plant i rannu'r cynnwys gyda'r athro drwy roi'r llyfrynnau mewn bocs pwrpasol neu lecyn arbennig lle byddant wrth law i'r athro eu darllen. Caiff y plant ddewis a ydynt am i'r athro ddarllen eu sylwadau neu beidio. Cyfeirir at y rhain fel 'llyfrynnau deialog' gan y bydd y disgyblion yn aml yn gofyn cwestiynau i'r athro er mwyn iddo yntau wedyn allu ymateb gyda sylwadau, cwestiynau, sticeri, nodiadau arbennig neu sgwrs breifat. Mae defnyddio'r llyfrynnau deialog yn caniatáu preifatrwydd neu gyfle i chi gael mwy o drafodaethau personol gyda phob disgybl unigol. (Ni chaniateir i blant ddarllen llyfrynnau trafod plant eraill heb yn gyntaf gael eu caniatâd).

Yn naturiol, cyn y gellir defnyddio'r dechneg hon rhaid i'r plant fedru darllen ac ysgrifennu. Ond mae modd addasu'r syniad hefyd ar gyfer plant nad ydynt yn gallu darllen ac ysgrifennu. Gellir gwneud hyn drwy i'r athro ysgrifennu disgrifiad o rywbeth ddigwyddodd y diwrnod hwnnw yn yr ysgol, a'r rhiant wedyn yn darllen y cynnwys i'r plentyn pan ddaw adref o'r ysgol ar ddiwedd y dydd. Gellir annog y rhieni i ysgrifennu eu hymateb eu hunain yn y llyfryn, neu i ysgrifennu ymateb llafar eu plentyn. Mae'n ffordd o feithrin cyfathrebu dyddiol agos rhwng y rhiant, yr athro, a'r plentyn.

Ffordd arall o feithrin perthynas agos gyda disgyblion yw cyfarch pob un ohonynt yn unigol wrth eu henwau pan gyrhaeddant yr ysgol yn y bore. Bydd cyfarchiad personol drwy ddangos llaw hapus, ysgwyd llaw neu ddweud gair caredig wrth i'r plant gyrraedd y dosbarth yn ffordd hawdd ac effeithiol o gychwyn y diwrnod gyda chyswllt cadarnhaol.

## Rhannu 'Neges Neis'

Mae rhannu 'Neges Neis' yn ffordd arall o adeiladu perthynas gadarnhaol gyda disgyblion. Datganiad ysgrifenedig mewn ychydig eiriau gan yr athro i'r plentyn yw 'Neges Neis.' Bydd yn cyhoeddi llwyddiant, medrusrwydd neu unrhyw beth sydd wedi rhoi pleser i'r athro ynglŷn â chyflawniad y plentyn yn y dosbarth. Gall plentyn gael bocs bach personol ar y bwrdd i gasglu pob Neges Neis. Yna, bydd yn eu darllen gyda'r athro bob dydd cyn mynd â nhw adref i'r rhieni. Gall y Neges Neis fod yn dweud, 'Heddiw mi wnes i fwynhau clywed Anna'n sôn am y cwningod anwes sydd ganddi adref. Mae hi'n dda am rannu gydag eraill yn y dosbarth' neu, ''Roedd Patrick yn gyfeillgar iawn heddiw. Fe sylwais arno'n helpu Robbie wedi iddo syrthio ar y palmant', neu 'Mae Gregory wedi rheoli ei dymer heddiw a gallodd siarad am ei deimladau. Mae'n adeiladu sgiliau hunanreolaeth da.'

**NEGES NEIS**

Mae'n bleser mawr cyhoeddi fod

_____ **wedi**
(enw'r disgybl)

_____

_____

**Diolch am eich cefnogaeth!**

_____
(Enw'r athro)

**Gwrando ar eich disgyblion**

Mae'n debyg mai un o'r ffyrdd mwyaf pwerus o hyrwyddo perthynas gadarnhaol gyda disgyblion yw canfod amser ar ddiwrnod prysur i wrando ar ddealltwriaeth, persbectif a theimladau'r disgyblion am yr hyn a ddysgwyd. Carl Rogers yn wreiddiol a ddatblygodd y cysyniad o addysgu 'plentyn ganolog'. Mae'r dull hwn wedi'i selio ar y gred fod adrannau emosiynol a gwybyddol ein personoliaeth angen eu datblygu er mwyn i ddysgu effeithiol ddigwydd (Rogers 1983). Cynigiodd sialens heriol i athrawon – sef addysgu llai a gwrando mwy. Gan fod cymaint o alwadau o fewn y cwricwlwm mae'n annhebygol y caiff pob dim disgwyliedig ei drosglwyddo i'r disgyblion. Os nad yw athrawon yn ymdrechu i wrando ar deimladau, canfyddiadau a phryderon eu disgyblion, gall fod camgyfatebiaeth sylfaenol rhwng nodau'r athro a chymhelliad y disgyblion i'w cyflawni. Wrth roi cyfle i blentyn siarad am ei deimladau a'i bryderon, gall hynny ynddo'i hun wneud iddo deimlo'r gollyngdod o fod wedi cael gwared â baich mawr. Gall athro hefyd godi hunanhyder a hunan-barch eu disgyblion drwy gymryd diddordeb ynddynt fel unigolion a'u parchu am eu harbenigedd a'u diddordeb. Mae plant yn teimlo'u bod yn arbennig ac yn cael eu gwerthfawrogi pan fydd athrawon yn gwrando arnynt. Bydd hynny yn ei dro yn meithrin perthynas gefnogol ac ymddiriedol a fydd yn esgor ar berfformiad academaidd llewyrchus.

### Sefydlu amseroedd cylch i hyrwyddo perthynas

Mae trefnu Amseroedd Cylch rheolaidd (o leiaf unwaith yr wythnos) yn para am tua 15-20 munud (hyd y cyfnod yn dibynnu ar oedran y plant)  yn ffordd ardderchog o sicrhau fod amser wedi cael ei glustnodi i wrando ar y disgyblion a rhoi cyfleoedd iddynt ddod i adnabod ei gilydd. Isod gwelir y gêm 'Yr Arth Sy'n Gwrando', gêm y gellir ei defnyddio yn ystod Amser Cylch ar ddechrau'r flwyddyn ysgol. Bydd y gêm yma'n cynnig ffordd o ddod i wybod mwy am ddiddordebau a theimladau eich disgyblion. Gall helpu weithiau gyda phlant ifanc os bydd y person sy'n siarad neu'n rhannu syniad yn dal gwrthrych penodol yn ei law (e.e. tegan meddal neu feicroffon plastig), oherwydd yna bydd pawb yn y grŵp yn gwybod pwy sy'n siarad â phwy sy'n gwrando. Wedi gorffen rhannu ei syniadau bydd y siaradwr yn pasio'r gwrthrych i'r plentyn nesaf siarad. Bydd Amseroedd Cylch rheolaidd, sy'n onest a heb gystadleuaeth, lle mae'r plant yn rhannu eu teimladau'n agored, yn arwydd o'ch ymroddiad i ddatblygu awyrgylch dosbarth teuluol gyda pherthynas ofalgar, ystyrlon a rhyngbersonol. (Gweler Pennod 9 am fwy o wybodaeth ynglŷn â sut i ddefnyddio Amser Cylch i helpu disgyblion i ddatrys problemau a Phennod 10 am wybodaeth ynglŷn ag Amser Cylch i ganmol).

---

#### Gemau Amser Cylch i ddod i adnabod eich gilydd

**Defnyddio 'Arth sy'n gwrando':** Un strategaeth hwyliog i ddod i adnabod eich disgyblion yw'r 'Arth sy'n gwrando.' Bydd tegan meddal arth yn mynd adref bob prynhawn gyda disgybl a fu'n gwrando'n arbennig o dda yn y dosbarth yn ystod y dydd. Pan fydd yr 'Arth sy'n gwrando' yng nghartref disgybl, fe fydd yn edrych, gwrando, a chymryd rhan yn holl weithgareddau'r teulu (gall fynd i gaffi, gêm bêl droed etc.) Gofynnir i aelodau'r teulu ysgrifennu yn y dyddiadur cartref-ysgol am ymweliad yr arth a'r teulu – hynny yw, beth a welodd ac a glywodd ac a gyflawnodd yn ystod ei ymweliad. Os nad yw'r plentyn yn gallu ysgrifennu gall ddweud wrth ei rieni beth i'w ysgrifennu. Y diwrnod canlynol bydd y plentyn yn dychwelyd yr Arth gyda'r llyfryn i'r ysgol, a'r stori'n cael ei darllen i weddill y dosbarth. Mae'r gweithgaredd yma'n ffordd effeithiol iawn o ddod i adnabod y disgyblion a'u teuluoedd, ac mae'n lleihau peth o'r pwysau ar y plentyn gan fod y stori'n cael ei mynegi o safbwynt y tegan. Mae hefyd yn meithrin profiadau da rhwng y plentyn a'i rieni, a'r profiad hwnnw wedyn yn cael ei rannu yn yr ysgol. Mae'n hwyl ac mae'n atgoffa pawb am bwysigrwydd gwrando. (Dylai athrawon ofalu fod pob plentyn yn cael cyfle i fynd a'r arth adref ryw dro.) Gall y syniad gael ei addasu i weddu i anghenion penodol y plant (e.e. defnyddio 'Arth sy'n rhannu' ar gyfer plentyn swil).

**Mefus a Hufen Iâ:** I ofalu fod plant yn eistedd wrth ochr plant gwahanol ar adegau Amser Cylch, labelwch nhw'n 'fefus' neu 'hufen iâ'. Yna bydd yr athro neu blentyn yn galw allan un o'r categorïau (e.e. mefus) a bydd y plant yn codi a newid lle gyda rhywun arall.

**Canfod tebygrwydd:** Cychwynnwch drafodaeth yr Amser Cylch drwy ofyn pam ei bod yn bwysig dysgu mwy am eraill. Yna trefnwch y plant yn barau (mefus a hufen iâ) a rhowch ddau funud iddynt i sôn am weithgaredd y maent yn ei fwynhau tu allan i'r ysgol. Rhaid i'r ddau yn y pâr gytuno ar y gweithgareddau. Yna danfonwch y tegan meicroffon o amgylch y cylch, i'r plant gael cyfle i ddweud yn eu tro 'Rydym ni'n hoffi—————'. Ac os bydd y plant eraill yn cytuno hwyrach y byddant hwy'n dweud, 'A ni hefyd.' Gellir chwarae'r gêm drwy ofyn i'r plant ganfod eu hoff fwyd, chwaraeon, rhaglenni teledu a lliwiau.

Gellir chwarae'r un gêm drwy ofyn i'r disgyblion ganfod dau beth a all fod yn wahanol amdanynt, er enghraifft, hoff fwyd, hobïau a diddordebau. Mae'r gêm yn atgoffa plant fod pawb yn wahanol i'w gilydd.

**'Rwy'n gwybod dy enw:** Gofynnwch i'r plant sefyll mewn cylch. Gofynnwch i un plentyn alw enw plentyn arall (nid ei ffrind gorau) a thaflu bag ffa i'r plentyn hwnnw. Bydd y plentyn sy'n dal y bag ffa'n galw enw plentyn arall ac yn taflu'r bag ffa iddo yntau. Mae'r gêm yn parhau nes bod yr holl blant wedi cael eu henwi.

**Pwy sydd wedi mynd?** Bydd y plant yn eistedd mewn cylch yn gwisgo mygydau. Bydd un plentyn heb fwgwd yn cyffwrdd un plentyn o'i ddewis yn y cylch. Bydd y plant eraill yn gofyn cwestiynau i'r dewisydd er mwyn dyfalu pa blentyn sydd wedi cael ei gyffwrdd. Bydd cyfle i bob plentyn ofyn un cwestiwn a gwneud un dyfaliad. Y plentyn sy'n dyfalu'n gywir fydd y dewisydd nesaf.

**Gêm pen blwydd:** Bydd y plant yn eistedd mewn cylch yn wynebu i mewn. Bydd yr athro'n enwi enw unrhyw fis o'r flwyddyn a bydd y plant sy'n cael eu pen blwydd yn ystod y mis hwnnw'n rhedeg o amgylch tu allan y cylch nes cyrraedd eu man eistedd, ac yn eistedd yno. Bydd y gêm yn parhau nes bydd enwau'r holl fisoedd wedi cael eu galw.

## Dangos i'r disgyblion eich bod yn ymddiried ynddynt

Rhaid i unrhyw berthynas gadarnhaol gael ei hadeiladu ar sail ymddiriedaeth. Sefydlir ymddiriedaeth yn raddol, fel y mae'r plant yn canfod eich bod yna iddynt ac y gwnewch unrhyw beth o fewn eich gallu i'w helpu. Bydd angen llawer iawn o gymorth, sylw a gofal ar blant anodd cyn y byddant yn gwir ymddiried ynoch – mae'n debyg y byddant wedi cael llawer o adborth negyddol yn y gorffennol oherwydd eu hymddygiad. Mae plant o'r fath wedi arfer cael athrawon yn anobeithio efo nhw, gan eu beirniadu, bychanu, gwawdio, a hyd yn oed eu hanwybyddu. I adeiladu perthynas gadarnhaol gyda disgyblion anodd bydd angen i athrawon fanteisio ar bob cyfle i arddangos ymddiriedaeth yng ngalluoedd y disgyblion hynny, gan ddangos eu bod â disgwyliadau uchel ganddynt. Er enghraifft, gellwch ddangos eich hyder mewn plentyn anodd drwy roi cyfrifoldebau arbennig iddo, megis rhannu llyfrau gwaith neu fyrbrydau, galw'r gofrestr, eich helpu i drefnu deunyddiau, a llawer mwy o gyfrifoldebau tebyg. Fel arfer, y plant sy'n ymddwyn yn dda sy'n cael eu dewis i gyflawni'r tasgau yma gan adael plentyn anodd yn teimlo'i fod yn methu. Bydd hynny'n dwysau'r broblem.

Ffordd arall o helpu disgyblion i deimlo eich bod yn ymddiried ynddynt yw eu hannog i helpu ei gilydd. Gall athrawon sianelu diddordebau naturiol plant yn ei gilydd i fod yn rhyngweithio cadarnhaol drwy roi cyfle iddynt gydweithio mewn parau neu grwpiau bach tra'n cyflawni aseiniadau. Fe allwch adael i'r disgyblion ofyn ohonynt eu hunain am gymorth gan ddisgybl arall pan fyddant yn teimlo'r angen. Fodd bynnag, bydd hyn yn aml yn gadael allan y disgyblion llai poblogaidd. Da o beth fyddai i'r athro rannu'r plant yn barau strategol. Er enghraifft, efallai bod plentyn ag ymddygiad anodd yn arbennig o dda gyda'i ddarllen, mathemateg neu chwaraeon. Dylid annog plentyn o'r fath i helpu plentyn arall sydd heb fod cystal yn y meysydd hyn. Pan fydd plentyn yn helpu plentyn arall bydd ei hunan hyder yn cynyddu ac fe fydd yn teimlo eich bod yn ei werthfawrogi ac yn ymddiried ynddo.

### Gadael i'r disgyblion wneud dewisiadau

Ffordd arall o hyrwyddo perthynas ystyrlon gyda disgyblion yw caniatáu iddynt wneud dewisiadau. Yn aml yn y dosbarth nid yw plant yn cael gwneud dewis. Yr unig opsiwn sydd ganddynt yw cydymffurfio neu beidio cydymffurfio. Ond os gallwn roi dewisiadau mwy sylweddol iddynt mor aml â phosib, maent yn debycach o deimlo'n gyfrifol ac ymroi i'r hyn sy'n digwydd yn y dosbarth. Bydd cynnig dewisiadau yn rhoi rhyddid i'r disgyblion ddweud 'na' mewn ffyrdd priodol, ac yn dangos iddynt ein bod yn parchu eu hawl i ddweud 'na.' Mae'r parch yma'n hanfodol i ddatblygu perthynas ymddiriedol. Gellir rhoi cyfle i blant ddewis llyfr darllen, gweithgareddau amser rhydd neu dasg i'w chyflawni.

## Hyrwyddo hunan-siarad cadarnhaol gan ddisgyblion sy'n brin o hyder yn eu gallu i sefydlu perthynas

Mae rhai plant yn brin o hyder yn eu gallu i sefydlu perthynas ystyrlon. Maent yn aml yn hunan-siarad llawer – a hynny'n negyddol am eu profiadau ysgol blaenorol a'r ffordd y mae eraill wedi ymateb iddynt. Er bod yr athro'n ddiffuant yn ceisio dod i'w hadnabod, byddant yn meddwl yn gyson, 'Dydi o ddim wir yn fy hoffi . . . rydw i'n creu trafferth,' neu, 'Dydi athrawon ddim yn poeni amdana i, dim ond swydd ydi hi.' Mae hunan-siarad o'r fath yn lleihau awydd y plant i ddysgu a datblygu perthynas ymddiriedol. Mae'n bwysig fod athrawon yn adnabod hunan-siarad o'r fath, yn peidio'i gymryd yn bersonol ac yn helpu plant o'r fath i newid yr hunan-siarad negyddol yma am hunan-siarad mwy cadarnhaol. Gall athrawon roi gosodiadau i'r disgyblion ail-adrodd wrthynt eu hunain, 'Gallaf ofyn am gymorth – mae'r athrawes eisiau fy helpu', 'Mae'r athrawes yn dweud fy mod yn dda gyda mathemateg – byddaf yn dal i ymdrechu', 'Gallaf ei wneud o', 'Os meddyliaf fy mod yn gallu, fe fyddaf yn gallu,' 'Gyda mwy o waith fe allaf ei gyflawni.' Sefydlwch reol, am bob gosodiad negyddol a wna plentyn amdano'i hun y bydd raid iddo wneud dau osodiad positif. Bydd yr ymarferiad yma'n helpu'r plant i ddatblygu hunanddelwedd fwy cadarnhaol.

Bydd yn anos dod i adnabod disgyblion sydd heb hyder ynddynt eu hunain oherwydd efallai y byddant yn amddiffynnol a di-ymateb ac maent yn debygol o wrthod eich ymdrechion i estyn tuag atynt. Mae hyn yn ddisgwyliedig pan fyddwch yn gweithio gyda disgybl sydd wedi cael cam, ei wrthod gan rieni neu ei gam-drin. Y rhain yw'r disgyblion sydd angen athro fydd ddim yn caniatáu iddo'i hun gael ei wrthod ganddynt, athro a fydd yn gyson ac yn amyneddgar yn ail-gynnig gofal, anogaeth a gobaith. Nhw yw'r disgyblion y gall yr athro wneud y newid mwyaf i'w dyfodol.

## Rhannu gwybodaeth bersonol amdanoch eich hun

Adroddodd un athrawes wrthym am brofiad a gafodd gyda nifer o ddisgyblion a oedd yn gyndyn i wirfoddoli unrhyw wybodaeth bersonol amdanynt eu hunain, yn unigol nac fel dosbarth cyfan. Llwyddodd i oresgyn y broblem drwy rannu gwybodaeth amdano'i hun, a dweud wrth y plant am y profiadau rhyfedd a digrif a gafodd pan oedd yn blentyn. Roedd y disgyblion wedi ymgolli yn ei straeon ac yn awchu i'w holi am y digwyddiadau yma. Arweiniodd hynny'n raddol at iddynt hwythau ddatgelu mwy amdanynt eu hunain. Yn yr enghraifft yma, roedd yr athrawes yn modelu hunanddatgelu a pharodrwydd i gael ei hadnabod gan y disgyblion. Gall hyn beri fod y plentyn yn teimlo'n fwy cyffyrddus efo'r athro a chreu perthynas agosach rhwng y disgyblion.

## Pwysigrwydd chwarae gyda disgyblion

Un o'r ffyrdd mwyaf pwerus o hyrwyddo perthynas gadarnhaol yw bod yr athro'n cael cyfnodau o chwarae hwyliog gyda'r disgyblion. Pam? Pan fydd athrawon yn chwareus gyda disgyblion ac yn fodlon cael hwyl o'r fath, mae'r berthynas rhwng disgybl ac athro'n dod yn fwy cyfartal dros dro. Yn y berthynas hierarchaidd arferol mae'r athro'n ben ac yn rheoli'r hyn y mae'n rhaid i'r disgybl ei gyflawni yn y dosbarth. Yn y sefyllfa chwarae, ar y llaw arall, mae'r athro a'r disgybl yn cael hwyl gyda'i gilydd yn gyfartal. Yn wir, gall yr athro fod yn dilyn cyfarwyddiadau'r disgyblion. Mae cyfle i sicrhau cydbwysedd mewn unrhyw berthynas yn adeiladu agosatrwydd ac ymddiriedaeth. Gall hefyd hyrwyddo cydweithrediad drwy roi cyfle i'r athro fodelu cydymffurfiad ag awgrymiadau'r disgyblion. Mae hwyl ddiniwed rhwng athrawon a disgyblion nid yn unig yn gwarchod teimladau cadarnhaol y disgybl tuag at athro ond mae'r profiadau hefyd yn cyfrannu tuag at ysgogi'r disgybl i ddysgu a rhoi boddhad i'r athro. Bydd yr athro hefyd yn canfod fod ei swydd yn fwy pleserus.

Mae'n bwysig cofio fod plant yn dysgu drwy chwarae. Yn ystod cyfnod chwarae gall plant dreialu syniadau, mentro, cymryd gwahanol rôl, rhannu teimladau a meddyliau a bod yn gyfeillgar. Mae sefyllfa chwarae yn sefyllfa saff i blant ddysgu ynddi.

*Oes yna'r fath beth â gormod o chwarae mewn dosbarth?*
Mynegodd rhai athrawon ofnau y byddant yn colli rheolaeth ar eu disgyblion wrth fod yn chwareus yn y dosbarth. Ofnant y bydd y disgyblion yn mynd yn rhy wirion a gwyllt. Tra bod chwarae'n gallu bod yn ffordd lwyddiannus o hyrwyddo perthynas agos gyda disgyblion, mae'n dal yn bwysig fod yr athro'n gallu gosod ffiniau a darparu strwythur. Hyd yn oed os yw chwarae'n mynd dipyn ar chwâl a bod yr athro angen cadw trefn, mae hynny'n helpu'r disgyblion o fewn y broses o ddysgu. Gan fod plant ifanc yn ansefydlog yn emosiynol ac yn gallu

cael anhawster i reoli eu hemosiynau – mae'n gymorth iddynt ddysgu sut i newid o amser hwyl wirion i amser gweithgareddau tawelach. Bydd yr athro'n modelu'r broses o reoli a bydd y disgyblion yn dysgu wrth gael eu harwain drwy'r drefn yma.

Ofn arall yw na fydd disgyblion yn parchu athro sy'n chwareus. Bydd rhai athrawon yn gyndyn o ganu a 'bod yn wirion' oherwydd eu bod yn teimlo'n hunan ymwybodol ac yn ofni y bydd y disgyblion yn chwerthin am eu pennau. I'r athrawon yma, bydd ymarfer bod yn chwareus yn aml gyda'r disgyblion yn dileu'r embaras. Bydd ofni fod y plant ym mynd i chwerthin am eu pennau yn cael ei gyfnewid am y profiad o weld pleser y plant. Yn sicr, nid yw bod yn chwareus yn golygu caniatáu diffyg parch wrth ryngweithio. Yn baradocsaidd, canfyddwn yn aml fod athrawon chwareus wedi creu awyrgylch yn y dosbarth lle mae mwy o barch, oherwydd bod yr athrawon yma'n dangos parch tuag at y disgyblion drwy roi cyfleoedd iddynt arwain. Pan fydd angen bod yn bendant a gosod canlyniadau am ryw drosedd, bydd y gwrthgyferbyniad yn ymddygiad yr athro o fod yn athro chwareus i fod yn athro o ddifrif, yn hawlio sylw a chydweithrediad y disgyblion yn syth.

Consyrn cysylltiedig gan rai athrawon yw bod eu cydweithwyr neu rieni'r disgyblion yn gweld yr elfen chwareus fel ymddygiad amhroffesiynol a thybio nad ydynt yn cymryd eu gwaith ysgol o ddifrif. Gall y teimlad yma fod eraill yn anghymeradwyo daflu dŵr oer ar ymdrech yr athro i fod yn greadigol ac arbrofi gyda dulliau dysgu drwy chwarae. Rydym yn annog athrawon i gofio mai'r creadigrwydd yma a'r parodrwydd i fentro ac agosáu at blant ar eu lefel ddatblygiadol yw'r grefft o addysgu.

Bydd rhai athrawon yn dadlau fod cymaint o gwricwlwm a 'gwaith' i'w gyflawni fel nad oes amser i chwarae. Mae hyn yn adlewyrchu'r gred sydd ar led yn ein cymdeithas fod yr amser y mae plant ac oedolion yn ei dreulio gyda'i gilydd yn wamal ac anghynhyrchiol. Ni ddylid meddwl am yr amser a dreulir yn chwarae gyda phlant fel amser sydd ar wahân i'r cwricwlwm. Yn hytrach mae'n rhan annatod ohono, ac yn broses sy'n ymestyn dysgu neu waith plant. Cofiwch, os bydd athrawon yn ddwys drwy'r amser, ac os nad yw ysgol yn hwyl, bydd plant yn dod i gasáu ysgol. Yn y pen draw, nod addysg yn ystod y blynyddoedd cynnar yw helpu plant i feddwl am yr ysgol fel lle difyr, lle mae disgyblion ac athrawon yn gwerthfawrogi ac yn ymddiried yn ei gilydd, lle mae gwahaniaethau unigol a dulliau dysgu'n cael eu gwerthfawrogi a'u parchu, a lle i rannu a thyfu.

Weithiau fe fydd yn anodd i athrawon fod yn chwareus gyda rhai disgyblion – yn arbennig y rhai sy'n fyrbwyll, yn ymosodol, ddim yn cydymffurfio neu'n amharchus o athrawon. Gall fod yn anodd gadael y teimladau negyddol am y plant problemus yma ar ôl a bod yn chwareus gyda nhw. Dyma'r union blant sydd, mae'n debyg, wedi cael ychydig iawn o gyfleoedd i chwarae neu brofiadau positif eraill yn eu bywydau, naill ai gyda chyfoedion neu gydag oedolion. Nhw yw'r plant sydd a'r angen mwyaf. Gall ymddangos yn groes i'r graen, ond bydd buddsoddi amser (ac adeiladu perthynas) gyda'r plant yma yn arwain yn y pen draw at barch a chydweithrediad cynyddol.

## Gwneud chwarae'n fwy effeithiol

*Bod yn chwareus eich hun*
Un syniad i hyrwyddo awyrgylch chwareus yw bod yr athrawon yn cael bocs arbennig yn cynnwys eitemau megis wig, sbectol, llygaid sbring, meicroffon, crysau T a mwy. Gall yr athro roi sypreis i'r plant pan gyrhaeddant drwy wisgo rhywbeth o'r bocs, neu gall droi at y bocs pan fydd sylw'r plant yn crwydro. Hwyrach y bydd yr athro'n gwisgo'r wig ac yn tynnu allan y meicroffon i roi cyfarwyddiadau arbennig neu i gyhoeddi newid gweithgareddau. Bydd elfen chwareus o'r fath yn gyfrwng i ddal sylw'r plant fel eu bod yn gallu dysgu.

*Dilynwch arweiniad eich disgyblion wrth chwarae*
Bydd rhai athrawon yn ceisio strwythuro'r cyfnod chwarae drwy ddweud yn union sut mae'r plant i'w gyflawni – sut i adeiladu castell, sut i orffen pos yn gywir neu sut i wneud cerdyn cyfarch perffaith. Hwyrach eu bod yn credu y bydd y cyfnod chwarae yn weithgaredd mwy gwerth chweil wrth iddynt wneud hyn. Yn anffodus, canlyniad rhoi pwyslais gormodol ar gynnyrch terfynol y chwarae yw cael stribed o orchmynion a chywiriadau, gyda'r canlyniad na fydd y profiad yn rhoi boddhad i'r athro na'r disgybl.

Y cam cyntaf ar gyfer y cyfnodau chwarae rhydd yma gyda disgyblion yw eich bod yn dilyn arweiniad, syniadau a dychymyg y plant yn hytrach na gwthio'ch rhai chi eich hun. Peidiwch â strwythuro na threfnu ar gyfer y plant drwy roi cyfarwyddiadau neu orchmynion. Peidiwch ag ymdrechu i addysgu dim iddynt. Yn hytrach, dynwaredwch nhw a gwnewch yr hyn a ofynnant i chi ei wneud. Byddwch yn canfod yn fuan, wrth eistedd yn ôl a rhoi cyfle i'r disgyblion ymarfer eu dychymyg, y bydd ganddynt fwy o ymroddiad a diddordeb yn y chwarae ac y byddant yn fwy creadigol hefyd. Mae'r agwedd yma'n meithrin gallu'r disgyblion i chwarae a meddwl yn annibynnol. Pan fydd athrawon yn dilyn arweiniad y disgyblion byddant yn dangos parch tuag at eu syniadau ac yn cydymffurfio gyda'u ceisiadau. Bydd athrawon fydd yn modelu bod yn ufudd i ddymuniadau arbennig y disgyblion yn helpu'r disgyblion i ufuddhau i ddymuniadau'r athrawon mewn sefyllfaoedd eraill. Bydd hyn hefyd yn cyfrannu tuag at gydbwysedd o fewn y berthynas – sef cydbwysedd grym. Bydd cydbwysedd o'r fath yn arwain at berthynas agosach a mwy ystyrlon.

*Bod yn gynulleidfa werthfawrogol*
Mae'n bwysig bod yn gynulleidfa dda pan fyddwch yn chwarae gyda'r disgyblion. Bydd rhai athrawon yn ymgolli gymaint yn eu chwarae eu hunain nes eu bod yn anwybyddu'r plant neu'n cymryd drosodd yr hyn maen nhw'n ei gyflawni. Mae'n bwysig wrth chwarae gyda phlant eich bod yn canolbwyntio arnynt hwy yn hytrach nag ymgolli yn eich cyflawniad eich hun. Hwyrach mai'r cyfnodau chwarae yma yw rhai o'r amseroedd prin pryd y gall plant fod â rheolaeth dros eu rhyngweithio gyda chi. Mae'n un o'r amseroedd prin hefyd pryd y byddwch yn rhoi cymeradwyaeth i'r plant am yr hyn maen nhw wedi ei gyflawni heb i lwyth o reolau a gwaharddiadau darfu. Meddyliwch amdanoch eich hun fel cynulleidfa werthfawrogol. Eisteddwch yn ôl ac edrych ar greadigaethau'r disgyblion beth bynnag y bônt, a chanmolwch eu hymdrechion gyda brwdfrydedd.

*Rhoi sylwebaeth ddisgrifiadol (descriptive commenting)*
Mae tuedd gan athrawon i ofyn stribed o gwestiynau wrth chwarae: 'Pa liw ydi hwnna?' 'Pa siâp ydi hwnna?' 'I ble mae'n mynd?' 'Beth wyt ti'n ei wneud?' Mae'r cwestiynau yma wedi cael eu bwriadu fel arfer i helpu'r disgyblion i ddysgu mwy. Ond yn aml, y gwrthwyneb sy'n wir, gan achosi i'r plant fynd yn amddiffynnol, yn dawel ac yn gyndyn o siarad yn rhydd. Yn wir, mae gofyn cwestiynau, yn arbennig pan fydd yr athro'n gwybod yr ateb, yn fath o orchymyn gan fod disgwyl i'r plentyn berfformio. Mae cwestiynau sy'n gofyn i blant ddisgrifio'u creadigaethau yn digwydd yn aml cyn iddynt hyd yn oed feddwl am y cynnyrch terfynol na chael cyfle i ymchwilio i'w syniadau. Bydd y pwyslais yn y pen draw ar y cynnyrch yn hytrach na'r broses o chwarae.

Gall athrawon ddangos diddordeb mewn chwarae plant yn syml drwy ddisgrifio'r hyn sy'n digwydd a darparu sylwadau cefnogol. Mae hyn hefyd yn hyrwyddo datblygiad ieithyddol. Er enghraifft, fe allech ddweud, 'Rwyt yn peintio hwnna yn lliw piws llachar a hyfryd. Rwyt yn awr yn meddwl yn galed am y lliw nesaf i'w ddefnyddio. Rwyt yn edrych yn hapus iawn efo'r llun . . .' Yn fuan, byddwch yn clywed eich disgyblion ohonynt eu hunain yn dynwared eich sylwebaeth. Gellwch gynnig anogaeth bellach wedyn, a bydd y plant yn teimlo'n frwdfrydig am yr hyn a wnaethant. Mae rhoi sylwebaeth ddisgrifiadol ar weithgareddau'r disgyblion yn golygu siarad yn ddi-dor. Yn aml mae'n aml yn swnio fel adroddiad sylwebydd chwaraeon wrth iddo ddisgrifio gêm bel droed. Wnaethoch chi sylwi hefyd yn yr enghraifft uchod fod yr athro wedi disgrifio teimladau ac amynedd y plentyn yn ogystal â disgrifio'r darlun? Bydd disgrifio teimladau yn y modd hwn yn helpu'r disgyblion i ddatblygu geirfa emosiynol eang a fydd o gymorth iddynt reoli eu hemosiynau a dysgu sut i fynegi eu teimladau mewn ffyrdd priodol. Mae 'labelu' disgyblion wrth iddynt chwarae mewn ffyrdd tawel, heddychlon, meddylgar, hapus neu gymwynasgar, yn arbennig o bwysig i blentyn sy'n fyrbwyll, blin neu'n orfywiog ei anian. Fel arfer bydd athrawon yn sylwi ac yn gwneud sylwadau am blant o'r fath pan fyddant yn flin neu allan o reolaeth. Hwyrach na fydd y plant yma hyd yn oed yn sylweddoli fod adegau pan fyddant yn chwarae'n hapus a thawel.

Efallai y byddwch yn teimlo'n anghyffyrddus ar y dechrau wrth ddefnyddio'r dechneg sylwebaeth ddisgrifiadol oherwydd mae'n ffordd wahanol o gyfathrebu. Deuwch yn fwy hyderus wrth i chi ymarfer mewn amrywiol sefyllfaoedd. Wrth ddyfalbarhau fe sylwch fel y bydd y disgyblion yn dod i hoffi'r math yma o sylwebaeth. Bydd arddull y cyfathrebu yn ymestyn eu geirfa emosiynol a'u gallu i ganolbwyntio ar dasg am gyfnodau hirach.

Os byddwch yn holi cwestiynau, gofalwch eich bod yn cyfyngu ar nifer y cwestiynau ac yn cwblhau'r cylch addysgu. Wedi i chi ofyn cwestiwn, ymatebwch yn gadarnhaol gydag anogaeth a heb feirniadaeth. Dylid canmol plant am weithredu'n annibynnol, a rhoi cyfle iddynt ymateb heb dorri ar eu traws.

## I gloi

Gall athrawon wneud gwahaniaeth mawr i ddyfodol plant pan ymdrechant i ddatblygu perthynas gadarnhaol gyda'u holl ddisgyblion a phan dreuliant amser ychwanegol yn gwneud hynny. Dydi hyn ddim yn dasg hawdd – mae'n gofyn am ymroddiad cyson i'r broses a pharodrwydd i ddod yn agos at y plant a'u teuluoedd. Fodd bynnag, pan fydd athro'n gwneud hyn, bydd yn fodel pwerus. Drwy ddangos ei ofal, fe fydd nid yn unig yn modelu sgiliau cydberthynas gymdeithasol bwysig i'r disgyblion eu dysgu, bydd hefyd yn cyfrannu tuag at eu hunanhyder a'u datblygiad cymdeithasol. Mae teimlo diogelwch emosiynol o fewn y berthynas â'u hathrawon yn angenrheidiol i blant allu bod yn hyderus, rhoi rhwydd hynt i'w dychymyg, profi syniadau newydd, gwneud camgymeriadau, datrys problemau, cyfathrebu eu gobeithion a'u rhwystredigaethau, a graddol ennill sgiliau academaidd.

**I grynhoi**

Dangoswch eich ymroddiad a'ch gofal dros eich disgyblion fel a ganlyn:

- rhoi cyfarchiad personol i'r plant bob dydd pan fyddant yn cyrraedd
- holi'r plant ynglŷn â'u teimladau, e.e. drwy ddefnyddio llyfrynnau deialog / dyddiaduron cartref-ysgol
- holi am eu hamser y tu allan i'r ysgol e.e. Yr Arth sy'n Gwrando
- gwrando ar y plant
- treulio amser weithiau yn y ffreutur yn bwyta gyda'r plant
- dathlu pen-blwydd y plant mewn rhyw ffordd
- anfon cardiau a negeseuon cadarnhaol i gartrefi'r plant, e.e. cardiau 'Neges Neis'
- holi am ddiddordebau a thalentau arbennig y plant e.e. holiaduron diddordebau
- gwneud ymweliadau cartref
- rhannu gwybodaeth bersonol amdanoch eich hun
- treulio amser yn chwarae gyda'r plant – yn ystod amser egwyl neu amser rhydd yn y dosbarth
- sefydlu perthynas gadarnhaol gyda phob plentyn beth bynnag fo'i allu academaidd neu gymdeithasol
- dod i adnabod y rhieni drwy ymweliadau cartref a chyfarfodydd yn yr ysgol
- ffonio'r rhieni'n achlysurol i adrodd am lwyddiant a chyflawniad y plant

Dangoswch eich cred yn y plant fel a ganlyn:

- adnabod hunan-siarad negyddol
- hyrwyddo hunan-siarad cadarnhaol
- cyfathrebu eich cred yng ngallu'r plant i lwyddo
- gwneud cynwysyddion 'Medraf' allan o hen flychau sudd ffrwythau; gollwng stribedi papur y mae'r plant wedi ysgrifennu arnynt y sgiliau y maent wedi eu dysgu – e.e. ffeithiau mathemategol, geiriau i'w sillafu, rhannu gydag eraill, helpu. (Mae hyn hefyd yn ddefnyddiol i ddangos cynnydd y plant i'r rhieni)
- gwneud galwadau ffôn i'r disgyblion yn eu llongyfarch ar ymdrechion neu gyflawniad
- helpu holl blant y dosbarth i werthfawrogi talentau ac anghenion eu cyd-ddisgyblion
- dilyn arweiniad y plant, gwrando'n ofalus ar eu syniadau a bod yn 'gynulleidfa werthfawrogol' ar adegau.

Dangoswch eich ymddiriedaeth yn y plant fel a ganlyn:

- gwahodd y disgyblion i helpu gyda thasgau dyddiol a chyfrifoldebau yn y dosbarth
- rhoi dewisiadau cwricwlaidd
- annog cydweithio ymysg y disgyblion
- annog y disgyblion i helpu ei gilydd
- rhannu eich meddyliau a'ch teimladau gyda'r plant

**Deunydd darllen**

Brophy, J. E. (1981) On praising effectively, *The Elementary School Journal*, 81, 269-75.

Brophy, J. E. (1996) *Teaching Problem Students,* New York: Guilford Press.

Rogers, C. (1983) *Freedom to Learn for the 80's*, Columbus, OH: Merrill.

# Yr athro rhagweithiol

Pan fo disgyblion yn tarfu ar waith y dosbarth neu'n ymddwyn mewn ffyrdd gwrthgynhyrchiol i'r broses o ddysgu, mae'n llawer rhy hawdd i athrawon ymateb yn emosiynol, heb feddwl. Mae'r diffyg amynedd a'r rhwystredigaeth a deimlwn tuag at ymddygiad negyddol yn y dosbarth, er mor ddealledig, yn tanseilio ein gallu i feddwl yn strategaethol am yr ymateb gorau er mwyn newid yr ymddygiad. Yn hytrach nag adweithio i ymddygiadau problemus ar ôl iddynt ddigwydd, gall athrawon ragweld y math o amgylchiadau dosbarth sy'n debygol o gynhyrchu ymddygiadau aflonyddgar, a chymryd camau rhagweithiol *(proactive)* i'w rhwystro rhag digwydd yn y lle cyntaf. Mae ymchwil wedi dangos fod athrawon rhagweithiol o'r fath yn strwythuro awyrgylch y dosbarth a'r diwrnod ysgol mewn ffyrdd a fydd yn gwneud ymddygiadau problemus yn llai tebygol o ddigwydd (Doyle, 1990; Gettinger, 1988; Good and Brophy,1994). Byddant yn sefydlu trefn, gorchwylion, cyfyngiadau a disgwyliadau a fydd yn helpu disgyblion i deimlo'n dawel a saff, a chynyddu eu siawns o lwyddo. Mae mwy o blant yn camymddwyn mewn dosbarthiadau lle nad oes ond ychydig o safonau neu reolau a ddiffiniwyd yn glir. Yn y bennod yma byddwn yn cyfeirio at strategaethau a ddefnyddir gan athrawon i greu amgylchedd saff a rhagweladwy i'w disgyblion ddysgu ynddo, a man lle bydd ymddygiadau problemus yn llai tebygol o ddigwydd.

## Darparu amgylchedd rhagweladwy a saff

Strwythur y dosbarth yw'r fframwaith sylfaenol sy'n cefnogi gallu'r plentyn i ddysgu. O fewn y dull rhagweithiol mae trefniadau a gorchwylion dosbarth rhagweladwy ar gyfer cyfnodau newid gweithgaredd ac mae arweiniad clir ynglŷn â'r ymddygiadau disgwyliedig.

### Mynegi rheolau dosbarth yn nhermau ymddygiadau gweladwy

Dylai rheolau a disgwyliadau dosbarth gael eu mynegi'n eglur, eu dangos yn y dosbarth a'u hatgyfnerthu wrth i'r disgyblion eu dilyn. Ni ddylid cael mwy na phump i saith rheol, a'r rheiny wedi eu geirio'n gadarnhaol. Er enghraifft, mae rheol megis, 'Aros ar dy gadair,' yn eglur, tra bod 'Paid chwarae'n wirion' yn aneglur ac yn canolbwyntio ar rywbeth negyddol. Dylid mynegi'r rheolau yn nhermau ymddygiadau gweladwy, hynny yw, ymddygiadau y gellwch eu gweld. Er enghraifft, mae 'Cadw dy ddwylo i ti dy hun' yn fwy addas na 'Dangos parch' neu 'Bydd yn neis' oherwydd fe fydd gan y plentyn ddelwedd feddyliol eglur o'r ymddygiad a ddisgwylir. Yn yr un modd, mae 'Cwblhewch eich gwaith cartref a rhowch o ar fy nesg bore fory' yn diffinio'r disgwyliadau'n glir a heb gymhlethdod. Mae rheolau megis, 'Bydd yn ddinesydd da' neu 'Bydd yn gyfrifol' yn aneffeithiol oherwydd eu bod yn amwys ac yn aneglur ynglŷn â'r ymddygiadau disgwyliedig.

**Cael disgyblion i helpu llunio'r rheolau**

Mae modd i ddisgyblion mor ifanc â phedair oed helpu i lunio rheolau'r dosbarth a thrafod pam eu bod yn bwysig. Ar y diwrnod cyntaf yn y dosbarth dylai athro drafod gyda'r disgyblion y rheswm dros gael rheolau dosbarth pwysig. Gall gychwyn drwy ofyn, 'Beth yn eich meddwl chi ddylai rheolau'r dosbarth fod?' Fel y bydd y disgyblion yn awgrymu syniadau, gall yr athro ofyn pam fod y rheol a awgrymir yn arbennig o bwysig. Er enghraifft, gallech egluro, 'Mae rheolau yn gwneud i ddisgyblion deimlo'n saff. Maent yn gwarchod eich hawl i gael eu trin gyda pharch'. Yna helpwch y disgyblion i ddisgrifio'r rheolau yn nhermau ymddygiadau cadarnhaol disgwyliedig. Drwy drafod y rheolau gyda'r disgyblion byddant yn teimlo perchnogaeth ohonynt ac yn dangos mwy o ymroddiad i gydymffurfio. Fel arfer, bydd y disgyblion yn meddwl am bob un o'r rheolau pwysig. Os na fyddant, gellwch chi bob amser ychwanegu rhai sydd ar goll ac yna arwain trafodaeth ynglŷn â pham eu bod yn bwysig.

Yn ychwanegol at sefydlu rheolau mae'n hanfodol trafod canlyniadau torri'r rheolau. Mae disgyblion angen gwybod yn union pa ymddygiadau fydd yn arwain at golli braint, cael Amser Allan (cael eu hanfon i'r Gadair Dawel) neu dreulio amser ymdawelu allan o'r dosbarth. Gellir egluro wrth y disgyblion fod eu hymddygiad yn fater o ddewis. Gallant ddilyn y rheolau neu beidio, ond y mae canlyniadau'n deillio o'r dewis hwnnw. (Gweler Pennod 7 ac 8 am ganlyniadau torri rheolau).

**Dysgu'r rheolau fesul un drwy chwarae rôl**

Unwaith y bydd y rheolau wedi cael eu trafod ar y diwrnod cyntaf yn y dosbarth, yna gall yr athro ddewis un rheol bob wythnos i'w hystyried gan y dosbarth. Dyma rai o'r rheolau mwyaf cyffredin ar gyfer plant ifanc:

- Rhaid imi gadw fy nwylo a'm traed i mi fy hun (rheol cwrteisi).
- Rhaid imi ddod mewn i'r dosbarth yn ddistaw, cadw fy nghôt, ac eistedd wrth fy nesg.
- Rhaid imi godi llaw dawel i ofyn cwestiwn (rheol siarad).
- Rhaid inni fod yn barod i drafod problemau a gwahaniaethau barn (rheol datrys problemau).
- Rhaid imi siarad yn dawel a chwrtais gyda phlant eraill.
- Rhaid imi olchi fy nwylo cyn cinio.

Gadewch inni dybio mai'r rheol gyntaf a drafodir gan yr athro yw'r angen i ddod mewn i'r dosbarth yn dawel. Mae'r athro'n gofyn i un o'r disgyblion ddangos sut mae dod i mewn i'r dosbarth yn dawel yn y bore. Unwaith y bydd y disgybl wedi dangos hyn, hwyrach y bydd disgyblion eraill yn mynd drwy'r broses hefyd, pob un ohonynt yn derbyn canmoliaeth a chymeradwyaeth am gyflawni'r dasg yn gywir. Mae chwarae rôl ac ymarfer yn sicrhau fod y disgyblion yn deall yn union sut mae ymddwyn i ddilyn y rheol.

Gyda phlant ifanc, bydd angen dweud y rheolau i ddechrau a'u disgrifio'n benodol iawn. Gyda phlant hŷn, mae modd categoreiddio'r rheolau cyffredinol. Er enghraifft, gellir galw'r rheolau canlynol yn 'reolau symud' – cadw dwylo i chi eich hun, dod i mewn i'r dosbarth yn ddistaw, aros yn eich cadair a cherdded yn y coridor. Neu gellir galw'r canlynol yn 'reolau cwrteisi' – sgwrsio'n gyfeillgar, rhannu, a golchi dwylo.

## Cynllunio canlyniadau cadarnhaol am ddilyn y rheolau

Pan fydd rheol yn cael ei dysgu am y tro cyntaf, bydd angen i'r athro ymateb gyda chanmoliaeth ac anogaeth bob tro bydd yn sylwi ar y disgyblion yn dilyn y rheol. Hwyrach y bydd yn sefydlu system wobrwyo (e.e. ticedi, sticeri) i helpu'r disgyblion sy'n cael anawsterau penodol i gofio'r rheol siarad neu'r rheol symud, etc. 'Da iawn ti. Rwyt wedi cofio'r rheol ynglŷn â dod i mewn i'r dosbarth yn dawel ac eistedd ar y carped yn wynebu'r bwrdd gwyn. Diolch. Cei sticer bonws am hynna!'

## Ystyried lleoliad rhai disgyblion yn ofalus

Agwedd arall bwysig o strwythur dosbarth yw ystyried lle mae pob disgybl yn eistedd mewn perthynas â'r athro, Mae pob plentyn angen bod yn agos at yr athro, ond mae hyn yn arbennig o wir gyda phlant aflonyddgar, rhai sy'n methu talu sylw a rhai sydd a'u meddyliau'n crwydro'n hawdd. Mae eu cael i eistedd yn agos atoch chi yn ei gwneud yn haws i'w hailgyfeirio neu eu cadw ar dasg, heb ddarfu ar weddill y grŵp.

### Sefydlu arferion rhagweladwy a chynllunio cyfnodau newid gweithgaredd

Mae newid o un gweithgaredd diddorol i weithgaredd arall (llai diddorol efallai) yn gallu bod yn anodd i bob plentyn ifanc. Mae hyn yn arbennig o wir am blant sy'n methu talu sylw, yn fyrbwyll ac yn hawdd tynnu eu sylw. Gall athrawon helpu i wneud y newid yn esmwythach drwy eu paratoi ymlaen llaw, a thrwy gael trefn reolaidd ragweladwy ar gyfer y newid arfaethedig.

Trefn yr Ysgol Dina

| | | |
|---|---|---|
| | | CYRRAEDD |
| | | GWAITH CARTREF |
| | | DYSGU PETHAU NEWYDD |
| | | AMSER TOILED A GOLCHI DWYLO |
| | | DYSGU PETHAU NEWYDD |
| | | AMSER EGWYL |
| | | GWEITHGAREDD |
| | | CYFRIF STICERI DINA |
| | | AMSER MYND ADREF |

Mae ansicrwydd ynglŷn â threfniadaeth y dosbarth yn arwain at broblemau ymddygiad, tra bod trefniadaeth ragweladwy yn helpu i osgoi problemau.

Un ffordd o wneud y drefniadaeth yn rhagweladwy a chlir yw bod yr athro'n ysgrifennu trefn y dydd a'i gosod ar un o waliau'r dosbarth. Mae'r plant wedyn yn gwybod fod Amser Cylch yn cael ei ddilyn gan weithgareddau grŵp bach, a hynny'n cael ei ddilyn gan amser chwarae a byrbryd etc. Ar gyfer plant ifanc mae'n bwysig cynnwys lluniau'n darlunio pob gweithgaredd fel bod y plant sydd ddim yn gallu darllen yn deall y drefn. Ar gyfer plant gofidus neu rai sy'n methu talu sylw mae gosod copi o drefn ddyddiol y dosbarth ar ddesg y disgyblion hynny o gymorth. Drwy edrych ar y copi, gallant atgoffa eu hunain o'r hyn sy'n ddisgwyliedig wrth symud o un gweithgaredd i'r llall.

Un ffordd o helpu gyda'r symud rhwng gweithgareddau yw paratoi'r disgyblion at ddiwedd gweithgaredd drwy ddweud, 'Mewn 5 munud byddwn wedi gorffen gydag amser celf ac yna bydd yn amser egwyl' neu, 'Pan fydd y gloch yn canu mewn 5 munud bydd angen i ni gadw ein llyfrau'. I blant ifanc na fedrant amgyffred amser, bydd cerddoriaeth, rhoi'r golau ymlaen neu i ffwrdd neu glapio rhythm yn gallu arwyddo newid o un gweithgaredd i un arall hefyd. Os oes newid yn y drefn arferol ar ddiwrnod arbennig, gall yr athro helpu plentyn sy'n cael trafferthion symud o weithgaredd i weithgaredd drwy ofyn iddo fynd at y rhestr gweithgareddau ar y wal a newid trefn y gweithgareddau arni. Er enghraifft gallai'r disgybl newid y gweithgareddau grŵp bach am weithgaredd newydd, megis trip maes.

Yn ogystal â chael trefn gyfarwydd a rhagweladwy ar gyfer newid, mae hefyd o gymorth ar y cychwyn i'r disgyblion ymarfer yn union sut bydd y newid yn digwydd. Gellwch ddweud, 'Cyn i ni gael cyfnod cerddoriaeth, beth yw'r peth cyntaf rydym am ei wneud?' neu 'Wedi i ni fod yn y ffreutur, beth fyddwch chi'n ei wneud?' neu 'Cyn i chi fynd i mewn, cofiwch hongian eich cotiau ar eich pegiau.' Hwyrach gyda phlant cyn-oedran ysgol y byddwch am fynd â nhw allan i'r coridor am ail ymarfer os teimlwch nad ydynt wedi deall y camau y tro cyntaf. Bydd ymarfer o'r fath yn helpu'r plant i ddilyn yr arferion ohonynt eu hunain.

**Cyfarch a ffarwelio**

Mae dechrau a diwedd y dydd yn gyfnodau newid pwysig y dylid cael trefniadau rhagweladwy ar eu cyfer. Mae'n bwysig rhoi cyfarchiad croesawus ar gychwyn dydd, a ffarwelio'n bositif wrth i'r plant droi am adref ar ddiwedd y prynhawn. Mae dysgu a defnyddio enwau'r disgyblion mor fuan â phosib yn bwysig iawn gyda phlant o bob oedran. Hwyrach y byddwch am ddefnyddio sticeri gydag enwau'r plant arnynt, glynu sticeri enwau ar y byrddau neu chwarae gemau enwau.

### Rhoi cyfleoedd i blant sy'n methu talu sylw a rhai gorfywiog symud mewn ffyrdd priodol

Mae pob plentyn sydd wedi bod yn eistedd am gyfnod hir, ac oedolion hefyd o ran hynny, angen peth amser i symud. Mae hyn yn arbennig o wir am y plant gorfywiog a byrbwyll neu'r rhai sy'n methu talu sylw. Awgrymwn fod disgybl o'r fath angen 'lle symud' *(wiggle space)* yn y dosbarth – lle i fynd iddo os bydd angen symud o gwmpas yn ddistaw am rai munudau. Gall y lle yma fod yn fan tawel yn y dosbarth neu'n fan wedi cael ei farcio gyda thâp lliw ar y llawr. Gall plant benderfynu os byddant angen mynd yno, a gwneud hynny heb darfu ar weithgareddau'r dosbarth. Felly, byddant yn cymryd cyfrifoldeb dros fynd i'r lle symud a dychwelyd oddi yno.

Weithiau bydd athrawon yn poeni y bydd pawb yn y dosbarth eisiau mynd i'r lle tawel, neu y bydd caniatáu trefn o'r fath yn amharu ar y dosbarth cyfan. Bydd raid i'r athro sefydlu rheolau clir ynglŷn â defnyddio'r lle symud – er enghraifft, dim ond un plentyn i fod yn y lle tawel ar y tro – ac yna dal y disgyblion yn gyfrifol am ddilyn y rheolau. Mae'n bwysig fod yr athro'n gwneud y rheolau'n glir, er enghraifft diffinio'n glir pwy sy'n cael defnyddio'r lle a'r nifer o weithiau mewn diwrnod y gall un plentyn fynd yno. Gall yr athro hyd yn oed benderfynu cadw'r lle yn arbennig ar gyfer un neu ddau o blant sydd ag anawsterau penodol aros ar eu heistedd. Gall y disgyblion yma gael nifer arbennig o docynnau yn ddyddiol ar gyfer mynd i'r lle symud a dewis pa bryd i wario'r tocynnau i fynd yno.

## Defnyddio ffyrdd creadigol o gael a dal sylw'r plant

Mae'r rhan fwyaf o blant ifanc yn cael trafferth gwrando ar athrawon, yn arbennig os byddant wedi ymgolli mewn gweithgaredd. Oherwydd hynny mae'n bwysig fod athrawon yn dyfeisio strategaethau effeithiol i ddal sylw'r disgyblion. Os bydd sylw plentyn yn crwydro ni fydd yn clywed cyfarwyddiadau ac, o ganlyniad, bydd yn ymbellhau oddi wrth y dasg sydd ar dro. Er enghraifft, bydd canmol y disgyblion sy'n dilyn cyfarwyddiadau'r athro yn annog plant eraill i'w hefelychu er mwyn cael yr un sylw.

Mae athrawon angen llawer o ddulliau i gadw plant ar dasg a sicrhau eu bod yn gwrando ar eu cyfarwyddiadau. Bydd strategaethau megis dweud jôc, amrywio tôn llais (e.e. mae sibrwd, yn aml yn dal sylw plant) gwneud rhywbeth digrif megis gwisgo gogls neu het i roi cyfarwyddiadau, gofyn i'r disgyblion ddarllen meddwl yr athro, chwarae gêm megis Seimon yn dweud, neu ofyn i'r plant ddynwared clapio, i gyd yn helpu i gael sylw disgyblion. Un ffordd syml ond effeithiol o gynnwys y plant mewn trafodaeth yw i'r athro ofyn i'r plant sy'n gwisgo lliw gwyrdd, neu'r plant sydd â gwallt cyrliog etc. ateb y cwestiwn nesaf.

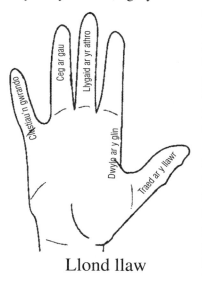

Llond llaw

Strategaeth arall i gael sylw plant yn syth yw arwydd 'Llond Llaw.' Defnyddir pob bys ar y llaw i ddynodi ymddygiad – dwylo ar y glin, traed ar y llawr, llygaid ar yr athro, ceg ar gau a chlustiau'n gwrando. Ar y dechrau, pan fydd y plant yn dysgu beth a olygir gyda 'Llond Llaw' hwyrach y rhoddwch lun llaw ar eu bwrdd. Bydd sticer yn cael ei osod ar bob bys i gynrychioli ymddygiad y dylai'r plant ei gofio (e.e. gwrando, traed ar y llawr etc.) Y sialens wrth ddysgu plant bach yw dyfeisio ffyrdd newydd a diddorol i gynnal eu diddordeb yn ystod y broses ddysgu.

### Cerdded o amgylch y dosbarth gan wylio a gwrando

Mae ymchwil wedi dangos po fwyaf o amser fydd athro'n ei dreulio tu ôl i ddesg, y mwyaf aflonyddgar ac ymaith o'u tasgau fydd y disgyblion yn y dosbarth. Yr allwedd i reolaeth dosbarth effeithiol yw cerdded o amgylch dosbarth gan wylio a gwrando'n ofalus. Mae nifer o bethau'n digwydd pan fo athro'n cerdded o gwmpas. Yn gyntaf, gall ganmol grwpiau a phlant unigol wrth iddo eu gweld yn gweithio. Yn ail, gall athro ddal problemau'n gynnar gan stopio a helpu disgyblion fel bo'r angen. Bydd hyn yn arwain at lai o rwystredigaeth gan y disgyblion a mwy o gefnogaeth iddynt am eu hymdrechion dysgu.

Bydd cerdded o amgylch y dosbarth hefyd yn caniatáu i athro gadw golwg ar lefel y sŵn, a disgyblion nad ydynt ar dasg. Bydd yr athro'n gallu dangos y ciwiau gweledol o roi llaw dawel i fyny a gweithio'n dawel. Gall gyfeirio at y dangosydd sŵn i ddangos i'r plant yn gynnil yr angen iddynt ymdawelu neu dalu sylw i'w gwaith. Yn wir, bydd cerdded draw i'r man lle mae sŵn yn digwydd yn y dosbarth (fel arfer ar yr ochr chwith yn y cefn) yn aml ynddo'i hun yn stopio'r sŵn heb atgoffa geiriol na di-eiriau.

Cofiwch hefyd ei bod yn bwysig fod yr athro wedi trefnu dodrefn y dosbarth mewn ffordd sy'n caniatáu iddo gadw golwg ar y dosbarth cyfan a gweld pob un disgybl drwy'r amser. (Gweler hefyd Pennod 6)

## Gosod terfynau effeithiol ac ail-gyfeirio

Pan na fydd y disgyblion yn cydymffurfio yn unol â'ch disgwyl cofiwch y bydd pob disgybl o bryd i'w gilydd yn gwthio'r ffiniau er mwyn profi rheolau a gorchmynion yr athro. Mae hyn yn arbennig o wir os yw athrawon wedi bod yn anghyson yn y gorffennol a heb weithredu eu rheolau. Byddwch yn barod i gael eich profi fel hyn gan mai dim ond wrth dorri rheol y gall plant ddysgu fod y rheol yn weithredol. Bydd derbyn canlyniadau cyson am gamymddwyn yn dysgu disgyblion fod ymddygiad da'n ddisgwyliedig. Mae ymchwil yn dangos fod plant normal yn methu cydymffurfio gada cheisiadau athrawon tua thraean o'r amser, a phlant anodd yn methu cydymffurfio'n amlach na hynny (Forehand and MacMahon,1981). Gall plant ifanc ddadlau, sgrechian a hyd yn oed gael stremp pan waherddir gweithgaredd a ddymunant. Gall plant oedran ysgol hefyd ddadlau, rhegi neu brotestio pan wrthodir rhoi gweithgaredd neu wrthrych iddynt. Mae hyn yn ymddygiad normal ac yn fynegiant iach o angen plentyn am annibyniaeth ac ymreolaeth. Pan fydd protestiadau o'r fath yn digwydd, peidiwch â'u cymryd fel ymosodiad personol. Cofiwch mai dim ond profi eich rheolau i weld a ydych yn mynd i fod yn gyson y mae'r disgyblion. Os byddwch yn anghyson mae'n debyg y bydd y plant yn eich profi hyd yn oed yn galetach y tro nesaf. Ceisiwch feddwl am brotestiadau eich disgyblion fel profiadau dysgu, ffyrdd y gallant ymchwilio terfynau eu hamgylchedd a dysgu pa ymddygiadau sy'n briodol ac amhriodol.

Fodd bynnag, mae'n bosibl fod rhan o'r rheswm am anufudd-dod ymhlyg yng ngeiriad y rheolau a'r cyfarwyddiadau. Mae'n anodd i blentyn ddilyn cyfarwyddiadau amwys megis, 'Rhaid iti fod o ddifrif' neu 'Dangos i mi dy fod yn barod' oherwydd nid ydynt yn dweud wrtho'r ymddygiad a ddisgwylir. Mae gorchmynion a fynegir ar ffurf beirniadaeth, megis 'Dydi plant 7 oed ddim yn gwneud hynna!' neu 'Pam na elli di ddilyn y cyfarwyddiadau?' neu ''Dwyt ti byth yn gwrando' yn fwy tebygol o arwain at wrthodiad neu wrthwynebiad na sicrhau'r ymddygiad a ddymunir. Wrth roi gorchmynion negyddol, megis 'Paid!' neu 'Stopia redeg', rydych yn nodi'r ymddygiad y dymunwch ei atal heb egluro'r ymddygiad a ddylai gymryd ei le. O ganlyniad rydych yn gadael i'r plentyn ddewis beth a wna yn lle'r ymddygiad a waherddir. Mae gorchmynion a fynegir ar ffurf cwestiynau, megis 'Wyt ti eisiau rhoi dy enw ar y papur?' hefyd yn drysu plant. Ni allant ddirnad ai gorchymyn yntau dewis sydd yna. Dylai athrawon ymdrechu i roi gorchmynion clir a phenodol, a chyfarwyddiadau a fynegwyd mewn telerau positif. Dyma rai ffyrdd y dangosodd ymchwil (e.e. Van Houten *et al.*,1982) eu bod yn hwyluso'r gwaith o osod terfynau:

### Ymdawelu'r dosbarth yn gyntaf a defnyddio sylwebaeth ddisgrifiadol

Cyn gofyn i'r plant newid gweithgaredd, dysgu syniad newydd, neu drafod rheol dosbarth, mae angen i'r dosbarth ymdawelu. Yn rhy aml bydd athrawon yn bloeddio cyfarwyddiadau i'r disgyblion pan fydd y dosbarth yn swnllyd ac ar chwâl. Nid yn unig y bydd llawer o'r disgyblion heb glywed y cyfarwyddiadau, ond byddant yn dysgu mai'r lefel sŵn yma yw'r ymddygiad dosbarth disgwyliedig. Mae'n hanfodol fod athrawon yn oedi ac yn aros nes bod y dosbarth yn ymdawelu, neu'n atgoffa'r plant na fyddant yn symud ymlaen nes bod pob llygad arno. Efallai y dywed yr athro, 'Mae nifer yn y cefn yn siarad. Fe arhosaf nes bydd y siarad yn stopio er mwyn i bawb fedru clywed.' Nid yw'r math yma o sylwebaeth ddisgrifiadol yn ymwthiol ac, yn aml, mae'n osgoi'r angen i roi gorchymyn uniongyrchol neu gywiro cadarnhaol i ddisgyblion swnllyd.

### Lleihau'r nifer o orchmynion

Ychydig o athrawon sy'n ymwybodol o'r nifer o orchmynion uniongyrchol a roddant i'w disgyblion. Fyddech chi'n synnu clywed fod ein hymchwil yn dangos fod athro cyffredin yn rhoi tua thri deg pump o orchmynion bob hanner awr? Mewn dosbarthiadau lle mae problemau

*Plentyn mewn storm o orchmynion*

ymddygiad, mae'r nifer yn cynyddu i fwy na chwe deg gorchymyn bob hanner awr. Hefyd, mae ymchwil yn dangos fod problemau ymddygiadol yn cynyddu fel y mae'r nifer o orchmynion yr athro'n cynyddu, yn arbennig gorchmynion beirniadol neu negyddol (Brophy, 1996). Nid yw pentyrru gorchmynion yn gwella ymddygiad plant. Mae'n hanfodol felly eich bod yn gwerthuso natur y gorchmynion a'r nifer ohonynt a roddwch. Defnyddiwch y rhai sy'n angenrheidiol yn unig, a'r rhai yr ydych yn barod i'w dilyn drwodd.

Yn aml, pan fydd nifer fach o ddisgyblion yn camymddwyn ac yn gwrthod dilyn cyfarwyddiadau, bydd athrawon yn ymateb trwy ailadrodd a chynyddu'r gorchmynion uniongyrchol, er bod llawer o ddisgyblion eraill y dosbarth eisoes yn ufuddhau. Er enghraifft, mae'r athro'n dweud, 'Cadwch eich llyfrau darllen rŵan os gwelwch yn dda,' ac mae rhai plant yn cychwyn cadw eu llyfrau tra bo eraill yn parhau i ddarllen. Bydd yr athro, wrth ganolbwyntio ar y rhai nag ydynt yn dilyn y cyfarwyddiadau, yn mynd yn flin ac yn ailadrodd y gorchymyn eto ac eto. Mae'n parhau, 'Dywedais wrthych am gadw'r llyfrau rŵan! Ydych chi ddim wedi cadw'r llyfrau eto? Ydych chi ddim yn clywed?' Petai'r athro wedi canmol y rhai ddaru gydymffurfio, hwyrach na fyddai wedi bod angen yr ail orchymyn. Yn sicr, nid yw ei ffordd gynyddol negyddol a'i ddull gwrthdrawiadol yn debygol o gymell cydweithrediad plant anodd.

Weithiau bydd athrawon yn rhoi gorchmynion am faterion nad ydynt yn bwysig. Dywedant er enghraifft, 'Lliwiwch y llyffant yn wyrdd ac nid yn felyn,' neu 'Paid â chwarae efo dy wallt.' Mae'r gorchmynion yma'n ddiangen. Dylai disgyblion gael penderfynu materion o'r fath drostynt eu hunain yn hytrach na bod yn rhan o frwydrau ewyllys gydag athrawon. Mae'n bwysig cofio ei bod yn amhosib dilyn drwodd gyda gorchmynion os yw athrawon yn eu rhoi drwy'r amser. Y canlyniad yw bod negeseuon cymysg yn cael eu rhoi i ddisgyblion am bwysigrwydd gorchmynion. Bydd ymateb disgyblion anodd ar ei waethaf pan fo eich ymdriniaeth yn or-awdurdodol, a hynny'n achosi iddynt fynd yn benstiff a heriol.

Cyn rhoi gorchymyn meddyliwch a yw'n fater pwysig neu beidio. Ystyriwch hefyd a fyddech yn fodlon dilyn drwodd gyda'r canlyniadau pe bai'r plentyn yn gwrthod ufuddhau. Un ymarferiad a all fod yn ddefnyddiol yw ysgrifennu'r rheolau sy'n bwysig i'ch dosbarth chi. Mae'n debyg y canfyddwch fod gennych rhwng pump a deg rheol na chaniateir eu torri ar unrhyw gyfrif. Dylid arddangos y rhain mewn man lle gall yr holl ddosbarth eu gweld. Fel hyn bydd pawb, yn cynnwys athrawon dros dro a chymorthyddion, yn gwybod beth ydynt. Gall rhestr o'r fath gynnwys yr enghreifftiau a ganlyn:

• Rhaid gwisgo helmed wrth reidio beic ar yr iard.
• Rhaid bod yn dyner gyda ffrindiau (dim taro)
• Rhaid siarad gyda llais cwrtais yn y dosbarth.
• Rhaid cerdded yn y dosbarth.

Unwaith y byddwch wedi egluro'r rheolau pwysig, bydd hyn yn sicrhau eich bod, nid yn unig yn fwy penodol wrth eu mynegi, ond y byddwch hefyd yn gallu lleihau nifer y gorchmynion eraill diangen. O ganlyniad bydd y plant yn dysgu fod eich gorchmynion yn bwysig a bod cydymffurfio'n ddisgwyliedig.

## Un gorchymyn ar y tro

Weithiau bydd athrawon yn rhoi un gorchymyn ar ôl y llall fel cadwyn, heb roi amser i'r plentyn ufuddhau i'r cyntaf cyn symud ymlaen i'r nesaf. I blant ifanc, gall hyn fod yn ormod o wybodaeth i'w fewnoli. Er enghraifft, mae athro'n dweud wrth ddosbarth o blant cyn oedran ysgol, 'Mae'n amser chwarae, 'rwyf am i chi gadw'r pinnau ffelt, codi'r papurau, mynd i'r neuadd a gwisgo'ch cotiau a'ch esgidiau glaw oherwydd mae'n bwrw glaw.' Mae cyfres o orchmynion fel hyn yn anodd i blant eu cofio. Dim ond un neu ddau beth all y mwyafrif ei gofio yr un pryd. Problem arall gyda gorchmynion cyflym yw na all yr athro ganmol y disgybl am gydymffurfio gydag unrhyw orchymyn unigol. Canlyniad arferol rhoi cadwyn o orchmynion fel hyn yw peidio cydymffurfio, yn rhannol am na all y disgybl, yn syml gydymffurfio gyda phob dim, ac yn rhannol am nad oes atgyfnerthu'n digwydd am gydymffurfio.

Mae math arall o bentyrru gorchmynion yn digwydd pan fydd athro'n dweud yr un peth drosodd a throsodd fel pe bai'r plentyn heb ei glywed. Mae llawer o athrawon yn ailadrodd yr un cyfarwyddyd bedair neu pum gwaith ac mae'r disgyblion yn dysgu'n fuan nad oes gwir angen iddynt ufuddhau tan y pumed tro. Bydd pentyrru gorchmynion yn y modd hwn hefyd yn atgyfnerthu ymddygiad anufudd drwy roi sylw cyson wrth ailadrodd.

Yn hytrach nag ailadrodd gorchymyn fel pe baech yn disgwyl i'ch disgyblion ei anwybyddu mynegwch y gorchymyn un waith. Siaradwch yn araf ac wedyn arhoswch i weld a yw'r plentyn am ufuddhau neu beidio. Os yw'n eich helpu i aros, beth am ichi gyfrif yn ddistaw tra'n aros i weld sut mae'r plentyn yn ymateb. Bydd hyn o gymorth ichi osgoi swnian.

### Rhoi gorchmynion realistig

Weithiau bydd athrawon yn rhoi gorchmynion sy'n anodd neu anaddas i oedran y plant. Er enghraifft, mae athro plant cyn oedran ysgol yn gofyn i Lisa, geneth 4 oed, rannu ei hoff anifail (tegan meddal) gyda phlentyn arall yn y dosbarth, neu mae athro plant 7-8 oed yn disgwyl i Carl, plentyn anystywallt sy'n methu talu sylw a chydweithredu, gymryd rhan mewn gweithgaredd gwnïo sy'n gofyn am iddo roi edau mewn nodwydd. Bydd y ceisiadau yma'n methu am nad ydynt yn realistig i blentyn oedran Lisa a phlentyn o allu datblygiadol Carl. Enghreifftiau eraill o roi gorchmynion rhy anodd neu anaddas yw disgwyl i blentyn 4 oed gadw llecyn chwarae cegin yn lân, disgwyl i blentyn 3 oed fod yn dawel tra mae oedolion yn cynnal trafodaeth hir, neu ddisgwyl i blant o unrhyw oedran fwyta pob dim ar eu plât bob amser.

Rhowch orchmynion y credwch eu bod o fewn gallu'r disgyblion i'w cyflawni'n llwyddiannus. Peidiwch ag arwain y plant at fethiant, a chi eich hun at rwystredigaeth. Os oes gennych ddisgybl sy'n methu talu sylw, sy'n orfywiog a byrbwyll, mae'n bwysig iawn rhoi gorchmynion realistig. Ni ddylech ddisgwyl i blentyn o'r fath gyflawni gweithgaredd arbennig o rwystredig heb gymorth, nac aros yn llonydd am amser maith. Disgwyliad mwy realistig fyddai iddo aros wrth y bwrdd am 5-10 munud.

### Rhoi gorchmynion clir

Mae gan rai athrawon ormod o orchmynion a rheolau. I'r gwrthwyneb, mae eraill yn casáu sefydlu unrhyw reolau o gwbl. Maent hwy yn amhendant ac anuniongyrchol ynglŷn â rheolau ac yn cuddio eu gorchmynion. Enghreifftiau cyffredin o orchmynion aneglur ac amhendant yw, 'Gwylia,' 'Bydd yn ofalus,' 'Bydd yn neis,' 'Bydd yn dda,' 'Stopia!' 'Ymdawela,' neu, 'Dangos i mi dy fod yn barod.' Mae'r gosodiadau yma'n ddryslyd am nad ydynt yn nodi'n benodol yr ymddygiad a ddisgwylir gan y disgybl.

Math arall o orchymyn aneglur yw un a fynegir fel sylwebaeth ddisgrifiadol. Er enghraifft, athrawes yn dweud wrth ddisgybl amser cinio, 'O Denise, rwyt yn colli dy lefrith ar y llawr. Cymer ofal!' Neu athro arall yn edrych drwy'r ffenest ac yn dweud, 'Billy, mae dy feic yn dal heb gael ei gadw!' Yn ychwanegol at fod yn aneglur mae'r gosodiadau yma'n cynnwys awgrym o feirniadaeth. Nid yn unig y mae'n anodd cael plentyn i ufuddhau i'r math yma o osodiad, fe fydd yr agwedd feirniadol hefyd yn debygol o fagu casineb. Mae gorchmynion uniongyrchol ('Dal y gwydr llefrith efo dy ddwy law', 'Cadwa dy feic') yn negeseuon clir a chadarnhaol i'r disgyblion.

Math arall o arweiniad aneglur yw'r gorchymyn, 'Beth am i ni,': 'Beth am i ni orffen tynnu llun,' 'Beth am i ni lanhau'r bwrdd celf' etc. Gall hyn fod yn gymhleth i blant ifanc, yn arbennig os nad yw'r athrawon yn fodlon cymryd rhan hefyd. Er enghraifft, mae athro a'i ddisgyblion wedi bod yn creu cerflun gyda math o does, ac yn awr mae am glirio'r toes. Dywed, 'Beth am i ni gadw'r toes.' Os nad yw'r athro'n fodlon helpu, mae'n debygol na fydd y plant yn ufuddhau, ac y bydd o'n flin efo nhw am beidio ymateb i'w orchymyn aneglur.

Wrth roi gorchymyn, byddwch yn benodol am yr ymddygiad a geisiwch gan eich disgyblion. Os yw Jenny'n codi ei llaw i ofyn cwestiwn, yn hytrach na dweud 'Aros funud,' hwyrach y dywedwch, 'Aros nes y bydda i'n gorffen darllen y dudalen yma efo Nic, yna fe ddof atat ac ateb dy gwestiwn.' Peidiwch â dweud 'Cymer ofal' wrth Robbie pan mae'n gwneud llanast efo'r sudd. Dywedwch, 'Defnyddia dy ddwy law i dywallt y sudd i'r gwydr.' Yn hytrach na dweud, 'Beth am gadw'r teganau' dywedwch, 'Cadwch y teganau os gwelwch yn dda.'

---

**Enghreifftiau o orchmynion effeithiol / atgoffa am reolau**

'Cerdda'n araf – diolch'
'Cadwa dy ddwylo i ti dy hun'
'Wyneba'r tu blaen a gwrando os gweli'n dda'
'Cadwa'r paent ar y papur'

'Siarada'n dawel'
'Chwaraea'n ddistaw'          'Golcha dy ddwylo'
'Ceg dawel'                   'Rhanna, diolch'
                              'Helpa, diolch'
                              'Arhosa, diolch'

'Cofiwch roi eich cadeiriau dan y bwrdd'
'Cofiwch y rheol dosbarth am roi llaw dawel i fyny'
'Cadwch y teganau os gwelwch yn dda'
'Siaradwch gyda'ch llais tu mewn'
'Croeswch eich coeau a wynebwch y ffordd yma'
'Na, dim gweithio ar y cyfrifiadur nes iti gwblhau dy fathemateg'
'Rhodda fo yn dy fag neu ar fy nesg'
'Byddaf yn gwrando pan fyddwch yn defnyddio lleisiau tawel'

## Enghreifftiau o Orchmynion Aneglur, Annelwig neu Feirniadol

'Beth am gadw'r teganau?'
'Pam na wnawn ni . . .?'
'Peidiwch â gweiddi'
'Chi yn y fan acw, caewch eich cegau'
'Stopiwch redeg'
'Beth am beidio gwneud hynna byth eto?'
'Pam na roi di dy enw ar y papur?'
'Byddwch yn neis, yn dda ac yn ofalus'
'Paid â swnian'
'Gwyliwch!'
'Oni wnes i ddweud wrthyt am godi hwnna?'
'Fedri di ddim aros ar dy gadair?'
'Rwyf wedi dweud wrthyt o'r blaen'
'Rwyt wedi gwneud llanast! Fedri di ddim bod yn ofalus? Dos, golcha'r llanast; dwyt ti ddim yn gwneud hynna rŵan'.
'Wyt ti i fod yn gwneud hynna?'
'Ti, dwi'n ei olygu. Ie ti – tyrd yma . . . rŵan!
'Gwranda, dydw i ddim yn meindio sut rwyt yn siarad efo fo ond yn fy nosbarth i . . .'
'Wyt ti am redeg y wers wyt ti?'
'Rwyf wedi dangos i ti sut i wneud hwnna gant a mil o weithiau, fe ddangosaf i ti eto.'
'Rwyf wedi cael digon, tyrd yma.'
'Paid â dadlau efo fi, dos'
'Pam nad wyt ti wedi dechrau gweithio?'
'Pam na elli di . . .?'
'Faint o weithiau sydd raid i mi ddweud wrthyt . . .?.'
'Nid wyt ti byth . . .'

**Defnyddio gorchmynion pendant – osgoi gorchmynion ar ffurf cwestiwn**

Gall gorchmynion ar ffurf cwestiwn fod yn arbennig o gymhleth i blant. Er enghraifft, mae athro'n dweud wrth ddisgybl sy'n cerdded o gwmpas yr ystafell, 'Wyt ti i fod yn y fan yna rŵan? Dwi ddim yn meddwl' neu, 'Wyt ti i fod yn rhoi min ar dy bensil rŵan? Ble wyt ti i fod?' Yr ystyriaeth yma yw'r gwahaniaeth cynnil sydd rhwng cais a gorchymyn. Mae cais yn awgrymu fod gan y disgybl y dewis o gyflawni neu beidio cyflawni'r hyn a geisir. Os ydych yn disgwyl i'r disgybl gydymffurfio ond yn geirio'r gorchymyn fel cwestiwn, rydych yn rhoi neges gymysglyd iddo. Problem arall gyda gorchymyn ar ffurf cwestiwn yw y gallwch gael eich hun wedi eich gwthio i gornel. Os byddwch yn dweud, 'Fyddech chi'n hoffi cadw eich llyfrau rŵan?' neu. 'Ydych chi eisiau rhoi eich enw ar y papur?' a'r disgybl yn dweud 'Na' rydych wedi eich cornelu. Nid yw'r disgybl yn gallu dweud ai dewis yntau gorchymyn sydd yn y mynegiant. Rydych wedi gofyn cwestiwn ac wedi cael ateb nad oeddech yn ei ddymuno, a rŵan rhaid i chi benderfynu sut i ddarbwyllo'r disgybl i gadw'r llyfr neu roi ei enw ar y papur.

Dylai athrawon ymdrechu i roi gorchmynion clir, pendant ac uniongyrchol a'u mynegi mewn termau cadarnhaol yn hytrach na chwestiynau. Rhowch orchmynion 'gwna' gyda'r ferf ar ddechrau'r frawddeg: 'Tyrd i eistedd yn dy gadair, os gweli'n dda', 'Ysgrifenna dy enw ar ben uchaf y papurau', 'Cadwa'r llyfrau o dan y bwrdd', 'Cerdda'n araf', 'Siarad efo llais tu mewn', 'Wynebwch y ffordd yma.' Yma, y gair cyntaf yn y gorchymyn yw'r ferf weithredol, ac felly bydd eich plentyn yn sicr o ddeall.

**Rhoi gorchmynion cwrtais gan osgoi beirniadaeth a labeli negyddol**

Os bydd athrawon yn rhy flin wrth roi gorchymyn, yn gweiddi ac yn cynnwys beirniadaeth neu sylw negyddol gyda'r gorchymyn, bydd hyn fel pe bai'n annog y plant i beidio cydymffurfio. Er enghraifft, gallai athro ddweud, 'Billy, pam na wnei di eistedd yn llonydd am unwaith yn dy fywyd!' Neu fe allai ddweud wrth Billy i eistedd yn llonydd mewn tôn llais sarcastig. Neu, gallai ddweud, 'Dydi plant saith oed ddim yn gwneud hynna!' Neu, 'Pam na wnewch chi ddilyn cyfarwyddiadau? Pa bryd wnewch chi ddysgu? Faint o weithiau sydd raid i mi ddweud wrthych?' Weithiau gall athro rhwystredig ddefnyddio label negyddol hollgynhwysol am y dosbarth cyfan megis, 'Mae'r plant yma'n ffyliaid,' neu, 'Mae'r plant yma wastad yn . . .,' neu, 'Dydi'r plant yma byth yn . . . '

Mae labelu a sarhau yn digwydd gan athrawon oherwydd eu rhwystredigaeth nad yw disgybl neu ddosbarth wedi cyflawni cais a wnaed gan yr athro lawer gwaith. Fodd bynnag, mae'r teimlad a fynegir y tu ôl i'r gorchymyn yr un mor bwysig â'r geiriau a ddefnyddir. Gall y disgybl sy'n synhwyro eich bod yn flin neu'n feirniadol ddewis peidio cydymffurfio fel ffordd o ddial am eich beirniadaeth.

Mae cynnal tôn llais cadarnhaol neu werthfawrogol yn arbennig o bwysig gyda disgyblion sydd â phroblemau ymddygiad. Bydd pawb ohonom naill ai'n 'cau fyny' neu'n tristau ac yn mynd yn amddiffynnol pan fyddwn yn clywed sylwadau neu lais negyddol. Ond mae'r plant yma fel arfer yn eithriadol o sensitif i oedolion yn bod yn negyddol. Pan glywant sylwadau neu dôn llais negyddol gan oedolyn fe allant golli rheolaeth dros eu hemosiynau, h.y. encilio, cynhyrfu, teimlo'n rhwystredig ac ymddwyn yn anhrefnus. O ganlyniad, ni fyddant yn gallu prosesu dysg na chlywed cyfarwyddiadau.

Osgowch feirniadu, gweiddi na herio eich disgyblion mewn ffordd wrthdrawiadol wrth roi gorchymyn. Gall gorchmynion gwawdlyd a negyddol wneud i'r disgyblion deimlo'n anghymwys, amddiffynnol ac yn llai tebygol o gydymffurfio. Mae gwneud i'ch disgyblion feddwl yn gadarnhaol amdanynt eu hunain fel pobl gwerth chweil yr un mor bwysig â sicrhau eu hufudd-dod. Dylid mynegi gorchmynion yn gadarnhaol, yn gwrtais, yn dawel a gyda pharch. Os dechreuwch ymddwyn yn negyddol gyda disgybl arbennig neu gyda'r dosbarth cyfan, dyma'r amser o bosibl ichi gyflawni'r annisgwyl neu ddefnyddio hiwmor er mwyn torri'r cylch negyddol. Mae datblygu'r arfer o siarad yn gadarnhaol a pharchus yn rhywbeth y dylech weithio arno – nid yw bob amser yn dod yn naturiol. Mantais arall o ddefnyddio iaith barchus gyda disgyblion yw eich bod yn ymdrin â nhw fel rhai sy'n gallu gwneud dewisiadau da gyda disgwyliadau cadarnhaol.

### Defnyddio enwau'r disgyblion

Wrth roi cyfarwyddiadau defnyddiwch enw'r disgybl dan sylw bob amser. Bydd hyn yn hawlio sylw'r disgybl hwnnw ac yn sicrhau ei fod yn gwybod fod y cyfarwyddyd yn cael ei roi'n arbennig iddo ef.

### Sefyll gerllaw disgybl ac ennill cyswllt llygaid

Mae athrawon ar gyfartaledd yn rhoi gorchymyn o bellter o 20 troedfedd: 'ti draw fan acw, a thithau yn y cefn . . . '. Mae hyn yn achosi problemau gan nad yw'r disgybl efallai'n sylweddoli fod y gorchymyn yn cael ei gyfeirio ato ef. Mae'r athro mor bell i ffwrdd fel na all sicrhau y bydd y gorchymyn yn cael ei ddilyn drwodd. Argymhellir fod gorchmynion yn cael eu rhoi pan fo'r athro oddeutu tair troedfedd yn unig oddi wrth y disgybl. Er enghraifft, mae dweud 'Rwyf angen dy sylw,' gydag un llaw ar ysgwydd y disgybl, yn fwy tebygol o sicrhau ei gydweithrediad na gorchymyn a floeddiwyd o bellter o 20 troedfedd. Dangosodd ymchwil fod sefydlu cyswllt llygaid â'r disgybl ynddo'i hun yn gwella cydweithrediad yn sylweddol.

Fodd bynnag, nid yw o gymorth gorfodi cyswllt llygaid drwy osodiadau megis, 'Edrych arna'i pan ydw i'n siarad efo ti'. Mae'n well gofyn am gyswllt llygaid ac, os na fydd hynny'n digwydd, siarad tuag at y clustiau. Mae dal cyswllt llygaid am gyfnod hir yn wrthdrawiadol. Ac, mewn rhai diwylliannau, mae cyswllt llygaid gyda pherson mewn awdurdod yn cael ei ystyried yn amharchus.

## Defnyddio gorchmynion 'Gwna'

Mae rhoi gorchymyn i stopio hefyd yn fath o osodiad negyddol, gan ei fod yn dweud wrth y disgybl beth i beidio'i wneud. Mae'r gorchmynion canlynol i gyd yn orchmynion stopio, 'Stopia weiddi,' 'Paid â gwneud hynna,' 'Aros,', 'Cau dy geg', 'Dim mwy o hynna', 'Dyna ddigon', 'Na, chei di ddim, fe wnaethost ti adael llanast.' Nid yn unig, mae'r rhain yn feirniadol o'r disgybl, maent hefyd yn canolbwyntio ar y camymddygiad yn hytrach na dweud wrth y disgybl sut i ymddwyn yn briodol.

Mae seicolegwyr chwaraeon wedi canfod, os bydd hyfforddwr yn dweud wrth fowliwr, 'Paid â thaflu pêl gyflym' y bydd y bowliwr yn debygol iawn o daflu pêl gyflym. Gwna hynny nid oherwydd malais ond yn syml am mai dyna'r ddelwedd fydd geiriau'r hyfforddwr wedi ei gyfleu iddo. Yn hytrach na rhoi gorchmynion 'paid' mae'n werth gwneud pob ymdrech i roi gorchmynion cadarnhaol 'gwna,' gan ychwanegu manylion am yr ymddygiad a geisiwch gan y plentyn. Yn lle dweud, 'Paid â gweiddi allan pan ydw i'n siarad,' neu, 'Stopia grwydro o gwmpas' neu 'Paid â gweiddi allan,' dywedwch, 'Siarada'n dawel os gweli'n dda', neu 'Llaw dawel i fyny os gwelwch yn dda', neu 'Wynebwch y ffordd yma a gwrando os gwelwch yn dda.' Pa bryd bynnag y bydd disgybl yn cyflawni rhywbeth nad ydych yn ei hoffi, yna meddyliwch am ymddygiad arall a ddymunwch. Yna, geiriwch eich gorchymyn o amgylch yr ymddygiad cadarnhaol hwnnw.

## Caniatáu amser i gydymffurfio

Wrth roi gorchmynion rhaid caniatáu amser i'r disgyblion ufuddhau. Nid yw athro Nina'n rhoi cyfle o'r fath os dywed, , 'cadwa'r llyfrau,' ac yna mae'n cychwyn eu cadw cyn i Nina ufuddhau. Felly hefyd os dywed athro Rino, 'Tyrd i lawr oddi ar y siglen,' ac mae'n ei dynnu lawr cyn rhoi cyfle iddo wneud hynny ohono'i hun. Weithiau rhaid ufuddhau'n syth, yn arbennig os yw'n fater o ddiogelwch ond gan amlaf mae plant yn haeddu cyfle i ufuddhau'n llwyddiannus.

Wedi i chi roi gorchymyn oedwch. Os yw'n eich helpu i aros yn amyneddgar, beth am i chi gyfrif yn ddistaw i bump. Os yw'r plentyn yn dal heb gydymffurfio, yna gellwch ystyried hyn fel enghraifft o beidio cydymffurfio. Ond os rhowch amser i'r disgyblion gydymffurfio, byddwch yn aml yn canfod eu bod yn gwneud hynny. Mae oedi ar ôl rhoi gorchymyn hefyd yn eich gorfodi i ystyried a yw'r disgybl wedi cydymffurfio neu beidio. Yna, gellwch wobrwyo cydymffurfiad neu ddilyn drwodd gyda'r canlyniadau am beidio cydymffurfio.

**Rhybuddio ac atgoffa**

Mae rhai athrawon yn rhoi gorchmynion yn annisgwyl heb unrhyw rybudd. Dychmygwch y sefyllfa hon: Mae Jenny wedi ymgolli'n llwyr yn peintio wrth yr îsl peintio. Yn sydyn, mae'r athrawes yn cerdded i mewn i'r ystafell ac yn dweud wrthi am gadw'r paent. Beth sy'n digwydd nesaf? Mae'n debyg y bydd Jenny'n anhapus iawn, yn ymwrthod ac yn protestio.

Bydd athro rhagweithiol yn atgoffa ac yn rhoi rhybuddion pan fydd yn amser newid gweithgaredd, pan fydd y disgyblion yn dechrau llithro oddi wrth yr ymddygiad disgwyliedig, neu er mwyn hyrwyddo hunan reolaeth. Pan fo hynny'n ymarferol bydd o gymorth i athro rybuddio ac atgoffa cyn rhoi gorchymyn. Gall fod yn ffordd effeithiol o baratoi plant am newid sydd ar fin digwydd. Pe bai athro Jenny wedi sylwi ei bod wedi ymgolli yn ei pheintio ac wedi dweud, 'Mewn dau funud bydd yn amser i ti gadw'r paent', mae'n debyg na fyddai Jenny wedi cynhyrfu. Mae llawer ffordd o roi rhybuddion. I blant ifanc nad ydynt yn deall y cysyniad o amser, gall amserydd, goleuadau'n fflachio neu rythm cyfarwydd yn cael ei glapio fod yn ddefnyddiol. Gellwch ddweud, 'Pan fydd cloch yr amserydd yn canu bydd yn amser cadw'r paent.' Gyda phlant hŷn gellir cyfeirio at gloc.

Dylid ystyried dewisiadau a hoffter arbennig plant hefyd. Er enghraifft, os yw eich disgyblion yn brysur yn darllen llyfrau efallai y dywedwch, 'Pan fyddwch yn gorffen darllen y dudalen yr ydych arni ar hyn o bryd, rwyf am i chi gadw'r llyfrau.' Os byddwch yn ymateb i ddymuniadau plant a'u paratoi yn y modd hwn, byddant yn fwy tebygol o gydymffurfio na phan ddisgwyliwch iddynt ufuddhau'n syth.

## Gorchmynion 'Pan . . . Wedyn'

Weithiau bydd athrawon yn rhoi gorchmynion sy'n swnio fel bygythiadau: 'Rwyt yn crwydro'n ddiddiwedd o'th gadair ac yn gofyn am drwbwl,' neu, 'Fe fyddi di'n difaru i ti wneud hynna.' Y bwriad mae'n debyg yw rhybuddio neu roi arwyddion i'r plant eu bod mewn perygl. Fodd bynnag, mae'r math yma o fygythiadau a'r canlyniadau a awgrymir ynddynt yn tueddu i achosi i blant fod yn heriol a negyddol yn hytrach nag yn ufudd.

Defnyddiwch orchmynion 'pan . . . wedyn' sy'n dweud wrth y disgyblion ymlaen llaw beth fydd union ganlyniadau eu gweithrediadau. Yn yr enghreifftiau uchod, dylech ddweud, 'Pan fyddi'n eistedd i lawr, wedyn fe fyddaf yn dy helpu gyda'r broblem fathemateg,' neu, 'Pan fyddi wedi gorffen cadw'r paent, wedyn fe gei di fynd allan i chwarae.' Yn gyntaf, sicrhewch yr ymddygiad priodol a ddymunwch ac wedyn rhowch ganlyniadau positif. Mae'r math yma o orchymyn yn rhoi dewis i blentyn – cydymffurfio neu beidio cydymffurfio, ynghyd â gwybodaeth am ganlyniadau'r ddau ddewis. Mae'n bwysig, wrth roi gorchymyn 'pan . . . wedyn' eich bod yn anwybyddu dadlau a phrotestio gan y plentyn ac yn dilyn drwodd gyda'r canlyniadau. Yn naturiol, yr unig amser y dylid defnyddio'r math yma o orchymyn yw pan allwch ganiatáu i'r disgyblion benderfynu cydymffurfio neu beidio cydymffurfio. Os oes raid cael cydymffurfiaeth â'ch gorchymyn, yna rhowch orchymyn uniongyrchol positif.

## Rhoi dewisiadau i'r disgyblion

Gan amlaf, bydd athrawon yn rhoi gorchmynion y byddant yn disgwyl i'r disgyblion eu dilyn – er enghraifft, codi llaw dawel, aros tro, cyflawni'r dasg fathemateg. Ond weithiau bydd yr athro'n rhoi dewis i'r disgyblion i gydymffurfio neu beidio. Bryd hynny gall disgybl yn ddilys wrthod cais gan athro. Pan ddigwydd gwir ddewis o'r fath mae newid yn y cydbwysedd grym rhwng yr athro a'r disgybl. I ddatblygu perthynas lawn ymddiriedaeth gyda disgybl golyga hefyd fod rhaid i athro barchu penderfyniad y disgybl i ddewis peidio rhannu rhyw agwedd ar ei fywyd. Rhaid i athrawon sylweddoli ym mha sefyllfaoedd y bydd 'na' gan ddisgybl yn dderbyniol. Wrth i ddisgyblion weld fod eu hathrawon yn parchu eu penderfyniadau bryd hynny, maent yn fwy tebygol o gydymffurfio gyda gorchmynion yr athrawon ar adegau eraill.

Weithiau rhaid i athrawon wahardd eu disgyblion rhag gwneud rhywbeth y maent yn wir eisiau ei gyflawni. Yn y sefyllfaoedd yma gall athrawon ddweud wrth eu disgyblion yr hyn na allant ei wneud ond hwyrach anghofio dweud wrthynt beth a allant ei wneud yn lle hynny. Er enghraifft, mae athro'n brasgamu tuag at ddisgybl sy'n chwarae gyda'r cyfrifiadur ac yn dweud, 'Tro'r cyfrifiadur i ffwrdd – yn syth!' Neu, mae athro'n sylwi ar blentyn sydd i fod yn gweithio ond sy'n chwarae'n llechwraidd gyda thegan a ddaeth i'r ysgol. Ymateb yr athro yw, 'Rho hwnna i mi.' Pan fydd plant yn teimlo'u bod wedi cael eu cyfyngu'n gaeth a'u gwahardd rhag cyflawni gweithgareddau hwyliog, byddant yn fwy tebygol o brotestio a pheidio cydweithredu.

Dylai gorchymyn sy'n gwahardd disgybl rhag gwneud rhywbeth gynnwys awgrym o rywbeth arall i'w wneud fel opsiwn gwahanol. Hwyrach y dywedwch, 'Chei di ddim chwarae ar y cyfrifiadur rŵan, ond fe gei ei ddefnyddio ar ôl ysgol os dymuni' neu, 'Tegan neis, gelli ei gadw yn dy ddrôr neu ei roi ar fy mwrdd i' neu, 'Chei di ddim chwarae gyda'r gwningen ddof rŵan, ond fe gei di estyn y llyfrau ar gyfer amser darllen' neu, 'Fe gei di orffen dy waith mathemateg rŵan neu wneud hynny yn ystod yr egwyl.' Gall ymdriniaeth o'r fath helpu i leihau brwydrau am oruchafiaeth oherwydd, yn hytrach na brwydro am yr hyn na all eich disgybl ei gyflawni, rydych yn rhoi dewis arall positif iddo.

## Rhoi gorchmynion a chyfarwyddiadau byr

Gall gorchmynion clir gael eu cymylu gan esboniadau, cwestiynau neu fôr o eiriau. Er enghraifft, mae'r athro'n dweud wrth y disgyblion, 'Cadwch y teganau,' ac mae'n dilyn hynny gyda llawer o gwestiynau ynghylch pam fod yr holl deganau a phaent ar hyd a lled y dosbarth a beth maent yn ei ddarlunio. Canlyniad hyn yw bod y gorchymyn gwreiddiol wedi mynd yn angof. Problem gysylltiedig yw bod athrawon weithiau'n rhoi gormod o eglurhad gyda gorchymyn. Efallai y credant fod rhoi eglurhad hir yn cynyddu'r tebygolrwydd y bydd y plant yn cydweithredu. Ond mae'r dull hwn fel arfer yn cael effaith i'r gwrthwyneb. Bydd y mwyafrif o blant yn dadlau gyda'r rhesymeg ac yn ceisio tynnu sylw'r athrawon oddi wrth y gorchymyn gwreiddiol.

Cadwch eich gorchmynion yn berthnasol, yn glir ac yn fyr. Os ydych am roi rheswm am eich gorchymyn, dylai fod yn fyr a dod o flaen y gorchymyn, neu fe ddylai ddilyn wedi i'r plant gydymffurfio. Dychmygwch eich bod yn gofyn i ddisgybl dacluso'r dosbarth. Fel y bydd yn gwneud hynny, hwyrach yr ychwanegwch 'Diolch, rwyt wedi gwneud hynna'n ardderchog. Roeddwn i'n wir eisiau tacluso'r ystafell yma gan ein bod yn cael noson rieni yma heno.' Cofiwch anwybyddu dadlau a phrotestio ynglŷn â'ch gorchmynion oherwydd os rhowch sylw i'r brotest bydd y disgyblion yn llai tebygol o gydymffurfio.

## Dilyn drwodd gyda chanmoliaeth neu ganlyniadau

Weithiau ni fydd athrawon yn sylwi a yw plant yn cydymffurfio gyda'u gorchmynion neu beidio. Os nad oes dilyn drwodd, ac os nad yw'r plant yn cael sylw am gydymffurfio neu fod yn atebol am eu diffyg cydymffurfio, yna gall athrawon ddisgwyl gweld eu gorchmynion yn cael eu hanwybyddu.

Mae canmol cydymffurfiaeth yn annog y disgyblion i gydweithredu'n well ac i werthfawrogi eich dymuniadau. Os nad yw'r disgyblion yn ufuddhau, bydd raid i chi wneud gosodiad rhybuddio. Dylai hyn fod yn osodiad 'os . . . yna' – 'Os na wnei di gadw dy lyfrau Kevin, yna byddi'n colli munud o amser egwyl.' Dylech aros 5 eiliad i weld a yw'r plentyn am ufuddhau neu beidio. Os bydd yn cydymffurfio dylai'r plentyn dderbyn canmoliaeth am wneud hynny. Os yw'n parhau i beidio cydymffurfio yna dylai golli munud o amser egwyl. (Gweler Penodau 5 a 6 am ragor o wybodaeth.)

## I gloi

Nid yw cael strwythur a rheolau dosbarth eglur, trefn ragweladwy a gorchmynion penodol yn gofyn i chi fod yn awdurdodol a haearnaidd neu ddisgwyl cydymffurfiad 100% gan eich disgyblion. Yn hytrach mae'r pwyslais ar fod yn rhagweithiol (yn hytrach nag adweithiol). Mae'n golygu meddwl yn ofalus cyn rhoi gorchymyn er mwyn sicrhau ei fod yn wir angenrheidiol a'ch bod yn fodlon dilyn drwodd gyda'r canlyniadau, os bydd angen. Mae'n bwysig sicrhau cydbwysedd rhwng dewis y plentyn a rheolau oedolion.

Mae gosod terfynau yn effeithiol yn fwy anodd nag a dybiwch ar y dechrau. Mewn rhai sefyllfaoedd, dylai gorchmynion athrawon gael eu mynegi'n glir fel rhai terfynol. Mewn sefyllfaoedd yn ymwneud â gwregysau diogelwch, taro, peidio rhedeg i'r stryd a chyfyngu ar ddefnydd cyfrifiadur, er enghraifft, mae angen i chi gael rheolaeth dros eich disgyblion. Bryd hynny rhaid i chi fynegi eich gorchmynion mewn dull positif, cwrtais, parchus a chadarn. Nid oes angen gorchmynion uniongyrchol mewn rhai sefyllfaoedd. Ar adegau felly mae'n well atgoffa, defnyddio cliwiau gweledol, ailgyfeirio corfforol, rhoi canmoliaeth ar y pryd neu ddefnyddio hiwmor i ail-gysylltu'r plentyn sy'n methu talu sylw. Mewn sefyllfaoedd eraill gallwch roi heibio'r rheoli gan osgoi gorchmynion diangen a disgwyliadau afreal, a rhoi dewisiadau i'r disgyblion. Beth am adael i'r disgyblion reoli penderfyniadau megis pa weithgaredd i'w ddewis yn ystod amser rhydd, dewis bwyta'r cyfan o'r bwyd ar y plât neu beidio, dewis pa storïau i'w darllen a pha liwiau i'w defnyddio wrth ddarlunio. Efallai dan amgylchiadau eraill y gellwch chi a'ch disgyblion ddatrys problemau a dysgu rhannu rheolaeth gyda'ch gilydd. Mae cyflwyno'r broses o ddod i delerau a thrafod gyda phlant mor ifanc â 4 neu 5 oed yn gallu bod yn hyfforddiant cynnar ar gyfer dysgu sgiliau rheoli gwrthdaro. Yr allwedd i osod terfynau effeithiol yw ymdrech athrawon i geisio *cydbwysedd* yn y defnydd o reolaeth gyda disgyblion. Byddwch yn cydbwyso eich defnydd o reolaeth uniongyrchol ac anuniongyrchol yn ogystal â chynnig cyfleoedd dilys i'r disgyblion ddatrys problemau a rhannu rheolaeth. Mae'n bwysig bob amser ymdrechu i sicrhau cyfartaledd uwch o ddulliau positif nag o ddulliau negyddol.

**I grynhoi**

- Datblygwch reolau dosbarth clir a thrafodwch nhw gyda'r plant ymlaen llaw.
- Ceisiwch sicrhau amserlenni a threfniadau rhagweladwy ar gyfer cyfnodau newid o'r naill weithgaredd i'r llall.
- Sicrhewch sylw disgyblion cyn rhoi cyfarwyddiadau.
- Gosodwch blant sy'n methu talu sylw neu rai sy'n hawdd tynnu eu sylw oddi ar dasg, yn agos at fwrdd yr athro neu'n agos at yr athro ei hun.
- Ymdrechwch i roi gorchmynion clir a phendant, wedi eu mynegi'n bositif.
- Ailgyfeiriwch blant sydd oddi ar dasg drwy alw eu henwau wrth ofyn cwestiwn, sefyll yn agos atynt, creu gemau diddorol a defnyddio arwyddion di-eiriau.
- Atgoffwch eich plant am yr ymddygiad disgwyliedig drwy roi rhybuddion positif yn hytrach na thrwy ddefnyddio gosodiadau negyddol, pan fyddant yn ymestyn y terfynau.
- Rhowch sylw, canmoliaeth ac anogaeth aml i blant sy'n aros ar dasg ac yn dilyn cyfarwyddiadau.
- Byddwch yn greadigol wrth ddefnyddio strategaethau ail-gyfeirio – osgowch bentyrru gorchmynion. Yn hytrach, defnyddiwch awgrymiadau di-eiriau a gweithgareddau atyniadol.

**Deunydd darllen**

Brophy, J. E. (1996) *Teaching Problem Students*, New York: Guilford Press.

Doyle, W. (1990) Classroom management techniques. In O. C. Moles (ed.) *Student Discipline Strategies: Research and Practice*, Albany, NY: State University of New York Press.

Forehand, R. L. and McMahon, R. J. (1981) *Helping the Noncomplaint Child: A Clinician's Guide to Parent Training*, New York: Guilford Press.

Gettinger, M. (1988) Methods of proactive classroom management, *School Psychology Review*, 17, 227-42.

Good, T. L. and Brophy, J. E. (1994) *Looking in Classrooms*, New York: HarperCollins.

Van Houten, R., Nau, P. A., Mackenzie-Keating, S. E., Sameoto, D. and Colavecchia, B. (1982) An analysis of some variables influencing the effectiveness of reprimands, *Journal of Applied Behaviour Analysis*, 15, 65-83.

# Hyrwyddo ymddygiad positif: sylw, anogaeth a chanmoliaeth

Mae'r plant sydd angen cariad fwyaf yn gofyn amdano yn y ffyrdd mwyaf anghariadus. Gellir dweud yr un peth am y plant sydd fwyaf o angen sylw, canmoliaeth ac anogaeth.

## Pwysigrwydd sylw, anogaeth a chanmoliaeth athro

Pan edrychwn ar amgylchedd dosbarth i weld pa ffactorau sy'n helpu disgyblion i ddod yn ddysgwyr llwyddiannus, mae ansawdd sylw'r athro'n ymddangos yn un o'r ffactorau pwysicaf. Mae cael anogaeth a chanmoliaeth gyson ac ystyrlon gan athro'n adeiladu hunan-barch plant. Cyfranna tuag at ffurfio perthynas sy'n llawn ymddiriedaeth a hyder. Mae rhoi sylw o'r fath i ymddygiad positif yn atgyfnerthu a meithrin gallu academaidd a chymdeithasol cynyddol.

Ac eto, dangosodd ein hymchwil ni ac eraill fod athrawon yn eu dosbarthiadau yn rhoi rhwng tair a phymtheg gwaith gymaint o sylw i gam-ymddwyn disgyblion nag i ymddygiad positif (e.e. siarad, ffidlan, ac ymddygiad amhriodol) (Martens & Mellor, 1990; Wyatt & Hawkins,1987). Nid yn annisgwyl, mae'r sylw yma'n atgyfnerthu'r cam-ymddwyn, gan arwain at broblemau cam-ymddwyn cynyddol yn y dosbarth, yn arbennig gyda phlentyn sydd wedi cael ei amddifadu o sylw oedolyn. Dylai athrawon sylweddoli grym rhoi sylw fel atgyfnerthiad i ymddygiad disgyblion. Ar yr un pryd dylent leihau'r sylw a roddant i ymddygiad amhriodol, gan gynyddu eu defnydd o sylw, anogaeth a chanmoliaeth i ymddygiad positif. Mae gweithredu yn y modd hwn yn dylanwadu'n ddramatig nid yn unig ar y plentyn ond ar y dosbarth cyfan. Wrth wylio'r hyn y mae athro'n rhoi sylw iddo, mae disgyblion yn dysgu pa ymddygiadau a werthfawrogir ganddo. Yn y bennod yma byddwn yn edrych ar y ffyrdd mwyaf effeithiol o roi sylw, canmoliaeth ac anogaeth gan athrawon yn ôl tystiolaeth gwaith ymchwil (Brophy,1981; Cameron & Pierce,1994; Colvin & Ramsey,1995). Yn gyntaf, ystyriwn rai cwestiynau a phryderon sydd gan athrawon ynglŷn â chanmoliaeth.

# Cwestiynau y mae athrawon yn eu gofyn

**Oni fydd rhoi canmoliaeth gan athro i rai plant yn gwneud y plant eraill, nad ydynt yn derbyn canmoliaeth, yn ansicr?**

Onid yw canmol un plentyn yn gwneud i'r plant eraill, sydd heb dderbyn canmoliaeth, deimlo'n ddrwg?

Weithiau bydd athrawon yn gyndyn o ganmol neu roi sylw cadarnhaol i blant gyda phroblemau ymddygiad am eu bod yn ofni y caiff hynny effaith negyddol ar blant eraill. Er enghraifft, mae rhai athrawon yn poeni, os byddant yn canmol un plentyn, y bydd y plant sydd yn eistedd yn agos ato'n teimlo'n annigonol oherwydd na chawsant hwy ganmoliaeth. Ofnant *nad yw'n deg* canmol rhai plant yn fwy nag eraill. Cyn belled â bod yr athro'n rhoi canmoliaeth gyson a phositif i *bob* plentyn ar ryw adeg, ni fydd y plant yn teimlo'u bod yn cael eu trin yn annheg. Gydag amser, a dogn achlysurol o sylw cadarnhaol gan eu hathro, bydd plant yn teimlo'n ddigon diogel yn eu perthynas gyda'u hathro i osgoi teimlo cenfigen pan fo eraill yn derbyn canmoliaeth. Yn wir, gydag amser dysgant hyd yn oed i ddathlu llwyddiannau ei gilydd.

Yn y tymor hir, gall fod yn fuddiol i holl blant y dosbarth os ydych yn rhoi mwy o ganmoliaeth a sylw cadarnhaol i blentyn problemus am ei gynnydd (e.e. ' fe wnest ti rannu'r brwshys paent yn ardderchog' neu ' 'da iawn ti'n canolbwyntio'n wych ar dy waith'). Mae labelu disgrifiadau o ymddygiadau academaidd a chymdeithasol disgwyliedig yn y modd hwn yn atgoffa pawb ohonynt. Ychydig iawn o ganmoliaeth y mae plant 'anodd' nodweddiadol yn ei dderbyn yn y dosbarth. Cânt ormod o feirniadaeth ac anghymeradwyaeth o gymharu â'u cyd-ddisgyblion. Maent hwy (a'u cyfoedion) wedi dysgu disgwyl hyn, a byddant yn ymddwyn mewn ffyrdd sy'n gwireddu'r disgwyliadau yma. Rhaid i athrawon plant o'r fath weithio'n galed iawn i wyrdroi'r patrwm. Dywedwyd mai'r plant sydd fwyaf o angen cariad yw'r rhai fydd yn gofyn amdano yn y ffyrdd mwyaf anghariadus. Gellir dweud yr un fath am blant sydd angen sylw positif.

**Onid yw'n bwysicach i blant hunan-arsylwi eu gwaith yn hytrach na dibynnu ar ganmoliaeth athrawon?**

Pa mor gynnar ellwch chi annog plant i bwyso a mesur eu gwaith eu hunain?

Mae'n bwysig fod plant yn dysgu hunan-arsylwi, sef edrych yn feirniadol ar eu gwaith eu hunain a theimlo balchder yn eu medrusrwydd, heb ddibynnu ar ffynonellau allanol am ganmoliaeth.

Mae hwn yn nod tymor hir pwysig, ond rhaid i'r athro fod yn ymwybodol o brofiadau pob plentyn unigol yn y byd tu allan. Er enghraifft, mae rhai plant yn dod o deuluoedd lle rhoddir adborth cadarnhaol, lle mae ymroddiad i gefnogi, lle mae perthynas dda gyda rhieni a lle mae hybu eu hunanddelwedd yn ganolog. Mae plant o'r fath yn ddigon hyderus i gychwyn gwerthuso'u gwaith eu hunain. Er hynny, mae'n afrealistig disgwyl i blant ifanc sy'n dal i ddatblygu'n emosiynol a chymdeithasol beidio bod angen peth dilysiant allanol i'w hymdrechion dysgu. Yn wir, mae oedolion angen cefnogaeth o'r fath beth bynnag fo'u hoedran a pha mor hunan-hyderus bynnag y bônt.

Yn anffodus, nid yw pob plentyn yn dod o amgylchiadau teuluol cefnogol. Bydd rhai ohonynt wedi profi llawer o adborth negyddol a hyd yn oed beirniadaeth lem gan eu rhieni am eu cam-ymddwyn. Mae rhieni plant eraill wedi eu gorlethu gan eu problemau eu hunain, yn gymaint felly fel na allant ganolbwyntio ar anghenion a diddordebau eu plant. O ganlyniad, bydd eu plant hwy'n teimlo nad yw eu rhieni'n hidio amdanynt. Gall rhai plant fod wedi cael eu diarddel o ysgolion blaenorol ac wedi cael eu gwrthod gan gyfoedion ac athrawon. Mae plant yn dod at athrawon gyda phrofiadau gwahanol iawn o ran eu perthynas gydag oedolion. O ganlyniad bydd eu hunanhyder yn amrywio'n arw. Bydd plentyn sydd â phroblemau ymddygiadol yn debygol o fod yn edrych yn negyddol iawn ar ei berthynas gydag oedolion. Yn yr un modd, gall plentyn o'r fath fod â meddwl isel iawn ohono'i hun. Os yw'r plentyn yma'n cael ei adael i werthuso'i waith ei hun mae'n debygol o ddatgan ei fod yn ddiwerth.

Rhaid i athrawon ddarparu mwy o *sgaffaldiau* allanol, cadarnhaol a chyson, ar gyfer y plant yma gan na roddwyd hynny iddynt yn ystod eu blynyddoedd cynnar hollbwysig. Gall athrawon feddwl am y gynhaliaeth ychwanegol yma fel cynnig amgylchedd priodol i sicrhau llwyddiant academaidd a chymdeithasol. Hwyrach y bydd plentyn angen cefnogaeth gadarnhaol am nifer o flynyddoedd cyn y bydd yn mewnoli'r negeseuon, yn datblygu hunanddelwedd bositif a meithrin y gallu i hunan-arsylwi mewn ffordd realistig.

Mae ffactorau biolegol hefyd yn dylanwadu ar allu'r plentyn i hunan-arsylwi. Bydd plentyn sy'n cael anhawster talu sylw, yn fympwyol neu'n orfywiog yn dangos oediad yn ei allu i hunanasesu. I gyflawni'r dasg mae arno angen y gallu i bwyso a mesur ei weithrediadau a rhagweld canlyniadau. Nid yw plant gorfywiog a phlant sy'n methu talu sylw sy'n byw 'yn y foment' yn ei chael yn hawdd i ddysgu oddi wrth brofiadau'r gorffennol. Ni allant ragweld digwyddiadau'r dyfodol ychwaith. Mae'r plant yma angen llawer mwy o sgaffaldiau allanol cadarnhaol gan athrawon na phlant sy'n fwy adfyfyriol eu natur.

### Onid yw derbyn canmoliaeth athro'n arwain at ddibyniaeth disgybl ar gymeradwyaeth allanol?

Onid yw derbyn canmoliaeth yn creu disgybl a gaiff ei ysgogi gan ganmoliaeth allanol yn unig yn hytrach nag ysgogiad mewnol?

Weithiau bydd athrawon yn poeni fod gormod o ganmoliaeth yn ddrwg i blant. Hwyrach y teimlant fod disgyblion sy'n cael canmoliaeth yn rhy aml yn mynd yn hunandybus neu'n rhy hyderus yn eu galluoedd. Hwyrach y teimlant y bydd y plant yn mynd yn ddibynnol ar ganmoliaeth – ffurf ar gynhaliaeth allanol. Mae ymchwil yn dangos fod plant sy'n cael canmoliaeth gan rieni ac athrawon yn mewnoli'r gymeradwyaeth gadarnhaol ac yn datblygu hunan ddelwedd gadarnhaol. Yn nodweddiadol, teimlant yn fedrus, ac mae angen llai o ganmoliaeth arnynt yn y tymor hir gan iddynt ddatblygu hyder yn eu galluoedd unigryw eu hunain. Mae hyn yn arbennig o wir os yw plant yn cael eu canmol am eu hymdrechion a'u galluoedd yn hytrach nag am eu cyflawniad.

Mae'r cwestiwn hwn ynghylch ysgogiad mewnol a'r cwestiwn blaenorol am hunan-arsylwi. Y consyrn a fynegwyd gan rai athrawon yw bod canmoliaeth (sylw cadarnhaol neu unrhyw wobr gymdeithasol) gan oedolion yn creu plentyn sy'n dibynnu ar gymeradwyaeth allanol gan oedolyn. Ofnant na fydd y plentyn yn datblygu synnwyr mewnol o'i werth ei hun. Weithiau bydd athrawon yn ofni y bydd raid cynyddu'r ganmoliaeth fwyfwy dros amser er mwyn cael yr un effaith. Ofnant y bydd plant yn methu datblygu'r cymhelliad mewnol hanfodol i ddysgu. Ni chefnogir y theori yma gan erthygl ymchwil a fu'n edrych ar naw deg chwech astudiaeth arbrofol gan gymharu disgyblion a oedd yn cael eu gwobrwyo gyda rhai nad oedd yn cael eu gwobrwyo. Casgliad yr ymchwil oedd bod y plant oedd yn derbyn llawer o adborth cadarnhaol gan rieni ac athrawon yn dangos cynnydd mewn ysgogiad cynhenid (Cameron & Pierce,1994 ). Mae plant sy'n derbyn canmoliaeth yn hunan-hyderus gyda meddwl uchel ohonynt eu hunain. Maent fel petaent yn mewnoli'r negeseuon cynnar fel na fyddant eu hangen yn y dyfodol. Mae'r effaith yma'n arbennig o debygol os yw plant yn derbyn canmoliaeth am eu hymdrechion a'u galluoedd yn hytrach nag am yr hyn a gyflawnant. Ymhellach, mae plant sydd wedi derbyn llawer o ganmoliaeth yn boblogaidd gyda phlant eraill. Byddant yn rhoi adborth cadarnhaol i blant eraill ac oedolion – hynny yw, maent wedi modelu'r ymddygiad yma ac maent yn ei ddefnyddio wrth ryngweithio gydag eraill. Ar y llaw arall, y plant sy'n mynnu canmoliaeth ac sy'n ddibynnol ar arfarniad eraill yw'r plant ansicr na dderbyniodd ond ychydig iawn o adborth positif ac sydd â meddwl isel ohonynt eu hunain. Yn anffodus, yn anaml iawn y mae'r plant sydd fwyaf o angen sylw positif a chanmoliaeth yn ei dderbyn. Yn y mwyafrif o ddosbarthiadau, y gwirionedd yw bod y plant problemus yn derbyn llawer mwy o feirniadaeth a sylw negyddol nag o ganmoliaeth a sylwadau cadarnhaol.

## Ydi canmoliaeth athro i un disgybl yn gallu rhwystro creadigedd disgyblion eraill?

Os byddwch yn canmol plentyn am ei ateb i gwestiwn, onid oes perygl y bydd y disgyblion eraill yn ailadrodd yr ateb hwnnw gan ofalu bod eu hateb hwy yr un fath? A fyddant yn ofni rhoi ateb gwahanol i'r cwestiwn oherwydd pryder na fydd adwaith yr athro mor frwdfrydig?

Mae rhai athrawon yn ofni rhoi canmoliaeth benodol i ateb un disgybl rhag i bob disgybl ddynwared y disgybl hwnnw, fel bod yr ateb hwnnw yn sydyn yn dod yn ateb 'cywir'. Mae'n wir fod plant yn gwylio i weld pa ymddygiadau sy'n denu sylw athrawon, ac yna'n ailadrodd yr ymddygiadau hynny i gael y sylw hefyd. Mae hyn yn rhan ddisgwyliedig o'r broses o ddysgu ac mae defnyddio ateb un plentyn fel model i ysgogi plant eraill yn strategaeth addysgu dda. Unwaith y bydd athro wedi cael plant i weithio tuag at gael sylw positif (yn hytrach na sylw negatif) y cam nesaf i athrawon yw defnyddio'r dechneg yma i ymestyn amrediad ymatebion y disgyblion. Hynny yw, maent yn ceisio atgyfnerthu syniadau gwahanol, creadigol ac unigryw. Gallai athro ddweud wrth ddisgyblion, 'Roedd hwnna'n ateb craff a diddorol. Oes gan rywun arall brofiad gwahanol yr hoffent ei rhannu?' Fel y sylweddola'r disgyblion na chânt yr un math o sylw positif wrth ailadrodd atebiad disgybl arall, yn raddol deuant yn llai tebygol o ailadrodd ymateb rhywun arall i gael sylw. Dangosant fwy o gymhelliad i gynhyrchu eu syniadau eu hunain.

## Pa mor aml ddylech chi ganmol plentyn?

Os yw plentyn yn sillafu gair, a ddylech chi ganmol pob llythyren neu aros nes bod y gair cyfan wedi'i gwblhau?

Mae'n dibynnu ar allu a chymhelliad y plentyn. Hynny sy'n penderfynu a ydych yn canmol pob llythyren y mae'n ei sillafu'n gywir, yntau aros nes bydd y gair cyfan wedi cael ei sillafu'n gywir. Gyda phlant sy'n gyndyn o fentro, rhai sy'n teimlo'n rhwystredig gyda'u sillafu, neu'n ansicr eu perthynas gydag athro neu gyd-ddisgybl, bydd canmoliaeth aml (yn dilyn pob llythyren) yn bwysig, gan y bydd yn rhoi hyder iddynt ddal i ymdrechu. Mewn rhai achosion mae'n synhwyrol i rannu'r broses yn gamau bach a chanmol pob elfen unigol. I'r plentyn sy'n hyderus yn y dosbarth ac yn gallu sillafu'n dda, bydd canmol y gair cyfan yn ddigon.

Mae'n bwysig fod plant yn dysgu ei bod yn dderbyniol iddynt wneud camgymeriadau. Os teimlant na fyddant yn cael sylw cadarnhaol gan athro os gwnânt gamgymeriad, byddant yn amharod i fentro yn y lle cyntaf. Os bydd plentyn yn cael un neu ddwy lythyren yn anghywir, dylai'r athro ganmol yr ymdrech a chanolbwyntio ar y pum llythyren gywir yn hytrach nag ar y camgymeriadau. Er enghraifft, 'Roedd honna'n ymdrech dda. Rwyt ti wedi meddwl yn ofalus am y sillafu ac mae pob llythyren ond un yn gywir!'

Yn gyffredinol, dylai athrawon ofalu fod ganddynt o leiaf bedwar sylw cadarnhaol am bob un cywiriad neu feirniadaeth ar blentyn.

## Nid yw rhai plant fel pe baent yn ymateb i ganmoliaeth. Pam?

Mae rhai plant (fel arfer y rhai sydd wedi profi beirniadaeth ormodol ac adborth negyddol arall) yn teimlo'n anghyffyrddus gyda chanmoliaeth. Weithiau maent yn ochelgar i ymateb neu'n ymwrthod ag ymdrech athro i ganmol. Mae plant o'r fath wedi codi mur amddiffynnol o amgylch eu hunain i'w gwarchod yn dda – megis arfwisg seicolegol. Maent yn ymddwyn yn ddi-hid tuag at ganmoliaeth. Un rheswm arall posibl am eu diffyg ymateb yw nad oes ganddynt y sgiliau cymdeithasol. Ni wyddant sut i ymateb i athrawon pan fyddant yn cael adborth cadarnhaol, felly maent yn dewis dweud dim. Yn wyneb ymatebion o'r fath mae'n hawdd meddwl nad yw'r ganmoliaeth yn llwyddo, nad oes gan y plentyn gymhelliad, neu nad oes ots ganddo. Rhaid i athrawon weithio'n galed iawn i barhau i roi sylw cadarnhaol ac anogaeth i'r plant fel pe baent yn ymateb yn gadarnhaol.

Ni fydd plant mympwyol, rhai sy'n cael trafferthion canolbwyntio neu rai sy'n methu talu sylw yn sylweddoli eu bod yn derbyn canmoliaeth os caiff y ganmoliaeth ei mynegi'n aneglur neu mewn goslef niwtral. Bydd plant o'r fath yn cael trafferth i ddehongli mynegiant wyneb niwtral. Efallai y byddant yn dehongli mynegiant wyneb sydd i fod yn bositif fel un negyddol. Dylai canmoliaeth ar gyfer y plant yma gael ei hatgyfnerthu gyda thôn llais brwdfrydig a disgrifiadau clir o'r ymddygiadau cadarnhaol (labelu) a mynegiant wyneb sy'n amlwg yn gadarnhaol. Bron nad oes angen *megaffon* i roi canmoliaeth i blant o'r fath!

Gall oedran datblygiadol hefyd ddylanwadu ar ymateb plentyn i ganmoliaeth. Plant ifanc sydd fel arfer yn ymateb orau i ganmoliaeth a gyflwynir o flaen dosbarth cyfan ac sy'n cael ei glywed gan eraill. Gyda phlant hŷn bydd weithiau'n fwy effeithiol i gyflwyno'r ganmoliaeth yn fwy preifat a phersonol, ac yn llai amlwg.

## Sut mae canmol plentyn am waith nad yw'n cyrraedd eich disgwyliadau?

Sut y gallwch chi ganmol plentyn am waith nad yw'n ddigon da a chithau am arwain y plentyn at rywbeth gwell?

Hwyrach mai nod athro yw annog y disgyblion i ddefnyddio mwy o liw yn eu darluniau, ond mae un plentyn wedi cyflwyno darlun gorffenedig du a gwyn. Oni fyddai'n wrthgynhyrchiol i ganmol darlun y plentyn? Mewn gwirionedd, byddai'n well canmol yr hyn a gyflawnodd y plentyn yn dda yn y darlun arbennig ac osgoi bod yn feirniadol o'r diffyg lliw. Byddai derbyn canmoliaeth a sylw cadarnhaol yn ychwanegu at y pleser mae'r plentyn wedi ei gael yn darlunio, a hynny'n arwain at awydd i barhau. Ar ôl canmol y llun du a gwyn gallai'r athro droi at ddarlun plentyn arall a chyfeirio at ei ddefnydd o liw. Byddai hynny'n cyfleu i'r plentyn cyntaf sut y gall yntau ychwanegu lliw. Yn ddiweddarach, pan fo'r plant yn gweithio'n annibynnol gallai'r athro sgwrsio'n breifat gyda'r plentyn yma a'i annog i ddefnyddio gwahanol liwiau.

## Pan fo athrawon yn cymharu plant gyda phlant eraill, a yw hynny'n arwain at gystadleuaeth a drwgdeimlad?

Gall dangos gwaith rhai plant fel modelau ardderchog er mwyn sbarduno gwaith plant eraill fod yn effeithiol cyn belled â bod yr athro'n dangos enghreifftiau gan yr holl blant o bryd i'w gilydd, ac yn dangos amrywiol ffyrdd creadigol o ymgyrraedd at safon o'r fath. Yn ystod y blynyddoedd cynnar yma mae gallu datblygiadol plant yn amrywio'n arw ac mae'n bwysig adnabod a thrafod gwerth gwaith pob plentyn unigol. Hwyrach y bydd athro'n rhoi sylw i waith plentyn am fod rhywbeth arbennig yn y darlun a greodd (er na all y plentyn ysgrifennu) neu oherwydd gwaith caled y plentyn yn cyflawni prosiect. Mae'n bosibl i'r athro wneud un sylw am waith arbennig pob un plentyn, neu dynnu sylw at waith rhai plant un diwrnod a gwaith gweddill y plant ar ddiwrnod arall. Gellir cydnabod gwaith plant o flaen disgyblion eraill mewn ffordd sy'n cydnabod gwerth gwahaniaethau yn ogystal â chanmol unigolion. Dylid osgoi cymharu myfyrwyr gyda'i gilydd.

**Pam ddylai disgyblion anodd dderbyn mwy o ganmoliaeth na disgyblion eraill? Dydi hynny ddim yn deg i'r disgyblion eraill!**

Mae disgyblion anodd angen llawer iawn o sylw cadarnhaol a chanmoliaeth am ymddygiadau priodol. Y rheswm am hyn yw eu bod yn debygol o fod wedi dod dan lach beirniadaeth oedolion a sarhad eu cyfoedion. O ganlyniad mae eu hunanddelwedd yn isel. Mae plant o'r fath gymaint o angen sylw nes ei bod yn well ganddynt gael sylw negyddol am gam-ymddwyn na dim sylw o gwbl. O ganlyniad, mae athrawon angen datblygu sgiliau sy'n eu hatgoffa i sylwi ar ymddygiadau positif plant anodd – 'eu dal nhw'n bod yn dda'. Ni ellir gadael hyn i siawns. Rhaid cynllunio ar ei gyfer, gan mai cymharol brin fydd yr achlysuron o ymddygiad da. Gyda phlant problemus, gall fod yn anodd cofio canmol a rhoi sylw positif. Ond mae yna strategaethau fydd yn eich helpu i gofio. Gall yr athro roi sticer coch ar y cloc yn y dosbarth neu ar ei oriawr i'w atgoffa i ganmol disgybl arbennig. Neu gall roi arian yn ei boced i'w atgoffa ei fod angen trosglwyddo'r arian i boced arall bob tro y bydd yn rhoi canmoliaeth i ddisgybl yn ystod y dydd. Mae athrawon angen cynllun cadarn yn nodi'r ymddygiadau arbennig y maent am eu hyrwyddo gyda disgyblion unigol sydd â phroblemau, a'r cynllun hwnnw'n nodi sut y bwriadant atgyfnerthu'r ymddygiadau da.

Gadewch inni fyfyrio am ennyd ynghylch y cwestiwn o degwch athrawon. Ni fyddai'r mwyafrif o athrawon yn dadlau ynghylch yr angen i ddisgybl gydag oediad iaith neu ddarllen gael sylw ychwanegol. Yn amlwg, mae plentyn gydag anawsterau corfforol angen therapi corfforol, neu blentyn gyda niwmonia angen gwrthfiotig. Onid oes yr un hawl gan blant gydag anawsterau canolbwyntio, plant gyda phroblemau cael perthynas â'u rhieni a chyd-ddisgyblion a phlant ag anfanteision cymdeithasol? Gall rhoi sylw ychwanegol i blentyn problemus drwy ganmoliaeth benodol, anogaeth a gwobrau am gynnydd, yn y tymor hir fod o gymorth i holl ddisgyblion y dosbarth. Wrth ddisgrifio'r ymddygiadau academaidd a chymdeithasol disgwyliadwy, bydd hynny'n atgoffa pawb yn y dosbarth ohonynt. Hefyd, bydd yr athro'n modelu'r ffaith ei fod yn derbyn a theimlo empathi tuag at wahaniaethau rhwng y naill blentyn a'r llall o ran eu gallu i feistroli sgiliau academaidd a chymdeithasol.

Un pwynt olaf ynghylch y mater o degwch. Dydi o ddim yn deg fod rhai plant yn dod o gartrefi lle mae cariad a sefydlogrwydd, a phlant eraill nad ydynt yn mwynhau'r breintiau hynny. Ond dyna yw'r realiti. Ac felly mae'n bwysicach fyth ein bod yn sefydlu trefniadau dosbarth sy'n ddigon hyblyg i ddelio â gwahaniaethau unigol yn y gallu i ffurfio perthynas.

# Canmol ac annog yn fwy effeithiol

## Bod yn benodol

Mae canmoliaeth niwlog yn aml yn cael ei roi yn gyflym ac mewn cadwyn o osodiadau, gyda'r naill sylw'n dilyn y llall. Er enghraifft, efallai y dywed yr athro, 'Gwaith da, . . . da iawn . . . ardderchog.' Yn anffodus, tra bod y gosodiadau yma'n cyfleu rhyw elfen o sylw cadarnhaol, maent yn ddi-label ac yn amhenodol. Mae'n aneglur pa agwedd o ymddygiad disgybl y mae'r athro'n ei ganmol.

Mae'n fwy effeithiol rhoi canmoliaeth sydd wedi ei labelu. Mae canmoliaeth sydd wedi ei labelu'n nodi'r union ymddygiad yr ydych yn ei hoffi. Yn hytrach na dweud, 'Gwaith da,' byddech yn dweud, 'Rwyt wedi gweithio mor galed a datrys y broblem ar dy ben dy hun' neu, 'Da iawn ti'n casglu'r holl flociau pan wnes i ofyn i ti.' Drwy gyfeirio'n benodol at yr hyn sy'n eich plesio am ymddygiad y plentyn (gweithio'n annibynnol, cydymffurfio â dymuniad athro), bydd y ganmoliaeth yn cyfleu llawer mwy i'r disgybl. Dywed wrtho'r union beth o fewn ei ymddygiad oedd yn haeddu canmoliaeth, fel ei fod yn gallu gwneud hynny eto. Mae'n rhoi cymhelliad cryfach ar gyfer ymddygiad y dyfodol.

*Rhai enghreifftiau o ganmoliaeth*
- 'Rwyt yn gwneud gwaith campus . . .'
- 'Syniad da ar gyfer . . .'
- 'Dyna waith rhagorol rwyt wedi'i wneud yn . . .'
- 'Mae hynna'n gywir, ac yn ffordd ardderchog o . . .'
- 'Rwyt ti'n dda am ddatrys problemau fel . . .'
- 'Rhagorol! Gwaith tîm gwych . . .'
- 'Rwyt yn bod yn ffrind da drwy . . .'
- 'Rho ganmoliaeth i ti dy hun am . . .'
- 'Diolch am aros yn amyneddgar tra'r oeddwn yn . . .'
- 'Roeddwn yn hoffi'r ffordd y cerddaist yn bwyllog at dy ddesg . . .'
- 'Fe wyddwn y byddet yn cofio . . . ac y byddet yn barod am y gweithgaredd nesaf heb i mi dy atgoffa . . .'
- 'Dal ati, rwyt yn gweithio'n galed ac yn llwyddo!'
- 'Diolch . . . am weithio'n dawel'

## Dangos brwdfrydedd

Nid yw canmoliaeth bob amser yn effeithiol am ei fod yn 'boring', yn cael ei fynegi mewn llais diflas, heb wên na chyswllt llygaid. Hwyrach y bydd yr un geiriau'n cael eu dweud drosodd a throsodd mewn llais diflas ac anniddorol. Nid yw canmoliaeth o'r fath yn atgyfnerthu plant.

Bydd y canmol yn fwy effeithiol os ydych yn cyfleu brwdfrydedd drwy ddulliau di-eiriau. Enghreifftiau o hyn yw gwenu ar blentyn, cyfarch gyda chynhesrwydd yn y llygaid, a rhoi pat ar y cefn. Dylid mynegi'r ganmoliaeth gydag egni ac amrywiaeth, yn garedig a diffuant. Bydd geiriau a daflwyd dros ysgwydd mewn modd di-hid yn mynd ar goll.

Cofiwch mai plant sy'n methu canolbwyntio, sy'n fyrbwyll ac sy'n hawdd tynnu eu sylw yw'r rhai mwyaf tebygol o golli canmoliaeth annelwig mewn llais niwtral. Mae'r plant yma'n arbennig angen derbyn canmoliaeth frwdfrydig, disgrifiadau (labelau) clir o'r ymddygiadau cadarnhaol, mynegiant wyneb eglur a phositif, a chyffyrddiad corfforol cadarnhaol.

## Canmol ac annog ymdrechion a chynnydd y plentyn

Yn ogystal â chanmol ymddygiadau pendant gweladwy megis rhannu, helpu neu roi atebion cywir ac ati, mae'n bwysig canmol ymdrechion a chynnydd plentyn. Er enghraifft, gall athro ddweud wrth blentyn sydd wedi cael amser anodd yn darllen, 'Rwyt wedi gweithio'n galed iawn yn dysgu darllen. Edrych ar y nifer o dudalennau a ddarllenaist, i gyd ar dy ben dy hun! Rwyt wedi gwneud yn ardderchog!' neu 'Edrych ar y cynnydd da rwyt wedi'i wneud gyda'r darllen. Rwyt yn adnabod y rhan fwyaf o'r geiriau rŵan'. Mae'r dull yma'n gosod y pwyslais ar ymdrech y plentyn, a'r teimlad o lwyddiant a chynnydd, yn hytrach na gwerthusiad yr athro o allu darllen y plentyn fel y cyfryw neu deimlad yr athro o bleser. Pan fyddwch yn rhoi gwobrau cymdeithasol am lwyddiant, rydych yn cymharu safonau'r plant gyda'u safonau nhw eu hunain yn hytrach na gydag eraill yn y dosbarth neu gyda rhyw safonau allanol. Ffordd o wneud hyn fyddai dangos gwaith blaenorol a gyflawnwyd ganddynt yn ystod y flwyddyn a nodi sut mae wedi newid.

Ffordd arall i annog plentyn yw defnyddio'r strategaeth 'dilyn yn agos.' ('tailgating'). Byddwch yn ail-adrodd rhywbeth a ddywedodd y plentyn ac yna'n ychwanegu sylw sy'n ymestyn y syniad hwnnw. Er enghraifft, mae disgybl yn dweud, 'Rwy'n gwneud llun roced i hedfan yn yr awyr' ac mae'r athro'n ateb, 'Rwyt wedi gwneud roced hardd. Ac efo'r injans cryf yna mi fydd y roced yn teithio'n gyflym a phell!' Mae sylwadau ymestynnol o'r fath yn anogaeth i'r plentyn. Rhoddant ddilysrwydd i'w waith. Gadawant iddo wybod fod yr athro'n deall ac mae'r sylwadau'n canmol y manylder yn y darlun.

Mae canolbwyntio ar y broses o ddysgu, yn hytrach nag ar y cynnyrch, yn cryfhau syniad y disgybl o'i hunanwerth. Mae'n ei helpu i aros ar dasg a mwynhau ei addysg yn hytrach na chael ei fesur yn ôl ansawdd yr hyn a gynhyrchodd. Hyd yn oed os nad yw cynnyrch y dasg yn hollol berffaith gall y disgyblion barhau i deimlo'n falch o'u gwaith gan i'r athro wobrwyo'r ymdrech drwy roi sylw iddo.

*Enghreifftiau eraill o ymadroddion cefnogol:*
- 'Mae'n siŵr dy fod yn teimlo'n falch ohonot dy hun am . . .'
- 'Rargian, rwyt ti wedi gwella . . .'
- 'Rwyt wedi gweithio mor galed . . .'
- 'Mae hynna'n ffordd greadigol o . . .'
- 'Rwyt yn dda iawn am ddatrys problemau fel . . .'
- 'Wow, rwyt wedi dysgu sut i . . .'
- 'Mae'n ein helpu ni pan wyt yn . . .'
- 'Fe wnest ti feddwl yn galed i wneud hynna . . .'
- 'Da iawn ti'n fy helpu i gadw'r deunyddiau celf . . .'
- 'Rwyt yn dda iawn am dacluso – rhoddaist y caeadau i gyd yn ôl ar y pinnau ffelt . . .'
- 'Mae'n bleser cael dosbarth fel hyn, oherwydd . . .'
- 'Mi es di allan o dy ffordd i helpu . . . y bore 'ma.'
- 'Rwyt yn gwneud dewis da . . .'
- 'Ardderchog! Rwyt wedi datrys y broblem . . .'
- 'Mi hoffwn glywed beth sydd gennyt i'w ddweud rŵan, ond rhaid i mi roi cyfle i rywun arall.'
- 'Dyna beth yw bod yn ffrind da yn helpu . . . fel yna.'

**Hyrwyddo hunanganmoliaeth plentyn**

Yn ogystal â chanmol ymdrech a chynnydd, gall athrawon ddysgu plant sut i adnabod eu llwyddiannau eu hunain drwy'r ffordd y byddant yn geirio'r ganmoliaeth. Wrth wneud gosodiad megis, 'rhaid dy fod yn teimlo'n falch ohonot dy hun yn darllen y bennod gyfan yna ar dy ben dy hun' byddwch yn canolbwyntio ar allu'r plentyn i feddwl yn bositif am ei gyflawniad.

Mae dysgu plant i adnabod eu llwyddiannau eu hunain yn hanfodol. Oni bai fod hynny'n digwydd, byddant yn aros i eraill sylwi, ac fe wyddom y gall hynny fod yn arhosiad hir dros ben. Rydym yn y pen draw, am iddynt allu edrych mewn i'w hunain am hunan-gymeradwyaeth. Er enghraifft, pan fydd athro'n gofyn cwestiwn i ddosbarth, bydd llawer o ddwylo'n codi fyny i ateb. Ac weithiau bydd y rhai na fydd yn cael ateb yn teimlo'u bod yn cael eu dibrisio a'u gadael allan. Un ffordd o rwystro hyn rhag digwydd yw dweud, 'Pawb gafodd yr un ateb, canmolwch eich hunain.' Felly, bydd pob plentyn yn atgyfnerthu ei hun gyda chanmoliaeth ac yn cael sylw yn hytrach nac yn teimlo'n siomedig am na chafodd gyfle i ateb.

## Osgoi cyfuno canmoliaeth gyda bychanu

Weithiau, bydd athrawon yn rhoi canmoliaeth ac yna'n ei wrth-ddweud drwy fod yn goeglyd. Neu byddant yn cyfuno cosb gyda chanmoliaeth, heb sylweddoli eu bod yn gwneud hynny. O fewn y broses atgyfnerthu dyma un o'r pethau mwyaf dinistriol y gall athro ei wneud. Rhywfodd, mae gweld disgybl yn gwneud tasg na chyflawnodd o'r blaen yn medru denu athro i wneud sylw beirniadol am yr ymddygiad newydd. Er enghraifft, mae athro'n dweud wrth blentyn, 'Rwyt wedi gorffen dy waith cartref o'r diwedd, ond pam na wnest ti ei orffen mewn pryd?' neu 'Rwyt wedi codi'r teganau i fyny fel y gofynnais i ti wneud. Mae hynna'n dda iawn. Ond y tro nesaf pam na wnei di hynny cyn i mi ofyn i ti?' neu, 'Wnes di ddim taro neb heddiw.' Mae cywiriad neu feirniadaeth yr athro'n negyddu effaith y ganmoliaeth. Mae plant, rhai ansicr yn arbennig, yn fwy tebygol o gofio'r sylw negyddol na'r ganmoliaeth bositif, a phlant ifanc yn ei chael yn anodd iawn dehongli canmoliaeth a beirniadaeth sydd ynghlwm wrth ei gilydd.

Ceisiwch felly gadw eich canmoliaeth yn bur, heb gael ei lygru gan amodau. Os byddwch am i'r disgyblion ddysgu rhywbeth arall megis cwblhau gwaith cartref ar amser, gosodwch y cais hwnnw fel nod i'w drafod rywbryd eto.

## Canmol ac annog ymddygiadau cymdeithasol ac academaidd

Yn rhy aml bydd athrawon, wrth ystyried y math o ganmoliaeth a roddant, yn canfod eu bod yn fwy tebygol o ganmol a sylwi ar fath arbennig o ymddygiad. Bydd rhai athrawon yn canmol llwyddiant academaidd a chymhwyster gwybyddol, ond yn anaml yn canmol medrau cymdeithasol, neu i'r gwrthwyneb. Bydd athrawon eraill yn canmol gwaith sy'n arbennig o'i gymharu â gwaith gweddill plant y dosbarth, yn hytrach na gweld y cyflawniad o fewn gallu datblygol y plentyn unigol. Mae'n bwysig i athrawon fod yn ymwybodol o'r tueddiadau hyn, a cheisio gwobrwyo amrywiaeth o ymddygiadau gwybyddol, cymdeithasol ac ymddygiadol. Yn wir, gyda phlant ifanc, byddem yn disgwyl canmoliaeth hael i sgiliau cymdeithasol megis gwrando, cydweithio, rhannu, talu sylw, a gofyn cwestiynau pwrpasol gan mai'r sgiliau yma yw sylfeini datblygiad academaidd. Hyd yn oed gyda phlant hŷn, oedran ysgol, dylai athrawon ddefnyddio cydbwysedd o ganmoliaeth ac anogaeth wedi ei gyfeirio at ymddygiadau academaidd a chymdeithasol. Er mwyn gweld yn iawn pa agweddau o ymddygiad plant yr ydych yn eu canmol da o beth fyddai gofyn i gydweithiwr dreulio awr yn eich dosbarth yn nodi pa ymddygiadau sy'n derbyn canmoliaeth, a pha mor aml y mae hynny'n digwydd.

Yn ychwanegol at ganmol ymddygiad a pherfformiad cymdeithasol ac academaidd disgyblion dylai athrawon hyrwyddo agweddau eraill o bersonoliaeth unigryw plentyn, megis ei amynedd, meddwl am eraill, creadigedd, brwdfrydedd, cyfeillgarwch ac awydd i fentro ar dasg newydd. Gall athro wneud sylw am daclusrwydd, steil gwallt neu ddillad plentyn gan fod hynny'n dysgu'r disgybl fod y rhain yn agweddau cymdeithasol pwysig i fod yn ymwybodol ohonynt wrth ddatblygu cyfeillgarwch.

## Canmol disgyblion anodd yn amlach

Fel y dywedwyd yn gynharach, y plant sydd fwyaf o angen canmoliaeth a gwobrau cymdeithasol eraill yw'r rhai mwyaf anodd eu canmol a'u gwobrwyo efo sylw. Y rhain yw'r plant sy'n ddatgysylltiedig a'r rhai sy'n peidio talu sylw a chydymffurfio. 'Dydy'r plant hyn ddim yn atgyfnerthu athrawon nac yn ysgogi awydd athrawon i'w canmol. (I'r gwrthwyneb sbardunant yr awydd i'w beirniadu). Sut mae osgoi'r fagl yma? Gan sylweddoli mor anodd yw torri trwodd at y disgyblion yma, dylai athrawon ymdrechu'n gydwybodol i sicrhau eu bod yn cynnig anogaeth a chanmoliaeth ychwanegol iddynt. Bydd pob plentyn yn raddol yn ymateb i'r un egwyddorion ymddygiad, ond y mae plant gydag oediad datblygiadol angen canmoliaeth a sylw'n amlach. Bydd angen mwy o brofiadau addysgol a chamau bach i ymdrin â'u hymddygiad, gyda chanmoliaeth ac anogaeth drosodd a throsodd gan athrawon, cyn y dysgant yr ymddygiad newydd.

O ganlyniad, mae athrawon angen datblygu sgiliau i'w hatgoffa i sylwi ar ymddygiad cadarnhaol gan blant anodd – i'w 'dal yn bod yn dda.' Ni ellir gadael hyn i siawns. Rhaid cynllunio oherwydd efallai mai dim ond ar adegau prin y bydd yn digwydd. Gyda phlant anodd, gall fod yn anodd cofio canmol a rhoi sylw positif. Mae athrawon angen cynllun cadarn yn nodi'r ymddygiadau penodol y maent am eu hyrwyddo mewn plant unigol, a sut y byddant yn cryfhau'r ymddygiadau hynny.

## Cofio am y plentyn swil

Yn yr un modd ag y byddwch yn gweithio'n galed i ganmol plentyn anystywallt sydd â phroblemau ymddygiad, mae angen i chi gofio canmol y plentyn swil nad yw'n mynnu sylw, ac sydd bob amser bron yn cydymffurfio. Mae plant o'r fath yn anweledig weithiau yn y dosbarth ac mae angen rhoi sylw iddynt am fod haelionus a charedig, ac am fod yn barod eu cymwynas wrth gymryd rhan.

**Targedu ymddygiadau penodol yn unol ag anghenion disgyblion unigol**

Gall fod yn effeithiol iawn i athro dargedu'r ymddygiadau penodol y mae am eu cryfhau ym mhob disgybl unigol. Er enghraifft, hwyrach y bydd yn cynllunio i ganmol y disgybl tawel a swil bob tro y bydd yn mentro ateb cwestiwn neu gymryd rhan mewn trafodaeth. Ar y llaw arall, gall gynllunio i ganmol plentyn sy'n mynnu rheoli a gormesu am ei allu i aros ei dro neu am iddo roi cyfle i blentyn arall fod yn gyntaf i ateb cwestiwn. Yr un dechneg a ddefnyddir wrth gryfhau sgiliau academaidd. Gyda'r plentyn sydd ag anawsterau darllen ac ysgrifennu, gall yr athro gynllunio i ganmol ei ymdrechion er mwyn cadw ei ddiddordeb mewn ysgrifennu. Gyda'r plentyn sy'n ysgrifennu'n dda, gall yr athro ganolbwyntio ar ymestyn ei syniadau neu ei sgiliau trefnu.

Pan fo plentyn yn wrthwynebus a hawdd tynnu ei sylw oddi wrth y dasg, yr ymddygiad unigol pwysicaf i'w dargedu am ganmoliaeth yw cydymffurfiad y plentyn gyda chyfarwyddyd athro. Mae hyn yn allweddol gan fod rhaid i athro sicrhau cydymffurfiad disgybl os yw am lwyddo i gymdeithasu neu ddysgu unrhyw beth. Gyda'r disgyblion yma rhaid i athro, yn gyntaf, sylwi ar y troeon y bydd y disgyblion yn dilyn cyfarwyddyd a gwrando'n ofalus ar ei gyfarwyddiadau.

*Rhai enghreifftiau o ymddygiadau i'w hannog a'u canmol*

- Rhannu
- Siarad yn gwrtais
- Codi llaw dawel
- Helpu cyd-ddisgybl
- Dweud geiriau caredig wrth gyd-ddisgybl
- Cydymffurfio gyda cheisiadau athro, gwrando a dilyn cyfarwyddiadau
- Datrys problem anodd
- Disgybl yn llwyddo gyda rhywbeth oedd yn anodd iddo
- Cyd-chwarae ar yr iard
- Dal ati gyda thasg academaidd anodd (gweithio'n galed)
- Meddwl cyn ateb
- Cadw deunyddiau yn y dosbarth
- Cwblhau tasgau gwaith cartref mewn pryd
- Bod yn feddylgar
- Bod yn amyneddgar
- Aros yn dawel a digynnwrf gan gadw rheolaeth mewn sefyllfa o wrthdaro
- Cerdded yn drefnus yn y coridorau
- Ceisio gwneud rhywbeth anodd am y tro cyntaf
- Dilyn un o reolau'r dosbarth

## Cynllun Ymddygiad: Jenny

| Ymddygiadau dosbarth negyddol i'w lleihau | Pryd? | Ymddygiadau y dymunir eu cynyddu | Canmoliaeth benodol |
|---|---|---|---|
| Pwnio, cyffwrdd plant eraill | Wrth sefyll mewn rhes | Cadw dwylo iddo'i hun | Os yw'n ymateb yn dda i ganmoliaeth 'Rwyt yn dda yn cadw dy ddwylo i ti dy hun' |
| Siarad heb godi llaw | Yn ystod trafodaeth mewn grŵp bach | Codi llaw dawel | Os nad yw'n hoffi cofleidio, 'Wow, rwyt wedi cofio codi llaw dawel.' |
| Siarad pan roddir cyfarwyddiadau | Mewn dosbarth mawr | Gwrando'n dawel pan roddir cyfarwyddiadau | Rhoi sylw a chanmoliaeth i wrando da, 'Da iawn ti'n gwrando'n ofalus a gwneud yr hyn a ofynnais i ti.' |

Er mwyn cynllunio'n drefnus ar gyfer cryfhau rhai ymddygiadau gellwch lunio cynllun ymddygiad ysgrifenedig. Drwy adnabod ymddygiadau negyddol neu anaddas yr hoffech weld llai ohonynt, a gweld pryd maent yn fwyaf tebygol o ddigwydd, gellwch wedyn adnabod yr ymddygiad cymdeithasol priodol yr hoffech i gymryd eu lle. Bydd hyn yn eich helpu i fod yn fwy penodol wrth ganmol ac yn fwy cyson wrth roi sylw i'r ymddygiadau pan fyddant yn digwydd. Gall y cynllun yma gael ei rannu gyda chyd-athrawon neu gymorthyddion iard yn ôl yr angen. Dechreuwch ar y broses yma drwy ddewis un ymddygiad ar y tro i weithio arno.

Mantais arall i athrawon wrth adnabod ymlaen llaw pa dargedau ymddygiad y maent am eu hatgyfnerthu yw y gallant ddyblu'r effaith pan rannant y wybodaeth gyda chymorthyddion neu rieni'n helpu yn y dosbarth, iddynt hwythau gael rhoi canmoliaeth hefyd.

## Canmol disgyblion eraill gerllaw

Yn hytrach na chanolbwyntio ar ddisgybl sydd ddim ar dasg neu'n breuddwydio, gall athro ganmol disgyblion eraill sy'n brysur yn cwblhau eu tasgau. Mae defnyddio canmoliaeth o'r fath i ddisgyblion arall gerllaw yn ffordd o atgoffa ac ail-gyfeirio'r disgybl nad yw'n canolbwyntio yn ôl tuag at yr ymddygiad a ddisgwylir ganddo, heb dynnu sylw ato ef neu hi. Er enghraifft, gall yr athro ddweud, 'Dwi'n hoffi'r ffordd y mae Ffred yn cadw'i lyfrau cyn amser chwarae.' neu 'Fe ofynnaf i Anna ateb y cwestiwn gan fod ei llaw dawel i fyny.'

## Defnyddio canmoliaeth ddiamod

Yn ogystal â rhoi canmoliaeth sy'n ddibynnol ar amgylchiadau (canmoliaeth sy'n digwydd yn achlysurol pan fydd ymddygiad positif penodol) mae'n bwysig i athro roi canmoliaeth ddiamod. Mae canmoliaeth ddiamod yn ganmoliaeth gyffredinol nad yw'n dibynnu ar y disgybl yn cyflawni tasg i ennill cymeradwyaeth. Dyma enghreifftiau o hyn, 'Mae'n braf iawn dy weld y bore yma,' neu, 'Mae'n hwyl gweithio efo ti.' Mae geiriau calonogol o'r fath yn creu hinsawdd gadarnhaol ddiamod rhwng yr athro a'r disgyblion.

## Cael disgwyliad cadarnhaol ar gyfer pob disgybl

Mae cael disgwyliadau cadarnhaol yn ysgogiad pwerus. Os ydych yn credu y gall plentyn ddysgu ac os byddwch yn mynegi'r gred honno – mewn geiriau neu'n ddi-eiriau – mae'r disgybl yn debygol o barhau i ymdrechu. Ar y llaw arall, os byddwch wedi eich argyhoeddi fod plentyn yn mynd i gael problemau , byddwch yn debygol o gyflwyno'r neges honno, ac ni fydd y plentyn yn parhau i ymdrechu. Gellwch ddangos eich ffydd mewn disgyblion drwy wneud sylwadau cefnogol megis, 'Rwy'n gweld dy fod yn gallu cyflawni hyn. Roeddwn yn gwybod y byddet yn llwyddo.' neu, 'Gwn fod hyn yn anodd, ond gydag ymarfer rwy'n gwybod y byddi'n dysgu sut i wneud y dasg.'

## Rhoi canmoliaeth gyffredinol i grŵp o ddisgyblion

Hyd yn hyn, rydym wedi bod yn edrych ar y defnydd o ganmoliaeth ac anogaeth athro gyda disgyblion unigol. Gall canmoliaeth fod yn arf defnyddiol gyda grŵp o blant hefyd oherwydd y ffordd y mae disgyblion yn medru ysgogi'i gilydd. Er enghraifft, efallai y byddwch yn rhannu'r dosbarth yn dimau neu grwpiau. Pan sylwch ar un grŵp yn dilyn cyfarwyddiadau neu reol dosbarth, hwyrach y dywedwch, 'Rwyf wedi cael fy mhlesio'n arw gan y Grŵp Coch gan fod gwrando'r Grŵp Coch wedi gwella'n arw heddiw' neu 'Rwy'n gweld fod pawb yn y Grŵp Gwyrdd yn barod am yr egwyl gyda'u llyfrau wedi eu cadw a'u cadeiriau wedi eu gosod yn daclus. Mae hynna'n ffantastig'. Gellwch hefyd gyfuno'r ganmoliaeth eiriol i'r grwpiau gyda system rhoi pwyntiau i'w casglu a'u cyfnewid am wobrau. Disgrifir hyn yn fanylach ym Mhennod 3.

## Cydnabod anhawster dysgu rhywbeth newydd

Mae'r athro'n dweud wrth y disgyblion, ar ôl dysgu symiau tynnu iddynt am y tro cyntaf, 'Rwy'n gwybod bod hwn yn waith anodd a bod a bod angen canolbwyntio'n galed heddiw. Ond fe ddaw rywfaint yn haws bob dydd. Erbyn diwedd y flwyddyn byddwch yn gwneud hyn yn dda iawn.' Mae gweld fod y gwaith yn anodd o safbwynt athro'n lleihau'r pellter rhwng athrawon a disgyblion. Mae cael perthynas agosach gydag athro (tra'n cadw ffiniau digonol) yn cynyddu'r 'wobr' o gael sylw'r athro. Bydd cael perthynas agosach gydag athro'n cyfrannu tuag at blentyn yn rhannu mwy o'i gyflawniadau a bod yn fwy agored am anawsterau posibl.

Mae angen anogaeth hefyd pan fydd disgyblion yn gwneud camgymeriadau neu'n teimlo'u bod wedi methu. Hwyrach y dywed yr athro, 'Gwn dy fod wedi gwneud camgymeriad. Paid â phoeni. Mae'n hawdd gwneud camgymeriad. Rydym i gyd yn gwneud camgymeriadau weithiau. Beth elli di ei ddysgu o'r camgymeriad? Beth wnei di'n wahanol y tro nesaf?' Yma mae'r athro'n cydnabod fod gwneud camgymeriadau'n rhan o'r broses o ddysgu ac yna mae'n annog y disgybl i feddwl beth a ddysgodd o'r profiad. Mae'n help hefyd os yw'r athro'n modelu hyn eu hunan. Er enghraifft, efallai y dywed, 'Wps! Dwi wedi gwneud camgymeriad. Dyna lanast! Beth sydd raid i mi wneud i'w gywiro?'

## Annog plant i ganmol eu hunain ac eraill

Mae mantais arall i roi cydnabyddiaeth gadarnhaol ar ffurf canmoliaeth ac anogaeth i blant. Yn y pen draw, rydym am i blant ddysgu canmol eraill, gan fod honno'n sgil a fydd o gymorth iddynt adeiladu perthynas gadarnhaol gyda phlant eraill. Rydym hefyd am iddynt ddysgu canmol eu hunain, gan y bydd hynny'n helpu iddynt ddyfalbarhau gyda thasgau anodd. Fel y crybwyllwyd, lle ceir canmoliaeth effeithiol gan athro, bydd hyn yn arwain at gynnydd yn nefnydd plant o ganmoliaeth gyda'i gilydd a hunan-siarad positif. Gall athrawon hefyd gryfhau'r broses drwy ddefnyddio 'cylchoedd canmol' lle anogir plant i ganmol ei gilydd a sylwi ar gyflawniadau arbennig. Gall athro stopio gweithgaredd dosbarth cyfan i roi sylw i grŵp o blant sy'n cyflawni rhywbeth arbennig gyda'i gilydd wrth wneud tasg neu brosiect.

Gall athro hefyd edrych allan am blant yn canmol gwaith plant eraill, a'u canmol am yr ymddygiad caredig yma. Pan fydd plant yn rhannu swyddogaeth yr athro o adnabod ymddygiadau cadarnhaol megis eistedd yn dawel neu gydweithredu, bydd hynny hefyd yn eu harwain hwythau i ddangos yr ymddygiad a ddymunir ohonynt eu hunain. Mae'n atgyfnerthol iawn i blant gael eu hadnabod gan eu cyfoedion fel rhai sy'n ymddwyn yn dda. Bydd cael gwobr gymdeithasol o'r fath yn fwy cynhaliol i rai plant na sylw'r athro.

## Anogaeth ddi-eiriau

Mae derbyn anogaeth ddi-eiriau o gymorth mawr i blant. Gall athrawon roi cydnabyddiaeth o'r fath i'w disgyblion heb amharu ar y dosbarth cyfan. Er enghraifft, gall athro ddefnyddio arwyddion megis bawd i fyny, 'Llond Llaw' neu winc gadarnhaol i gydnabod fod plant yn haeddu canmoliaeth arbennig am ryw gyflawniad.

Ffordd arall o gynyddu effaith ymateb cadarnhaol yw ei gyfuno gyda chefnogaeth ddi-eiriau megis coflaid, cwtsh neu gyffyrddiad bach ar yr ysgwydd. Peidiwch bod ofn dangos eich teimladau o hoffter. Ystyriwch gymaint yn fwy pwerus yw cwtsh wedi'i chyfuno gyda llawer o ganmoliaeth eiriol.

**Nid oes raid i ymddygiad fod yn berffaith i haeddu cydnabyddiaeth**

Nid oes raid i ymddygiad fod yn berffaith i haeddu cael eich sylw positif neu ganmoliaeth. Yn wir, pan fo plant yn ymdrechu i gyflawni ymddygiad newydd am y tro cyntaf byddant angen cael cynhaliaeth gyda phob cam bach tuag at y nod. Fel arall, bydd raid iddynt aros yn rhy hir os oes raid iddynt ddisgwyl nes cyflawni'r ymddygiad yn ei gyfanrwydd. Erbyn hynny byddant wedi diffygio a rhoi'r gorau iddi. Mae rhoi canmoliaeth am bob cam bach ar y ffordd yn atgyfnerthu'r plentyn am ei ymdrechion dysgu. Bydd y broses yma, a elwir yn 'siapio' yn arwain at lwyddiant.

**Cerdded o gwmpas y dosbarth**

Un ffordd o gynyddu adnabyddiaeth bositif yw cerdded o amgylch y dosbarth yn chwilio am ymddygiadau positif. Hynny yw, tra bod y disgyblion yn gweithio'n annibynnol, mynd o amgylch y dosbarth ac ymateb yn weithredol gyda sylw a chanmoliaeth pan welir ymddygiad a ddymunir. Defnyddiwch gyfnodau pan fo plant yn gweithio'n annibynnol i atgyfnerthu eu hymddygiad unigol. Wrth ichi fynd o amgylch yr ystafell byddwch ar gael i ddisgyblion ofyn am eich cymorth os ydynt ei angen.

Pan fyddwch yn gweithio gyda grŵp bach o blant neu gydag unigolyn, edrychwch o'ch cwmpas bob 3-4 munud i gadw golwg ar y plant sy'n gweithio'n annibynnol. Oedwch i sylwi ar ymddygiad positif a'i atgyfnerthu.

# Defnyddio 'cyfnod canmol' o fewn amser cylch i annog disgyblion i ganmol ei gilydd

Gellir defnyddio Amseroedd Cylch fel 'cyfnodau canmol' i addysgu disgyblion sut i roi a derbyn adborth cadarnhaol neu eiriau caredig. Mae'n bwysig nad yw disgyblion bob amser yn gorfod edrych tuag at oedolion i dderbyn adborth cadarnhaol. Mae angen iddynt ei dderbyn gan eu cyd-ddisgyblion hefyd. Yn ystod Amser Cylch anogir pob disgybl i wneud sylw cadarnhaol am yr hyn y maent wedi ei hoffi neu ei werthfawrogi am gyflawniad eu cyd-ddisgyblion yn ystod y dydd neu'r wythnos. Er enghraifft, 'Roedd Lisa'n ffrind da iawn pan helpodd fi gyda fy mathemateg.' Yn ystod y cyfnodau yma gall yr athro fodelu sut mae rhoi adborth cadarnhaol i ddisgyblion. 'Fe sylwais ar Seth ac Anna'n cymryd eu tro gyda'r Lego. Roedd hynny'n gyfeillgar iawn.' Gall yr athro ddwyn y cyfnod Amser Cylch i ben drwy ddweud, 'Diolch i bawb – rwyf wedi mwynhau bod efo chi heddiw.'

Weithiau, yn ystod y cyfnodau yma, gellwch ofyn i ddisgybl enwebu disgybl arall (nid ffrind agos) i gael gwobr yr wythnos honno. Er enghraifft, gallai athro ddweud, 'Heddiw rwyf am i chi enwi disgybl y mae ei waith neu ei ymddygiad wedi gwella' neu, 'Rwyf am i chi enwi disgybl sydd wastad yn garedig neu'n gweithio'n galed.' Os yw athro'n rhoi cynnig ar ddefnyddio'r dull yma, mae'n bwysig ei fod yn dewis categorïau sy'n cynnwys holl agweddau positif yr holl blant, a bod gan yr athro system o wneud y dewis yn deg. Gwnewch yn siŵr eich bod yn cadw cofnod o'r rhai sy'n cael eu dewis o wythnos i wythnos fel bod pob plentyn yn cael cyfle yn y pen draw. Gellir nodi enwau'r enwebwyr, yr enillwyr, a'r ymddygiad positif a wobrwyir ar hysbysfwrdd. Yn ystod gweddill y dydd bydd y plant a'r athro'n edrych allan am yr ymddygiad sydd wedi cael ei enwebu.

Yn ystod y cyfnodau Amser Cylch yma gellir annog y disgyblion o bryd i'w gilydd i rannu rhywbeth y teimlant yn falch ohono. Efallai y dywed yr athro, 'Jamilla, beth am iti sôn wrth y grŵp am dy gamp yn darllen heddiw.' Hwyrach y bydd Jamilla'n ymateb, 'Rwy'n teimlo'n falch gan i mi weithio'n galed a gorffen darllen fy llyfr.' Mae gallu plentyn i edrych ar ei berfformiad ei hun yn y modd yma'n agwedd bwysig iawn yn natblygiad eu hunan-arsylwi.

Gyda phlant ifanc oedran cyn-ysgol ac ysgol feithrin, gall fod o gymorth os bydd plentyn yn pasio tedi i'r sawl sy'n mynd i dderbyn canmoliaeth Fel hyn bydd plant sy'n cael anhawster i fynegi canmoliaeth yn gallu rhoi canmoliaeth i blentyn arall yn ddi-eiriau drwy roi'r tedi iddo afael ynddo. Mae defnyddio caneuon yn gallu bod yn ffordd hwyliog o gyflwyno canmoliaeth hefyd. Bydd y disgyblion yn clapio a chael hwyl wrth ymateb i gyfarwyddiadau canmol ar ffurf caneuon.

## Dyblu'r effaith

Os ydych yn atgyfnerthu sgiliau academaidd neu gymdeithasol, yn rhoi canmoliaeth mewn geiriau, neu yn rhoi sylw di-eiriau, cofiwch fod dysgu ymddygiad newydd i blentyn yn dasg hir a llafurus. Atgyfnerthu ymddygiad cadarnhaol bob tro mae'n digwydd yw'r ffordd gyflymaf o sicrhau cynnydd, ond mae hynny'n amhosib ym myd real y dosbarth. Serch hynny, dylid anelu at atgyfnerthu'r ymddygiad a ddymunir mor aml â phosib ar y cychwyn. Os oes mwy nag un oedolyn yn y dosbarth, gallant drafod ymlaen llaw beth fydd eu targedau ymddygiad ar gyfer pob plentyn, ac fe allant benderfynu pa gynhaliaeth a ddefnyddiant. Bydd cynllunio strategol o'r fath yn cyflymu cynnydd y plant wrth iddynt weithio tuag at y targedau. Gall athrawon hefyd ddyblu effaith y canmol drwy adeiladu ar ganmoliaeth ei gilydd ac annog y rhieni i ddathlu llwyddiannau'r plant yn ogystal.

## I grynhoi

- Byddwch yn benodol – nodwch yn union yr hyn ydych yn ei hoffi am yr ymddygiad a rhowch ganmoliaeth.
- Canmolwch yn ddidwyll, yn frwdfrydig ac mewn ffyrdd amrywiol. Rhowch lawer o sylw.
- Peidiwch ag aros nes bod yr ymddygiad yn berffaith cyn rhoi canmoliaeth.
- Canmolwch blant unigol yn ogystal â'r dosbarth cyfan neu grwpiau bach.
- Canmolwch yn gyson ac yn aml, yn enwedig pan fo plentyn yn dysgu ymddygiad newydd. Cofiwch mai dyma yw'r ffurf fwyaf pwerus o gydnabyddiaeth gadarnhaol y gellwch ei roi i blentyn.
- Mae plant sy'n negyddol, rhai sy'n methu talu sylw ac sy'n hawdd tynnu eu sylw angen sylw a chanmoliaeth aml pryd bynnag y byddant yn ymddwyn yn briodol.
- Canmolwch blant yn unol â'ch targedau ymddygiad unigol ar eu cyfer – gan gynnwys ymddygiadau academaidd a chymdeithasol.
- Peidiwch ag aros y tu ôl i'ch desg yn ystod cyfnodau gwaith annibynnol; yn hytrach, ewch o amgylch y dosbarth gan gydnabod ymddygiadau positif.
- Pan fyddwch yn rhoi cyfarwyddyd, chwiliwch am o leiaf ddau ddisgybl sy'n ymateb, galwch eu henwau ac ailadroddwch y cyfarwyddyd wrth roi'r ganmoliaeth iddynt am ymateb.
- Datblygwch gynllun cadarn megis rhoi sticer ar eich oriawr neu gloc, arian yn eich poced, amserydd etc. i'ch atgoffa i gofio canmol yn gyson.
- Canolbwyntiwch ar ymdrech a dysgu'r disgyblion ac nid ar y canlyniad gorffenedig yn unig.
- Canolbwyntiwch ar gryfderau'r disgybl a meysydd cynnydd.
- Mynegwch eich cred yng ngallu'r disgyblion.
- Peidiwch â chymharu disgyblion a'i gilydd (neu gyda brodyr a chwiorydd)

## Deunydd darllen

Brophy, J. E. (1981) On praising effectively, *The Elementary School Journal*, 81, 269-75.

Cameron, J. and Pierce, W. D. (1994) Reinforcement, reward, and intrinsic motivation: a meta-analysis, *Review of Educational Research*, 64, 363-423.

Martens, B. K. and Meller, P. J. (1990) The application of behavioral principles to educational settings. In T.B. Gutkin and C. R. Reynolds (eds.) *Handbook of School Psychology* (pp. 612-34), New York: Wiley.

Walker, H. M., Colvin, G. and Ramsey, E. (1995) *Antisocial Behavior in School: Strategies and Best Practices*, Pacific Grove, CA: Brooks/Cole.

Wyatt, W. J. and Hawkins, R. P. (1987) Rates of teachers' verbal approval and disapproval: Relationship to grade level, classroom activity, student behavior, and teacher characteristics, *Behavior Modification*, 11, 27-51.

# Cymell ac ysgogi disgyblion

Yn y penodau blaenorol buom yn trafod pwysigrwydd cael sylw, canmoliaeth ac anogaeth gan athrawon o ddydd i ddydd yn y dosbarth. Fodd bynnag, pan fydd disgyblion yn cael anhawster gydag ymddygiad neu faes dysgu arbennig, mae'n bosib na fydd y ganmoliaeth a'r sylw'n gynhaliaeth ddigon cryf i ysgogi'r plant. Mae dysgu darllen ac ysgrifennu a dysgu ymddygiad cymdeithasol derbyniol yn brosesau araf ac anodd. Ac weithiau bydd disgyblion yn teimlo nad ydynt yn gwneud unrhyw gynnydd.

## Rhoi gwobrau diriaethol

Un ffordd o hyrwyddo'r broses o ddysgu yw defnyddio cymhellion diriaethol megis sticeri, tocynnau, gwobrwyon arbennig a dathliadau i roi tystiolaeth goncrid i'r disgyblion o'u llwyddiant. Mae gwobrwyon diriaethol *(tangible rewards)* hefyd yn rhoi ysgogiad ychwanegol i blant ymdrechu gyda meysydd dysgu anodd. Gall gwobrwyon o'r fath gynnal cymhelliad plant nes bod perthynas gadarnhaol wedi datblygu rhyngddynt a'r athro, a hynny'n gwneud cael canmoliaeth a sylw yn fwy o ysgogiad. Bydd canlyniadau cadarnhaol yn deillio o ddefnyddio rhaglenni diriaethol o'r fath, megis plant yn cymryd mwy o ran yng ngweithgareddau'r dosbarth a chanolbwyntio ar dasg am gyfnodau mwy estynedig. Bydd eu hymddygiad yn fwy cydweithredol, bydd cynnydd yn eu gallu sillafu a chywirdeb mathemategol, ac fe fydd yna lai o broblemau ymddygiad dwys (e.e. Rhode, Jenson & Reavis,1992). Wrth ddefnyddio rhaglenni cymell i ysgogi disgyblion i ddysgu rhywbeth newydd, mae'n bwysig parhau i ddarparu cymeradwyaeth gymdeithasol iddynt hefyd. Bydd mwy o lwyddiant pan fydd y ddau fath o wobrwyo'n cael eu cyfuno, gyda dau bwrpas gwahanol iddynt. Dylid defnyddio gwobrwyon cymdeithasol i atgyfnerthu ymdrechion disgyblion wrth iddynt feistroli sgil neu ymddygiad newydd, tra bydd gwobrwyon diriaethol yn cael eu cyflwyno fel arfer i atgyfnerthu llwyddiant i gyrraedd targed penodol.

Mae'n ofynnol i athro, wrth drefnu rhaglenni cymell, gynllunio gyda'r disgybl pa ymddygiadau fydd yn cael eu gwobrwyo. Awgrymir y math yma o raglen, sy'n debyg i gytundeb, ar gyfer cynyddu ymddygiad prin neu ymddygiad sy'n arbennig o anodd i ddisgybl ei feistroli. Ystyriwch yr enghraifft a ganlyn:

## Tocynnau newid gweithgaredd

Roedd athro'n cael trafferthion gyda'i ddosbarth o blant 7-8 oed bob tro y byddent yn dod i'r dosbarth wedi egwyl. Roeddent yn pwnio, yn gwthio a phryfocio'i gilydd wrth ddod i mewn i'r dosbarth ac yn cymryd llawer iawn o amser i setlo lawr gyda'u gwaith dosbarth. Roedd yr athro'n cael ei hun yn gweiddi arnynt drwy'r amser ac roedd yn cymryd tua 30 munud cyn i'r plant ymroi i'w gwaith. Yn wir, roedd yr athro'n canfod fod unrhyw newid gweithgaredd, er enghraifft o gyfnod egwyl, cinio neu ymarfer corff, yn anodd i'r disgyblion ymdopi ag o heb fod gwrthdaro rhyngddynt. Ei nod oedd cael y newid tuag at weithio i ddigwydd mor llyfn â phosib heb helyntion di-rif yn y dosbarth. I gyflawni hyn, trefnodd 'system tocynnau newid gweithgaredd'. Yn gyntaf, ysgrifennodd y dasg ar gyfer y plant ar y bwrdd gwyn fel eu bod yn gwybod yn union beth i'w wneud wedi iddynt ddod yn ôl i mewn i'r dosbarth. Er enghraifft, efallai y byddai'n nodi, ' Dechreuwch ysgrifennu yn eich dyddiadur,' neu, 'Ewch i nôl eich llyfrau darllen a darllenwch y dudalen gyntaf o bennod 3,' ac ymlaen fel hyn. Bob tro y byddai'r athro'n sylwi ar y disgyblion yn setlo wrth eu desgiau ac yn dilyn y cyfarwyddiadau ar y bwrdd gwyn byddai'n eu gwobrwyo gyda thocyn newid gweithgaredd, a'r rheiny o liwiau gwahanol ar gyfer pob wythnos. Byddai'r disgyblion yn cadw'r tocynnau mewn bocs arbennig y tu mewn i'w desgiau.

Byddai'r tocynnau'n cael eu hennill bob tro y deuai'r disgyblion i mewn i'r dosbarth yn ystod y dydd, fel bod cyfle iddynt ennill 4 tocyn yn ddyddiol. Bob dydd Gwener byddai pob disgybl yn cyfrif ei docynnau ac yn eu cyfnewid am wobr os byddent wedi casglu 10 tocyn. Os byddai eu casgliad yn fwy na 15 tocyn roedd cyfle iddynt gael ail wobr o focs arbennig. Byddai'r athro'n trafod gyda'r disgyblion y math o bleserau neu wobrwyon y byddent yn hoffi eu hennill. Er enghraifft, roedd y gwobrwyon yn cynnwys pensiliau, rhwbiwrs, gwm cnoi heb siwgwr, melysion caled neu rai jeli, marblis, cardiau pêl droed, a swigod. Roedd y bocs arbennig yn cynnwys pleserau megis cael cinio gyda'r athro, bod ar flaen y rhes ymgynnull wedi egwyl, dewis gweithgaredd addysg gorfforol, dewis gwaith pleserus i'r dosbarth, cael cyfle i ddod â rhywbeth i mewn i'r ysgol i'w rannu gyda chyd-ddisgyblion etc. Yn ogystal â chyfrif tocynnau'r disgyblion unigol roedd yr athro hefyd yn cyfrif cyfanswm y tocynnau enillwyd gan y dosbarth cyfan bob wythnos ac yn nodi'r nifer ar thermomedr mawr ar wal y dosbarth. Addawodd y byddai dathliad yn y dosbarth wedi i'r nifer tocynnau gyrraedd 2000, a phen uchaf y thermomedr. Roedd yr athro'n canfod, wrth ganolbwyntio ar y disgyblion a oedd yn setlo i weithio ac yn rhoi canmoliaeth a thocynnau iddynt am wneud hynny, fod y dosbarth yn fuan yn setlo lawr yn syth heb yr angen iddo weiddi. Roedd pawb hefyd yn mwynhau'r gêm a chynllunio dathliad.

Yn yr enghraifft yma, mae'n werth sylwi fod yr athro'n nodi'n benodol yr ymddygiadau problemus, a hefyd yn nodi'r ymddygiadau cadarnhaol oedd i gymryd eu lle. Dewisodd gyfnodau penodol o'r dydd i ganolbwyntio ar yr ymddygiadau, gyda nifer o gyfleoedd mewn diwrnod i'r disgyblion fod yn llwyddiannus ac ennill tocynnau. Agwedd arwyddocaol arall o'r enghraifft yma yw ei bod yn ddatblygiadol addas ar gyfer plant rhwng 7 ac 8 oed, sy'n hoffi casglu a chyfnewid gwrthrychau. Mae gan blant yr oedran yma hefyd y gallu datblygiadol i aros am wythnos cyn cael cyfnewid eu tocynnau. Yn ddiweddarach, wrth i'r cyfnodau newid gweithgaredd ddod yn ddidramgwydd, fe ymestynnodd yr athro'r system docynnau at nodau eraill (wedi cael eu seilio ar anghenion disgyblion unigol). Roedd pob disgybl yn casglu tocynnau a oedd yn debyg i dalebau arian, a'r rheini'n cael eu gwario i brynu eitemau ym marchnad yr ysgol ar ddiwrnod marchnad (y plant yn dod â nwyddau i'w gwerthu yn y farchnad). Ar adeg arall, pan oedd yr athro'n brin o wobrau, trefnodd system gyda'r plant yn rhoi eu tocynnau i gyd mewn jar i'w rafflo. Ar ddiwedd yr wythnos roedd raffl yn cael ei chynnal a'r tocynnau'n cael eu tynnu i ennill gwobr. Roedd yr athro yma'n llwyddiannus gan iddo geisio gwneud y rhaglen yn hwyl, gyda'r disgyblion yn cael cymryd rhan yn y cynllunio, y gwobrwyo a'r dathlu.

Byddai'n rhaid i'r rhaglen gymell fod yn symlach ar gyfer plant cyn-oedran ysgol a phlant meithrin (3-5 oed) gyda chyfle iddynt ennill rhywbeth yn syth. Hwyrach y byddai'r athro'n stampio cerdyn neu'n rhoi sticeri i bob disgybl am ymddygiadau penodol yn ystod y dydd, megis pan fyddai'n sylwi ar y plant yn rhannu neu'n helpu'i gilydd. Ar ddiwedd y dydd bydd pob plentyn yn gweld faint o stampiau y maent wedi eu casglu am helpu, a theimlo'n falch wrth rannu'r llwyddiannau gyda'u rhieni.

Mae'n bwysig cofio y bydd rhaglenni cymell yn llwyddiannus cyn belled â'ch bod chi yn:

- cyflwyno gwobrau am gyrraedd safonau perfformiad penodol (nid cyflawni gweithgaredd yn unig)
- dewis cymhellion effeithiol
- gwneud y rhaglenni'n syml a hwyliog
- cadw golwg gofalus ar siartiau
- dyfalbarhau a dilyn y cytundeb drwodd
- adolygu'r rhaglenni fel y bydd ymddygiadau'n newid
- newid y gwobrau'n achlysurol a'u gwneud yn rhai gwreiddiol a diddorol
- gosod terfynau cyson ynglŷn ag ymddygiad fydd yn cael ei wobrwyo

Unwaith y bydd disgyblion wedi dysgu'r ymddygiad newydd, gellir dwyn y rhaglenni cymell i ben yn raddol gyda chanmoliaeth ac anogaeth athro'n parhau i gynnal y drefn.

Tra bod rhaglenni cymell yn ymddangos yn syml, mae rhai peryglon i'w hosgoi os ydynt i fod yn effeithiol. Yn rhan gyntaf y bennod yma byddwn yn trafod rhai gwrthwynebiadau di-sail sydd weithiau'n cael eu codi ynglŷn â defnyddio rhaglenni cymell gyda disgyblion. Yn yr ail ran byddwn yn trafod problemau cyffredin a brofwyd gan rai athrawon wrth sefydlu'r rhaglenni yma. Byddwn yn disgrifio'r ffyrdd mwyaf effeithiol o wneud y rhaglenni yma'n llwyddiant. Mae'r bennod hon wedi'i selio ar ymchwil ynglŷn â systemau cymell (Cameron & Pierce, 1994; Elliott & Gresham, 1992; Stage & Quiroz, 1997, Walker, 1995). Byddwn hefyd yn trafod amrywiaeth o ddulliau a ddefnyddir gan athrawon i ddarparu cymhelliant ychwanegol er mwyn ysgogi plant i ddysgu sgiliau cymdeithasol ac academaidd.

## Rhai cwestiynau y bydd athrawon yn eu gofyn

**Onid yw rhaglenni cymell yn arwain plant tuag at fethiant yn y dyfodol oherwydd y bydd y plant yn mynd yn ddibynnol ar wobrau allanol ac yn methu datblygu eu hysgogiad mewnol eu hunain?**

Weithiau bydd athrawon yn poeni y bydd cymhellion megis tocynnau, sêr a phartïon pizzas yn arwain disgyblion tuag at 'ddibyniaeth' ar wobrwyon allanol, ac na fydd y rhain yn ddaionus iddynt yn y pen draw. Hwyrach na fydd y disgyblion yn datblygu ysgogiad mewnol, ac felly byddant yn methu dal eu tir mewn dosbarthiadau dilynol lle na fydd defnydd o wobrau ysgogi. Bydd yr athrawon hyn yn poeni y bydd disgyblion yn cymryd drosodd y system ac yn dysgu ymateb i geisiadau syml gan athrawon drwy ddweud, 'Beth sydd yna i mi ei gael am hyn?'

Mewn gwirionedd, nid oes unrhyw dystiolaeth ymchwil yn dangos fod hyn yn digwydd pan fydd y rhaglenni cymell yn cael eu defnyddio'n briodol. (Cameron & Pierce,1994). Mae'n bwysig pwysleisio nad yw rhaglenni cymell yn cymryd lle dulliau eraill o ysgogi plant, megis adeiladu perthynas ystyrlon gyda nhw, atgyfnerthu'r plant gyda sylw a chanmoliaeth, sbarduno eu diddordeb mewn rhai meysydd etc. Strategaeth ychwanegol yw rhaglenni cymell ar gyfer y disgybl sy'n cael anhawster cymdeithasol neu academaidd penodol, disgybl sy'n gwrthod neu'n osgoi ymdrechu neu ddisgybl nad yw'n ymateb i atgyfnerthwyr eraill. Gan fod gwobrwyo diriaethol yn digwydd yn syth, mae hefyd yn ddull defnyddiol i gael dosbarth cyfan o dan reolaeth yn sydyn er mwyn iddynt ymateb i'r hyn a ddysgir. Y syniad gyda'r rhaglenni cymell yw eu dwyn i ben yn raddol fel y bydd y plant yn ennill yr hyder a'r sgiliau a fydd yn cryfhau eu hysgogiad mewnol i ddyfalbarhau. Gellir meddwl am gymhelliant fel math o *ysgogiad allanol* fydd yn helpu plant nes eu bod yn gallu dal eu tir ar eu pennau eu hunain.

**Sut y gellir sefydlu rhaglenni cymell ar gyfer rhai plant yn y dosbarth a pheidio paratoi rhai ar gyfer y plant eraill? Dydi hynny ddim yn deg. Oni fydd hyn yn achosi i'r plant sydd yn ymddwyn yn dda gamymddwyn er mwyn cael y gwobrau?**

Mae llawer o athrawon yn pryderu ei bod yn annheg rhoi gwobrau i rai plant a ddim i eraill. Ein hateb ni yw ei bod yn decach mewn gwirionedd teilwra eich strategaethau addysgu o amgylch anghenion disgyblion unigol oherwydd mae gan bob plentyn alluoedd gwahanol. Yn yr un modd ag y mae meddyg yn argymell y ffisig mwyaf addas ar gyfer salwch penodol, rhaid i athro benderfynu beth yw anghenion dysgu penodol pob un o'i ddisgyblion.

Beth am y broblem o ddisgyblion eraill yn camymddwyn i gael gwobr? Go brin y bydd hynny'n digwydd, yn arbennig os bydd yr athro wedi egluro'r rhaglen wrth y dosbarth mewn dull syml. Hwyrach y dywed, 'Mae Jessie'n ei chael yn anodd weithiau i aros yn eistedd yn ei chadair. Mae'r ddwy ohonom wedi llunio rhaglen a fydd yn ei helpu i wneud hynny. Mae pawb yn dymuno hynny yn tydi? Ac rydym am roi hwre fawr iddi os bydd yn llwyddo i gyflawni ei nod.' Yma, mae'r athro'n sicrhau cefnogaeth y disgyblion i'r rhaglen ac yn egluro pwrpas y rhaglen wrthynt, gan leihau unrhyw gystadleuaeth neu genfigen rhwng y disgyblion.

**A ddylech chi yrru negeseuon i'r cartref gydag wynebau hapus a thrist wedi eu gosod arnynt?**

Strategaeth sy'n cael ei defnyddio'n aml gan athrawon yw danfon siartiau ymddygiad adref gyda'r plant yn ddyddiol gydag wynebau hapus arnynt am ymddygiad da ac wynebau trist am gamymddygiad. Yn gyffredinol, rydym yn eich argymell i beidio cymysgu systemau atgyfnerthu gyda systemau cosbi – yn yr achos yma cyfuno dau fath o sticeri ar yr un siart. Bydd yr adborth negyddol (wyneb trist) yn negyddu'r adborth cadarnhaol (wyneb hapus). Gall plentyn gael mwy o sylw (gan athro neu riant) am gael wyneb trist nag am gael wyneb hapus, a'r feirniadaeth yn hytrach na'r ganmoliaeth a fydd yn aros yn y cof. Mae hyn yn arbennig o wir am blant sydd â phroblemau ymddygiad, sef plant sy'n tueddu i ganolbwyntio mwy ar feirniadaeth yn hytrach nag ar ganmoliaeth neu gymeradwyaeth.

Effaith bosib arall y mae wynebau trist yn ei gael ar rieni yw eu gwneud yn flin a beirniadol tuag at yr athro am iddo ddanfon adroddiad negyddol i'r cartref. Weithiau bydd rhieni'n beio'r athro am y broblem. Canlyniad arall posibl fyddai i rieni ymateb drwy gosbi'r plentyn am y camymddygiad hefyd. Hwyrach y bydd y rhieni'n cosbi mewn rhwystredigaeth gyda'u plentyn, neu'n cosbi oherwydd teimlad 'fod disgwyl iddynt wneud rhywbeth' ynglŷn â nodyn yr athro yn dwyn sylw at y camymddygiad. Mae'r plentyn, o ganlyniad yn cael ei gosbi ddwy waith – yn y cartref ac yn yr ysgol. Ychydig iawn o effaith fyddai disgyblaeth y rhieni'n ei gael ar gamymddygiad y plentyn gan fod cyfnod hir o amser wedi mynd heibio ers iddo ddigwydd. Bydd ymateb o'r fath gan y rhieni hefyd yn niweidio'u perthynas gyda'r plentyn. Dylai athrawon bwysleisio wrth rieni, wrth ddanfon siartiau ymddygiad adref, y dylent annog a chefnogi llwyddiant y plant a cheisio ymatal rhag gwneud sylwadau am y bylchau lle na roddwyd sticeri. (Hwyrach y bydd rhieni'n cosbi plant am mai pump neu chwech sticer enillwyd yn hytrach na saith). Bydd rhieni wedyn yn rhoi negeseuon cyson i'w plant eu bod yn credu y gallant lwyddo a'u bod am iddynt ymdrechu eu gorau glas yn yr ysgol. Gall athrawon sicrhau rhieni y byddant yn delio gydag unrhyw gamymddygiad gynted ag y bydd yn digwydd yn yr ysgol, ac yna symud ymlaen tuag at brofiad dysgu newydd i'r plentyn gael profi llwyddiant.

## Pa bryd allwch chi gynnwys y plentyn yn y broses o werthuso'i ddiwrnod?

Er bod rhaglenni cymell yn rhoi adborth pendant i ddisgyblion am eu llwyddiant, dylai athrawon gymell y disgyblion hefyd i ystyried ansawdd eu diwrnod drostynt eu hunain. Hwyrach y bydd gan yr athro thermomedr yn dangos graddfa'n ymestyn o dawel (glas) hyd at or-frwdfrydig (coch). Bydd y plentyn yn cael cyfle i ddangos lle mae ef yn gosod ei hun ar y thermomedr y diwrnod hwnnw. Byddai hynny'n rhoi cyfle i'r athro roi adborth am yr adegau y teimlodd i'r plentyn ymdawelu'n llwyddiannus. Gellid defnyddio thermomedr o'r fath ar gyfer dicter neu allu plentyn i ymuno yng ngweithgareddau'r dosbarth. Bydd plant sydd â phroblemau ymddygiad yn aml yn canolbwyntio ar eu camgymeriadau yn ystod y dydd a bydd athro, drwy edrych ar eu hymdrechion cadarnhaol (e.e. yr adegau pan oeddent yn llwyddiannus ac ennill sticer), yn gallu helpu plentyn i fod yn fwy positif ynglŷn â'r diwrnod. Ffordd arall o gael plant i werthuso eu perfformiad eu hunain yw cael math o ffurflen a elwir yn *swigen hunan anogaeth,* Ar eu swigen hunan anogaeth gall y plant nodi eu hymatebion da yn ystod y dydd i bethau megis ffrindiau, gwaith ysgol a rhwystredigaethau. Gellir cyflawni hyn yn llafar hefyd, gyda'r athro'n ysgrifennu'r sylwadau, neu gall yr athro ofyn i'r disgybl dynnu lluniau i gynrychioli pob categori.

## Fy Swigen Hunan Anogaeth

Rwy'n dda am ddatrys problemau.
Rwy'n dda am wneud mathemateg.
Rwy'n dda am wynebu problem a'i datrys.
Fydda i byth yn rhoi'r gorau iddi.
Fe allaf ymdopi â hyn.
Gallaf ymdawelu.
Rwy'n dda am rannu.
Rwy'n medru aros.
Rwy'n dda iawn am helpu.
Rwy'n berson cyfeillgar.
Rwy'n dda gyda geiriau.
Rwy'n anwybyddu synau o'm cwmpas.
Gallaf fynd at fy nghadair heb i neb ofyn i mi.
Dwi'n gwneud y pethau sy'n dda i mi.
Rwy'n anhygoel o ddewr.
Rwy'n fodlon rhannu.
Rwy'n arweinydd da.

# Sefydlu nodau

## Bod yn benodol am ymddygiadau addas

Bydd athrawon weithiau'n defnyddio rhaglenni gwobrau diriaethol sy'n annelwig ynglŷn â'r ymddygiadau addas a gaiff eu gwobrwyo. Er enghraifft, mae Billy'n drafferthus yn y dosbarth, mae'n methu eistedd yn llonydd yn ystod Amser Cylch, mae'n pwnio plant sy'n eistedd yn agos ato, ac yn gyson yn torri ar draws trafodaethau'r athro gyda'r disgyblion. Dywed yr athro wrtho, 'Pan fyddi'n dda yn yr ysgol, gelli ddewis gwobr,' ac 'Os gwnei ymddwyn yn dda adeg Amser Cylch fe gei di rywbeth pleserus.' Mae'r athro'n cyfeirio at nod aneglur, 'bod yn dda' ac mae'n amhendant ynglŷn â pha ymddygiad penodol fydd yn ennill gwobr i Billy. Os nad ydych yn bendant ynglŷn â'r ymddygiadau a ddymunwch, nid yw'r disgyblion yn debygol o fod yn llwyddiannus. Hwyrach y bydd Billy, yn ei ddiniweidrwydd, yn mynnu gwobr am ei fod yn tybio'i fod yn dda yn yr ysgol, ond nad yw'r athro'n meddwl hynny o gwbl. Gall fynd yn ddadl rhyngddynt, 'Ond roeddwn i yn dda, rhaid i mi gael rhywbeth arbennig.' Roedd Billy'n meddwl ei fod yn dda am iddo rannu un waith gyda phlentyn arall a cheisio ymddwyn yn dda. Yn anffodus, mae diffiniad yr athro o 'dda' yn fwy llym.

Y cam cyntaf wrth drefnu rhaglen gymell yw meddwl yn glir pa ymddygiadau sy'n drafferthus, pa mor aml y maent yn digwydd a pha ymddygiadau cadarnhaol y disgwylir eu gweld yn cymryd eu lle. Os ydych, fel athro Billy, yn dymuno gweld ymddygiadau llai trafferthus gan blant 3-5 oed yn ystod Amser Cylch, hwyrach y dywedwch, 'Os eisteddwch yn dawel wrth fy ochr a chadw eich dwylo ar eich gliniau yn ystod ein Hamser Cylch, yna fe gewch ennill sticer arbennig.' Neu, 'Bob tro y rhowch law dawel i fyny, heb weiddi allan, rydym am roi sticer i chi yn y bocs yma.' Yma, mae'r ymddygiadau cadarnhaol yn cael eu disgrifio'n glir i'r plentyn. Mae bod yn benodol yn ei gwneud yn haws i chi hefyd wybod a ddylech ddilyn y broses drwodd a gwobrwyo neu beidio.

## Gwneud y camau'n fach

Un rheswm dros fethiant rhaglenni cymell yw bod yr athro'n gwneud y camau neu'r disgwyliadau ymddygiad mor fawr nes bod y plant yn teimlo fod ennill gwobr yn amhosib, yn rhoi'r gorau i'r ymdrech neu ddim hyd yn oed yn ymdrechu yn y lle cyntaf. Yn yr enghraifft uchod o Amser Cylch pe byddai Billy, sy'n blentyn 4 oed bywiog iawn, yn neidio allan o'i gadair yn barhaus ac yn torri ar draws bob 2 funud, fe fyddai'n afrealistig disgwyl iddo aros wrth ochr yr athro'n dawel am gyfnod hir dros ben. Byddai rhaglen a fyddai'n ei wobrwyo â sticer am eistedd yn dawel drwy gydol yr 20 munud o Amser Cylch yn anorfod yn methu.

Mae rhaglen wobrwyo dda'n ymgorffori'r camau bach sydd eu hangen i gyrraedd at y nod. Yn gyntaf, arsylwch am nifer o ddyddiau er mwyn canfod pa mor aml y mae'r camymddygiad yn digwydd. Bydd cael y wybodaeth sylfaenol yma'n sail i sefydlu'r camau wrth gynllunio rhaglen gymell. Yna, dewiswch yr ymddygiad penodol yr ydych am ei dargedu gyntaf. Er enghraifft, os sylwch fod Billy'n gallu eistedd yn llonydd am 5 munud, byddai hynny'n gam cyntaf i'w atgyfnerthu. Byddai eich rhaglen yn cynnwys rhoi sticer i Billy am bob 5 munud y mae'n eistedd yn llonydd a chadw'i ddwylo ar ei lin. Yn yr enghraifft yma, mae'r athro'n gosod eistedd yn llonydd fel ei flaenoriaeth gyntaf. Dim ond ar ôl iddo lwyddo gyda hynny y symuda ymlaen tuag at nodau eraill megis dysgu'r plentyn sut i ddangos llaw dawel yn hytrach na siarad ar draws drwy'r amser. Gyda'r cynllun yma bydd gan Billy siawns dda o fod yn llwyddiannus ac ennill sticeri. Unwaith y gall eistedd yn llonydd yn ddidrafferth am 5 munud gall y gwobrwyo fod yn ddibynnol ar ei allu i eistedd yn llonydd am gyfnodau hirach. Yr allwedd yw symud ymlaen fesul camau bach tuag at y nod a ddymunwch.

Un rhybudd bach. Os yw Billy'n orfywiog iawn ei natur, yn ara' deg bach y byddwch yn symud ymlaen. Bydd raid ichi addasu eich disgwyliadau ynghylch pa mor hir y dylid disgwyl i blentyn ei oedran ef eistedd yn llonydd. Yn realistig, efallai mai dim ond am 10 munud y bydd yn gallu eistedd yn llonydd byth. Felly, os yw Amser Cylch yn y dosbarth yn parhau am 15-20 munud, byddwch eisiau darparu ffordd i blentyn fel Billy symud o gwmpas heb aflonyddu ar weddill y dosbarth. Er enghraifft, wedi iddo gyrraedd ei nod o eistedd am 5-10 munud, efallai y caniatewch iddo godi a mynd i le arbennig yn yr ystafell a alwyd yn 'lle symud' ('wiggle space') lle caniateir iddo symud ei gyhyrau'n dawel. Yna, pan fydd yn barod, caiff ddod yn ôl i'r cylch a chael cyfle i ennill sticer am eistedd yn llonydd unwaith eto.

## Gosod y cyflymder cywir

Bydd y gwrthwyneb yn digwydd pan fydd yr athro'n gwneud y camau'n rhy hawdd. Pan fydd hynny'n digwydd, ni fydd y disgyblion yn cael eu hysgogi i weithio am y wobr, neu fe fyddant yn peidio gweld gwerth yn y wobr oherwydd eu bod yn ei derbyn mor aml. Go brin y bydd hyn yn broblem ar y cychwyn gan fod y mwyafrif o athrawon yn gwneud y camau'n rhy fawr. Fodd bynnag, gall ddod yn broblem fel bydd y rhaglen yn parhau. Er enghraifft, wedi rhai wythnosau tybiwch fod Billy'n cael sticeri drwy'r amser am bob 5 munud mae'n eistedd yn ystod Amser Cylch. Oni bai fod yr athro'n ymestyn y rhaglen drwy ofyn iddo eistedd yn llonydd a hefyd ddangos llaw dawel cyn derbyn sticer, yna bydd y sticeri'n colli eu gwerth atgyfnerthol.

Rheol synhwyrol fyddai ei gwneud yn gymharol hawdd i ennill gwobr pan fydd y plant yn dechrau dysgu ymddygiad newydd. Ar y cychwyn, byddant angen llwyddo drosodd a throsodd er mwyn gwerthfawrogi'r gwobrau a chanmoliaeth yr athro, ac er mwyn deall eu bod yn gallu cyflawni'r ymddygiad disgwyliedig. Yna gellir ymestyn y targed i fod rywfaint yn anos. Yn raddol, bydd y gwobrwyo'n digwydd yn llai a llai aml hyd nes na fydd angen gwobrwyo o gwbl. Yn y pen draw bydd cymeradwyaeth athro'n cynnal yr ymddygiadau. Byddwch yn ofalus fodd bynnag. Weithiau mae athrawon sy'n profi llwyddiant gyda'u rhaglenni yn cynyddu'r disgwyliadau'n rhy sydyn, a'r disgyblion yn llithro'n ôl mewn rhwystredigaeth oherwydd eu bod yn methu profi llwyddiant. Rhaid cadw golwg cyson a sicrhau fod y camau'n symud ymlaen ar gyflymder cywir os yw rhaglenni gwobrwyo er mwyn newid ymddygiad i barhau'n llwyddiannus.

### Dewis y nifer o ymddygiadau'n ofalus

Bydd rhaglenni weithiau'n methu oherwydd bod ymgais i fynd i'r afael â gormod o ymddygiadau negyddol ac anodd ar yr un pryd. Gwelwyd athrawon brwdfrydig yn cychwyn ar raglenni gwobrwyo gyda sticeri'n cael eu rhannu drwy'r dydd am gydymffurfio gyda chyfarwyddiadau athro, peidio pryfocio cyfoedion, dangos llaw dawel, aros yn eistedd, peidio pwnio a gweithio'n galed. Mae rhaglenni o'r fath yn rhy gymhleth. Bydd y pwysau i lwyddo yng ngwahanol feysydd bywyd yn ymddangos mor llethol nes bod y plant yn rhoi heibio'r ymdrech cyn cychwyn. Anfantais arall gyda'r dull yma yw ei fod yn gofyn am i'r athro gadw golwg drwy'r dydd. Mae cadw golwg ar allu plentyn i gydymffurfio gyda'i ofynion drwy'r dydd yn gofyn am lawer iawn o ymdrech ar ran yr athro gan fod y sefyllfaoedd yma'n digwydd yn aml. Cofiwch, os nad ydych yn realistig yn gallu cadw golwg ar ymddygiad eich disgybl, a dilyn drwodd gyda'r canlyniadau, yna bydd y rhaglen orau oll a gynlluniwyd yn sicr o fethu.

Mae tair ystyriaeth wrth benderfynu sawl ymddygiad i'w dargedu ar yr un pryd: pa mor aml fydd yr ymddygiad yn digwydd; cyfnod datblygiadol y plentyn; a'r hyn sy'n realistig i chi ei weithredu. Wrth ystyried amlder, cofiwch fod ymddygiadau megis peidio cydymffurfio, torri ar draws, cyffwrdd eraill, neu neidio o'r gadair yn gallu digwydd yn aml, ac felly angen llawer o oruchwyliaeth gan athro. Yn realistig, mae hynny'n golygu na fyddwch yn gallu canolbwyntio ar fwy nag un ymddygiad o'r fath ar yr un pryd.

Yr ail ystyriaeth bwysig yw gallu datblygiadol y plentyn. Mae plant ifanc angen rhaglenni sy'n hawdd eu deall ac sy'n canolbwyntio ar un neu ddau o ymddygiadau syml ar y tro. Mae dysgu ufuddhau i geisiadau athro neu ddysgu rhannu gyda disgybl arall yn dasgau datblygiadol sylweddol i blentyn ifanc. Bydd pob un angen eu hymarfer drosodd a throsodd gyda'r athro'n bod yn amyneddgar ac yn rhoi llawer o'i amser i'r broses. Fel y bydd plant yn aeddfedu (oedran ysgol a glasoed) gall rhaglenni gwobrwyo diriaethol fynd yn fwy cymhleth, gan y bydd plant hŷn yn eu deall a'u cofio'n well. Yn ystod y cyfnod yma bydd ymddygiadau problemus yn digwydd yn llai aml ac fe fydd yn haws cadw llygad arnynt. Felly, ar gyfer plentyn oedran ysgol, byddai'n bosib sefydlu rhaglen lwyddiannus a fyddai'n cynnwys rhoi pwyntiau am gofio dod â gwaith cartref yn ôl i'r ysgol, helpu i gadw offer addysg gorfforol yn y gampfa ac ail gychwyn gweithio'n syth wedi cyfnod egwyl.

Y drydedd ffactor i'w hystyried wrth benderfynu pa ymddygiadau i ganolbwyntio arnynt yw faint o gadw golwg y gellwch chi ei gyflawni'n realistig. Hyd yn oed pan fydd gennych gyd-athro neu gymhorthydd, mae'n anodd cadw golwg ar ymddygiad megis dilyn cyfarwyddyd athro, drwy'r dydd. Bydd hyn yn arbennig o wir pan fydd gennych ddosbarth o dri deg o blant sy'n cynnwys tri neu bedwar plentyn yn dilyn rhaglenni cymell i ddelio gyda phroblemau penodol. Doeth felly fyddai dewis amser o'r dydd i ganolbwyntio ar ymddygiadau i'w cynyddu. Er enghraifft, bydd llawer o blant yn cael anawsterau gydag amser anstrwythuredig a chwarae rhydd. Efallai mai yn ystod y cyfnod hwnnw y byddwch am wir ganolbwyntio ar gymell a chanmol y plant am gydweithio a rhannu. Gyda phlentyn fel Billy, hwyrach y byddwch yn canolbwyntio ar Amser Cylch i ddysgu'r ymddygiad disgwyliedig, ac yn ddiweddarach yn ystod y flwyddyn yn ymestyn y rhaglen i'w helpu i ddysgu ymddygiadau pro-gymdeithasol ar adegau eraill o'r dydd. Bydd rhai athrawon yn hoffi canolbwyntio eu rhaglenni cymell ar amseroedd anodd megis amser newid gweithgaredd, amser egwyl neu gyfnodau chwarae pan fydd gweithgareddau heb gael eu strwythuro. Yr hyn sy'n hollbwysig yw eich bod yn sefydlu rhaglen realistig sy'n caniatáu amser ichi ddilyn drwodd yn gyson gyda chanmoliaeth a gwobrau.

## Cynllun Ymddygiad: Jenny

| Ymddygiad negyddol yn y dosbarth | Pa bryd? | Ymddygiad a ddymunir | Atgyfnerthwyr penodol |
|---|---|---|---|
| Pwnio, cyffwrdd plant eraill | Yn y rhes ymgynnull | Cadw dwylo iddo'i hun | Ymateb yn dda i ganmoliaeth. Ddim yn hoffi cael ei chofleidio |
| Siarad allan, heb godi llaw | Trafodaeth grŵp bach | Dangos llaw dawel | Ar ôl ennill 20 tocyn am ddangos llaw dawel caiff ddewis llyfr ar gyfer amser stori |
| Siarad pan roddir cyfarwyddiadau | Dosbarth cyfan | Gwrando'n dawel pan roddir cyfarwyddiadau | Defnyddio taflen hunan-arsylwi -10 pwynt bob dydd = dewis gweithgaredd arbennig |
| Methu canolbwyntio, breuddwydio | Amser gweithio'n annibynnol | Talu sylw a chanolbwyntio | Wyneb hapus am ganolbwyntio ar dasg |

## Canolbwyntio ar ymddygiadau cadarnhaol

Bydd problem arall yn digwydd pan fydd athrawon yn canolbwyntio'n gyfan gwbl ar ymddygiadau negyddol. Gall athrawon adnabod yn glir yr ymddygiadau negyddol y byddant am gael gwared â nhw – megis cwffio, torri ar draws, pwnio, rhedeg, bod yn anufudd, gweiddi a tharfu ar eraill yn ystod y wers. Bydd eu rhaglenni cymell yn amlinellu'r gwobrau y bydd y plant yn eu hennill os gallant ymatal am awr heb gwffio, pwnio neu dorri ar draws. Mae hyn yn dda, ond nid yw'r rhaglen wedi mynd yn ddigon pell. Mae'n nodi'n glir i'r disgyblion yr hyn na ddylent ei wneud, ond nid yw'n disgrifio'n eglur yr ymddygiad gwrthgyferbyniol y dylent ei gyflawni nac yn gwobrwyo'r ymddygiad hwnnw. Yn hytrach, mae'n gwobrwyo absenoldeb ymddygiad negyddol. O ganlyniad, bydd ymddygiad amhriodol yn cael ei ddisgrifio ac yn derbyn mwy o sylw'r athro nag ymddygiad priodol.

Mae'n bwysig adnabod yr ymddygiadau positif fydd yn cymryd lle'r ymddygiadau negyddol, a'u cynnwys yn y rhaglen gymell. Er enghraifft, dylai rhaglenni gynnwys gwobrau am ymddygiadau fydd yn dangos cydweithio, cymryd tro, chwarae'n ddistaw gyda chyd-ddisgybl, cadw'r dwylo i'w hunan, siarad gyda llais tawel yn y dosbarth, dangos llaw dawel, aros tro, canolbwyntio ar brosiect, dod i mewn i'r dosbarth ac eistedd yn dawel, defnyddio geiriau pan yn flin a dilyn cyfarwyddiadau athro. Mae'n hanfodol fod yr ymddygiadau positif yn cael eu nodi'r un mor eglur â'r ymddygiadau negyddol sydd i'w bwrw allan. Yn y rhaglen ymddygiad ar gyfer Jenny a drafodwyd ym Mhennod 4, mae'r athro'n awr yn ychwanegu cymhellion i'w raglen ganmoliaeth.

## Pryd i baratoi rhaglenni unigol

Yn yr enghraifft 'tocyn newid gweithgaredd' roedd llunio rhaglen oedd yn cynnwys holl blant y dosbarth yn briodol gan fod nifer o'r plant angen cymorth gyda'r broblem hon. Weithiau nid yw gweithredu rhaglen gymell ar gyfer pawb yn y dosbarth yn helpu sefyllfa. Yn wir gall leihau cymhelliant rhai plant. Enghraifft o hyn yw athro a fu'n poeni nad oedd rhai o blant ei ddosbarth yn darllen llyfrau. Felly, dyma lunio rhaglen gymell, a honno'n cynnwys gwobrwyo pob plentyn oedd yn darllen dau lyfr bob mis. I'r disgyblion oedd yn darllen yn barod ac yn cael eu hysgogi gan eu pleser eu hunain roedd hon yn wobr annoeth. Fe allai leihau'r nifer o lyfrau y byddent hwy'n ceisio eu darllen bob mis!

Dylai rhaglenni cymell gael eu llunio yn unol ag anghenion a galluoedd pob plentyn unigol sy'n cael anhawster i gwblhau'r aseiniad. Os oes gan ddisgybl anawsterau darllen neu ddysgu, gosodwch nod i'r disgybl hwnnw o geisio darllen am 15 munud bob dydd. Byddwch am wneud yn siŵr nad yw'r llyfrau sydd ar gael yn y dosbarth yn rhy anodd i'w lefel darllen a bod yno lyfrau sy'n ymwneud â'i ddiddordebau arbennig. Os yw'r plentyn yn hoffi dinosoriaid gellir cynnig llyfrau am ddinosoriaid iddo. Ni ddylid disgwyl i blentyn o'r math hwn ddarllen nifer penodol o lyfrau bob mis, ond yn hytrach rhoi'r gefnogaeth iddo fel ei fod yn brysur yn y broses o geisio darllen. Ar y llaw arall, os bydd plentyn sy'n gallu darllen yn annibynnol, ond heb fod yn ymroi i wneud hynny, efallai y bydd y rhaglen gymell ar ei gyfer yn nodi darllen nifer o ddudalennau o fewn amser penodol bob dydd. Mae'n hanfodol bod athrawon yn deall natur anawsterau ymddygiadol plentyn gan mai dim ond wedyn y gellir cynllunio rhaglenni cymell effeithiol.

## Dewis y cymhellion mwyaf effeithiol

Unwaith y byddwch wedi dewis yr ymddygiadau y dymunwch eu targedu i weld mwy neu lai ohonynt ac wedi penderfynu pa drefn neu gamau a gymerwch tuag at eu cyflawni, y cam nesaf fydd dewis gwobrau neu gymhellion. Gall gwobrau diriaethol gynnwys sticeri, sêr, pwyntiau, stampiau, gwobrau megis pensiliau, llyfrau, marc llyfr neu freintiau arbennig megis cael cinio gyda'r athro, cyfle i drefnu sioe hud, chwarae gyda phyped arbennig, cael cyfle i eistedd ar y bag ffa neu ymweld â dosbarth arall i gael cinio etc.

Mae'n bwysig cofio y gall yr hyn sy'n atgyfnerthwr cadarnhaol i un plentyn beidio bod felly i blentyn arall. Bydd rhai plant yn dyheu am sylw a chanmoliaeth oedolyn, tra bydd eraill yn amheus ohono ac yn well ganddynt weithio am sticeri neu felysion. Bydd eraill yn hoffi ennill breintiau arbennig. I lawer o blant ifanc (oedran 4-6 oed) bydd stampiau neu sticeri ar dudalen yn werth chweil, ac ni fydd angen ychwanegu gwobrau materol atynt. Fel y bydd plant yn mynd yn hŷn bydd casglu sticeri neu docynnau a'u cyfnewid am rywbeth dymunol yn ychwanegu at raglen gymell. Bydd hyn yn cynnig atgyfnerthiad dwbwl iddynt yn ogystal â datblygu eu gallu i barhau'n frwdfrydig tra'n aros am y pleser. Un ffordd o ganfod beth fyddai'n atgyfnerthwyr da i blentyn arbennig yw danfon holiadur diddordebau i'r cartref i gael gwybodaeth gan rieni am ddiddordebau, hobïau ac unrhyw beth arall a all fod yn arbennig o atgyfnerthol i'r plentyn. Gall rhieni fod o gymorth mawr i athrawon wrth iddynt benderfynu pa gymhellion i'w defnyddio.

## Rhai gwobrau diriaethol posibl

- Rhoi nodiadau 'medraf' mewn bocs ar fwrdd y disgybl.
- Y disgyblion i lunio 'llyfr llwyddiannau' yn cofnodi eu cyflawniadau.
- Llenwi un datganiad o hunanganmoliaeth ar siart bob dydd (e.e. 'Gallaf fynd i eistedd yn fy nghadair heb i rywun ofyn i mi')
- Disgyblion i roi cymeradwyaeth i'w gilydd am lwyddiannau.
- Defnyddio Amser Cylch cadarnhaol (cael mynd at y Pennaeth i ddweud am gyflawniad arbennig)
- Dysgu hunan ganmol (dweud 'da iawn' wrtho'i hun)
- Rhoi caniad ffôn i'r rhieni i sôn am gyflawniadau'r disgybl.
- Cardiau a siartiau canmol.
- Ticedi raffl amser chwarae am ymddygiad cydweithredol.

## Eitemau heb fod yn ddrud

- Pwyntiau, melysion, sticeri (y gellir eu cyfnewid am anrhegion)
- Sticeri ar fathodynnau gyda negeseuon arnynt. (e.e. Rwy'n dda iawn am wrando, Rwy'n helpu'n dda heddiw, Rwy'n cadw rheolau'r iard, Rwy'n ymuno'n dda gydag eraill)
- Tocynnau i'w rhoi mewn raffl am wobr
- Bocs anrheg arbennig
- Pensiliau, rhwbiwrs, pinnau ffelt, siswrn
- Sticeri 'cŵl' (e.e. i'w crafu a'u harogli)
- Cardiau pêl droed
- Swigod
- Creision, bisgedi a gwm cnoi heb siwgwr
- Nodiadau sypreis
- Swigod bath, sebon
- Nwyddau gwaith celf – glud, secwins
- Cardiau post
- Posau, pos drysfa, pos penbleth, jôc
- Stamp
- Toes chwarae
- Mwclis
- Posteri
- Gwobr sypreis (wedi ei lapio mewn amlen neu focs lliwgar)
- Olwyn i'w throelli i ennill gwobr
- Taleb llungopïo
- Taleb ffreutur

## Breintiau arbennig

- Bwyta cinio gydag athro
- Darllen hoff lyfr i'r dosbarth

- Gweithio ar hoff weithgaredd
- Dewis DVD arbennig i'r dosbarth ei gwylio
- Trip maes
- Gwahodd ymwelydd arbennig i'r dosbarth
- Rhannu talent neu ddiddordeb gyda'r dosbarth
- Dewis o bowlen pysgod gyda chyfle i ennill gwobr
- Dewis pa gadair i eistedd arni drwy'r dydd
- Cyfle i fwyta cinio gyda dosbarth arall
- Bod yn gymhorthydd i'r athro drwy'r dydd
- Bod yn arweinydd rhes
- Peidio cael gwaith cartref (10 cerdyn canmoliaeth = peidio cael gwaith cartref am 1 noson)
- Gwrando ar hoff gerddoriaeth gyda'r dosbarth am 5 munud
- Amser ychwanegol gyda'r cyfrifiadur
- 10 munud ychwanegol o amser egwyl ar ddydd Gwener
- Chwarae gêm fwrdd
- 5 munud o amser sgwrsio pryd bydd y disgyblion yn cael dewis lle i eistedd a sgwrsio ar ddechrau a diwedd y dydd (cyn belled â bod neb yn cael ei adael allan)
- Cyfnod disgo
- Ymweliadau dosbarth
- Cyfle i helpu plentyn ieuengach mewn dosbarth arall neu helpu'r ysgrifenyddes

**Gwobrau a dathliadau arbennig**
- Ennill y cyfle i fynd a'r 'tedi arbennig' adref.
- Gwisgo botwm arbennig, ruban neu dei i gydnabod llwyddiant y plentyn.
- Gwobr 'pencampwr' – tegan meddal yn cael ei gyflwyno i'r enillydd.
- Gwobr 'pluen yn ei het' – plu'n cael eu glynu ar y wal o amgylch y dosbarth.
- Gwobr 'dinesydd yr wythnos'
- Parti pop corn neu hufen iâ.
- Siart canmoliaeth – yr athro'n cadw golwg ar y ganmoliaeth a roddir i'r disgyblion.
- Arwr dirgel
- Bod yn ddewin hapus – cael gwisgo het a chlogyn dewin a gwneud dymuniad arbennig.
- Cawr yr wythnos – dewis rhinwedd am yr wythnos megis bod yn amyneddgar neu'n gymwynasgar. Bydd yr athro a'r plant yn edrych allan am y rhinweddau yma ymhlith ei gilydd ac yn enwebu disgybl a fydd yn dangos y rhinweddau hynny.

## Gwneud yn siŵr fod y cymhellion yn addas i oedran y plant

Dylai rhaglenni cymell ar gyfer plant 3-5 oed fod yn syml, yn eglur ac yn hwyliog. Mae plant yr oedran yma'n hoffi casglu sticeri, stampiau neu hwyrach anrheg fach i'w dewis o sach sypreis. Does dim angen cymhlethu'r system i blant ifanc gyda dewislenni gwobrau neu system gyfnewid gwobrau am rai mwy. Bydd dim ond derbyn sticer ynghyd â chanmoliaeth a gweld siart sticeri'n llenwi yn ddigonol iddynt hwy.

Unwaith y bydd plant yn deall y cysyniad o rifau, rhediad amser a dyddiau'r wythnos (tua 6 oed a hŷn) byddant yn hoffi rhaglenni sy'n golygu casglu a chyfnewid eitemau. Dyma'r oedran pryd y bydd plant yn dechrau cael 'casgliadau' – mae'n siŵr eich bod chithau'n cofio casglu cardiau pêl droed, cerrig, darnau pres neu stampiau! Yn yr oedran yma gellir cynnig cyfleoedd i blant gasglu sticeri a'u cyfnewid yn ddiweddarach am wobr fwy.

## Dewis cymhellion sydd heb fod yn ddrud

Coeliwch neu beidio, rydym wedi gweld rhaglenni gwobrwyo sydd wedi gwneud athrawon yn fethdalwyr oherwydd iddynt wario'r cyfan o'u cyllideb ddosbarth ar wobrwyon. Hyd yn oed pan fydd ysgolion yn gallu fforddio ysgogiadau drudfawr, nid oes angen defnyddio cymhellion o'r fath, gan na fydd plant yn disgwyl derbyn anrhegion drudfawr am eu llwyddiannau. Ni ddylid rhoi'r pwyslais ar faint y wobr ond yn hytrach ar fodlonrwydd a balchder y disgybl a'r athro oherwydd llwyddiant y plentyn.

Mae nwyddau sydd heb fod yn ddrud, a nwyddau rhad ac am ddim, mewn gwirionedd yn atgyfnerthwyr pwerus. Mae plant ifanc yn aml yn hoffi ennill amser gyda'r athro, dewis llyfr i'w ddarllen i'r dosbarth, bod yn arweinydd rhes, dod a rhywbeth o'r cartref i'w rannu a chael helpu athro gyda phrosiect arbennig. Bydd cael eitemau bach o fwyd megis ffrwythau sych, creision, neu felysion, neu gael dewis eu hoff fyrbryd, yn ddeniadol i'r plant hefyd. Bydd plant oedran cyn-ysgol a meithrin yn hapus gyda chasglu stampiau a sticeri, ac ni fyddant angen cael eu cyfnewid am anrhegion eraill. Bydd plant hŷn yn hoffi ennill cyfleoedd arbennig megis cael treulio amser ychwanegol gyda'r cyfrifiadur, cael noson heb waith cartref, cael dewis gweithgaredd amser chwarae, cael bod yn gapten tîm, etc.

# Rhoi cydnabyddiaeth arbennig o bryd i'w gilydd

Un ysgogiad i lawer o ddisgyblion yw derbyn 'cydnabyddiaeth arbennig'. Mae cydnabyddiaeth o'r fath yn bwerus ond heb fod yn ddrud. Gellir ei rhoi i ddisgybl sydd wedi dangos cynnydd arbennig o ddramatig mewn maes penodol, neu gynnydd mewn maes arbennig o anodd neu wedi cyflawni gorchest arbennig. Er ein bod yn aml yn cysylltu gwobrau â chyrhaeddiad academaidd, gall cydnabyddiaeth arbennig gael ei chyflwyno am ymddygiad cymdeithasol hefyd. Pan fydd disgyblion yn derbyn cydnabyddiaeth gadarnhaol gan eraill, yn arbennig cyd-ddisgyblion ac athrawon, mae'n hwb i'w hyder wrth iddynt sylweddol eu bod yn gallu cyfrannu'n llwyddiannus. Lle bo modd, dylai'r gwobrau yma gael eu cydnabod gan bennaeth yr ysgol. Er enghraifft, hwyrach y bydd y disgybl yn cael mynd i ystafell y pennaeth i ysgwyd llaw neu dderbyn ei wobr o flaen cynulleidfa o ddisgyblion. Dylid danfon nodyn yn hysbysu rhieni am y gwobrwyo, fel eu bod hwythau'n cael gwybod am lwyddiant eu plentyn.

## Gwobr 'Pencampwr'

Un enghraifft o gydnabyddiaeth arbennig yw 'gwobr pencampwr' – gellir defnyddio tegan meddal i'w osod ar fwrdd disgybl sy'n bencampwr yr wythnos. Pan fydd plentyn yn derbyn yr anrhydedd yma bydd yn cael bod yn gyntaf yn y rhes a chael mynd am ginio'n gyntaf oherwydd iddo ddangos ei fod yn gyfrifol. Gall y nod o fod yn bencampwr gael ei ddiffinio'n wahanol ar gyfer pob plentyn yn ddibynnol ar ei dargedau unigol.

## 'Pluen yn fy het'

Enghraifft arall o gydnabyddiaeth arbennig yw cael ennill 'pluen yn fy het'. Gall plant ennill pluen gan yr athro am ddweud rhywbeth dymunol wrth rywun, neu gyflawni gweithred dda heb i neb ofyn iddynt wneud hynny. Gall y bluen fod ar ffurf llun pluen ag ysgrifen arni'n dweud 'Dyma bluen a enillais am helpu gyda mathemateg.' Bydd yr athro'n gosod y plu ar y wal yn golofn fertigol uwchben ei gilydd gan gychwyn o'r llawr. Pan fydd y plu'n cyrraedd y nenfwd, yna bydd dathliad i'r dosbarth cyfan. Bydd y system yma'n gwobrwyo cydweithrediad a'r sgil gymdeithasol o ganmol. Gellir ei defnyddio hefyd ar gyfer llwyddiannau academaidd.

## Gwobr 'Y Fesen Aur'

Amrywiad ar y dull gwobrwyo 'pluen yn fy het' yw dull anogaeth 'y goeden sy'n tyfu'. Ar ddechrau'r flwyddyn addysgol bydd y dosbarth yn creu llun coeden enfawr heb ddail arni. Yna, bob tro y bydd plentyn yn dangos cynnydd neu'n cyrraedd targed bydd yn derbyn deilen gydag ysgrifen arni'n dweud, 'rydw i wedi dysgu . . .' Caiff osod ei ddeilen ar y goeden (ac mae nodyn yn cael ei ddanfon adref i hysbysu'r rhieni o'r llwyddiant). Bydd cael 5 deilen ar y goeden yn ennill mesen aur i'r disgybl a gwobr 'mesen aur.' Os bydd y plentyn yn dymuno, caiff eistedd yn y gadair aur a chael ei holi gan ei gyd-ddisgyblion am ei ddiddordebau, hobïau a phrofiadau (neu unrhyw ddathliad arall). Bydd ennill tair mesen yn arwain at ennill gwiwer aur a hynny'n golygu mwy o ddathlu. Gellir unigoleiddio'r system yma i ddisgyblion ganolbwyntio ar dargedau a seiliwyd ar eu hanghenion dysgu penodol hwy.

## Siart canmoliaeth

Gelwir y drydedd enghraifft o gydnabod llwyddiannau disgyblion yn 'siart canmoliaeth'. Bydd gan yr athro siart wedi ei gosod i fyny yn y dosbarth, ac arni bydd yn nodi achlysuron pan fydd y dosbarth yn derbyn canmoliaeth gan athro, disgybl neu riant. Wedi i'r disgyblion dderbyn nifer arbennig o sylwadau canmoliaethus byddant yn ennill dathliad. Fersiwn arall o hyn yw cyflwyno cardiau canmol i blant unigol. Hwyrach y bydd athro'n trefnu cytundeb gyda'r disgyblion. Er enghraifft, pan fydd y dosbarth wedi ennill deg cerdyn canmol cânt noson heb waith cartref.

## Rhoi llais i'r disgyblion wrth lunio rhaglenni cymell

Weithiau bydd athrawon yn dewis gwobrau diriaethol sy'n fwy atgyfnerthol iddynt hwy nag i'w disgyblion. Problem gyffelyb yw athrawon yn rheoli rhaglen yn ormodol. Gwelsom siartiau cymhleth gyda lluniau wedi cael eu gludo arnynt a sticeri ffansi wedi cael eu dewis gan yr athrawon yn hytrach na'r plant. Oni bai bod y plant yn cael peth rheolaeth ar raglenni maent yn debygol o fethu. Dylai dysgu disgyblion i gymryd mwy o gyfrifoldeb am eu hymddygiad eu hunain fod yn nod o fewn rhaglen wobrau diriaethol. Os yw disgyblion yn synhwyro eich bod yn anfodlon dirprwyo peth rheolaeth iddynt, efallai y byddant yn ystyfnigo ac yn paratoi am frwydr. Bydd ffocws y plant wedyn yn symud o gydweithio pleserus ac ymddwyn yn dda tuag at gael pleser o ennill brwydr am oruchafiaeth pan fyddant yn cynyddu eu ceisiadau am sylw negyddol.

Beth am ganfod yr hyn sy'n rhoi'r mwyaf o foddhad i bob un o'ch disgyblion. Paratowch lawer o syniadau am wobrau ymlaen llaw, rhag ofn na fydd gan y plant syniadau ar y cychwyn. Ond ceisiwch eich gorau i gael y plant i feddwl am syniadau drostynt eu hunain. Hwyrach y dywedwch wrth blentyn sy'n gyndyn o ymateb, 'Rwyt ti'n hoffi cael chwarae gyda'r cyfrifiadur. Beth am i ti roi 'cael 15 munud yn rhagor o amser ar y cyfrifiadur' ar dy restr?' Cofiwch hefyd nad oes raid cwblhau dewislen atgyfnerthu mewn un drafodaeth gan y gellir ychwanegu ati gydag amser fel y bydd y disgyblion yn meddwl am bethau eraill i weithio tuag atynt. Os byddwch yn defnyddio sticeri, gofynnwch i'r disgyblion pa fath o sticeri y maent yn eu hoffi (e.e. sticeri dinosoriaid, chwaraeon etc.) a gofynnwch iddynt eich helpu i lunio siartiau a phenderfynu faint o sticeri yw gwerth gwahanol eitemau. Bydd disgyblion hŷn yn hoffi'n fawr y posibilrwydd o ennill noson heb waith cartref neu gael cyfle i ddod â rhywbeth i'w rannu gyda'u cyd-ddisgyblion. Wrth i'r disgyblion ymuno yn hwyl y gêm byddant yn frwdfrydig ynghylch sut i ennill yr eitemau hefyd.

### Cyfrifo gwobrau dyddiol ac wythnosol

Weithiau bydd athrawon, nid yn unig yn gwneud y gwobrau'n rhy fawr a drud, ond byddant hefyd yn gwneud y cyfnodau amser nes bydd y plant yn gallu eu hennill yn rhy hir. Mae athro Billy'n dweud, 'Pan fydd gen ti 100 o sticeri am eistedd yn llonydd yn ystod Amser Cylch fe gawn ni barti dosbarth' Yn ddibynnol ar faint o sticeri y gellir eu hennill mewn diwrnod nodweddiadol, hwyrach y bydd yn cymryd mis neu fwy i Billy ennill y wobr. Bydd y rhan fwyaf o blant rhwng 4 a 6 oed yn rhoi'r gorau iddi os na fyddant yn derbyn gwobrau ar delerau dyddiol. Ac yn sicr fe fydd Billy! Bydd hyd yn oed plant rhwng 7 a 9 oed sy'n methu talu sylw, ac sy'n fyrbwyll eu hanian, yn methu aros mwy nag wythnos i ennill gwobr. Mae plant gorfywiog yn byw 'yn y foment,' a rhan o'u hanhawster datblygiadol yw eu bod yn methu rhagweld canlyniadau ac edrych ymlaen tuag at nod sydd yn y dyfodol (Barkley, 1996). Bydd arnynt angen llawer mwy o atgyfnerthu ar y foment os ydynt i ddysgu oddi wrth eu profiadau.

Er mwyn gosod gwerth realistig ar eich gwobrau, yn gyntaf penderfynwch faint o sticeri, pwyntiau neu sticeri allai gael eu hennill mewn diwrnod pe byddai'r disgybl yn cydsynio 100% gyda'r rhaglen. Er enghraifft, mae Tom sy'n 7 oed yn blentyn swil, tawedog a phryderus. Mae o fel arfer ar ei ben ei hun yn y dosbarth, yn anaml yn cyfrannu at drafodaethau dosbarth ac nid yw'n ymddangos fod ganddo ffrindiau. Eich nod yw iddo gymryd mwy o ran yng ngweithgareddau'r dosbarth, a meithrin mwy o gyfeillgarwch positif ymhlith ei gyd-ddisgyblion. Felly, rydych am greu rhaglen fydd yn galluogi Tom i ennill stampiau am roi ei law i fyny a chynnig syniad yn y dosbarth, gofyn cwestiwn i'r athro a rhoi cymorth i blentyn arall. Ar ôl arsylwi ymlaen llaw rydych yn amcangyfrif mai'r mwyaf o stampiau y gall Tom ennill mewn diwrnod yw chwech. Dylai dewislen atgyfnerthu Tom felly gynnwys gwobrau bach am bedwar sticer, fel ei fod yn gallu dewis oddi ar y rhestr wedi iddo gyrraedd dwy ran o dair o'r ymddygiadau cadarnhaol mewn un diwrnod. Byddai hefyd yn syniad da i gael eitemau eraill gyda'u gwerth yn ymestyn o wyth i bymtheg pwynt fel y gallai Tom ddewis aros am ddau neu dri diwrnod cyn gwario'i bwyntiau i dderbyn gwell gwobr (e.e. amser gyda'r cyfrifiadur). Byddai aros i Tom fod â 100 o bwyntiau i ddewis trip maes yn cymryd 17 diwrnod pe bai'n ymateb yn berffaith bob dydd. Os yw'n llwyddiannus ddwy ran o dair o'r amser byddai'n cymryd 25 diwrnod. Yr allwedd i greu dewislenni atgyfnerthu llwyddiannus yw, nid yn unig sicrhau rhestr greadigol o gymhellion ar gyfer y disgyblion i'w hennill, ond hefyd sicrhau fod pris realistig am bob un ohonynt, a'r pris hwnnw wedi cael ei selio ar enillion dyddiol arferol plentyn o bwyntiau neu stampiau. Mewn amgylchiadau eraill, mae'n bosibl y bydd athrawon sy'n defnyddio sticeri neu bwyntiau am gydweithrediad yn canfod y gall disgyblion ennill cymaint â 30 pwynt y dydd. Byddai'n rhaid felly prisio'r eitemau ar gyfer y disgyblion yma'n uwch nag ar gyfer plentyn sydd ddim ond yn gallu ennill 4 pwynt mewn diwrnod.

Gyda phlentyn unig fel Tom, byddai hefyd yn bwysig i'r athro fod yn barod i ganmol ac annog plant eraill yn y dosbarth sy'n chwarae efo Tom, fel ei fod yn cael mwy o gyfle i ryngweithio'n gymdeithasol. Gallai'r athro hefyd sôn wrth gyd-ddisgyblion Tom y bydd dathliad yn y dosbarth wedi iddo ennill nifer penodol o bwyntiau, ac felly bydd y plant i gyd yn rhan o lwyddiant Tom gyda'r rhaglen.

### Ymddygiad derbyniol, ac wedyn y wobr

Beth yw'r gwahaniaeth rhwng gwobr a llwgrwobr? Ystyriwch athro yn dweud wrth ddisgybl sy'n sgrechian, 'Eliza, fe gei di'r llyfr yma os gwnei di stopio sgrechian.' Neu athro disgybl sy'n gwrthod cyflawni'r hyn a ofynnir iddo, yn dweud, 'Sunjay, fe roddaf afal i ti os gwnei di addo cadw'r teganau wedyn.' Yn yr enghreifftiau yma mae'r llyfr a'r afal yn llwgrwobrwyon oherwydd eu bod yn cael eu cyflwyno *cyn* i'r ymddygiad disgwyliedig ddigwydd, ac mae'r gwobrau'n cael eu hysgogi gan ymddygiadau annerbyniol. Mae'r athrawon yn dysgu'r plant y byddant yn derbyn gwobr os byddant yn camymddwyn.

Dylid cyflwyno gwobrau am ymddygiadau cadarnhaol *wedi* iddynt ddigwydd. Mae cofio'r egwyddor, 'yn gyntaf . . . wedyn' o gymorth. Hynny yw, cael yr ymddygiad a ddymunwch yn gyntaf, ac yna cyflwyno'r wobr i'r disgybl. Yn yr enghraifft uchod gallai athro Eliza lunio rhaglen i'w helpu gyda'i sgrechian drwy ddweud, 'Eliza, pan wnei di sgwrsio'n gwrtais heb sgrechian drwy gyfnod Amser Cylch cyfan fe gei di ddewis y llyfr ar gyfer amser stori.' Mae'r athro'n sicrhau'r ymddygiad cadarnhaol ac yna'n rhoi'r wobr. Yn yr ail enghraifft, efallai y byddai athro Sunjay wedi dweud, 'Pan fyddi'n cadw'r teganau y bore yma, fe gei di ddewis dy hoff ffrwyth i'w fwyta amser egwyl.' Mae system wobrwyo dda yn cyfateb i fod yn llwyddiannus yn yr ysgol neu'r coleg. Hynny yw, rydych yn derbyn graddau am gwblhau cyrsiau a hwyrach yn derbyn tystysgrif am gwblhau cyfres o gyrsiau.

| Enw'r disgybl | | | | |
| --- | --- | --- | --- | --- |
| Dydd Llun | Dydd Mawrth | Dydd Mercher | Dydd Iau | Dydd Gwener |
|  |  |  |  |  |

## Defnyddio gwobrau diriaethol am lwyddiannau dyddiol

Bydd rhai athrawon yn cyfyngu eu gwobrau diriaethol i adegau pan fydd eu disgyblion wedi cyflawni llwyddiannau arbennig, megis cael gradd A mewn adroddiad, tynnu llun arbennig, darllen llyfr anodd iawn, peidio torri ar draws, neu aros yn eu cadair am ddiwrnod cyfan. Mae hyn yn enghraifft o wneud y camau tuag at y nod terfynol yn rhy fawr. Nid yn unig y bydd yr athro'n aros yn rhy hir cyn rhoi'r gwobrau, ond fe fydd hefyd yn cadw'r gwobrau nes cael perffeithrwydd. Mae hyn yn rhoi neges i'r disgyblion nad yw ymddygiadau bob dydd megis rhoi cynnig ar gyfuniadau newydd o liwiau mewn llun, ceisio darllen llyfr allan yn uchel yn y dosbarth pan nad ydych yn ddarllenwr da, neu ymatal rhag torri ar draws yn ormodol, yn cyfrif mewn gwirionedd.

Ceisiwch roi gwobrau bach yn aml. Gellwch, wrth gwrs, gynllunio gwobrwyon ar gyfer llwyddiannau arbennig, ond fe ddylech hefyd wobrwyo'r mân gamau sy'n digwydd ar y ffordd, megis gwobr i'r disgybl sydd wedi dangos y mwyaf o gynnydd gyda'i ddarllen, neu ddisgybl sydd wedi mentro rhoi cynnig ar dasg newydd, neu ddisgybl a wnaeth ymdrech arbennig i ymdawelu yn y dosbarth. Dim ond wrth wobrwyo ymdrechion disgyblion y gellir ymgyrraedd at y targedau mwy megis ennill graddau da, cydymffurfio cyson, a chael perthynas dda gyda ffrindiau.

### Newid gwobrau diriaethol am gydnabyddiaeth gymdeithasol

Bydd athrawon yn aml yn poeni ynglŷn â'u defnydd o wobrau diriaethol. Maent yn pryderu y bydd y disgyblion yn dysgu ymddwyn yn briodol er mwyn cael gwobr yn unig, yn hytrach na datblygu rheolaeth fewnol. Mae hon yn ystyriaeth ddilys, ac fe allai ddigwydd mewn dau fath o sefyllfa. Gallai ddigwydd pan fo athro'n 'ddibynnol ar sticeri' gan gyflwyno sticeri am bob dim a gyflawnir gan y disgybl ac anghofio rhoi cydnabyddiaeth gymdeithasol a chanmoliaeth iddo. Yn ei hanfod, bydd yr athro'n dysgu'r plentyn i berfformio am wobrau yn hytrach nag am y pleser a deimla'r athro a'r disgybl yn sgil y cyflawniad. Y sefyllfa arall yw pan na fydd yr athro'n cynllunio i raddol ddiddymu'r rhaglenni gwobrau diriaethol, ac yna cynnal yr ymddygiadau gyda chanmoliaeth gymdeithasol. Ni fydd y disgyblion yn cael y neges fod yr athro'n disgwyl iddynt yn y pen draw allu cyflawni'r dasg neu ymddwyn yn briodol ar eu pennau eu hunain heb dderbyn gwobrau.

Dylid edrych ar y defnydd o wobrau diriaethol fel cymorth dros dro i helpu disgyblion ddysgu ymddygiadau newydd sy'n arbennig o anodd. Rhaid eu cyfuno gyda gwobrau cymdeithasol. Unwaith y bydd yr ymddygiadau newydd wedi cael eu dysgu gellwch ddwyn y gwobrwyo diriaethol i ben a chynnal y plant gyda chynhaliaeth gymdeithasol. Er enghraifft, fe luniwyd rhaglen sticeri ar gyfer Sonjia am ei bod yn strancio wrth i'w mam ddod â hi i'r ysgol feithrin, gan wrthod iddi adael heb helynt mawr. Roedd Sonjia wrth ei bodd yn derbyn y sticeri ac fe welwyd llai a llai o strancio yn ystod yr wythnosau dilynol. Gallai athro Sonjia wedyn ddweud, 'Yn awr, gan dy fod yn dod i'r ysgol yn ferch dda ac yn gadael dy fam fel geneth fawr, beth am i ni gael mwy o hwyl. Beth am i ti fod yn ferch dda am ddau ddiwrnod pan fydd dy fam yn gadael, ac wedyn ennill sticer.' Unwaith y bydd Sonjia wedi llwyddo'n rheolaidd am ddau ddiwrnod, gellir ymestyn y cyfnod i bedwar diwrnod, ac yn y blaen, hyd nes na fydd angen y sticeri o gwbl. Bryd hynny, mae'n bosibl y bydd yr athrawon eisiau stopio defnyddio sticeri neu eu defnyddio ar gyfer ei helpu gyda phroblem ymddygiad arall. Dywed yr athro, 'Wyt ti'n cofio pa mor dda wnes di ddysgu dod i'r ysgol fel geneth fawr rai misoedd yn ôl pan ddaru ni chwarae'r gêm sticeri? Wel, beth am i ni dy helpu i ddysgu rhannu gyda dy ffrindiau gan ddefnyddio sticeri unwaith eto.' Gwelwch felly y gall rhaglenni gwobrwyo gael eu diddymu dros dro a'u hail gychwyn yn ddiweddarach am ymddygiadau eraill fel bo'r angen.

## Dod i mewn i'r dosbarth yn drefnus

|  | Llun | Mawrth | Mercher | Iau | Gwener |
|---|---|---|---|---|---|
| 9.00-9.15 | | | | | |
| 10.30-10.45 | | | | | |
| 1.00-1.15 | | | | | |
| 2.30-2.45 | | | | | |
| Cyfanswm | | | | | |

I gael stamp bydd raid dod i mewn i'r dosbarth, eistedd wrth y ddesg a chychwyn ar dasg yn syth heb bwnio na phryfocio.

Ar ddydd Gwener byddwn yn cyfrif stampiau pob un disgybl.
  12 stamp = gwobr o'r sach bachu
  16 stamp = un wobr + gwobr arbennig
  1500 stamp i'r dosbarth cyfan = parti hufen iâ i ddathlu

Agwedd bwysig o raglen wobrwyo yw'r neges sy'n dod gyda'r rhaglen honno. Bydd raid i athrawon gyfleu'n eglur eu bod, nid yn unig yn cymeradwyo llwyddiant y disgybl ond yn ogystal yn cydnabod yr ymdrech sy'n gyfrifol am y llwyddiant. Yn y ffordd yma, bydd yr athro'n helpu'r disgybl i fewnoli'r llwyddiannau a derbyn clod amdanynt. Er enghraifft, dywed athrawes Sonjia wrth gyflwyno sticer iddi. 'Rwy'n falch ohonot yn dod i'r ysgol yn eneth fawr. Rwyt wedi gweithio'n galed a gelli deimlo'n falch o hynny. Rwyt yn sicr yn tyfu fyny.' Yma, mae athrawes Sonjia'n rhoi cydnabyddiaeth iddi am ei llwyddiannau, yn ogystal â'r sticer. Mae'r enghraifft yma'n dangos hefyd fod yr athrawes yn dibynnu mwy ar ei pherthynas gymdeithasol gyda Sonjia nag ar y drefn sticeri.

**Gofalu fod dewislenni gwobrau yn glir a phendant**

Anhawster arall gyda rhaglenni gwobrwyo yw bod y gwobrau'n rhy annelwig. Bydd athro'n dweud wrth ddisgybl, 'Pan fyddi di'n gwneud yr hyn a ofynnaf ac ennill llawer o bwyntiau, fe gei di wobr.' Bydd y plentyn yn gofyn, 'Beth yw'r wobr?' a'r athro'n ymateb, 'Aros ac mi gei di weld. Fe fydd yna rywbeth os cei di lawer o bwyntiau.' Yn yr enghraifft yma, mae'r athro'n niwlog ynglŷn â'r wobr ac ynglŷn â'r nifer o bwyntiau y bydd angen i'r plentyn eu hennill i gael y wobr. O ganlyniad, ni fydd y disgybl yn cael ei gymell i ennill pwyntiau.

Mae rhaglen wobrwyo effeithiol yn glir a manwl. Dylech chi a'r disgybl lunio siart a fydd yn cynnwys y gwobrau y gwnaethoch gytuno arnynt a gwerth pob eitem. Yna dylid gosod y siart mewn man lle bydd pawb yn ei gweld. Ar gyfer plant ifanc nad ydynt yn darllen bydd raid i siartiau gynnwys lluniau o'r ymddygiadau targed a'r gwobrau. Gall y plentyn helpu drwy wneud y darlun ei hun neu dorri lluniau allan o gylchgronau.

# Defnyddio cymhellion tîm yn ogystal â chymhellion unigol

Er y gall pwysau cyfoedion fod yn arf pwerus yn nwylo athrawon i gymell disgyblion, rydym yn aml yn gresynu am ei rym. Fel y gwelwyd yn yr enghraifft uchod, yn ychwanegol at y cymhellion unigol roedd cymhelliad i'r dosbarth (parti hufen iâ) am gyfraniad y dosbarth cyfan. Bydd cymhellion o'r fath yn hyrwyddo cydweithrediad yr holl ddosbarth. Weithiau gall cystadleuaeth grŵp ysgogi plant. Bydd yr athro'n rhannu'r dosbarth yn grwpiau neu dimau o bedwar i chwech o blant. Yna bydd y grwpiau'n cystadlu i ennill gwobr y cytunwyd arni am ymddygiad penodol. Gallai'r tîm a enillodd y nifer mwyaf o bwyntiau am gyflawniad arbennig (e.e. canfod y nifer mwyaf o atebion i broblem, bod yn barod i fynd i ginio'n gyntaf, cyflawni tasgau, dilyn rheolau dosbarth etc.) ennill y cyfle i dynnu tocyn lwcus i dderbyn gwobr. Neu gall timau o blant gasglu pwyntiau i ennill cyfle i fod y tîm cyntaf i dynnu cerdyn i benderfynu lle byddant yn eistedd yn ystod yr wythnos ganlynol. Bydd hyn yn gweithio'n dda gyda phlant oedran ysgol sy'n mwynhau hwyl cystadleuaeth cyn belled â bod yr athro'n helpu pob tîm i lwyddo dros gyfnod o amser. Gall athro drefnu'r gêm fel ei bod yn bosib i nifer o dimau ennill, drwy wobrwyo pob tîm sy'n cyrraedd nôd arbennig megis ennill nifer penodol o bwyntiau.

Gyda phlant 3-5 oed gall athro atgyfnerthu gwaith tîm mewn amrywiol ffyrdd megis rhoi tedi ar fwrdd y tîm o blant sy'n cael eu hunain yn barod gyntaf i fynd adref o'r ysgol. Yn wir, defnyddiwyd y dull yma gyda phlant hŷn hefyd.

### Gemau tîm

Gellir defnyddio gemau grwpiau bach i ganolbwyntio ar y cadarnhaol ac i ddathlu ymdrechion unigolion yn eu hymddygiad a'u dysgu. Er enghraifft, fe drefnodd athrawes y gwaith tîm canlynol i helpu ei dosbarth ymdawelu a chanolbwyntio'n well ar eu tasgau. Trefnodd dimau yn y dosbarth, pob un gyda phump o blant, yn eistedd o amgylch bwrdd. Roedd gan bob tîm fathodyn gyda motif y tîm arno (e.e. anifail, enw planhigyn). Wedi i'r plant setlo yn eu grwpiau, eglurodd yr athrawes iddynt fod pwyntiau i'w hennill am yr ymddygiadau canlynol:

- peidio gwthio mewn rhes
- mynd at eu grwpiau'n sydyn ac yn ddistaw wedi egwyl
- cydweithio yn eu grwpiau
- gadael eu byrddau'n lân ac yn daclus
- aros ar lefelau isaf (gwyn a gwyrdd) y mesurydd sŵn
- aros yn eistedd yn eu cadeiriau wrth gyflawni tasg

Eglurodd ymhellach y byddai pwyntiau'r grwpiau'n cael eu cyfrif ac wedyn ar gael i'w cyfnewid am amrywiol wobrau. Pe bai pob grŵp yn cyrraedd y targed a osodwyd (dyweder 500 pwynt) yna byddai'r dosbarth cyfan yn cael gwobr bleserus. Weithiau gall athrawes ychwanegu at y pwyntiau a enillir drwy ddefnyddio amserydd gyda chloch yn canu ar wahanol adegau yn ystod y dydd. Bydd y grŵp sy'n cyflawni orau bryd hynny yn ennill pwyntiau ychwanegol. Cofiwch fod raid i'r athro neu athrawes sefydlu mai ei air ef neu hi yw'r gair olaf gyda systemau fel hyn, ac mai dim ond ef/hi fydd yn penderfynu pwy sydd wedi ennill pwyntiau.

Un ffordd ddyfeisgar o weithredu yn y modd hwn yw rhoi gêm fwrdd i bob tîm ei chwarae, neu boster ag arno lun drysfa neu ffordd neu chwaraeon tîm. Yn ein hysgol ni rydym wedi datblygu 'Gêm Bêl Droed Wali'. Bob tro y bydd grŵp bach neu dim yn ennill pwynt byddant yn symud i fyny un gofod neu 'le troed' ar fwrdd y gêm bêl droed. Pan fydd grŵp wedi symud deg lle troed, bydd pob aelod o'r grŵp yn ennill melysion neu docyn. Wedi iddynt symud dau ddeg lle troed bydd pob aelod yn derbyn sticer neu stamp. Wedi iddynt symud tri deg lle troed byddant yn ennill amser chwarae ychwanegol. Wedi iddynt symud pedwar deg ôl troed byddant wedi cyrraedd yn ôl i ddechrau'r gêm. Bryd hynny bydd gan y grŵp ddewis – gallant chwarae'r gêm eto, dewis gêm arall i'w chwarae, dewis gweithgaredd (yn ddistaw) neu droi troellwr i ennill gwobr. Mae'n bwysig fod pob grŵp yn cyrraedd at ddeg yn y sesiwn gyntaf er mwyn iddynt brofi llwyddiant. Pan fydd pob tîm wedi cyrraedd yn ôl i'r cychwyn bydd y dosbarth yn trefnu parti.

## Dinosor yn gwylio

Trefn arall o ysgogi grŵp, a fu'n effeithiol gyda phlant bach yw 'Wali'r Gwyliwr Gwyrdd.' Y syniad yw bod pob plentyn yn ymdrechu i aros yn 'wyliwr gwyrdd' a hynny'n golygu dilyn rheolau'r dosbarth. Wedi cyfnod penodol o amser (bob hanner awr neu ar adegau megis cyfnod darllen neu gyfnod chwarae rhydd) bydd yr athro'n edrych i weld a yw'r dosbarth wedi aros yn 'wylwyr gwyrdd.' Pan fydd hynny wedi digwydd bydd gwobr arbennig ar ffurf cerdyn gwyrdd Wali, a hwnnw'n cael ei osod ar siart. (Bydd felcro ar y siart i hwyluso gosod y cardiau arni.) Wedi i'r dosbarth cyfan ennill nifer penodol o gardiau gwyrdd Wali, bydd gwobr arbennig i'r dosbarth megis cael parti pizza neu ddigwyddiad arbennig arall. Gall yr athro ddefnyddio'r dull yma i atgoffa plant ifanc o ymddygiadau disgwyliedig – er enghraifft, 'Beth sydd raid i ni wneud i aros yn wylwyr gwyrdd?'. Gellir hefyd ddefnyddio'r dull yma i gymell plant unigol. Gallant ddod i gytundeb gyda'r athro i ennill nifer penodol o gardiau gwyrdd mewn diwrnod. Os llwydda'r plentyn i ennill wyth cerdyn gwyrdd mewn diwrnod bydd yr athro'n dweud, 'Mae wedi bod yn ddiwrnod gwyrdd – ardderchog,' Pe bai plentyn wedi ennill chwech allan o wyth cerdyn mewn diwrnod efallai y bydd yr athro'n dweud, 'Roedd heddiw bron iawn yn ddiwrnod gwyrdd. Rwy'n siŵr y byddi'n ennill saith cerdyn gwyrdd yfory!' Mantais arall y cynllun yma yw ei fod yn 'symudol' – gall plentyn ennill cardiau gwyrdd gan athrawon eraill yn ystod egwyl, amser cinio, neu ar y bws.

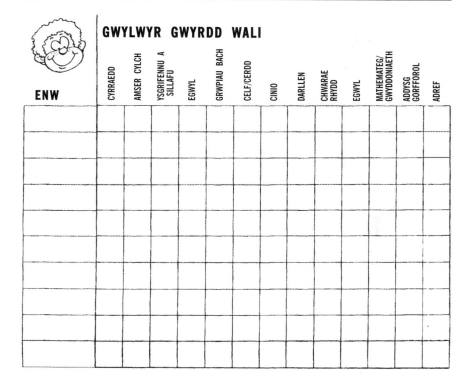

| ENW | CYRRAEDD | AMSER CYLCH | YSGRIFENNU A SILLAFU | EGWYL | GRWPIAU BACH | CELF/CERDD | CINIO | DARLLEN | CHWARAE RHYDD | EGWYL | MATHEMATEG/ GWYDDONIAETH | ADDYSG GORFFOROL | ADREF |
|---|---|---|---|---|---|---|---|---|---|---|---|---|---|
| | | | | | | | | | | | | | |
| | | | | | | | | | | | | | |
| | | | | | | | | | | | | | |
| | | | | | | | | | | | | | |
| | | | | | | | | | | | | | |
| | | | | | | | | | | | | | |
| | | | | | | | | | | | | | |
| | | | | | | | | | | | | | |
| | | | | | | | | | | | | | |

Under the smiley-face image: **GWYLWYR GWYRDD WALI**

## Cael dewislen amrywiol

Mae rhai rhaglenni gwobrwyo yn dibynnu ar ddewislenni gwobrwyon sefydlog. Bydd yr athrawon a'r disgyblion yn creu'r ddewislen yn ystod un drafodaeth, ac felly y mae'n aros heb ei ddiwygio am dri mis a rhagor. Y broblem gyda threfn o'r fath yw y bydd plant ar y cychwyn yn teimlo'n ansicr o'r hyn maent eisiau gweithio tuag ato. Efallai y meddyliant am eitemau mwy diddorol yn nes ymlaen.

Gwnewch eich dewislenni gwobrwyon yn hyblyg ac amrywiol. Anogwch y disgyblion i gynnwys amrywiaeth o eitemau, megis amser gyda chi, cyfleoedd arbennig, teganau heb fod yn rhy ddrud, gweithgareddau a breintiau awyr agored. Wrth gwrs, yr allwedd i lwyddiant yw darganfod beth fydd sy'n fwyaf ysgogol i'r plant. Bydd dewislenni deniadol ac amrywiol yn rhoi dewisiadau i'r plant fel bydd eu diddordebau a'u hwyliau'n newid o ddydd i ddydd. Mae'n bwysig hefyd gwerthuso'r dewislenni yn aml a chaniatáu i'r plant ychwanegu at y rhestr. Bydd hynny'n cadw eu diddordeb yn y rhaglen wedi i'r brwdfrydedd cychwynnol bylu.

## Bod yn gadarnhaol

Beth fydd yn digwydd pan fyddwch wedi rhoi llawer o ymdrech i sefydlu rhaglen wobrwyo ar gyfer plentyn penodol, ac yntau wedyn yn methu ennill pwyntiau? Efallai y cewch eich temtio i ymateb drwy feirniadu neu roi darlith iddo ynglŷn â pham y dylai ymgeisio'n galetach. Yn anffodus, byddai hyn nid yn unig yn tanseilio hyder y plentyn yn ei allu ond fe allai hefyd ddatblygu'n broffwydoliaeth hunan-wireddol. Yn anfwriadol, byddai'r sylw negyddol a'r frwydr wedyn am oruchafiaeth yn atgyfnerthu camymddygiad neu anghydffurfiaeth gyda'r rhaglen. Mewn geiriau eraill byddai'r disgybl yn cael mwy o sylw am beidio cyflawni'r rhaglen nag am wneud hynny.

Os yw eich disgybl yn methu ennill pwyntiau neu sticeri, y peth gorau i'w wneud yw dweud yn dawel wrtho, 'Wnes di ddim cael un y tro yma ond dwi'n siŵr y gwnei di ennill un y tro nesa. Byddaf yn gwylio. Rwy'n siŵr y gelli wneud hyn.' Os ydych am ragfynegi'r dyfodol, mae o gymorth ichi gyfleu disgwyliad positif. Fodd bynnag, os yw'r disgybl yn parhau i'w chael yn anodd ennill pwyntiau, gwnewch yn siŵr nad ydych wedi gwneud y camau'n rhy fawr.

## Cymhellion ysgol gyfan

Yn ogystal â defnyddio'r rhaglenni yma gydag unigolion, grwpiau a dosbarthiadau cyfan, mae hyd yn oed yn bosib sefydlu cynllun cymell ar gyfer yr ysgol gyfan. Gellir cyflawni hyn drwy baratoi matrics wedi cael ei lamineiddio gyda rhwng 1 a 200 o sgwariau arno. Gellir gosod y lamineiddiad ar ddrws swyddfa'r Pennaeth gyda rhestr o reolau'r ysgol yn agos ato. Bydd y Pennaeth yn cyhoeddi gerbron yr ysgol gyfan y bydd gwobr ddirgel i'r dosbarth cyntaf i lenwi rhes neu golofn gyda thocynnau. Yna, bydd yn rhoi deg tocyn (pob un ag arno rif gwahanol rhwng 1 a 200) i bob athro bob dydd. Bydd yr athrawon yn cyflwyno'r tocynnau i'r disgyblion am ddilyn rheol ysgol arbennig, (e.e. cerdded yn y coridor, helpu rhywun). Bydd y disgyblion, wedi iddynt dderbyn tocyn, yn mynd ag o at ystafell y Pennaeth. Yna bydd yr ysgrifenyddes yn nodi rhif y tocyn ac enw'r dosbarth ar y matrics. Gellir cynyddu'r argraff a wna hyn ar ddisgybl unigol os yw'r ysgrifenyddes yn ffonio rhieni'r plentyn neu'n danfon cerdyn i'r cartref yn hysbysu'r rhieni am lwyddiant y plentyn yng nghlwb 200 y Pennaeth. Ar ddydd Gwener bydd y Pennaeth yn cyhoeddi pwy sy'n ennill y wobr ddirgel.

## Tocynnau raffl ffreutur a mannau chwarae

Gall cynllunio ysgol gyfan i wella ymddygiad cydweithredol ddigwydd nid yn unig yn nosbarthiadau a choridorau'r ysgol, ond hefyd mewn mannau eraill lle bydd y disgyblion yn ymgynnull, megis man aros am fws, yn y ffreutur ac ar yr iard. Cynllun ysgogi arall ysgol gyfan yw cael y staff sy'n gwarchod plant amser egwyl ac amser cinio i ddosbarthu tocynnau raffl, a rhoi llyfrau raffl hefyd i'r gyrwyr bws ysgol. Pan fydd yr aelod o staff yn sylwi ar ddisgybl yn cydweithredu neu'n helpu, bydd yn rhoi tocyn raffl iddo gyda gair o ganmoliaeth, 'Roeddet ti'n feddylgar iawn yn helpu'r plentyn iau gyda'i feic.' Bydd bonion y tocynnau'n cael eu casglu, a thocyn lwcus yn cael ei dynnu gerbron holl ddisgyblion yr ysgol. Bydd tîm o athrawon yn trefnu'r gwobrau, y cyflwyniadau a'r rheolau ynglŷn â rhannu tocynnau. Er enghraifft, nid y plant a 'drefnodd' ymddygiadau cadarnhaol a fydd yn derbyn tocynnau, ond yn hytrach disgyblion a ddangosodd arferion da yn ddigymell.

## Egwyddorion eraill rhaglenni cymell effeithiol

### Defnyddio ymarferion i egluro'r ymddygiadau disgwyliedig

Unwaith y byddwch wedi nodi'n glir yr ymddygiadau cadarnhaol i'w rhoi ar eich rhaglen gymell, mae'n bwysig eich bod yn esbonio'r

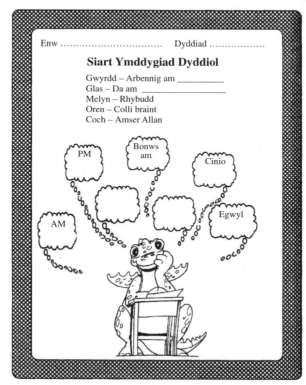

Enw ............................... Dyddiad ..................

**Siart Ymddygiad Dyddiol**

Gwyrdd – Arbennig am _____
Glas – Da am _____
Melyn – Rhybudd
Oren – Colli braint
Coch – Amser Allan

PM

Bonws am

Cinio

AM

Egwyl

ymddygiadau'n eglur. Gyda phlant ifanc, dydi o ddim yn ddigon i siarad amdanynt. Rhaid eu modelu a'u hymarfer drosodd a throsodd. Bydd ymarfer yn fodd o ddwyn i gof a defnyddio'r cof tymor byr. Gellwch gael plant i ymarfer dangos llaw dawel neu symud i'w cadeiriau heb siarad na chyffwrdd eraill cyn i gloch yr amserydd ganu. Fel y bydd yr ymddygiadau disgwyliedig yn cael eu hymarfer, bydd yr athro'n gallu cefnogi a rhoi adborth cadarnhaol.

### Gwneud y rhaglenni cymell yn hwyliog a chwareus

Mae llawer ffordd o wneud rhaglenni cymell yn hwyl i'r plant. Dyma rai enghreifftiau.

*Chwarae gêm OXO*

Bydd athro'n chwarae gêm OXO gyda'i ddosbarth. Yn gyntaf mae'n nodi'r ymddygiad disgwyliedig megis bod pawb yn eistedd yn dawel mewn cylch erbyn i'r gloch ganu, neu fod pawb sy'n helpu i fod wedi cadw'r byrbryd cyn i'r gloch ganu, etc. Bob tro y bydd y dosbarth yn cyrraedd y nod a drefnwyd, mae'r athro'n rhoi 'X' ar fwrdd y gêm. Pan fydd y dosbarth wedi llwyddo i gael llinell syth byddant yn ennill cyfle i ddewis gweithgaredd arbennig neu chwarae rhydd am 10 munud. Gellir chwarae'r math yma o gêm OXO ar ddesg disgybl unigol neu ar fwrdd grŵp bach o ddisgyblion i'w hysgogi.

*Lliwio lluniau*

Gellir cofnodi llwyddiannau plant ifanc drwy liwio llun ar wahanol adegau o'r dydd. Er enghraifft, bydd y plant yn cael llun dinosor gyda swigod meddwl yn dynodi gwahanol amserau o'r dydd, (e.e. Amser Cylch, amser egwyl, gweithgareddau grŵp bach, amser byrbryd etc.). Os yw'r plentyn (neu'r dosbarth) yn cyflawni'r ymddygiad targed, yna cânt liwio'r swigen berthnasol – gwyrdd os ydynt yn ardderchog a glas os ydynt yn dda. Ar ddiwedd y dydd bydd y plant yn edrych i weld a ydynt wedi llwyddo i liwio pump swigen werdd, a thrwy hynny'n ennill sticer neu wobr arall.

*Defnyddio cartwnau o'r ymddygiadau disgwyliedig*

Byddai gosod lluniau cartŵn o ymddygiadau disgwyliedig ar fyrddau'r disgyblion yn arwyddion clir i atgoffa'r plant o'r hyn a geisiwch, a byddai hyn yn gwella cof tymor byr y plant. Enghreifftiau o ymddygiadau y gellid eu gwobrwyo fyddai: dangos llaw dawel, gweithio'n dawel ar eu heistedd, siarad mewn ffordd gyfeillgar, dweud geiriau caredig wrth eraill a gwrando ar yr athro. Gellid hyd yn oed ychwanegu siart ysgogi ar waelod pob llun i'r athro neu'r plentyn ei gwblhau wrth i'r plentyn lwyddo i gyflawni'r ymddygiad targed. Rydym hefyd yn hoffi'r arfer o ychwanegu gosodiad hunan-siarad cadarnhaol perthnasol i'r ymddygiad ar gyfer plant sy'n gallu darllen.

*Gwobrau sypreis*
Mae plant wrth eu bodd yn derbyn sypreis! Er enghraifft, athrawes yn gafael mewn meicroffon ffug a dweud, 'Dyma gyhoeddi mai hwn yw'r dosbarth gorau yn y byd am glirio'r man chwarae – llwyddiant ysgubol! Rwy'n dyfarnu eich bod yn haeddu parti hufen iâ!' Mae defnyddio tocynnau newid gweithgaredd yn ysgogi plant gan fod y posibilrwydd o ennill gwobr sypreis yn plesio'n arw.

Rhaglen gymell arall sydd ag elfen sypreis ynddi yw'r gêm, 'arwr arbennig dirgel.' Bydd yr athro'n tynnu enw tri disgybl allan o het, yn dweud fod ganddo dri enw, ond heb ddatgelu enwau pwy ydynt. Aiff ymlaen i egluro y bydd yn cyfrif y troeon y bydd yn gweld y disgyblion arbennig yma'n helpu rhywun, dangos llaw dawel neu'n gweithio'n galed ar aseiniad. Os bydd y tri disgybl wedi ennill deg pwynt bob un, byddant yn arwyr arbennig dirgel ac yn cael dewis gweithgaredd

| Enw'r disgybl | | | | |
|---|---|---|---|---|
| Dydd Llun | Dydd Mawrth | Dydd Mercher | Dydd Iau | Dydd Gwener |
| | | | | |

| Enw'r disgybl | | | | |
|---|---|---|---|---|
| Dydd Llun | Dydd Mawrth | Dydd Mercher | Dydd Iau | Dydd Gwener |
| | | | | |

| Enw'r disgybl | | | | |
|---|---|---|---|---|
| Dydd Llun | Dydd Mawrth | Dydd Mercher | Dydd Iau | Dydd Gwener |
| | | | | |

Gallaf wrando pan fydd eraill yn siarad. Gallaf dalu sylw i'r athro.

| Enw'r disgybl | | | | |
|---|---|---|---|---|
| Dydd Llun | Dydd Mawrth | Dydd Mercher | Dydd Iau | Dydd Gwener |
| | | | | |

cyffrous i'r dosbarth ei gyflawni. Mantais y dull yma yw y bydd pob plentyn yn y dosbarth yn meddwl y gallai fod yn un o'r enwau a ddewiswyd ac felly bydd anogaeth i'r holl blant weithio'n galed. A phe bai un o'r tri phlentyn yn methu â chyrraedd y nod o ddeg, nid oes raid i'r athro ddatgelu enw'r plentyn hwnnw.

*Gêm dot i ddot*
Gêm ysgogi hwyliog arall i'r athro ei chwarae yw gêm 'dot i ddot' gyda'r dosbarth cyfan, grwpiau neu unigolion. Bob tro y llwydda'r disgyblion i gyflawni targed ymddygiad yn unigol, mewn grŵp neu fel dosbarth cyfan, bydd yr athro'n symud ymlaen o ddot i ddot. Pan fydd y llun wedi'i gwblhau bydd y disgybl neu'r dosbarth yn ennill dathliad megis amser cyfrifiadur, neu egwyl ychwanegol ar ddydd Gwener.

*Gêm droelli olwyn ffawd*
Un ffordd ddifyr o benderfynu pa wobr fydd plentyn yn ei hennill am gyrraedd targed ymddygiad yw rhoi cyfle iddo droelli olwyn ffawd. Bydd y saeth droelli yn gallu glanio ar nifer o wahanol wobrau. Gall y rhain gael mwy neu lai o le ar yr olwyn ffawd (hynny yw, y gwobrau

drutaf yn cael y dafell leiaf ar yr olwyn). Bydd cael 10 munud ychwanegol o amser egwyl, 5 munud yn fwy o amser cyfrifiadur, dewis llyfr i'r dosbarth ei ddarllen, cael gwobr sypreis o'r sach sypreis, dewis pa gerddoriaeth i wrando arni yn ystod amser tawel, parti pop corn, a noson heb waith cartref, i gyd yn bosibiliadau i'w rhestru ar yr olwyn ffawd. Mae'n syniad da lamineiddio'r saeth droelli a defnyddio pin ffelt sydd heb fod ag inc parhaol, fel y gellwch newid y gwobrau yn ystod y flwyddyn.

## Olwyn Ffawd

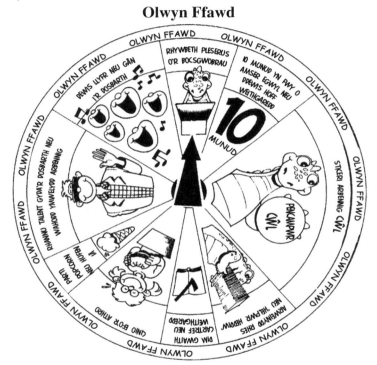

*Ysgogwyr dirgel*

Mae plant o bob oedran yn hoffi'r syniad o weithio tuag at ysgogiad dirgel, efallai oherwydd yr elfen o sypreis. (Moore *et al*, in press; Rhode, Jenson and Reaves,1992) Gall athro ysgrifennu ar ddarn o bapur beth fydd yr ysgogiad dirgel ac yna ei roi mewn amlen fawr addurnedig. Gosodir yr amlen mewn lle amlwg ym mlaen y dosbarth lle bydd pawb yn ei gweld (ei gosod ar un o'r byrddau wal efallai). Dywed yr athro wrth y disgyblion y byddant yn cael agor yr amlen i weld beth yw'r ysgogydd dirgel os enillant nifer penodol o sticeri neu bwyntiau. Gall yr athro hefyd atgoffa'r plant pan fyddant ar fin camymddwyn, drwy ddweud, 'Cofiwch am yr ysgogydd dirgel.'

Un posibilrwydd fyddai defnyddio'r ysgogydd dirgel i ddysgu rheolau'r dosbarth. Gallai'r athro baratoi pecyn o wynebau hapus ar gardiau wedi cael eu lamineiddio. Ac wrth iddo weld plentyn yn cyflawni un o reolau'r dosbarth (e.e. dangos llaw dawel, mynd i eistedd yn dawel, helpu rhywun etc.) mae'n rhoi wyneb hapus mewn jar ar ei ddesg gan ddweud wrth y disgybl, 'mi es di'n syth at dy gadair, rwyt wedi ennill wyneb hapus i bawb.' Yna, ar adeg benodol o'r dydd, pan fydd nifer cytunedig o wynebau hapus wedi cael eu casglu, bydd yr athro'n caniatáu i'r ysgogydd dirgel gael ei ddatgelu. Gall yr ysgogwyr dirgel gynnwys rhai pethau a grybwyllwyd uchod. Gellwch ychwanegu at yr hwyl drwy ddefnyddio pin ysgrifennu gydag inc anweledig i ysgrifennu enw neu dynnu llun yr ysgogydd dirgel, ac yna caiff y plant ei ddatgelu drwy ddefnyddio pin datgelu arbennig *(e.e. crayola changeables)*.

Gellir defnyddio rhaglen fel hon gyda'r dosbarth cyfan, timau neu unigolion am gyflawni ymddygiadau a ddiffiniwyd yn eglur.

### Cadw rhaglenni cymell a rhaglenni disgyblu ar wahân

Bydd rhai athrawon yn llunio rhaglenni gwobrau diriaethol ac yna'n eu cyplysu â mesurau disgyblaeth. Gallai disgybl, er enghraifft, dderbyn sticeri am rannu, ac yna'u colli am gwffio. Mae'r sticeri wedyn yn cyfleu neges negyddol yn hytrach nag un gadarnhaol. Bydd hyn yn fwy problemus byth os yw'r plentyn yn cyrraedd sefyllfa o ddyled. Os mai'r unig gymhelliad yw ennill sticeri i ddod allan o ddyled, mae'r cymhelliad cadarnhaol am ymddygiad da wedi diflannu. Y canlyniad naturiol wedyn yw i blentyn anobeithio a rhoi heibio bob ymdrech i newid.

Cadwch y rhaglenni gwobrwyo ar wahân i'r rhaglenni disgyblu. Bydd tynnu pwyntiau neu wobrwyon sydd wedi cael eu hennill oddi ar y plant yn dinistrio pwrpas y rhaglen, sef rhoi sylw i ymddygiadau cadarnhaol. Os ydych am dynnu breintiau fel dull o ddisgyblu, cadwch y breintiau y rhagwelch eu tynnu, (egwyl ychwanegol, amser cyfrifiadur) oddi ar y ddewislen wobrwyo (Mae Pennod 7 yn trafod colli breintiau).

### Cadw rheolaeth ar y rhaglen

Mae nifer o ffyrdd y gellwch golli rheolaeth ar eich rhaglen wobrwyo. Y cyntaf yw gwobrwyo am berfformiad 'agos' – hynny yw, rhoi gwobrau i'r disgyblion pan na fyddant wedi ennill y nifer angenrheidiol o bwyntiau neu sticeri. Bydd hyn yn digwydd fel arfer oherwydd bod y plant yn dadlau amdanynt, gan honni eu bod wedi cyflawni pob dim angenrheidiol. Yn anffodus, bydd gwobrwyo am berfformiad 'agos' yn tanseilio rheolau'r cytundeb yn ogystal â'ch awdurdod. Mae hefyd yn debygol o gynyddu ymbil a dadlau gyda chi ynglŷn ag ennill pwyntiau. Yn hytrach na datrys problem ymddygiad, bydd problem newydd wedi cael ei chreu. Gall peidio dilyn drwodd fod yn ail broblem. Bydd hyn yn digwydd pan fydd disgyblion wedi ymddwyn yn unol â rhaglen, a chithau'n methu sylwi ar hynny, yn anghofio rhoi sticeri neu'n anghofio cyfnewid y sticeri ar adeg benodol. Os bydd y gwobrau'n cael eu cyflwyno'n hwyr iawn neu mewn dull anghyson, bydd eu gwerth atgyfnerthu yn fach iawn.

Os yw rhaglenni gwobrau diriaethol i lwyddo maent yn gofyn am lawer o waith gan yr athrawon! Rhaid cadw golwg gyson ar ymddygiad y disgyblion er mwyn penderfynu a yw'r plant yn mynd i ennill sticeri neu bwyntiau. Peidiwch â rhoi sticeri oni bai eich bod wedi gweld yr ymddygiadau'n digwydd (peidiwch ag ymateb i honiadau gan y plant iddynt gyflawni allan o'ch golwg). Os byddwch chi a'r disgyblion yn canolbwyntio ar broblemau sy'n digwydd yn aml, megis peidio gwrando neu ddilyn cyfarwyddiadau, yna bydd angen i chi fod ar wyliadwriaeth gyson. Cyflwyno gwobrau'n *syth* wedi i ymddygiad cadarnhaol ddigwydd sydd fwyaf effeithiol. Rhaid i chi hefyd fod yn gyson wrth osod terfynau i'r rhaglenni yma lwyddo. Bydd pob plentyn yn profi'r ffiniau a cheisio gweld a lwyddant i gael gwobrau am lai o ymdrech. Mae hynny'n naturiol, ond rhaid i chi fod yn barod i gael eich profi, a dyfal barhau gyda'r rhaglen gan anwybyddu dadleuon, trafodaethau neu bledio gan y disgyblion pan na fyddant wedi ennill digon o bwyntiau. Rhaid i chi hefyd gadw rheolaeth ar y gwobrau. Dylid cuddio gwobrau a sticeri o olwg y plant a chi ddylai ddyfarnu pwyntiau a sticeri, nid eich disgyblion. (Gweler Pennod 6 am fwy o wybodaeth ynglŷn â gosod terfynau ac anwybyddu camymddygiad).

## Defnyddio bocs 'Medraf' i helpu disgyblion i ddysgu hunan-siarad cadarnhaol

Rhowch focs gwag ar fwrdd pob plentyn ac arno'r label 'Medraf.' Bob tro y byddwch yn sylwi ar blentyn yn rhannu, cydweithio, helpu neu fod yn gyfeillgar, ysgrifennwch yr ymddygiadau yma allan fel gosodiadau 'Medraf' a rhowch nhw ym mocs y plentyn i fynd adref. Er enghraifft, 'Medraf helpu eraill , 'Medraf wrando ar yr athrawes yn dda', ' Medraf ddelio gyda'r gwrthdaro yma', 'Medraf eistedd ar fy nghadair heb siglo', 'Medraf fynd yn sydyn i'm cadair heb darfu ar neb', 'Medraf aros yn fy nghadair nes bydd cloch yr amserydd yn canu,' etc. Bydd cyflawni hyn yn helpu'r plentyn i herio hunan-siarad negyddol, ac ymarfer hunan-osodiadau cadarnhaol yn yr ysgol. Os bydd y brawddegau cadarnhaol yma'n cael eu hail ddarllen yn y cartref gyda'r rhieni, yna bydd yr effaith yn dyblu.

**Rhannu llwyddiannau gyda rhieni – wynebau hapus a gwobrau**

Pan fydd llwyddiant plentyn yn yr ysgol yn cael ei rannu gyda rhieni'r plentyn, bydd atgyfnerthu arall yn digwydd – sef sylw a chefnogaeth rhieni – a bydd y plentyn yn cael dogn dwbl o atgyfnerthiad. Gall athrawon ddanfon neges i'r cartref, gwobrau arbennig neu 'wynebau hapus' (neu wneud galwad ffôn) drwy gydol y flwyddyn i gyhoeddi llwyddiant arbennig plentyn, neu yn syml i ddweud wrth y rhieni am ddiwrnod arbennig o dda. Bydd y math yma o weithred yn cael effaith

GWOBR Y PLENTYN CŴL
Cyflwynwyd i

_____
am

fod yn ddigon cryf i reoli ei ddicter
aros yn 'cŵl' wrth wynebu problem
canfod sut i ddatrys problemau
helpu a chefnogi plentyn arall
gwaith tîm yn y dosbarth

Arwyddwyd............................ Dyddiad ...............

GWOBR AMSER CHWARAE
Cyflwynwyd i

_____
am

— rannu
— cymryd tro
— helpu ffrind
— aros tro
— cynnwys rhywun a adawyd allan

Arwyddwyd............................ Dyddiad

anhygoel o dda ar eich perthynas chi â'r disgybl a'r rhieni. Bydd hefyd yn ffordd o ddangos eich awydd i'r rhieni gydnabod llwyddiannau eu plant. Mae hefyd o gymorth i gryfhau ymwneud rhieni â phrofiadau addysgol eu plant. Rydych yn gynyddol adeiladu math o 'gyfrif banc positif' gyda'r disgyblion a'r rhieni, gan greu perthynas o ymddiriedaeth. Os bydd yn angenrheidiol unrhyw bryd i drafod problem ymddygiad plentyn, bydd rhieni y mae gennych berthynas gadarnhaol â nhw yn fwy agored ac abl i gydweithio wrth ddelio â'r broblem.

Mantais arall danfon gwobrau neu negeseuon canmol i rieni ynglŷn ag agwedd gadarnhaol ar ymddygiad plentyn, yw y bydd hynny'n helpu rhieni i gael y plentyn i ganolbwyntio ar ei lwyddiant, a thrwy hynny baratoi'r plentyn i ymddwyn yn yr un modd y diwrnod canlynol.

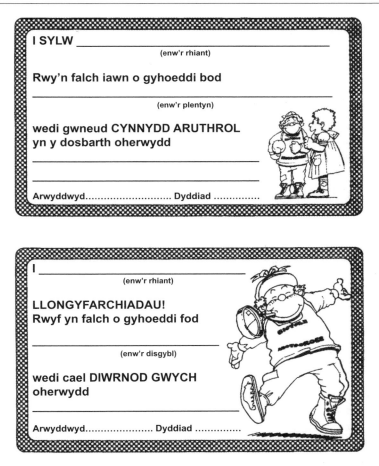

## I grynhoi

- Yn gyntaf, dewiswch un neu ddau o ymddygiadau yr ydych am eu cynyddu. Efallai y lluniwch raglenni ar gyfer dosbarth cyfan neu nodau ar gyfer disgyblion unigol, yn ddibynnol ar anghenion penodol y plant.
- Eglurwch i'r dosbarth neu'r plentyn unigol pa ymddygiadau fydd yn derbyn gwobr.
- Dewiswch y cymhellion. Bydd sêr a sticeri yn gymhellion da ar gyfer plant 3-5 oed. Mae plant hŷn yn hoffi ennill pwyntiau, tocynnau neu dalebau i'w cyfnewid am eu dewis wobrau oddi ar ddewislen atgyfnerthu.
- Dylid trefnu'r ddewislen atgyfnerthu ymlaen llaw gyda'r plant – a dylai fod yn benodol.

- Gadewch i blant ifanc ennill gwobrau'n ddyddiol. Dylai plant hŷn ennill rhywbeth bob ychydig o ddyddiau.
- Peidiwch â gwobrwyo os nad yw perfformiad y plentyn yn gyflawn.
- Gwnewch yn siŵr eich bod yn cyflawni eich rhan chi o'r cytundeb.
- Bob amser cyfunwch wobrau diriaethol gyda gwobrau cymdeithasol, megis canmoliaeth ac anogaeth wedi ei labelu.
- Cofiwch nad yw ysgogiad sy'n ystyrlon i un plentyn o anghenraid yn atgyfnerthol i blentyn arall. Dylid teilwrio'r cymhellion i ateb gofynion pob disgybl unigol hyd y bo modd.
- Os byddwch yn defnyddio siartiau i ddilyn cynnydd, adolygwch nhw'n ddyddiol gyda'r dosbarth.
- Gosodwch darged i gynyddu'r nifer o negeseuon cadarnhaol a galwadau ffôn a wnewch i rieni a phlant bob wythnos.
- Ysgrifennwch enwau'r plant sydd wedi cyflawni rhywbeth arbennig, yn academaidd neu'n gymdeithasol, yn rhywle amlwg yn y dosbarth. Bydd hyn yn atgyfnerthu ymddygiad da ac yn atgoffa'r dosbarth cyfan am yr ymddygiad disgwyliedig.

## Pethau i'w gwneud a phethau i'w hosgoi

*I'w gwneud*

1. Diffiniwch yn glir yr ymddygiadau academaidd a chymdeithasol a ddymunwch.
2. Adnabyddwch y camau bach tuag at y targedau.
3. Yn raddol, cynyddwch y meini prawf ar gyfer ennill gwobr (gwnewch nhw'n heriol)
4. I ddechrau, dewiswch un neu ddau o ymddygiadau i weithio arnynt.
5. Canolbwyntiwch ar ymddygiadau positif.
6. Dewiswch wobrau nad ydynt yn ddrud.
7. Cynigwch wobrau y gellir eu hennill yn ddyddiol.
8. Gadewch i'r plant gynorthwyo i ddewis y gwobrau.
9. Cyflwynwch y gwobrau wedi i'r ymddygiad ddigwydd (yn gyntaf . . . wedyn)
10. Rhowch wobrau am gyflawniadau a llwyddiannau dydd i ddydd.

*Peidiwch*

1. Bod yn niwlog am yr ymddygiadau dymunol
2. Gwneud y camau'n rhy anodd i'r plentyn.
3. Gwneud y camau'n rhy hawdd i'r plentyn.
4. Creu rhaglenni cymhleth sy'n cynnwys gormod o ymddygiadau.
5. Canolbwyntio ar ymddygiadau negyddol.
6. Cynnig gwobrau drud, neu wobrau na ellir eu darparu ar y pryd.

7. Defnyddio gwobrau sy'n cymryd yn rhy hir i'w hennill.
8. Dewis gwobrau nad ydynt yn ysgogol i'r plentyn.
9. Cynnig gwobrau fel llwgrwobrwyon.
10. Bod yn grintachlyd gyda gwobrau cymdeithasol.


## Deunydd darllen

Barkley, R. A. (1996) Attention deficit/hyperactivity disorder. In E. J. Mash and R. A. Barkley (eds.) *Child Psychopathology* (pp. 63-112), New York: Guilford Press.

Cameron, J. and Pierce, W. D. (1994) Reinforcement, reward, and intrinsic motivation: a meta-analysis, *Review of Educational Research*, 64, 363-423.

Elliott, S. N. and Gresham, F. M (1992) *Social Skills Intervention Guide*, Circle Pines, MN: American Guidance Service.

Moore, L. A., Waguepack, A. M., Wickstorm, K. F., Witt, J. C. and Gaydos, G. R. (in press) Mystery motivator: An effective and time efficient intervention, *School Psychology Review.*

Rhode, G., Jenson, W. R. and Reavis, H. K. (1992) *The Tough Kid Book*, Longmont, CO: Sopriswest, Inc.

Stage, S. A. and Quiroz, D. R. (1997) A meta-analysis of interventions to decrease disruptive classroom behaviour in public education settings, *School Psychology Review*, 26, 333-68.

Walker, H. M. (1995) *The Acting-Out Child: Coping with Classroom Disruption*, Longmont, CO: Sopriswest, Inc.

# Rheoli camymddygiad: anwybyddu ac ailgyfeirio

Bydd y strategaethau rhagweithiol *(proactive)* a drafodwyd yn y pum pennod gyntaf yn rhwystro llawer o broblemau ymddygiad yn y dosbarth rhag digwydd. Ond, waeth pa mor dda yw rheolaeth ragweithiol athrawon, bydd camymddygiad yn parhau i ddigwydd. Pan fydd disgybl yn amharu ar y dosbarth drwy gamymddwyn, mae eich ymatebion yn debygol o fod yn dameidiog, anghyson ac adweithiol *(reactive)* oni bai eich bod wedi sefydlu cynllun disgyblaeth clir. Mae cynllun disgyblaeth yn hanfodol i reolaeth ragweithiol yn y dosbarth. Mae cael cynllun disgyblu yn y dosbarth yn golygu y bydd rheolau a disgwyliadau'r dosbarth wedi cael eu hamlinellu'n glir, ac y bydd yr union ganlyniadau a ddeillia o dorri'r rheolau, neu beidio cwrdd â disgwyliadau, yn glir i bob plentyn.

Dangosodd ymchwil fod athrawon, wrth iddynt ymateb i broblemau disgyblaeth, yn fwy tebygol o ddibynnu ar weithredu cosb neu ganlyniadau negyddol yn y dosbarth na defnyddio dulliau cadarnhaol (gweler Bear,1998; Hyman,1997; Martens & Meller,1990). Mae hyn yn wir, er gwaethaf y gydnabyddiaeth eang o gyfyngiadau ac effeithiau negyddol cosbi, yn enwedig pan gaiff ei ddefnyddio fel yr ymateb cychwynnol. Ar y dechrau dylid defnyddio canlyniadau sydd heb fod mor llawdrwm, a strategaethau nad ydynt mor llym. Dilynwch reol 'yr ymyriad lleiaf aflonyddgar.' Yn y rhaglen ddisgyblu, dylai'r canlyniadau gael eu trefnu yn hierarchaidd o'r ymyriad lleiaf aflonyddgar hyd at yr un mwyaf llym. Er enghraifft, pan gaiff rheol ei thorri'r tro cyntaf gellir rhoi rhybudd geiriol. Yr ail waith gellir tynnu braint. Erbyn y trydydd tro hwyrach y bydd Amser Allan yn cael ei weithredu. Erbyn y pedwerydd tro bydd y plentyn yn cael sgwrs gyda'r athro amser egwyl etc. Drwy ofalu fod y plant yn gyfarwydd â'r cynllun disgyblu ac yn deall y canlyniadau, bydd yr athro rhagweithiol yn gofalu bod y disgyblion yn gwybod yn union beth fydd ei ymateb i gamymddygiad. Bydd cysondeb yr athro'n dilyn drwodd gyda'r cynllun disgyblu yn cynyddu teimlad plentyn o sicrwydd a diogelwch. Mae cynllun disgyblaeth yn galluogi disgyblion i ragweld canlyniadau fel adwaith naturiol pan fyddant yn ymddwyn yn amhriodol. Yn hytrach na gweithredu canlyniadau negyddol fel colli breintiau ac Amser Allan gellir defnyddio strategaethau megis anwybyddu, hunan-arsylwi, ailgyfeirio, atgoffa a rhybuddio.

Bydd cynnwys y tudalennau canlynol yn eich helpu i ddatblygu cynllun disgyblaeth ar gyfer camymddygiad, gan ddechrau gyda'r ymyriadau sy'n amharu leiaf ac arwain at y canlyniadau mwy llym a negyddol a drafodir ym Mhenodau 7 ac 8.

# Anwybyddu Camymddygiad

Un o'r prif strategaethau ar gyfer lleihau ymddygiad amhriodol disgyblion yw eu hanwybyddu. Ar un ystyr, mae anwybyddu camymddygiad yn annaturiol, gan mai tueddiad athrawon yw ymateb i blant sydd allan o'u seddau, yn tarfu neu'n dadlau. Ond, mae sylw athrawon yn atgyfnerthu'r ymddygiad hwnnw. Gall anwybyddu fod yn ffordd bwerus o newid ymddygiad, gan ei fod yn amddifadu plentyn o'r sylw y mae pob plentyn yn dymuno'i gael. Mae'n debyg mai anwybyddu yw'r strategaeth fwyaf anodd i athrawon ei chyflawni, ond mae'n effeithiol iawn. Bydd y drafodaeth sy'n dilyn yn eich helpu i ddelio gyda rhai o broblemau athrawon wrth geisio anwybyddu mân gamymddygiad gan eu disgyblion.

### Dewis pa ymddygiadau i'w hanwybyddu

Gellir cael gwared â mân gamymddygiad neu ymddygiadau lefel isel sy'n ceisio denu sylw drwy eu hanwybyddu'n systematig. Ymddygiadau yw'r rhain megis swnian, pryfocio, dadlau, rowlio'r llygaid, pwdu, galw allan a strancio (h.y. ymddygiadau nad ydynt yn beryglus nac yn anafu plant eraill nac oedolion). Weithiau bydd athrawon yn teimlo nad yw anwybyddu yn gyfystyr â disgyblu. Ond, mae'n un o'r technegau mwyaf effeithiol i'w defnyddio gyda disgyblion. Nid yw athrawon sy'n anwybyddu camymddygiad disgyblion yn rhoi gwobr (na grym) i'r disgybl os yw'n parhau i gamymddwyn. Drwy beidio rhoi sylw i'r camymddygiad, nid yw athrawon yn cael eu hunain mewn brwydr am oruchafiaeth gyda'r disgyblion. Os bydd yr athrawon yn parhau i anwybyddu'n gyson, bydd disgyblion yn rhoi'r gorau i gamymddwyn gydag amser. Os bydd disgyblion yn derbyn canmoliaeth ac anogaeth am ymddygiadau cymdeithasol derbyniol (e.e. siarad yn gwrtais, rhannu, cydweithio, a rheoli eu tymer) fe ddysgant ei bod yn fwy buddiol iddynt ymddwyn yn briodol na chamymddwyn.

Mae rhai ymddygiadau gan blant yn mynd dan groen athrawon, ond na all y plant mewn gwirionedd eu rheoli – er enghraifft, plentyn gorfywiog sy'n methu stopio siglo nôl a blaen a gwingo'n ei gadair, plentyn byrbwyll sy'n mwmial yn aneglur, neu blentyn ag anawsterau iaith sydd ag atal dweud. Dylai athrawon anwybyddu ymddygiadau o'r fath ac yn sicr ni ddylid eu cosbi. Bydd rhoi sylw iddynt yn eu gwaethygu a gwneud i blant eraill ymuno â nhw hefyd.

## Osgoi trafodaeth a chyswllt llygaid

Weithiau bydd athrawon yn meddwl eu bod yn anwybyddu camymddygiad eu disgyblion pan fyddant mewn gwirionedd yn rhoi llawer o sylw iddo. Er eu bod wedi stopio siarad gyda'r plentyn maent yn parhau i syllu'n gâs a gwneud ystumiau, neu adael i'r plentyn wybod mewn ffyrdd eraill fod y camymddygiad yn effeithio arnynt. Bydd rhai athrawon yn anwybyddu drwy osgoi gwneud cyswllt llygaid gyda'r plant ond yn parhau i wneud sylwadau blin neu feirniadol. Yn y ddau achos, mae'r plentyn sy'n camymddwyn yn llwyddo i gael sylw ac, efallai, ymateb emosiynol negyddol cryf hefyd.

Mae anwybyddu effeithiol yn digwydd pan ydych yn gallu niwtraleiddio eich ymateb i'r hyn a wna'r plentyn. Dylai eich wyneb fod yn ddifynegiant, dylech osgoi cyswllt llygaid a stopio pob trafodaeth. Mae anwybyddu hefyd yn cynnwys symud i ffwrdd oddi wrth y plentyn, yn enwedig os ydych wedi bod mewn cysylltiad agos. Fel y mae'r ffurf fwyaf pwerus o sylw positif yn cynnwys gwenu, cyswllt llygaid, canmoliaeth lafar a chyffwrdd corfforol, mae'r anwybyddu mwyaf pwerus yn cynnwys cadw wyneb niwtral, peidio gwneud cyswllt llygaid, peidio cyfathrebu a throi i ffwrdd yn gorfforol.

## Anwybyddu'n gyson – bod yn barod i'r camymddygiad waethygu ar y dechrau

Weithiau bydd athrawon sydd â'u bwriad yn dda yn dechrau anwybyddu camymddygiad megis strancio neu ddadlau, ond heb fod yn barod am ymateb posib y plant. Bydd y mwyafrif o blant yn ymateb drwy gynyddu eu hymddygiad negyddol i weld a allant gael yr athrawon i ildio. Er enghraifft, mae Hanook sy'n 5 oed eisiau chwarae gyda pheiriant gwneud swigod, ac mae'r athrawes yn gwrthod ei roi iddo. Mae Hanook yn crio am rai munudau ac yn ceisio cael gafael ar y tegan oddi wrth yr athrawes. Yn y diwedd mae'r athrawes yn cymryd y peiriant gwneud swigod a'i roi ar silff uchel gan anwybyddu'r protestio. Mae Hanook yn strancio mwy fyth er mwyn canfod a gaiff ei ddymuniad. Mae hyn yn parhau am 10 munud arall nes bod yr athrawes, sydd wedi ei chythruddo a'i blino gan y dadlau'n dweud, 'Iawn, dyma fo!' Drwy ildio a chael heddwch dros dro ar ffurf bywyd mwy heddychlon mae'r athrawes wedi creu problem iddi ei hun yn y tymor hir. Mae Hanook wedi dysgu y gall gael ei ffordd ei hun os bydd yn dadlau'n ddigon caled am amser hir. Cafodd ei ymddygiad amhriodol ei atgyfnerthu.

Pan fyddwch yn dechrau anwybyddu camymddygiad fe fydd fel arfer yn gwaethygu yn y lle cyntaf. Mae hynny'n arwydd fod eich strategaeth yn gweithio! Rhaid i chi fod yn barod i ddyfalbarhau drwy'r cyfnod yma os yw'r ymddygiad yn mynd i wella. Os byddwch yn ildio, bydd eich plant yn dysgu fod ymddwyn yn amhriodol yn ffordd effeithiol o gael eu ffordd eu hunain. Nid yw'r enghraifft yma o Hanook a'i athrawes yn annhebyg i brofiad a gawsoch chi efallai gyda pheiriant gwerthu nwyddau. Rydych yn rhoi'r pres mân i mewn i gael diod feddal, ond dydych chi ddim yn cael diod na chael eich pres yn ôl. Ar ôl pwyso'r botwm dychwelyd eich pres nifer o weithiau, a hwnnw'n gwrthod gweithio, rydych yn ceisio pwyso'r botwm diod unwaith eto. Yn ddibynnol ar ba mor sychedig a blin yr ydych, hwyrach y byddwch yn parhau i bwyso'r botymau a hyd yn oed yn taro'r peiriant. Yn y diwedd, os nad oes diod feddal yn ymddangos rydych yn rhoi'r gorau iddi ac yn symud ymlaen at rywbeth arall gan nad oes gwobr am barhau i daro'r peiriant. Fodd bynnag, os oes diod feddal drwy ryw lwc yn neidio allan o'r peiriant yn ystod y taro, yna fe fyddwch yn gwybod y tro nesaf y methwch â chael diod mai'r tric yw taro'r peiriant yn ddigon caled a hir. Mae plant yn medru taro'n barhaus. Dyna un rheswm pam fod anwybyddu mor anodd i athrawon ei weithredu. Bydd pob plentyn am brofi pa mor dda yw gallu'r athrawon i anwybyddu drwy ddwysáu eu camymddygiad. Os ydych yn penderfynu defnyddio'r dechneg yma, rhaid i chi fod yn barod i ddyfalbarhau drwy'r cyfnod heriol gan aros yn gadarn eich penderfyniad i anwybyddu.

## Anwybyddu ac ailgyfeirio sylw

Nid yw dewis anwybyddu camymddygiad yn golygu nad oes dim positif y gellwch ei wneud i wella'r sefyllfa. Yn wir, gall methu ag ailgyfeirio sylw'r plant neu awgrymu dewis arall o ymddygiad mwy derbyniol iddynt, gloi'r athrawon a'r plant mewn brwydr am oruchafiaeth a pheri fod y plant yn parhau i gamymddwyn. Ystyriwch yr olygfa: Mae Johnny'n gofyn am gael defnyddio'r paent i'w athro. Mae'r athro'n gwrthod, ac mae Johnny'n dechrau sgrechian a gweiddi. Mae'r athro'n anwybyddu hyn yn effeithiol drwy gerdded i ffwrdd ac mewn ychydig o funudau mae'r sgrechian yn tawelu. Ar y pwynt yma, efallai y bydd athro Johnny'n methu sylwi ar yr ymddygiad tawel ac nid yw'n ailgyfeirio sylw'r plentyn gyda rhywbeth arall i chwarae efo fo. Mae Johnny, sy'n teimlo'i fod yn cael ei anwybyddu, yn dechrau sgrechian eto mewn ymgais i ennill sylw'r athro.

Weithiau, er mwyn lleihau ymateb plentyn i gael ei anwybyddu, fe ellwch dynnu'i sylw at rywbeth arall. Mae ailgyfeirio sylw'n arbennig o ddefnyddiol gyda phlant 3 a 4 oed, ond yn gallu bod yn llwyddiannus efo plant hŷn hefyd. Unwaith roedd Johnny wedi stopio sgrechian, gallai ei athro fod wedi rhwystro helynt pellach drwy roi sylw iddo ac awgrymu rhyw weithgaredd diddorol arall y byddai efallai'n ei hoffi. Mewn enghraifft arall, mae disgybl yn dechrau cwyno pan ddywedir wrtho na chaiff ddefnyddio'r cyfrifiadur. Mae'r athro'n ei anwybyddu nes ei fod yn stopio cwyno, ac yna mae'n gofyn iddo a hoffai ddod i'w helpu i lanhau'r tanc pysgod. Y syniad yw anwybyddu'r camymddygiad mewn ymateb i beidio cael rhywbeth, ac wedyn tynnu ei sylw at rywbeth arall pan fydd yn dechrau ymddwyn yn fwy priodol. Wrth gwrs, os yw'n camymddwyn eto mewn ymateb i'r ailgyfeirio sylw, bydd raid dechrau anwybyddu unwaith eto.

Ffordd arall o gyfuno ailgyfeirio sylw ac anwybyddu yw ailgyfeirio *eich hun* oddi wrth ymddygiad amhriodol eich disgybl. Gellwch wneud hyn drwy siarad â disgybl arall, neu fynd i wneud rhywbeth gwahanol. Os ydych yn anwybyddu plentyn sy'n strancio, efallai y dewiswch fynd at blant eraill sy'n chwarae'n dawel, a gwneud sylw am y gweithgaredd neu allu'r plant i gydweithio. Os yw'r plentyn yn meddwl fod eich sylw wedi ei dynnu at rywbeth arall, bydd yn stopio camymddwyn yn fuan iawn. Yna, gellwch roi eich sylw yn ôl i'r disgybl a chanmol hyn neu ei ymddygiad cydweithredol cyntaf.

## Symud i ffwrdd oddi wrth y plentyn, ond aros yn agos

Fe all ymddangos yn rhesymol i anwybyddu camymddygiad plentyn drwy gerdded i ran arall o'r ystafell. Gall hyn fod yn ddull effeithiol os yw'r plentyn yn hongian arnoch ac yn hawlio sylw. Ond yr anhawster wrth fynd yn rhy bell yw na fyddwch yn gallu talu sylw ac atgyfnerthu ymddygiad priodol yn syth wedi iddo ddigwydd.

Wrth anwybyddu, mae'n well symud i ffwrdd yn gorfforol drwy sefyll i fyny a cherdded i ran arall o'r ystafell. Fel hyn, gallwch gadw golwg ar ymddygiad plentyn a rhoi sylw iddo mor fuan ag y bydd yn stopio camymddwyn. Er enghraifft, mae athrawes yn mynd o amgylch dosbarth yn rhoi cymorth i'r plant ac mae Freddie'n galw allan o ben draw'r ystafell, 'Miss, hei, Miss.' Mae'r athrawes yn sylweddoli os bydd yn mynd draw at Freddie neu'n gofyn iddo aros, y bydd wedi rhoi sylw i'r gweiddi allan. Felly, yn dactegol, mae'n dewis ei anwybyddu. Dydi'r athrawes ddim yn edrych arno nac yn gwneud sylw am ei ymddygiad, mae'n parhau â'i gwaith gyda nifer o ddisgyblion eraill. Mae Freddie'n galw allan eto, 'Miss, dowch yma, dwi angen eich help, plîs' Dim ond eisiau gofyn cwestiwn ydw i.' Mae'r athrawes yn parhau i anwybyddu ac yn symud ymlaen at ddisgybl arall. Mae Freddie'n pwdu am gyfnod ac yna'n dechrau ysgrifennu. Ar y pwynt yma mae'r athrawes yn mynd ato ac yn gofyn yn hamddenol, 'Gad i mi weld dy waith?' ac yn estyn at ei lyfr. Mae'n atgoffa Freddie, yn syml ac yn dawel, 'Cofia roi llaw dawel i fyny ac aros, yna byddaf yn hapus iawn i ddod atat.'

## Anwybyddu'n dysgu hunan reolaeth

Nid yw rhai athrawon yn defnyddio anwybyddu fel dull o wella ymddygiad gan y teimlant ei fod yn amharchu ac yn anafu hunanddelwedd y plant. Teimlant y bydd yr ymdriniaeth yma'n niweidio'u perthynas gyda'r plant. Teimla athrawon eraill nad yw anwybyddu'n ddigon o gosb am y camymddygiad. Dywedant, 'Sut y gallwch chi anwybyddu pethau fel rhegi a gweiddi? Mae'r ymddygiadau yma angen disgyblaeth.'

Mae ymchwil yn dangos fod anwybyddu'n ymdriniaeth ddisgyblu effeithiol gan ei fod yn cadw perthynas gadarnhaol rhwng athro â phlentyn, ac wedi cael ei selio ar barch yn hytrach nag ar ofn. Os gallwch anwybyddu sgrechian a rhegi yn hytrach na'ch bod yn gweiddi a beirniadu, rydych yn dangos eich bod yn gallu cynnal hunan reolaeth yn wyneb gwrthdaro a dicter. Os bydd eich adwaith i ymddygiad y plentyn yn ddigynnwrf, fe ddysga'r disgyblion yn fuan nad oes gwerth mewn parhau gydag ymddygiadau na roddir sylw iddynt.

## Dysgu disgyblion eraill i anwybyddu

Weithiau mae anwybyddu'n colli'i effaith pan fydd yr athro'n anwybyddu camymddygiad disgybl, a disgyblion eraill yn rhoi sylw iddo drwy bryfocio a chwerthin am ben y plentyn. Os yw hyn yn digwydd, ni fydd eich anwybyddu'n gweithio gan y bydd y plentyn yn parhau i ennill sylw am gamymddwyn gan ei gymheiriaid. Os bydd disgyblion eraill yn ymateb a rhoi sylw i gamymddygiad y plentyn, mae angen eu haddysgu am werth anwybyddu strancio a dadleuon cyd-ddisgyblion pan fydd hynny'n digwydd. Gall athro ddweud wrth gyd-ddisgyblion y plentyn sy'n camymddwyn, 'Y ffordd orau inni helpu Jeremy rŵan yw ei anwybyddu nes y bydd yn gallu rheoli'i hun.' Mae'n gymorth i athrawon ymarfer a chymryd rôl anwybyddu rhai ymddygiadau gyda disgyblion ymlaen llaw. Er enghraifft, gellir addysgu'r disgyblion nid yn unig sut mae anwybyddu plentyn sy'n strancio mewn ymateb i gais athro, ond hefyd sut mae anwybyddu cyd-ddisgyblion os byddant yn eu pryfocio neu'n gwneud hwyl am eu pennau.

### Cyfyngu ar y nifer o ymddygiadau i'w hanwybyddu

Tra bydd gan rai athrawon y broblem o beidio anwybyddu'n ddigon aml, mae eraill yn anwybyddu'n rhy aml. Bydd yr athrawon yma'n anwybyddu camymddygiad cychwynnol eu plant yn effeithiol, ond wedyn yn parhau i beidio rhoi sylw, cefnogaeth a chymeradwyaeth am nifer o oriau, neu hyd yn oed am ddyddiau ar y tro. Mae problem gysylltiedig yn digwydd pan fydd athrawon yn ymwneud â gormod o gamymddygiadau ar yr un pryd, er enghraifft cwyno, gweiddi, sgrechian, dadlau a gwaith blêr. Bydd anwybyddu cymaint â hyn yn gwneud i'r plant deimlo eu bod yn cael eu hesgeuluso, a bydd yr athrawon wedi eu llethu. Nid yn unig y bydd yr athrawon yn ei chael hi'n anodd cofio bod yn gyson wrth anwybyddu ond fe fyddant hefyd yn cael anhawster i gofio rhoi sylw i'r ymddygiadau sydd i'r gwrthwyneb, sef ymddygiadau positif.

Mae'n bwysig adnabod ymddygiadau penodol i ganolbwyntio ar eu hanwybyddu. Dewiswch un neu ddau i'w hanwybyddu'n systematig ar unrhyw adeg arbennig. Trwy gyfyngu eich hun yn y ffordd yma, gellwch yn realistig ddisgwyl bod yn fwy cyson wrth anwybyddu'r ymddygiad bob tro y digwydd. Byddwch hefyd yn gallu sylwi ar yr effaith a gaiff y dull yma o ddisgyblu ar ymddygiad penodol.

### Ni ddylid anwybyddu rhai ymddygiadau

Mae rhai athrawon yn anwybyddu *pob un* camymddygiad gan y plant, heb ystyried eu difrifoldeb na'r lle y digwyddant. Nid yw hyn yn agwedd addas ar gyfer ymddygiadau sy'n ddinistriol i'r plant eu hunain, pobl eraill neu eiddo. Mae hefyd yn anaddas mewn sefyllfaoedd lle bydd plant yn achosi niwed corfforol neu yn defnyddio iaith anweddus gyda phlant eraill, nhw eu hunain, pobl eraill neu eiddo. Mae hefyd yn anaddas am ymddygiadau megis dweud celwydd, dwyn, peidio cydymffurfio neu anghofio cyflawni gwaith cartref.

Yn y rhan fwyaf o sefyllfaoedd, gallwch ymdrin yn llwyddiannus gydag ymddygiadau sy'n cythruddo megis swnian, pwdu, sgrechian a strancio, drwy eu hanwybyddu. Ar y llaw arall, ni ddylid anwybyddu ymddygiadau peryglus ac ymosodol megis taro, cam-drin geiriol, rhedeg i ffwrdd, cynnau tanau a gwneud difrod i eiddo. Ac ni ddylid anwybyddu ymddygiadau, megis bwlio cyd-ddisgybl neu ddwyn, ymddygiadau sy'n rhoi boddhad y foment i'r plant sy'n camymddwyn drwy frifo neu achosi anhwylustod i eraill. Yn y sefyllfaoedd yma rhaid defnyddio canlyniad cryfach i newid yr ymddygiad, megis Amser Allan, tasg o waith neu golli braint. Felly, mae'n bwysig dewis gyda gofal yr ymddygiadau rydych am eu hanwybyddu. Cofiwch na fydd anwybyddu ymddygiad amhriodol ddim ond yn effeithiol gyda phlant sy'n ymddwyn yn y modd hwn yn bennaf er mwyn derbyn sylw'r athro. Bydd raid i'r athro fod wedi gweithio'n galed iawn i adeiladu perthynas gadarnhaol gyda'r disgybl yn gyntaf cyn y bydd anwybyddu'n effeithiol.

### Rhoi sylw i ymddygiadau positif

Mae rhai athrawon yn ymgolli gymaint yn eu gweithgareddau eu hunain nes eu bod yn methu rhoi sylw pan fydd y plant yn siarad yn glên, rhannu teganau, datrys problemau anodd neu weithio'n ddistaw. Os anwybyddir yr ymddygiadau yma fe fyddant yn diflannu. Mae athrawon yn aml yn datblygu'r arfer greddfol o ymateb i'w plant yn unig pan fyddant yn camymddwyn. Mae'r cylch negyddol yma o dalu sylw pan fydd y plant yn camymddwyn, a'u hanwybyddu pan fyddant yn ymddwyn yn briodol, yn wir yn cynyddu amlder camymddygiad.

Os ydych yn defnyddio'r dechneg anwybyddu, mae'n hanfodol eich bod yn rhoi sylw a chanmoliaeth i ymddygiadau positif, yn arbennig y rhai sydd i'r gwrthwyneb i'r ymddygiadau yr ydych yn eu hanwybyddu. Os ydych, er enghraifft wedi penderfynu anwybyddu swnian, dylech wneud ymdrech ymwybodol i ganmol eich plant pan fyddant yn siarad yn briodol. Efallai y dywedwch, 'Dwi'n hoffi dy glywed yn defnyddio dy lais cwrtais.' Mae'n bwysig eich bod yn canolbwyntio ar yr ymddygiad positif y dymunwch ei weld yn disodli'r un problemus. Os ydych yn pryderu fod eich disgyblion yn cipio ac yn taro, dylech eu canmol am rannu a chwarae'n ddel.

Techneg effeithiol arall yw cyfuno anwybyddu a chanmol mewn grŵp o ddau neu dri o blant. Pan fo un plentyn yn camymddwyn rhowch eich sylw i'r un sy'n dangos ymddygiad priodol. Dychmygwch olygfa lle mae Peter yn taflu Lego ar y llawr, tra bo Jamal yn adeiladu'n ofalus gyda'r Lego. Eich ymateb naturiol cyntaf fyddai canolbwyntio ar y plentyn sy'n camymddwyn: 'Peter, paid â gwneud hynna.' Fodd bynnag, byddai hyn yn atgyfnerthu ymddygiad amhriodol Peter. Yn hytrach, pe baech yn anwybyddu Peter ac yn canmol Jamal, mae'n debyg y byddai Peter yn dechrau ymddwyn yn dda wrth weld fod ymddygiad priodol yn ennill sylw, ond nid felly'r ymddygiad amhriodol.

## Ail ddechrau rhoi sylw mor fuan â phosib

Ambell dro gall athrawon gael eu blino a'u cythruddo gymaint gan ymddygiadau amhriodol nes eu bod yn methu canolbwyntio ar ymddygiadau priodol. Pan fo plentyn yn stopio camymddwyn mae'n bwysig cofio ail ddechrau rhoi sylw a chanmoliaeth (mewn 5 eiliad) i'r ymddygiad priodol. Dim ond wrth gyfuno'r dechneg o stopio rhoi sylw yn ystod ymddygiadau amhriodol a rhoi sylw cyson yn ystod ymddygiadau priodol y gellwch chi wrthdroi'r cylch dieflig o sylw negyddol am ymddygiad negyddol. Cyn gynted â bod y camymddygiad yn stopio, dechreuwch wenu, siaradwch gyda'r plentyn a chwiliwch am ymddygiad i'w ganmol.

## Anwybyddu ymddygiadau dilynol yn gynnil

Gall athrawon fod yn rhy ddramatig yn y ffordd y maent yn anwybyddu eu plant. Os bydd plentyn yn dechrau pwdu, mwmian neu rowlio'r llygaid gall athrawon orwneud yr osgo o fynd i ffwrdd ac anwybyddu'r camymddygiad. Gall hyn fod bron mor gynhaliol â rhoi sylw i'r camymddygiad gan ei fod yn dangos i'r plentyn ei fod wedi gallu cynhyrchu ymateb emosiynol cryf gan yr athro.

Er mai doeth yw ymwrthod â chyswllt corfforol, cyswllt llygaid a chyswllt geiriol wrth anwybyddu, mae hefyd yn bwysig eich bod yn cadw'r ymateb emosiynol yn niwtral a bod yn gynnil. Os yw plentyn yn swnian, dylech droi i ffwrdd mewn ffordd ddiffwdan, ac efallai gwneud sylw wrthych eich hun neu rywun arall am rywbeth arall sy'n digwydd o'ch cwmpas. Mae hyn yn effeithiol am nad yw'n rhoi unrhyw awgrym fod ymddygiad y plentyn wedi effeithio arnoch.

Mae o gymorth mawr defnyddio'r dechneg hon o anwybyddu cynnil ar gyfer ymddygiadau dieiriau dilynol sy'n digwydd wrth i blentyn ymateb i orchymyn neu gais gan athro iddo gyflawni rhywbeth. Er enghraifft, rydych wedi gofyn i ddau ddisgybl lanhau cawell y bochdew. Er eu bod yn cydymffurfio gyda'ch cais ac yn dechrau glanhau, maen nhw hefyd yn dechrau cwyno, swnian, pwdu ac ebychu wrth gyflawni'r dasg. Yma, mae angen i'r athro ganolbwyntio ar ganmol ufudd-dod y plant i'r cais ac anwybyddu'r camymddygiadau eraill eilradd llai pwysig. Pe byddai'r athro'n ymateb i'w ymddygiadau heriol isel radd drwy ddweud, 'Dydw i ddim yn hoffi eich agwedd, a'ch tôn llais annifyr,' yna byddai'n cynyddu'r ymateb hwnnw drwy roi sylw iddo. Cofiwch nad yw'n angenrheidiol nac yn realistig disgwyl i'r disgyblion fwynhau cyflawni rhai gorchwylion neu ddilyn eich cyfarwyddiadau.

## Parhau i fod â gofal

Mae Mary, yr athrawes, yn rhedeg yn hwyr ac mae'n amser i'r plant fynd allan i chwarae. Mae nifer o'r disgyblion yn tindroi ac yn gwrthod gwisgo'u hesgidiau. Mae hi mor rhwystredig nes ei bod yn dweud yn y diwedd, 'Os na wnewch chi frysio a gwisgo, mi fydda i yn gadael hebddo chi!' Wrth iddynt barhau i dindroi, mae'n cerdded allan o'r dosbarth. Wrth gwrs, mae'n aros yno, er y gallai guddio am ychydig rownd y gornel yn y cyntedd.

Mae athrawon sy'n anwybyddu hyd eithafion ac yn bygwth gadael eu plant yn credu fod yr ofn sy'n cael ei greu drwy wneud hynny yn sbarduno'r disgyblion i fod yn fwy cydweithredol. Er y gall bygythiadau o'r fath gael plant allan drwy'r drws, mae nifer o anfanteision tymor hir. Er mwyn parhau i fod yn effeithiol, rhaid i bob bygythiad gael ei gefnogi gyda'r canlyniad a fygythiwyd. Unwaith y bydd eich plentyn yn gwybod nad ydych o ddifrif yn mynd i adael, bydd yn ymateb gyda bygythiadau cyffelyb megis: 'Iawn, ffwrdd a chi. Dwi ddim yn poeni!' Rydych wedi cael eich hun mewn sefyllfa ddi-rym gan fod y plentyn wedi sylweddoli mai gwag yw eich bygythion. Os nad ydych yn gadael, nid ydych wedi dilyn drwodd eich bygythiad. Ond nid yw gadael yn opsiwn go iawn, gan nad yw'n saff i adael plentyn ifanc ar ei ben ei hun yn y dosbarth. Mae'r perygl emosiynol hefyd yn fawr gan fod bygythion i adael plant yn gwneud iddynt deimlo'n anniogel ac yn creu problemau pellach o ddiffyg hunanddelwedd. Ymhellach, rydych yn dysgu strategaeth bwerus i'r plentyn i'w defnyddio pan gaiff ei wynebu gan wrthdaro. Fe all ddechrau bygwth rhedeg i ffwrdd, neu fe all adael tir yr ysgol i brofi grym y dacteg yma i gael ei ffordd ei hun.

Peidiwch byth â bygwth gadael na chefnu ar eich disgyblion, dim ots pa mor gryf yw'r demtasiwn. Meddyliwch am strategaethau eraill sy'n effeithiol i helpu'r plant i fod yn fwy ufudd. Efallai, os gellwch anwybyddu'r ymddygiad sy'n gwneud i chi deimlo mor flin nes ystyried gadael, y bydd y plant yn dechrau ymddwyn yn fwy priodol. Os na ellwch ddefnyddio'r dechneg anwybyddu, hwyrach y bydd raid i chi roi cynnig ar dechneg ddisgyblu arall megis Amser Allan, rhoi tasgau gwaith a cholli breintiau. Bydd y strategaethau yma'n cymryd mwy o'ch amser yn y tymor byr ond byddant hefyd yn dysgu'r plant fod eich perthynas yn ddiogel er gwaethaf y gwrthdaro achlysurol. Mae'r strategaethau yma'n fwy dymunol o lawer gan iddynt gael eu selio ar barch yn hytrach nag ar yr ofn o gael eu gadael.

## Casgliadau ynglŷn ag anwybyddu

Os ydych yn penderfynu defnyddio'r dechneg anwybyddu, bydd raid i chi fod yn benderfynol o anwybyddu eich disgyblion costied ar gostia nes bod y camymddygiad yn stopio. Cysondeb yw hanfod anwybyddu. Pan fydd disgybl yn strancio efallai y cewch eich temtio i ildio. Fodd bynnag, bob tro y gwnewch hynny fe fyddwch mewn gwirionedd yn gwaethygu'r camymddygiad gan eich bod yn dysgu'r plentyn y gall eich goresgyn. Y tro nesaf, bydd y strancio'n fwy swnllyd ac yn parhau'n hirach. Rhaid i chi ddal i anwybyddu nes bod yr ymddygiad yn newid.

Cofiwch nad yw anwybyddu'n debygol o effeithio ar ymddygiad plentyn oni bai fod perthynas bositif wedi'i sefydlu rhwng y ddau ohonoch. Y cam cyntaf mewn unrhyw gynllun newid ymddygiad yw cynyddu eich sylw a'ch canmoliaeth i ymddygiad positif. Er y bydd anwybyddu'n lleihau camymddygiadau sy'n cythruddo, ni fydd yn cynyddu ymddygiadau positif. I wneud hyn, rhaid cyfuno anwybyddu gyda chymeradwyaeth gymdeithasol am ymddygiad da, yn ogystal â dysgu am ymddygiadau priodol pan fydd eich disgyblion yn ymddwyn yn dda.

## Annog hunan-arsylwi ar gyfer ymddygiadau sy'n tarfu

Un broblem gyffredin fydd pob athro'n ei wynebu yw'r disgybl sy'n gweiddi allan atebion yn y dosbarth yn hytrach nag aros a dangos llaw dawel. Y strategaeth leiaf ymwthiol i leihau'r ymddygiad aflonyddgar yma fyddai rhoi canmoliaeth i'r disgyblion sydd wedi dangos llaw dawel ac ymateb i'r plant hynny'n unig. Yn achlysurol gellwch atgoffa'r holl ddisgyblion mai dim ond pan fyddant yn dawel ac yn codi llaw y byddwch yn ymateb iddynt. Wedi i chi gymryd y camau ataliol yma'n gyson, a bod plentyn yn parhau i weiddi allan yn y dosbarth, yna efallai y bydd angen i chi symud ymlaen i'r lefel nesaf o ddisgyblaeth sydd wedi ei gynnwys yn eich hierarchaeth, megis anwybyddu wedi'i gynllunio, neu roi rhybudd o ganlyniadau.

Cofiwch gael rhaglen wobrwyo gadarnhaol yn ei lle cyn dechrau defnyddio anwybyddu. Yn aml gall siart hunan-arsylwi fod yn ddefnyddiol ar gyfer plant sy'n methu talu sylw ac sy'n fyrbwyll (yn

gweithredu cyn meddwl). Bydd siart o'r fath yn osgoi'r angen i
ddefnyddio canlyniadau negyddol. Er enghraifft, ar gyfer disgyblion
sy'n gweiddi allan ymatebion yn y dosbarth, gellwch baratoi llun 'llaw
dawel i fyny' i'w gludo ar fyrddau'r plant. Gyda'r strategaeth yma,
byddwch yn paratoi siart gyda llun arni a fydd nid yn unig yn atgoffa'r
plant am yr ymddygiad yr ydych yn ei dargedu ond hefyd yn rhoi cyfle
iddynt gofnodi ar y siart bob tro y dangosant law dawel. Hwyrach y
byddwch am i'r plant gofnodi'r troeon y byddant wedi siarad allan
hefyd. Ar ddiwedd y bore gellwch edrych gyda'r plant i weld sawl llaw
dawel a gofnodwyd. Gellwch drafod faint fyddant yn ei gofnodi yn
ystod y pnawn, a chynnig ysgogiad os cyrhaeddant nod arbennig.
Dywed yr athro, 'Pan fyddwch wedi cofnodi pum llaw dawel i fyny, a
dim ond un gweiddi allan, yna gellwch ddewis gweithgaredd ar gyfer yr
egwyl.' Mae'r strategaeth yma'n ddefnyddiol iawn i helpu plentyn i
ddysgu bod yn ymwybodol o'i ymddygiad ei hun.

  Os yw hyn yn broblem i'r dosbarth cyfan, hwyrach yr ystyriwch
ddefnyddio thermomedr gweiddi allan. Yn gyntaf, byddwch yn ceisio

| Enw'r disgybl | | | | |
|---|---|---|---|---|
| Dydd Llun | Dydd Mawrth | Dydd Mercher | Dydd Iau | Dydd Gwener |
| | | | | |

casglu data sylfaenol i weld pa mor aml mae'r disgyblion yn gweiddi allan yn y bore. Cymerwch eich bod yn canfod fod y plant yn gweiddi allan dri deg o weithiau mewn bore. Yna, fe ddangoswch thermomedr gyda'r rhifau un at dri deg arni, gyda sialens i'r plant gael dim ond dau ddeg achlysur o weiddi allan wedi'i gofnodi. Yna, bob tro y bydd disgybl yn gweiddi allan byddwch yn cylchu'r rhif ar y thermomedr, ond heb wneud unrhyw sylw (i osgoi rhoi sylw diangen i'r gweiddi allan). Fe ganfyddwch na fydd thermomedr y disgyblion yn mynd yn uwch na dau ddeg, ac y bydd y rhan fwyaf o ddosbarthiadau'n llwyddo i gadw o dan y targed a osodir gennych. Hwyrach y byddwch yn gostwng y targed i bymtheg gweiddi allan, y diwrnod canlynol. Wrth gwrs, ellwch chi byth ddisgwyl cyrraedd sgôr o ddim gweiddi allan, felly hwyrach na fydd eich data sylfaenol byth yn mynd yn is na phump neu chwech. Efallai y trefnwch ddathliad neu ysgogiad ar gyfer yr adeg pan fydd y dosbarth, yn gyson wedi cofnodi llai na deg gweiddi allan, dri diwrnod yn olynol. (Unwaith eto, bydd eich disgwyliadau'n amrywio yn ôl oedran y plant yr ydych yn eu dysgu – rhai 3-5 oed neu blant hŷn.)

Gyda phlant cyn oedran ysgol mae'n debyg ei bod yn afrealistig i athrawon ymboeni am weiddi allan neu ddangos llaw dawel, gan ei bod yn ddatblygiadol normal i blant 3-5 oed fod yn fwy byrbwyll a chael mwy o anhawster aros. Gyda phlant yr oedran yma, eich nod syml efallai fydd eu hannog i gymryd rhan a thalu sylw. Yn raddol, wrth i chi ymateb yn bennaf i ddangos llaw dawel ac atgyfnerthu'r ymddygiad yma (gan anwybyddu gweiddi allan) byddwch yn helpu'r plant i ddysgu mai dyma'r ymddygiad disgwyliedig yn y dosbarth.

## Ailgyfeirio camymddygiad

Mae'n bwysig nad yw athrawon yn anwybyddu plant encilgar, neu blant nad ydynt yn gweithio ar dasg yn ystod gweithgareddau dosbarth. Nid yw bod yn encilgar yn amharu ar ddisgyblion eraill ac mae felly'n llai o broblem i athrawon. Ond y mae'n broblem sylweddol i'r disgyblion hyn dalu sylw oherwydd, am nad ydynt yn ymwneud â gorchwylion y dosbarth, nid ydynt felly'n dysgu'r hyn a ddylent. Os bydd athro'n anwybyddu'r ymddygiad yma, mae'n danfon neges i'r disgybl nad yw'n malio nac yn disgwyl iddo gyflawni llawer. Ar y llaw arall, mae cosbi plentyn sydd ddim yn gweithio ar ei dasg, ond nad yw'n amharu ar y dosbarth yn llawdrwm heb fod angen hynny. Gall hefyd fod yn wrthgynhyrchiol. Yn hytrach, dylai athrawon ailgyfeirio disgyblion synfyfyriol, gan roi cyfle iddynt fod yn rhan o weithgaredd mwy cynhyrchiol.

Gall athro ddefnyddio'r dechneg ailgyfeirio mewn ffordd ddisylw ond effeithiol iawn ar gyfer llawer o fân gamymddygiadau nad ydynt yn aflonyddu eraill. Gall yr ailgyfeirio fod yn ddieiriau, yn llafar neu'n gorfforol ei natur. Mantais y dull yma yw nad yw'n dwyn sylw disgyblion eraill at gamymddygiad y disgybl dan sylw, nac yn tarfu ar waith y dosbarth.

## Defnyddio arwyddion dieiriau, awgrymiadau, a chliwiau ar ffurf lluniau i ailgyfeirio

Mae gan lawer o athrawon arwyddion neu weithrediadau dieiriau a ddefnyddiant i weithredu eu rheolau ymddygiad ac mae eu disgyblion yn gwybod yn iawn beth yw eu hystyr. Enghreifftiau o hyn yw dangos llaw fertigol gyda dau fys wedi eu codi, troi'r golau ymlaen ac i ffwrdd, tapio gwydryn neu glapio rhythm – oll yn golygu 'ymdawelwch.' Ffordd arall greadigol gan athro i ddangos ei fod angen sylw'r disgyblion yw

 dechrau tynnu llun ar y bwrdd gwyn, gan ddechrau gyda'r llygaid, y clustiau ac ymlaen nes bod wyneb cyfan yn cael ei ddarlunio. Pan fydd wedi cwblhau'r llun gyda gwên ar yr wyneb, fe ddylai llygaid a chlustiau'r disgyblion fod yn canolbwyntio arno. Gall bawd i fyny neu winc gydnabod fod y plant wedi ymdawelu mewn ymateb i'r cais.

Hwyrach y bydd athrawon eisiau sefydlu arwyddion dieiriau ar gyfer disgyblion arbennig i'w helpu i gofio ymddygiadau penodol sy'n ddisgwyliedig ganddynt. Un dull a ddefnyddir gan athrawon yw syllu'n galed ar ddisgyblion. Er na ddefnyddir geiriau, mae'n ddealledig fod yr edrychiad hwn yn golygu 'Rhaid iti ganolbwyntio unwaith eto ar dy waith.' Does dim un gair yn cael ei ddefnyddio ond bydd y cyfathrebu dieiriau a di-wrthdaro yma'n ailgyfeirio plentyn i ganolbwyntio – a hynny heb dynnu sylw fel y byddai gorchymyn geiriol uniongyrchol. Enghraifft arall ar gyfer plentyn sydd a'i draed i fyny, neu sy'n siglo'n ôl ar ei gadair yw i'r athro arwyddo ('pedwar ar y llawr os gwelwch yn dda') gydag arwydd dieiriau yn cynrychioli coesau cadair, sef pedwar bys yn pwyntio i lawr.

Ar gyfer plant ifanc, bydd defnyddio rheolau ar ffurf lluniau neu gliwiau gweledol i gynrychioli'r ymddygiad priodol yn ffyrdd pwerus iawn o ailgyfeirio neu atgoffa disgyblion am y rheolau. Gallai athro fod â llun gweithgaredd tawel yn cael ei gyflawni, llun plentyn yn dangos llaw dawel, neu lun plentyn yn aros yn ei sedd. Pan fydd disgyblion yn siarad neu allan o'u cadeiriau neu'n anghofio dangos llaw dawel, cânt

## Olwyn Weithgareddau

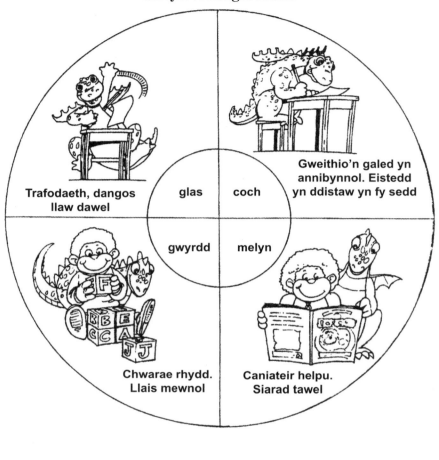

eu hatgoffa gan yr athro, yn syml, drwy iddo bwyntio bys at y cliw
gweledol i atgoffa'r plant am reolau'r gweithgaredd. 'Ydych chi'n cofio
ein rheol gofyn cwestiwn?' Yn ychwanegol, bydd gan y mwyafrif
o athrawon reolau wedi eu harddangos ar waliau'r dosbarth. Un
ffordd syml a dieiriau o ailgyfeirio plentyn yw pwyntio bys at y rheol ar
y wal.
    Enghraifft arall o arwydd gweledol yw mesurydd sŵn neu fesurydd
gweithgaredd sy'n dangos disgwyliadau'r athro yn ystod y

gweithgaredd. Er enghraifft, os yw'r troellwr ar y mesurydd yn dangos y lliw gwyn mae'n golygu y gall y plant ofyn cwestiynau ar ôl dangos llaw dawel. Os yw'n pwyntio at y golau gwyrdd mae'n dangos chwarae rhydd a sgwrsio tawel gyda phartner yn y dosbarth. Os yw'n pwyntio tuag at y golau melyn, mae'n arwyddo fod lefel y sŵn braidd yn uchel, ac y dylai'r disgyblion sibrwd yn dawel wrth iddynt weithio. Arwydd golau coch yw'r un sy'n dweud fod y plant yn llawer rhy swnllyd a bod rhaid iddynt weithio'n dawel ac aros yn eu cadeiriau. Mae'r dull yma'n helpu disgyblion i wahaniaethu rhwng yr amseroedd pan ganiateir iddynt siarad a symud o gwmpas y dosbarth a'r amseroedd pan fydd angen eu holl sylw. Os bydd disgybl yn anghofio neu fod y dosbarth yn mynd yn rhy swnllyd, y cyfan a wna'r athro yw pwyntio at y golau melyn neu goch i'w hatgoffa i fod yn llai swnllyd.

Pan fyddwch yn cyflwyno mesurydd sŵn am y tro cyntaf, mae'n bwysig trafod beth mae pob lliw yn ei olygu. Er enghraifft, 'Rydym am ymarfer beth mae siarad tawel gyda phartner yn ei olygu pan ddaw lliw gwyrdd. Fe af i gefn y dosbarth a dweud enwau dau ddisgybl yn fy llais normal. Cawn weld a fyddant yn fy nghlywed.' Gall y plant ddangos eu bod wedi deall beth a olygir gyda llais

**Mesurydd sŵn**

siarad tu fewn a llais siarad â phartner (o gymharu â llais siarad tu allan a llais siarad ar yr iard.) Dylid ymarfer yn yr un modd gyda lliwiau eraill y mesurydd. Gyda dosbarth arbennig o swnllyd, hwyrach y byddwch am ddefnyddio'r mesurydd sŵn ynghyd â system bwyntiau neu sticeri. Pan fydd y dosbarth yn ennill nifer o bwyntiau am allu aros yn y lliw gwyn neu wyrdd gallant ennill braint megis 5 munud o amser rhydd i sgwrsio.

Ffordd arall o atgoffa'n ddieiriau yw defnyddio cardiau cywiro. Nid yw'r athro'n dweud dim wrth y disgybl, dim ond yn pasio cerdyn cywiro iddo. Gall fod negeseuon megis 'cofia ddangos llaw dawel' neu, 'rŵan yw'r amser i stopio,' neu 'dal ati i weithio,' wedi cael eu hysgrifennu ar y cardiau. Ar gyfer y plant lleiaf, gellir cael lluniau i gynrychioli'r negeseuon ar y cardiau. Mae'r dull yma o gymorth am ei fod yn helpu'r athro i siarad llai am yr ymddygiadau negyddol, ac mae'n ddull sy'n osgoi tynnu sylw plant eraill. Wrth gwrs, os bydd athro'n defnyddio cardiau cywiro, awgrymir ei fod yn defnyddio cardiau canmol hefyd. Gellir rhannu'r cardiau hefyd am ymddygiad cymdeithasol sy'n cael ei atgyfnerthu.

**Gweithio'n galed**

**Dangos llaw dawel yn y dosbarth**

**Stopio – edrych – meddwl – gwirio**

**Gwrando ar yr athro**

Enghreifftiau eraill o gymorth gweledol yw:

- Gwasgu pêl ddychmygol (rho dy hun mewn trefn / callia)
- Codi llaw gyda dau fys ar wahân (ymdawelu)
- Ystafell dywyll (golau ymlaen ac i ffwrdd ar gyfer cyfnod newid gweithgaredd)
- Bawd i fyny (gwaith da)
- Winc (gweithio'n galed)
- Sŵn cerddoriaeth i ddynodi newid gweithgaredd
- Arwyddion gweledol megis golau coch am 'dawelwch llwyr,' golau melyn ar gyfer 'siarad tawel tra'n gweithio,' a golau gwyrdd ar gyfer 'chwarae rhydd.'
- Syllu'n galed – dal llygaid plentyn.

- Cerdyn cywiro (e.e. arwydd stopio, arwydd dangos llaw dawel)
- Cerdyn canmol.
- Arwydd gwneud llai o sŵn gan ddefnyddio'r bawd a'r bys cyntaf (ymdawelwch)
- Pedwar bys yn pwyntio ar i lawr (i arwyddo pedair coes y gadair ar lawr)
- Un bys yn pwyntio am i lawr ac yn symud mewn cylch (i arwyddo troi rownd)
- 'Dangos pump' (clustiau ar agor, llygaid ar yr athro, dwylo ar y glin, ceg ar gau, traed ar y llawr)

Cofiwch fod plant sydd ag anhwylderau diffyg canolbwyntio, plant byrbwyll a phlant gydag oediad iaith yn ddibynnol ar y gweledol. Bydd cliwiau gweledol i egluro'r gweithdrefnau arferol a'r hyn sy'n digwydd yn ystod cyfnodau newid gweithgaredd o gymorth mawr i'r disgyblion hyn oherwydd eu hanawsterau cof tymor byr.

### Defnyddio ailgyfeirio corfforol i ymarfer, newid trywydd a lliniaru problemau

Efallai y bydd raid i blant cyn oedran ysgol roi cynnig ar ymarfer yr ymddygiadau a ddisgwylir ganddynt er mwyn iddynt ddeall cyfarwyddiadau llafar. Hyd yn oed i blant ifanc sydd yn prosesu negeseuon llafar yn dda, bydd rhoi cynnig ar yr ymddygiadau disgwyliedig yn eu helpu i ddysgu'n gyflymach nag a wnânt wrth i chi ddweud wrthynt ar lafar yn unig. Er enghraifft, os bydd plentyn yn crwydro yn ystod Amser Cylch, hwyrach y byddwch yn dyner yn ei dywys yn ôl i'w gadair. Efallai na fydd angen rhoi gorchymyn llafar.

Math arall o ailgyfeirio corfforol yw gofyn i ddisgybl sy'n methu canolbwyntio, neu ddisgybl gorfywiog, eich helpu. Efallai y gofynnwch iddo gadw llyfrau, casglu papurau, tacluso'r gornel lyfrau neu eich helpu gyda pharatoi byrbryd. Bydd cais o'r fath yn rhoi cyfle dilys i'r plentyn symud o gwmpas a chyflawni gweithgaredd defnyddiol. Hefyd, caiff deimlad o ymglymiad a chyfrifoldeb. Weithiau bydd o gymorth rhoi rhywbeth i blant aflonydd ei wneud gyda'u dwylo, megis gwau neu wasgu pêl rwber etc. Bydd dulliau o'r fath yn newid trywydd y plentyn ac yn lliniaru'r aflonyddiad cyn iddo ddatblygu'n broblem a denu sylw cyfoedion.

### Ailgyfeirio llafar cadarnhaol

Mae ailgyfeirio plentyn aflonyddgar yn llafar heb fod yn wrthdrawiadol yn grefft feistrolgar. Weithiau gall athro orchymyn i blentyn stopio drwy ddim ond dweud ei enw wrth i'r wers fynd yn ei blaen. Bydd hyn yn rhoi'r sylw lleiaf posib i'r plentyn sy'n camymddwyn ac, yn aml, mae'n ddigon i'w gael yn ôl at ei dasg heb orfod rhoi canlyniadau.

Ceisiwch osgoi ailgyfeirio llafar negyddol ei natur megis, 'Wnes di ddim clywed yr hyn y gofynnais i ti ei wneud?' neu 'Doeddet ti ddim yn gwrando, ac roeddet yn siarad efo dy ffrind.' Ychydig iawn o gymorth mae ailgyfeirio o'r math yma'n ei roi i blentyn fod yn fwy cynhyrchiol. Yn hytrach, gall athro ddweud wrth blentyn sy'n breuddwydio a heb fod yn cyflawni ei dasg 'Tyrd i mi weld beth wyt wedi'i wneud hyd yn hyn.' Gallai athro hefyd ddweud wrth blentyn nad yw'n ymddangos ei fod yn gwrando, 'Jessie, dywed beth yw'r cyfarwyddiadau a roddais.' Yn yr un modd, gallai ddweud wrth ddisgybl siaradus, 'Wnei di wynebu'r ffordd yma os gweli'n dda' neu, 'Wyt ti'n cael trafferth? Wyt ti angen help?'

Un math o ailgyfeirio llafar aneffeithiol yw gofyn cwestiynau 'pam.' Er enghraifft, mae plentyn yn gwthio yn y rhes ac yn pwnio plentyn arall, ac mae'r athro'n ymateb, 'Pam wnes di hynna?' Neu mae plentyn yn osgoi ei dasg, a'r athro'n dweud, 'Pam dy fod di mor hir yn gwneud y gwaith?' 'Pam nad wyt ti'n eistedd yn dy gadair? Mae cyfarwyddiadau 'Pam' yn wrthgynhyrchiol gan yn eu bod yn sugno'r athro mewn i ddeialog ddiangen, ac yn awgrymu beirniadaeth o'r disgybl. Nid yw plant fel arfer yn deall pam eu bod wedi ymddwyn mewn ffordd arbennig, nac oedolion o ran hynny! Mae'n debygol y bydd plentyn yn gwadu neu'n mynd i'w gragen os gofynnwch iddo pam y cyflawnodd rywbeth. Canolbwyntiwch ar yr hyn yr ydych yn ei weld a rhowch adborth uniongyrchol, 'Mi welais i ti'n gwthio yn y rhes – wyt ti'n cofio ein rheol parchu?' neu, 'Rwyt yn cael trafferth gwneud dy waith. Elli di ei orffen erbyn cinio neu a oes angen iti aros mewn amser egwyl?'

Wrth gwrs, un o'r ffyrdd mwyaf effeithiol o ailgyfeirio'n gadarnhaol yw drwy roi canmoliaeth mor agos â phosib at amser y digwyddiad. Pan fydd athro'n canmol disgyblion sy'n gweithio'n galed, yn talu sylw ac yn dilyn cyfarwyddiadau, bydd y canmol yma'n fodd o atgoffa neu'n ailgyfeirio'n llafar y disgyblion nad ydynt yn cyflawni'r ymddygiadau hyn.

## Bod yn gadarn ac yn uniongyrchol

Y strategaeth fwyaf addas ar gyfer rhai ymddygiadau aflonyddol megis bychanu geiriol câs yw ymateb yn bendant ac yn ddi-ildio (heb weiddi a bod yn ymosodol). Os ydych yn clywed bychanu milain mewn llais uchel gan ddisgybl yn eich dosbarth, stopiwch yn syth a dweud, 'Jeff! (yna oedi) Mae hyn yn ddifrifol. Bychanu yw hyn ac mae bychanu'n brifo. Mae'n annerbyniol. Mae gennym reol iaith gwrtais yn y dosbarth hwn ac rwy'n disgwyl iti ei dilyn. Iaith gadarnhaol a ddefnyddiwn yma. Dos yn ôl at dy waith rŵan.' Nid yw rhefru a phregethu am bryfocio ac ymddygiad amharchus, na gorfodi ymddiheuriadau o gymorth o gwbl ar y pryd gan fod y disgybl angen amser i ymdawelu cyn y gall ddysgu unrhyw beth oddi wrth y profiad.

### Defnyddio plant eraill i'ch helpu i ailgyfeirio

Mae ailgyfeirio'n broses gyson ar gyfer plant gorfywiog, aflonydd a hawdd tynnu eu sylw. Dylid gosod y plant yma i eistedd yn agos at yr athro fel ei bod yn haws eu hailgyfeirio'n ddiffwdan. Fodd bynnag, nid yw bob amser yn bosib trefnu'r agosrwydd corfforol yma gan y bydd athro weithiau angen gweithio gyda grŵp bach o blant am gyfnod. Pan fydd hyn yn digwydd, gall fod o gymorth lleoli'r plentyn aflonydd gyda phlentyn arall sy'n medru canolbwyntio a chyfarwyddo'i hun. Bydd bod yn agos at gyd-ddisgybl sy'n fodel cadarnhaol o gymorth i gadw'r disgybl sydd ag anhawster canolbwyntio yn brysur wrth ei waith.

### Atgoffa a rhybuddio am ganlyniadau
### 'Wyt ti'n cofio ein rheol am'

Mae atgoffa positif yn strategaeth arbennig o ddefnyddiol ar gyfer plant byrbwyll a hawdd tynnu eu sylw. Cânt hwy drafferth i gofio'r hyn sy'n ddisgwyliedig ganddynt. Er enghraifft ar adeg newid gweithgaredd gallai'r athrawes ddweud wrthynt, 'Cofiwch ein bod yn eistedd ar y mat ar ôl inni fynd mewn i'r dosbarth. Diolch' neu, 'Cofiwch cyn gadael y dosbarth rydym yn cadw'r pensiliau yn y potyn, yn rhoi'r cadeiriau o dan y bwrdd ac yn edrych a oes sbwriel ar y llawr.' Efallai y bydd athro'n dweud wrth blentyn sy'n gweiddi allan neu'n siarad yn uchel, 'Wyt ti'n cofio'r rheol am ofyn cwestiynau?' neu, 'Wyt ti'n cofio'r rheol am sŵn gweithio?' neu 'Wyt ti'n cofio'r rheol am gwrteisi?' Bydd atgoffa mewn llais cwrtais yn gallu ailgyfeirio plant oddi wrth ymddygiad aflonyddgar yn ôl at reolau a threfn dosbarth. Mae 'Wyt ti'n cofio' yn llawer iawn mwy dymunol na 'Paid ag anghofio,' sy'n eu hatgoffa am yr hyn na ddylent ei wneud.

Math arall o ailgyfeirio llafar y gellir ei ddefnyddio gydag ymddygiad anaddas, heb orfod rhoi canlyniadau negyddol, yw rhoi rhybudd. Mewn gwirionedd, dull o atgoffa am ganlyniad torri rheol neu grwydro oddi wrth y drefn yw rhoi rhybudd. Fel y dywedwyd ar y dechrau, mae athrawon angen sefydlu cynllun disgyblu sy'n datgan canlyniadau peidio dilyn trefn a rheolau, a bydd angen i'r disgyblion gael gwybod beth yw'r cynllun disgyblaeth ar ddechrau'r flwyddyn ysgol. Bydd hefyd angen eu hatgoffa'n achlysurol am fanylion y cynllun. Gall atgoffa plant am y rheolau a'r canlyniadau fod o gymorth – yn arbennig ar gyfer y plant sydd ag anawsterau canolbwyntio. Byddant hwy, nid yn unig yn anghofio'r hyn maent i fod i'w gyflawni ond hefyd yn anghofio'r canlyniadau am beidio gwneud hynny. Er enghraifft, gallai'r athro ddweud, 'Alice, mae angen i ti aros ar dy gadair dy hun, a gweithio ar dy ben dy hun ar gyfer yr aseiniad yma. Os byddi'n siarad efo dy ffrind eto, fe fyddi'n colli un funud o egwyl.' Yn achos Jeff, sydd eisoes wedi cael ei atgoffa am y 'rheol dim bychanu', hwyrach y bydd angen ychwanegu rhybudd am ganlyniad iddo ef, 'Jeff! Yn ein dosbarth ni mae gennym reol iaith barchus. Os bydd hynna'n digwydd eto, y canlyniad fydd Amser Allan.' Neu, efallai y bydd yr athro'n dweud wrth blentyn sydd drwy'r amser yn anghofio clirio'i ddesg cyn egwyl, 'Cofia, os na fyddi wedi clirio dy ddesg, bydd raid i ti aros i mewn amser egwyl.' I stopio ymddygiad annerbyniol, y cyfan fydd ei angen mewn llawer achos fydd atgoffa'n syml neu roi rhybudd caredig. Mantais arall y dull yma yw bod y rhybudd yn cael ei fynegi fel dewis sy'n meithrin ymdeimlad y plentyn o gyfrifoldeb.

Weithiau gall athro roi rhybudd drwy ei ysgrifennu ar ddarn o bapur, a hwnnw'n cael ei osod ar ddesg y plentyn. Ar gyfer plant nad ydynt yn gallu darllen, hwyrach y bydd llun Dinosor yn gweithio'n galed ar y papur i ddynodi 'aros yn dy gadair a chyflawni tasg'. Neu, hwyrach y bydd llun Dinosor yn dangos llaw dawel i atgoffa disgyblion i beidio gweiddi allan eu cwestiynau. Hwyrach mai dim ond eu hatgoffa'n syml o'r rheol fydd ei angen yn achos darllenwyr.

Mae cyfrif yn fath o rybudd; bydd yn awgrymu fod rhyw ganlyniadau'n dilyn. Er enghraifft, mae athro'n dweud, 'Pan fyddaf yn cyfrif at bump, rwyf am i ti eistedd os gweli'n dda.' Yna, pan fydd y plentyn wedi eistedd, fe ddywed yr athro, 'Da iawn ti. Rwyt yn dawel rŵan. Rwyt wedi gwneud dewis da, ac rwyt yn wir yn fy helpu, gan ein bod yn canolbwyntio'n well ar ein gwaith os yw pawb yn ddistaw.' Mae gwneud sylw fod y plentyn wedi dewis yn dda yn ffordd ddymunol o fynegi adborth cadarnhaol.

### Galw disgyblion o'r neilltu

Bydd o gymorth ailgyfeirio rhai disgyblion yn breifat ac ymaith oddi wrth gynulleidfa gweddill y dosbarth. Mae hyn yn arbennig o wir yn achos disgyblion nad ydynt yn canolbwyntio ar dasg, y rhai sy'n ceisio sylw a'r rhai sy'n bod yn wrthwynebus. Wrth i'r athro gerdded o amgylch y dosbarth mae'n sylwi ar Sally'n cymryd deunyddiau celf oddi ar ddau ddisgybl arall ar ei bwrdd. Dywed yr athro, 'Sally ga i dy weld ti am funud?' ac fel mae Sally'n cerdded tuag ato, mae'r athro'n rhoi ei sylw i helpu disgyblion eraill. Unwaith y mae Sally'n ei gyrraedd, mae'n gofyn iddi'n breifat, 'Beth yw ein rheol dosbarth am rannu?' Mae Sally'n dweud y rheol ac mae'r athro'n canmol ei dealltwriaeth. Ac medd yr athro, 'Da iawn, byddaf yn gwylio i weld yr holl droeon y byddi'n rhannu.' Drwy alw Sally i ffwrdd oddi wrth gynulleidfa, mae llai o bosibilrwydd y bydd yn dangos ei hun, ac ni fydd ganddi gynulleidfa i berfformio iddynt. Mae dull yr athro o droi ei sylw'n ôl at y disgyblion eraill tra bod Sally'n cerdded ato, yn effeithiol hefyd. Mae'n osgoi gwrthdaro, yn anwybyddu unrhyw ymddygiad dieiriau dilynol gan Sally (megis rowlio'r llygaid neu ebychu) ac yn lleihau'r sylw a roddir i'w hymddygiad aflonyddgar.

## Bod yn benodol

Gwnewch yn siŵr eich bod yn benodol ynglŷn â'ch disgwyliadau gan y disgyblion. Weithiau bydd dull athrawon yn rhy gyffredinol. Er enghraifft, mae athro'n dweud wrth ddisgybl nad yw'n talu sylw ac sydd â'i feddwl ymhell, 'Alan, rhaid i ti weithio am 15 munud ac, os nad wyt yn bihafio, chei di ddim mynd allan i chwarae amser egwyl. Wyt ti'n deall?' Hwyrach y bydd Alan, yn ystod y 15 munud nesaf, yn codi i fynd i roi min ar ei bensil ac yn sibrwd wrth ddisgybl arall yn ei ymyl. A fydd yn cael mynd allan adeg egwyl? Y broblem gyda dull yr athro yn yr achos yma yw nad yw'n esbonio'n glir yr ymddygiad y mae'n ei ddisgwyl. Yn hytrach, dylai fod wedi dweud, 'Alan, mae'n rhaid i ti wneud dau beth yn y 15 munud nesaf i gael mynd allan amser egwyl heddiw. Rhaid i ti aros yn eistedd yn dy gadair, a pheidio sibrwd wrth neb o dy gwmpas. Wnei di ailadrodd wrthyf beth sydd raid i ti wneud i gael mynd allan amser egwyl heddiw?' Drwy fynegi'n llafar yr ymddygiadau disgwyliedig, bydd Alan yn fwy tebygol o'u cofio. Ac os bydd yn torri un o'r rheolau, mae'n eglur y bydd yn colli egwyl.

## Atgyfnerthu'r ymddygiadau disgwyliedig

Fel y trafodwyd eisoes, mae'n bwysig cael system atgyfnerthu a ddatblygwyd yn dda i ddysgu'r ymddygiadau disgwyliedig i'r disgyblion. Ar gyfer y disgybl sy'n hawdd tynnu ei sylw mae'n bwysig canmol a labelu bob tro y bydd yn canolbwyntio'n galed ar dasg. Bydd hyn yn helpu'r disgybl i wybod pa ymddygiadau sydd eu hangen wrth ganolbwyntio a thalu sylw.

Strategaeth atgyfnerthu arall ar gyfer y disgybl sy'n hawdd tynnu ei sylw fyddai defnyddio 'amserydd tywod'. Gallai rhaglen ymddygiad ar gyfer disgybl o'r fath nodi ei fod yn cael sticer ar siart ar ei ddesg bob tro y llwydda i eistedd yn gweithio tra bod y tywod yn llifo drwy'r amserydd. Wedi iddo gael deg sticer, caiff ddewis gweithgaredd arbennig (cyfrifiadur, tynnu llun etc.) (Gellir creu amserydd tywod allan o ddwy botel fawr o lemonêd).

# I gloi

Gellir defnyddio amrywiaeth o strategaethau i ailgyfeirio disgybl sy'n cyflawni mân gamymddygiadau megis gweiddi allan, tynnu sylw eraill, siarad ar draws, crwydro o'i gadair neu weithio'n ara' deg. Er enghraifft, gellwch anwybyddu disgyblion sy'n cyflawni mân gamymddygiadau ac ymateb yn unig i'r disgyblion hynny sy'n dangos llaw dawel neu sy'n gweithio'n galed. 'Diolch Cory am ddangos llaw dawel. Beth yw dy gwestiwn?' Atgoffwch y dosbarth am reolau megis, 'Ydych chi'n cofio ein rheol am ddangos llaw dawel?' Rhowch gyfarwyddyd clir i'r dosbarth ynglŷn â'r ymddygiadau disgwyliedig, 'Dwylo i fyny heb weiddi allan os gwelwch yn dda.' Defnyddiwch arwyddion dieiriau megis codi 'llaw dawel' a rhoi bys ar eich ceg. Gellwch dynnu disgyblion o'r neilltu a'u hatgoffa o'r rheolau'n gryno, 'Beth yw ein rheol am barchu?' Os byddwch wedi rhoi cynnig ar y cyfan o'r rhain, a disgyblion yn parhau i gamymddwyn, bydd raid i chi eu rhybuddio am y canlyniadau a dilyn drwodd gyda chanlyniadau negyddol os ydynt yn parhau. Mae Pennod 7 yn trafod canlyniadau naturiol a rhesymegol camymddygiad.

## I grynhoi

- Dewiswch gamymddygiadau penodol i'w hanwybyddu, ond gwnewch yn siŵr eu bod yn rhai y *gellwch* eu hanwybyddu (camymddygiadau lefel isel sy'n ceisio sylw).
- Canmolwch ymddygiadau cymdeithasol gan y disgyblion.
- Osgowch gyswllt llygaid a thrafodaeth wrth anwybyddu.
- Symudwch ymaith oddi wrth eich disgybl ond arhoswch yn yr ystafell.
- Byddwch yn gynnil yn eich ffordd o anwybyddu, yn arbennig gydag ymddygiadau dilynol dieiriau.
- Byddwch yn barod i gael eich profi – cofiwch pan fyddwch yn dechrau anwybyddu y bydd yr ymddygiad yn gwaethygu cyn iddo wella.
- Byddwch yn gyson.

- Dychwelwch eich sylw pan fydd y camymddygiad yn stopio.
- Cyfunwch ddulliau ailgyfeirio drwy dynnu sylw at rywbeth arall gyda'r dechneg o anwybyddu.
- Cyfyngwch ar y nifer o ymddygiadau i'w hanwybyddu'n systematig.
- Dysgwch ddisgyblion eraill i anwybyddu mân gamymddygiadau.
- Anogwch hunan-arsylwi pan fydd hynny'n bosib.
- Peidiwch ag anwybyddu ymddygiad swil – ailgyfeiriwch ddisgyblion o'r fath i'w cadw'n brysur ac ar dasg.
- Defnyddiwch gliwiau dieiriau a rhai ar ffurf lluniau i ailgyfeirio.
- Bydd plant ifanc yn elwa o ailgyfeirio corfforol weithiau.
- Bydd atgoffa cadarnhaol yn arbennig o ddefnyddiol ar gyfer disgyblion byrbwyll neu rai sy'n hawdd tynnu eu sylw.

**Deunydd darllen**

Bear, G. G. (1998) School discipline in the United States: prevention, correction and long-term social development, *School Psychology Review*, 2(1), 14-32.

Hyman, I. A. (1997) *School Discipline and School Violence: A Teacher Variance Approach*, Boston: Allyn and Bacon.

Martens, B. K. and Meller, P. J. (1990) The application of behavioral principles to educational settings. In T. B. Gutkin and C. R. Reynolds (eds.) *Handbook of School Psychology* (pp. 612-34), New York: Wiley.

# Rheoli camymddygiad: Canlyniadau naturiol a rhesymegol

Er i chi ddefnyddio anwybyddu, ailgyfeirio a rhybuddio fel strategaethau ar gyfer ymdrin ag ymddygiad annerbyniol yn y dosbarth, ac er i chi atgyfnerthu ymddygiadau priodol mor gyson â phosib, fe fydd amseroedd pan fydd plant yn parhau i gamymddwyn. Yn yr achosion yma, bydd angen delio gyda'r camymddygiad drwy roi canlyniad negyddol *(negative consequence)*.

Mae canlyniad negyddol yn rhywbeth na fydd disgybl yn dymuno'i gael. Enghreifftiau yw, bod yn olaf yn y rhes, colli egwyl, cael Amser Allan yn y dosbarth, colli amser rhydd neu amser gweithgaredd arbennig, neu golli braint. Nid oes raid i ganlyniadau fod yn rhai llym i fod yn effeithiol. Cysondeb yn hytrach na llymder yw'r allwedd. Rhaid i ganlyniadau gael eu rhoi'n gyson yn hytrach na chael eu hamrywio yn ôl y sefyllfa. Rhaid eu gweithredu heb wahaniaethu rhwng y naill ddisgybl â'r llall. Hynny yw, rhaid iddynt fod yr un fath i bawb. Rhaid eu rhoi'n brydlon hefyd – yn syth wedi'r camymddygiad. Am y rheswm yma, mae'n syniad da i osgoi sefydlu canlyniadau sy'n anghyfleus i'w gweithredu.

Ffordd o sicrhau fod pawb yn gyfrifol am eu hymddygiadau yw gweithredu canlyniadau. Bydd raid i'r disgyblion fod yn gyfarwydd â'r cynllun disgyblaeth ymlaen llaw, fel eu bod yn gallu gweld canlyniadau negyddol fel rhywbeth a ddeilliodd yn uniongyrchol o'u hymddygiad. Dylai canlyniadau gael eu cyflwyno fel dewis a wnaed gan y plentyn, pan fo hynny'n bosibl. Er enghraifft, 'Rwyt wedi taro Carl, rwyt wedi gwneud y dewis o fynd i'r Gadair Dawel am 5 munud.

Dylai canlyniadau negyddol fod:

- yn gyson
- yn cael eu rhoi heb wahaniaethu rhwng y naill ddisgybl â'r llall
- yn cael eu rhoi'n syth wedi i'r camymddygiad ddigwydd os yn bosib
- yn gyfleus i'w cyflawni
- yn cael eu cyflwyno fel dewis a wnaed gan y plentyn

- yn rhesymol a heb fod yn eithafol
- yn berthnasol i'r ymddygiad

Byddwn yn awr yn trafod gwahanol fathau o ganlyniadau negyddol y dangosodd ymchwil iddynt fod yn llwyddiannus (Brophy,1996; Stage & Quiros,1997).

## Canlyniadau naturiol a rhesymegol

Mae gan rai gweithgareddau ganlyniadau naturiol. Bydd canlyniadau o'r fath yn digwydd heb unrhyw ymyrraeth ar ran yr athro. Os yw Ryan yn gwrthod gwisgo'i gôt i fynd allan amser egwyl, bydd yn teimlo'n oer. Mae hwn yn ganlyniad 'naturiol'. Mae canlyniad 'rhesymegol' yn digwydd, ar y llaw arall, oherwydd penderfyniad bwriadol gan yr athro i weithredu canlyniad o'r fath. Mewn un ysgol feithrin, y rheol oedd bod yr athrawes yn tywallt y llefrith i'r plant amser cinio. Un diwrnod, fe dywalltodd Bruce ei lefrith ei hun a gwneud llanast. Pan ofynnodd am ragor o lefrith, y canlyniad rhesymegol oedd i'r athro ddweud, 'Yn yr ysgol yr athrawon sy'n tywallt y llefrith, felly bydd raid i ti yfed dŵr amser cinio heddiw.' Os yw Seth yn methu eistedd wrth y bwrdd ac yn mynnu tarfu ar ddisgyblion eraill, canlyniad rhesymegol fyddai iddo orfod eistedd o flaen desg yr athro. Canlyniad rhesymegol cwffio i gael mynd i flaen y rhes yw cael eich danfon i gefn y rhes. Y canlyniadau mwyaf llwyddiannus yw'r rhai y mae cysylltiad cynhenid rhyngddynt â'r camymddygiad.

### Enghreifftiau o ganlyniadau naturiol
- Os bydd disgybl yn anghofio'i lyfr ysgol neu ei waith cartref, ni fydd yn cael marcio'i waith.
- Os bydd disgybl yn defnyddio'r cyfan o'r glud wrth gyflawni un prosiect celf, ni fydd glud ar ôl ar gyfer prosiect arall.
- Os na fydd disgybl yn dod i nôl byrbryd ar amser, efallai na fydd dim bwyd ar ôl.
- Os bydd disgybl yn gwrthod bwyta'r cinio ysgol, efallai y bydd yn teimlo'n llwglyd.

### Enghreifftiau o ganlyniadau rhesymegol
- Os na all disgybl ddefnyddio'r siswrn mewn ffordd saff, bydd y siswrn yn cael ei gymryd oddi arno.
- Os bydd dŵr yn cael ei golli dros bob man ar y llawr, y disgybl fydd yn gyfrifol am ei sychu gyda mop.

- Os nad yw disgybl yn gwisgo helmed i fynd ar ei feic, ni fydd yn cael mynd ar y beic y diwrnod hwnnw.
- Os na fydd disgybl yn gallu defnyddio llais tawel yn y llyfrgell, bydd raid iddo adael.
- Os na fydd disgybl yn gallu aros yn ei gadair yn ystod cyfnod astudio, bydd raid iddo eistedd gyda'r athro.
- Os na fydd disgybl yn aros yn y man chwarae adeg egwyl, ni fydd yn cael mynd allan pan fydd yr egwyl nesaf.
- Os bydd disgybl yn parhau i weiddi allan a dadlau gyda'r athro yn y dosbarth, bydd yn cael cerdyn yn gofyn iddo aros mewn amser egwyl i drafod ei bryderon gyda'r athro.
- Os bydd disgybl yn torri rheol dosbarth, bydd ei hoff anifail (sy'n eiddo i'r plentyn) yn cael ei gymryd oddi arno amser egwyl, neu fe all golli cyfran o'i Amser Aur (gweithgaredd arbennig a drefnwyd).
- Os na all disgybl stopio tynnu sylw a tharfu ar ddisgyblion eraill ar yr un bwrdd, bydd raid iddo eistedd ar fwrdd arall.
- Os bydd disgybl yn tindroi heb gyflawni ei dasgau o fewn amser dosbarth, bydd raid iddo aros ar ôl i gyflawni'r tasgau yn ei amser ei hun (amser pan fydd y disgyblion eraill yn cyflawni gweithgareddau arbennig).
- Os bydd disgybl yn gwthio yn y rhes cyn mynd i gael cinio, caiff ei dywys i gefn y rhes.
- Os bydd disgybl yn gwrthod gweithio yn y fan a ddewiswyd ar ei gyfer gan yr athro, caiff ei gadw ar ôl amser egwyl i drafod y mater (Ymateb da ar gyfer plentyn mawr sy'n gwrthod symud).
- Os bydd disgybl yn parhau i weiddi allan ar ôl cael ei rybuddio a'i atgoffa, bydd raid iddo adael y drafodaeth.
- Os bydd disgybl yn gwneud niwed neu'n torri rhywbeth, bydd raid iddo gyflawni tasg i 'ennill' pres i dalu am un newydd. (e.e. rhoi min ar bensiliau, tacluso silffoedd llyfrau, rhannu llyfrau, glanhau'r tanc pysgod etc.)

Mae canlyniadau naturiol a rhesymegol ar eu mwyaf effeithiol wrth ddelio â phroblemau ailadroddus lle penderfynodd athrawon ymlaen llaw sut i 'ddilyn drwodd' a gweithredu'r canlyniadau. Gall canlyniadau o'r fath helpu plant i ddysgu gwneud penderfyniadau, bod yn gyfrifol am eu hymddygiad eu hunain, a dysgu oddi wrth eu camgymeriadau. Ar y tudalennau dilynol byddwn yn trafod rhai o'r problemau a all ddigwydd wrth drefnu canlyniadau naturiol a rhesymegol, a ffyrdd effeithiol o'u goresgyn.

## Gwneud yn siŵr fod eich disgwyliadau'n addas i'r oedran

Mae'r rhan fwyaf o ganlyniadau naturiol a rhesymegol yn fwyaf effeithiol gyda phlant 5 oed a hŷn. Gellir eu defnyddio gyda phlant iau na hynny ond rhaid i'r athrawon, yn gyntaf, bwyso a mesur yn ofalus a yw'r plant yn deall y berthynas rhwng yr ymddygiad a'r canlyniadau. Er enghraifft, os nad yw Alexandra wedi dysgu sut i fynd i'r toiled, ac mae'n cael ei gorfodi i olchi ei dillad isaf, gall deimlo ei bod yn cael ei bychanu a'i beirniadu'n ormodol. Yn yr achos hwn, mae'r canlyniad rhesymegol yn gosb ormodol. Ar y llaw arall, mae gwrthod rhoi pwdin neu fyrbryd i blentyn sydd wedi gwrthod bwyta'i ginio yn ganlyniad priodol. Bydd yn dysgu fod peidio bwyta cinio yn gwneud iddo deimlo'n llwglyd. Wrth gwrs, ni ddylid defnyddio canlyniadau naturiol os oes modd i'r plentyn gael anaf corfforol wrth iddynt gael eu cyflawni. Er enghraifft, ni ddylai plentyn cyn-ysgol gael profi canlyniadau naturiol gwthio'i fys i mewn i soced trydan, cyffwrdd stôf neu redeg ar y ffordd.

Wrth ystyried y canlyniadau naturiol a allai ddilyn ymddygiadau amhriodol eich plant, mae'n bwysig eich bod yn siŵr fod eich disgwyliadau'n addas i'w hoedran. Bydd canlyniadau naturiol yn fwy llwyddiannus gyda phlant oedran ysgol na rhai cyn-ysgol oherwydd eu bod yn gwybod a deall mwy. Canlyniadau rhesymegol y mae plant ifanc yn ei ddeall yw gosodiad 'os – yna.' Er enghraifft, 'Os na wnei di gadw'r gwm cnoi yn dy geg, yna bydd raid i mi ei gymryd oddi arnat.' Neu yn achos plentyn sy'n pwyntio siswrn at rywun, 'Os na elli ddefnyddio'r siswrn yn ofalus, yna bydd raid i mi ei gymryd oddi arnat.' Yn yr enghreifftiau yma, canlyniadau rhesymegol peidio defnyddio rhywbeth yn y ffordd gywir yw colli'r defnydd o'r hyn sy'n achosi'r broblem.

## Byddwch yn siŵr y gellwch fyw gyda'r dewisiadau

Wrth geisio gweithredu canlyniadau naturiol a rhesymegol, mae rhai athrawon yn ei chael yn anodd gadael i'r disgyblion brofi canlyniadau'r hyn a wnaethant. Mae ganddynt gymaint o gydymdeimlad â'r plant nes eu bod yn teimlo'n euog am beidio helpu, ac efallai y byddant yn ymyrryd cyn i'r canlyniad ddigwydd. Er enghraifft, mae athrawes Angie, sy'n 5 oed, yn dweud wrthi mai canlyniad naturiol loetran a pheidio bod yn barod ar gyfer y wers gymnasteg fydd colli'r wers y diwrnod hwnnw. Ond, pan ddaw'r amser i orfodi hynny, ni all adael i Angie golli'r wers gymnasteg, ac mae'n ei gwisgo'n barod ar gyfer y wers pan ddaw'n amser gweithredu'r canlyniad. Mae bod yn or-amddiffynnol yn gallu llesteirio datblygiad plant drwy eu gwneud yn analluog i ddelio gyda phroblemau neu gamgymeriadau.

Wrth ddefnyddio canlyniadau mae'n bwysig meddwl am y ffactorau o blaid ac yn erbyn cymhwyso'r dechneg yma i ymddygiadau penodol. Byddwch yn siŵr y gellwch fyw gyda'r canlyniadau ac nad ydych yn rhoi bygythiadau gwag. Yn yr enghraifft uchod, dylai'r athrawes fod wedi ystyried yn gyntaf a fyddai wedi bod yn fodlon 'dilyn drwodd' a gadael i Angie golli'r wers gymnasteg os oedd yn parhau i loetran. Mae methu dilyn drwodd gyda chanlyniadau a gytunwyd yn gwanhau eich awdurdod ac yn amddifadu'r plant o gyfleoedd i ddysgu oddi wrth eu camgymeriadau.

## Dylai canlyniadau ddigwydd bron yn syth

Nid yw gweithredu canlyniadau naturiol a rhesymegol yn llwyddiannus pan fydd y canlyniad yn digwydd yn rhy hir ar ôl y camymddygiad. Canlyniad naturiol peidio brwsio dannedd yw cael tyllau yn eich dannedd. Fodd bynnag, gan na ddigwydd hynny efallai am bump i ddeg mlynedd nid yw'r enghraifft yn effeithiol. Mae caniatáu i ddisgyblion beidio cyflawni gwaith cartref nes i'r adroddiad diwedd blwyddyn amlygu eu methiant, yn ganlyniad arall sydd wedi ei oedi gymaint nes na chaiff unrhyw ddylanwad ar arferion astudio dyddiol y plant. Gallai canlyniadau tymor hir o'r fath arwain plant i deimlo'n anobeithiol am eu galluoedd.

I blant cyn-ysgol ac oedran ysgol mae'n bwysig fod y canlyniad yn digwydd yn fuan wedi'r camymddygiad. Os nad yw Daniel wedi gorffen ei waith cartref, yna bydd raid iddo wneud hynny amser egwyl. Neu os bydd Kimmy yn difrodi llyfr plentyn arall, fe ddylid cyfnewid y llyfr am un newydd mor fuan â phosib, ac fe ddylai Kimmy orfod helpu i dalu amdano drwy gyflawni tasgau. Yn y ffordd yma bydd Daniel a Kimmy yn dysgu drwy eu hymddygiadau amhriodol ac mae'n debygol y byddant yn ymddwyn yn fwy priodol y tro nesa.

## Rhoi dewisiadau ymlaen llaw i'ch disgyblion

Weithiau mae athrawon yn defnyddio'r ymdriniaeth yma fel ffordd o gosbi, heb adael i'w disgyblion wybod y canlyniadau posibl ymlaen llaw. Mae athro Robbie'n dod ato un bore ac yn dweud, 'Dwyt ti ddim wedi cwblhau dy waith cartref eto, felly ni fyddi'n mynd ar y trip maes heddiw.' Nid yw'n cael dim rhybudd ac nid oes ganddo'r dewis o benderfynu gwneud ei waith cartref neu golli'r trip maes. Nid yw'n syndod i Robbie deimlo'n wrthodedig, ac ni fydd yn gweld ei hun yn gyfrifol am ganlyniad ei ymddygiad. Yn hytrach, gallai athro Robbie ddweud, 'Gan dy fod yn ei chael yn anodd cyflawni dy waith cartref, gelli dreulio amser egwyl yn ei orffen.' Neu, fe allai ddweud, 'Rhaid iti roi dy waith cartref i mewn bob dydd yr wythnos yma neu fe fydd raid i ti golli'r trip maes a'i wneud bryd hynny.' Caiff y plentyn ddewis sut i ymateb.

Beth am i ni edrych ar esiampl arall. Mae Christina wedi bod yn siarad ac yn tarfu ar ddisgyblion eraill drwy gydol yr amser gweithio'n dawel. Dywed yr athro, 'Christina, rwyf wedi gofyn i ti ddwywaith i weithio'n dawel. Os wyt am barhau i siarad a thynnu sylw eraill, bydd raid i ti weithio ar fwrdd ar wahân.' Mae Christina'n protestio, ac mae'r athro'n ailadrodd y dewis a cherdded i ffwrdd. Pan fydd Christina wedi dod ati'i hun, mae'r athro'n dweud, 'Roedd hwnna'n ddewis da, rwyt yn gweithio'n galed rŵan.'

Mae'r dulliau yma, sy'n pwysleisio iaith dewis, yn dangos i'r disgyblion mai eu cyfrifoldeb nhw eu hunain yw eu hymddygiad, a bod ganddynt hunan reolaeth dros sut i ymddwyn. Yn raddol, bydd y disgyblion yn deall, drwy brofiadau a chanlyniadau, ei bod yn well iddynt ymateb yn gadarnhaol nag yn negyddol.

## Dylai canlyniadau fod yn naturiol neu'n rhesymegol ac yn ddi-gosb

Yn achlysurol mae athrawon yn meddwl am ganlyniadau nad ydynt yn naturiol nac yn rhesymegol berthnasol i'r gweithgaredd. Ystyriwch y gyrrwr bws sy'n dweud na all disgybl ddod ar y bws am bythefnos am iddo gamymddwyn ar y bws un bore. Gallai'r gyrrwr bws ddadlau ei fod yn ganlyniad rhesymegol i ddisgybl sydd wedi bod yn camymddwyn, ond mae'r canlyniad arfaethedig yn ormod o gosb. Er enghraifft, gall olygu fod y disgybl yn aros gartref o'r ysgol am bythefnos oherwydd nad oes gan ei rieni ffordd o'i gludo i'r ysgol. Bydd y disgybl hefyd yn syrthio'n ôl gyda'i waith ysgol ac yn peryglu ei ddysgu academaidd. Pan fo canlyniadau'n rhy galed neu'n rhy hir, bydd plant yn teimlo'n ddig ac efallai y byddant yn gwrthryfela yn erbyn y fath ganlyniadau. Byddant yn fwy tebygol o ganolbwyntio ar greulondeb yr athrawon nag ar newid eu hymddygiad eu hunain

Mae ymddwyn mewn ffordd dawel, mater o ffaith, gyfeillgar, yn hanfodol wrth wneud penderfyniadau a gweithredu canlyniadau. Canlyniad naturiol peidio gwisgo côt pan mae'n oer allan yw teimlo'n oer iawn. Canlyniad rhesymegol camymddwyn ar y bws fyddai colli amser egwyl y diwrnod hwnnw efallai. Nid yw'r cosbau yma'n diraddio, a rhoddant gyfle i blant wneud penderfyniadau gwahanol yn y dyfodol agos. Maent yn helpu plant i ddysgu gwneud dewisiadau ac i fod yn fwy cyfrifol.

## Ymdrechu i gael canlyniad sicr yn hytrach na chanlyniad llym

Weithiau bydd athrawon yn rhoi canlyniad megis aros i mewn ar ôl ysgol neu golli amser egwyl i gael sgwrs gyda'r athro, a bydd y disgybl yn rhedeg i ffwrdd i osgoi'r canlyniadau. Mae'n bwysig fod yr athro'n aros yn dawel gan y bydd gweiddi neu redeg ar ôl y plentyn yn atgyfnerthu'r ymddygiad gwrthwynebus. Yn hytrach, yn nes ymlaen yn ystod y dydd, gall yr athro alw'r plentyn allan o'r dosbarth i gael trafodaeth a chwblhau'r canlyniad. Yn yr achos yma, mae'r sicrwydd fod y canlyniad yn cael ei weithredu yn bwysicach na llymder y canlyniad neu ei weithredu'n syth.

## Cynnwys eich disgybl pan fo hynny'n bosibl

Mae rhai athrawon yn trefnu rhaglen ganlyniadau naturiol a rhesymegol heb gynnwys eu disgyblion yn y penderfyniadau. Gall hyn wneud i'r plant deimlo'n flin ac yn chwerw. Yn hytrach, dylech edrych ar hyn fel cyfle i chi a'r plant gydweithio i hyrwyddo ymddygiadau cadarnhaol, gan ganiatáu i'r plant deimlo'u bod yn cael eu gwerthfawrogi a'u parchu. Er enghraifft, os yw'r plant yn cael problemau'n ymladd dros y cyfrifiadur, gallech ddweud, 'Mae'n ymddangos eich bod yn cael trafferth i gytuno ynglŷn â thro pwy yw hi ar y cyfrifiadur. Gellwch benderfynu cymryd eich tro'n drefnus neu beidio cael ei ddefnyddio o gwbl heddiw. Beth sydd orau gennych?' Mae cynnwys y plant yn y broses o benderfynu ar ganlyniadau yn aml yn lleihau'r profi a gwthio ffiniau a wna'r plant pan fydd yna broblem, ac mae'n ychwanegu at eu cydweithrediad. Os yw Erica'n cael trafferth gweithio'n dawel gydag Anna, hwyrach y dywedwch, 'Erica, os wyt yn cael problem gweithio'n dawel gydag Anna, a fyddai'n well gennyt weithio ar dy ben dy hun?' Mae'r neges yma'n cael ei chyflwyno fel dewis a chyfle i ddewis ymateb gwell. Pe byddai Erica'n parhau i fod yn swnllyd, yna byddai'r athrawes yn gofyn iddi symud i fwrdd gwahanol.

## Byddwch yn gadarn ond yn gyfeillgar, gan osgoi dadlau

Weithiau bydd disgyblion yn dadlau'n chwyrn neu'n gwadu eu bod wedi rhegi, gweiddi allan neu siarad yn uchel. Byddwch yn ofalus i beidio â thanseilio eich rhaglen ganlyniadau drwy fynd yn flin, dadleugar, neu'n feirniadol gyda'ch disgyblion am iddynt fod yn anghyfrifol. Ni fyddai hynny ond yn atgyfnerthu eu hymddygiad. Osgowch gymryd eu protestiadau fel abwyd a byddwch yn ddi-lol a chadarn ynglŷn â'r canlyniadau. Er enghraifft, 'Ben, mi wnes i dy glywed yn galw Dafydd yn dwpsyn.' Mae Ben yn gwadu gwneud hyn ond mae'r athro'n ailddweud, 'Mae gennym reol i barchu ein gilydd, ac rwy'n disgwyl i ti wneud hynny.' Mae Ben yn parhau i ddadlau a gwadu iddo ddweud y gair ac mae'r athro'n osgoi dadlau. 'Mi glywais i ti, dos yn ôl i eistedd ar dy gadair ac fe wela' i ti amser egwyl.' Mae'r athro'n cerdded i ffwrdd gan adael i'r plentyn ymdawelu. Yn ddiweddarach bydd yr athro'n trafod y digwyddiad gyda Ben, gan drafod a ddylai ymddiheuro neu beidio. Bydd y rheol a'r canlyniad yn cael ei hailadrodd.

Mae'n bwysig bod yn ddi-lol a chadarn am y canlyniadau, bod yn barod i'w dilyn drwodd, ac anwybyddu protestio a dadlau'r plant. Os ydynt yn gwrthod derbyn y canlyniadau, dylech ddefnyddio Amser Allan neu dynnu breintiau oddi arnynt, pa un bynnag sy'n gweddu orau i'r sefyllfa. Cofiwch, fe fydd y plant yn ceisio profi'r ffiniau – felly disgwyliwch gael eich profi. Ond, mae'n bwysig peidio pregethu na beirniadu, na chynnig cydymdeimlad wedi i'r canlyniadau ddigwydd. Yn hytrach, unwaith y bydd y canlyniadau wedi eu cwblhau, dylai'r plant gael cyfle newydd i fod yn llwyddiannus.

## Dylai canlyniadau fod yn briodol

Bydd athrawon weithiau, yn eu dicter, yn gosod canlyniad sy'n rhy lym ac sy'n parhau'n rhy hir. Wrth wneud hynny maent yn syrthio mewn i drap. Ystyriwch athro'n dweud wrth Cary, plentyn 8 oed sy'n ymddwyn yn amharchus, 'Digon yw digon. Dwi wedi cael llond bol. Byddi'n colli cyfnod egwyl am wythnos.' Yn ddiweddarach, mae'r athro'n sylweddoli ei ddilema. Mae o, mewn gwirionedd wedi cosbi ei hun gan y bydd raid iddo gadw golwg ar Cary yn y dosbarth bob amser egwyl drwy'r wythnos. Drwy amddifadu Cary o'r cyfnod egwyl bydd raid i'r athro hefyd feddwl am ganlyniadau eraill eto fyth os bydd Cary'n camymddwyn o'r newydd yn ystod yr wythnos. Ar y llaw arall, os na fydd yr athro'n dilyn drwodd gyda'r canlyniad yma, ni fydd Cary'n ei goelio yn y dyfodol, a bydd yn ei herio'n galetach. Mewn enghraifft arall mae Ben, sy'n 7 oed, yn reidio'i feic ar ran o'r iard chwarae lle na chaniateir iddo fynd. Y canlyniad rhesymegol fyddai i'r athro beidio caniatáu iddo reidio'i feic adeg yr egwyl nesaf. Byddai cloi'r beic am fis yn ormodol ac yn sicr o wneud i Ben deimlo'n flin ac yn chwerw. Byddai hyn hefyd yn ei gadw rhag cael unrhyw gyfleoedd newydd i fod yn fwy llwyddiannus drwy drin y beic yn gyfrifol. Er bod rhai pobl yn tybio po gryfaf a hiraf yw'r gosb y mwyaf llwyddiannus fydd hi, y gwrthwyneb sy'n wir.

Canlyniad mwy priodol yn achos y disgybl amharchus fyddai iddi golli cyfnod egwyl y bore, ac yna byddai cyfle i chwilio am gyfleoedd i'w chanmol am ddefnyddio iaith gwrtais yn ystod y cyfnod nesaf. Yn achos Ben, canlyniad mwy addas fyddai gwahardd iddo fynd ar ei feic am un cyfnod egwyl ac wedyn rhoi cyfle iddo fod yn fwy llwyddiannus wrth reidio'r beic yn ystod yr egwyl ganlynol. Os yw Kathy, sy'n bedair oed ac yn lliwio, yn dechrau lliwio'r bwrdd, canlyniad rhesymegol i'w gyflwyno iddi fyddai, 'Os na elli di gadw'r creonau ar y papur, yna fe fydd raid i mi eu cymryd oddi arnat.' Os bydd yn parhau i liwio'r bwrdd, yna byddai raid tynnu'r creonau oddi arni. Fodd bynnag, dylent gael eu dychwelyd iddi mewn hanner awr i roi cyfle arall iddi gael eu defnyddio ar y papur. Yr egwyddor yw gwneud i'r canlyniad ddigwydd yn syth, yn fyr ac i bwrpas, ac wedyn rhoi cyfle buan i'r plentyn geisio unwaith eto a bod yn llwyddiannus.

### Oedi os ydych yn ansicr am briodoldeb canlyniad

Weithiau, fe fyddwch mor flin nes y byddwch yn methu meddwl am ganlyniad addas. Bryd hynny byddwch mewn peryg, fel athro Cary, o roi canlyniad sy'n rhy lym. Mewn amgylchiadau o'r fath, yn gyntaf oedwch cyn gwneud penderfyniad. Er enghraifft, fe alwodd Cary'r athro'n 'dwpsyn' ac ymateb yr athro oedd, 'Dwi mor flin rŵan, wn i ddim beth i'w wneud. Dos i gefn yr ystafell ac eistedd wrth y bwrdd nes i mi benderfynu.' Aeth yr athro ymlaen i rannu papurau a gosod tasgau i weddill y dosbarth eu cyflawni. Yna, wedi iddo ymdawelu, aeth at Cary a dweud, 'Mae galw enwau arnaf yn brifo fy nheimladau. Rwyt yn gwybod nad ydym yn defnyddio'r math yna o iaith yn y dosbarth. Wyt ti'n barod i fynd yn ôl at dy waith rŵan?' Mae'r ymateb yma gan yr athro'n effeithiol oherwydd ei fod yn modelu ymateb parchus yn ogystal â ffordd o ymdawelu cyn ceisio datrys problem. Pe bai'r athro wedi bygwth Cary, wedi danfon nodyn adref, neu wedi ei danfon i swyddfa'r pennaeth, byddai hynny wedi gwaethygu'r sefyllfa ac wedi rhoi mwy o rym i gamymddygiad y plentyn.

# Canlyniadau eraill

### Symud y plentyn

Ymateb arall effeithiol i gamymddygiad plentyn yw ei symud i ffwrdd oddi wrth y sefyllfa y mae'n tarfu arni, neu'r sefyllfa sy'n ysgogi neu'n atgyfnerthu'r camymddygiad. Bydd hyn fel arfer yn stopio'r camymddygiad drwy leihau'r sylw a gaiff y plentyn gan ei gyd-ddisgyblion. Mae'r strategaeth yma hefyd yn rhoi cyfle i'r plentyn ymdawelu a dod ato'i hun. Er enghraifft, mae athro'n cynnal cyfnod darllen o fewn Amser Cylch, ond mae un plentyn yn gwneud sŵn yn barhaus ac yn pwnio'r plentyn sydd wrth ei ymyl. Mae'r athro wedi gwneud arwyddion i'w atgoffa o'r angen i fod â cheg dawel a chadw ei ddwylo iddo'i hun, ac mae wedi canmol y rhai o'i gwmpas am wrando a gweithio'n galed. Mae wedi defnyddio'i strategaethau mwyaf llwyddiannus sydd ganddo, ond mae'r plentyn yn parhau i darfu ar y cyfnod darllen. Yn y diwedd, mae'r athro'n rhybuddio y bydd raid i'r plentyn adael y grŵp a mynd at fwrdd arall ar ben ei hun os bydd yn parhau i bwnio. Mae hyn yn wahanol i Amser Allan gan y bydd y plentyn yn gallu parhau i weithio a chymryd rhan yng ngweithgareddau'r dosbarth, ond heb fod wrth fwrdd gyda disgyblion eraill.

Strategaeth fyddai'n tarfu llai hwyrach fyddai cychwyn drwy symud y plentyn i eistedd wrth ymyl yr athro i'w helpu gyda'r darllen. Y perygl posib gyda'r ymateb yma, ar ôl atgoffa'r plentyn nifer o weithiau, fyddai fod eistedd wrth ymyl yr athro'n atgyfnerthu'r camymddygiad. Pe byddai'r athro wedi symud y plentyn yn nes ato yn gynharach yn ystod y dilyniant o gamymddygiad byddai hynny wedi caniatáu i'r athro gadw golwg agosach ar y camymddygiad, a rhoi cyfle dilys i'r disgybl arddangos rhai o'i sgiliau arwain. (Mae'n bwysig bod y rôl o arwain yn cael ei chynnig i'r disgybl fel canlyniad i ymddygiad priodol yn hytrach nag ymddygiad amhriodol.)

Pe bai'r plentyn wedi gwrthod mynd i eistedd ar ei ben ei hun wrth y bwrdd drwy ddweud, 'Na, dydw i ddim yn mynd,' gallai'r athro ddefnyddio'r dull oedi drwy ddweud, 'Os nad ei di at y bwrdd, yna fe fydd raid i ti aros ar ôl adeg egwyl.' Wedyn, mae'r athro'n gallu parhau â'r wers a gadael y dewis i'r plentyn.

## Colli breintiau

Math arall o ganlyniad negyddol yw bod plentyn yn colli breintiau. Bydd y dewis o freintiau yn ddibynnol ar asesiad yr athro o'r hyn y mae plentyn fel arfer yn hoffi ei wneud. Os nad yw disgybl yn hoffi mynd allan adeg egwyl nac yn hoffi gymnasteg, yna ni fydd tynnu'r cyfnodau hynny oddi arno'n debygol o gael llawer o effaith. Yn wir, gallai hynny fod yn atgyfnerthiad wrth i'r plentyn allu osgoi un o'i gas bethau. Os byddwch yn gwybod fod plentyn yn hoffi gweithgareddau ar y cyfrifiadur, yna gall colli amser cyfrifiadur fod yn effeithiol iawn. Breintiau eraill y gellir eu tynnu'n ôl yw colli cyfnod amser dewis, neu Amser Aur (gweithgaredd arbennig y mae disgybl wedi gofyn amdano) neu gyfyngu plentyn i ran benodol o'r dosbarth, colli amser gyda disgyblion eraill, colli cyfle i fod yn arweinydd rhes, etc.

Dyma enghraifft o raglen greadigol a sefydlodd athro dosbarth meithrin y buom yn cydweithio ag o. Fe ganiataodd i'w holl ddisgyblion ddod â'u hoff deganau neu dedis gyda nhw i'r ysgol ar ddydd Llun. Os na fyddai ganddynt deganau ar ddydd Llun, yna byddai cyfle iddynt ddewis tegan allan o focs teganau arbennig yr athro. Gallai'r plant chwarae gyda'r teganau yma cyn i'r ysgol gychwyn yn y bore ac yn ystod cyfnodau chwarae rhydd. Roedd y teganau yn cael eu cadw ar silff uchel yn ystod gweddill y dydd. Eglurodd yr athro'r rheolau ynglŷn â'r teganau arbennig yma, hynny yw, doedd y plant ddim yn cael eu ffeirio, eu cyfnewid na'u gwerthu, byddent yn colli braint am ddau ddiwrnod pe bai hynny'n digwydd. Os byddai plentyn yn torri rheol dosbarth yn ystod y dydd fe fyddai'r athro'n dweud, 'Mae dy dedi angen mynd i ymdawelu am dri munud, felly fe fydd raid i ti aros am dri munud yn ystod amser chwarae cyn y cei di chwarae gyda'r tedi. Byddai'r disgyblion felly'n colli'r fraint o gael chwarae gyda'u hoff degan fel canlyniad i dorri rheol. Syniad tebyg ar gyfer plant hŷn yw colli Amser Aur am dorri Rheol Aur. Bydd plant yn arwyddo i gael gweithgaredd arbennig yn ystod Amser Aur. Os byddant yn torri rheol, yna byddant yn colli munud neu ddau o'r cyfnod hwnnw. Yn ystod Amser Aur bydd raid iddynt eistedd a gwylio amserydd tywod nes daw'r amser y maent wedi'i golli i ben. Yr hyn sy'n bwysig ynglŷn â'r dull yma yw bod y gweithgaredd arbennig yn un gwir arbennig ac apelgar!

## Aros ar ôl y wers

Yn yr enghreifftiau uchod fe welir mai un o'r canlyniadau a ddefnyddir yn fynych gan athrawon yw cael y plentyn i aros ar ôl yn y dosbarth neu golli egwyl. Mae'r canlyniad o orfod 'aros i mewn' a gwneud dim wedi gwers, neu aros i mewn ac ysgrifennu 100 o linellau, yn cael ei ddefnyddio'n aml. Un broblem gyda'r canlyniad yma yw nad yw'n rhesymegol gysylltiedig gyda'r camymddygiad. Problem arall yw bod y plentyn yn colli ei hawliau i fod yn atebol yn gymdeithasol. Y cyfan a wna yw arddangos grym yr oedolyn i orfodi'r plentyn. Mae'n llawer mwy effeithiol i gysylltu'r profiad o aros ar ôl gydag ymdrech y plentyn i wella'r sefyllfa. Er enghraifft, yn ystod yr amser aros ar ôl, gellir gofyn i blentyn drwsio eitem a dorrwyd, glanhau llanast, ysgrifennu ymddiheuriad, egluro beth yw'r rheol a dorrwyd, dadansoddi problem (disgrifio'r broblem, penderfyniad, canlyniad, gwell canlyniad etc. – gweler Pennod 9 am ddisgrifiad o hyn), gorffen y gwaith na chwblhawyd, neu feddwl am ganlyniad arall. Gall gweithredu fel hyn fod yn ddefnyddiol iawn i ddysgu disgyblion am gyfrifoldeb ac atebolrwydd yn ogystal â chanlyniadau.

## Osgoi cadw grŵp ar ôl

Weithiau bydd athrawon yn cadw dosbarth cyfan ar ôl amser egwyl i gosbi camymddygiad grŵp bach o'r plant. Dylai athrawon osgoi gwneud hyn gan ei fod yn erydu ewyllys da'r dosbarth cyfan. Bydd y plant sy'n cael eu cosbi'n anrheg yn teimlo'u bod yn cael eu gadael i lawr gan yr athro.

## Osgoi rhoi enwau plant sy'n ymddwyn yn negyddol ar y bwrdd gwyn

Weithiau bydd athrawon yn ysgrifennu enwau plant sy'n camymddwyn ar y bwrdd gwyn gan dybio fod hyn yn gweithredu fel rhybudd i'r plentyn sy'n camymddwyn. Nid yw hyn i'w argymell gan ei fod yn rhoi ffocws sylw athro a chyd-ddisgyblion ar y plentyn sy'n camymddwyn a gall hyn, yn wir, atgyfnerthu delwedd neu gymeriad negyddol y plentyn yn y dosbarth. Os yw athro'n dymuno rhoi enw plentyn ar y bwrdd gwyn, awgrymwn mai er mwyn dangos fod y plentyn yn 'arwr' neu 'ddisgybl arbennig' yn unig y dylid gwneud hynny. Rhai o egwyddorion pwysicaf cynllun disgyblaeth yw nad yw'n bychanu na chreu gwrthdaro. Dylai'r drefn ddisgyblu gyfyngu ar y sylw y mae'r camymddygiad yn ei dderbyn ac, os yn bosib, dylai fod cyfle i'r disgybl wneud gwell dewis mor fuan â phosib.

## Rhoi cerdyn apwyntiad ar gyfer sgwrs ar ôl y wers

Un strategaeth nad yw'n achosi gwrthdaro, ar gyfer plentyn hŷn sy'n heriol, yw rhoi cerdyn apwyntiad i'r plentyn gyfarfod gyda'r athro (y cardiau wedi cael eu paratoi ymlaen llaw gyda man i nodi amser, lleoliad, a rheswm am yr apwyntiad arnynt). Tybiwch fod disgybl yn wrthwynebus, yn sarhaus ac yn gyson yn dadlau gyda chi am y gwaith sydd angen ei gwblhau, neu'n strancio a phwdu am na chaiff chwarae gyda'r cyfrifiadur y diwrnod hwnnw. Yn hytrach na dadlau a cheisio rhesymu ar y pryd, gellwch ymateb drwy roi cerdyn apwyntiad iddo yn nodi amser i gwrdd â chi ar ôl y wers i drafod ei bryderon. Hwyrach y dywedwch, 'Rwy'n gweld fod yr hyn wyt yn ei ddweud yn bwysig i ti, felly rwyf am drefnu apwyntiad i ni gael siarad am hyn yn breifat. Am 1.15 heddiw gallwn gwrdd yn fy swyddfa i drafod dy gonsyrn am . . .'

Mae'r dull yma'n llesol i'r plentyn am ddau reswm. Yn gyntaf, mae'n osgoi gwrthdaro neu ddisgyblu cyhoeddus o flaen gweddill y disgyblion ac mae'n arafu neu'n torri'r cylch negyddol rhwng y disgybl ac athro. Pe bai'r athro wedi mynnu trafod y broblem pan oedd y disgybl yn wrthwynebus, byddai ei sylw o bosib wedi atgyfnerthu'r camymddygiad. Byddai'r athro hefyd wedi gorfod tarfu ar addysg gweddill y dosbarth er mwyn gallu trafod y camymddygiad. Ac yn ail, pan mae plentyn yn camymddwyn, mae o fel arfer yn flin, yn amddiffynnol ac yn annhebygol o elwa ar drafodaeth gyda'r athro ar yr adeg hynny, neu efallai y bydd yn gweld hynny fel cosb. Yn hytrach, dylai athrawon gynnal y trafodaethau yma ar adeg niwtral pan fydd yr athro a'r disgybl wedi ymdawelu ac yn gallu defnyddio'r amser i gyd-drafod a datblygu cynllun ar gyfer dygymod â'r broblem yn fwy effeithiol.

Mae nifer o sgiliau sylfaenol perthnasol i'w cofio pan fyddwch yn cael y sgyrsiau un-i-un yma ar ôl y gwersi.

1. Dechreuwch drwy gydnabod sut gall y plentyn fod yn teimlo. Er enghraifft, 'Gallaf weld dy fod yn anhapus am dy fod yn colli rhan o'r egwyl, ac ni fyddaf yn dy gadw'n hir. Rwyf am sgwrsio efo ti am . . .'
2. Canolbwyntiwch ar ymddygiad penodol a ddigwyddodd yn y dosbarth, megis gweiddi allan, torri ar draws, crwydro, bod ag agwedd neu oslef anghwrtais . . .
3. Gwahoddwch adborth gan y disgybl am yr hyn yr ydych wedi'i ddweud, 'Elli di feddwl am ffordd arall i ymateb os byddi'n cael diwrnod gwael eto? Sut gelli di adael i mi wybod heb weiddi arna i?'
4. Osgowch ddadlau neu bregethu, canolbwyntiwch ar y mater sylfaenol neu'r rheol sydd wedi cael ei thorri.
5. Trefnwch gytundeb ar gyfer ymddygiad i'r dyfodol.
6. Terfynwch y cyfarfod drwy atgoffa'n gryno, a gwahanwch yn gyfeillgar. Gall athro ddweud, 'Rwy'n gwerthfawrogi dy fod wedi aros i mewn a dweud hynna wrtha i. Mae pawb yn cael diwrnod gwael weithiau, ond mae gennym yr hawl i gael ymddygiad cwrtais a pharchus yn y dosbarth. Gad i mi wybod y tro nesaf fel y gallaf weld os oes ffordd i dy helpu.

### Osgoi danfon plentyn i ystafell y pennaeth

Un canlyniad a ddefnyddir yn aml gan athrawon yw danfon plentyn sy'n camymddwyn i ystafell y pennaeth. Bydd athrawon mewn rhai ysgolion yn defnyddio'r dull yma mor aml â phedair neu bum gwaith yr wythnos, hyd yn oed am gamymddygiadau bach neu fod yn annifyr. Wrth i'r mân ymddygiadau hyn gynyddu'n raddol yn ystod y dydd, bydd plant yn cael eu gyrru at y pennaeth yn y pen draw. Ni ddylid rhoi'r canlyniad yma am fân gamymddygiadau. Os rhoi'r canlyniad yma o gwbl, dylid cadw swyddfa'r pennaeth ar gyfer ymddygiad sydd mor ddrwg nes bod yr athro'n methu mynd ymlaen â'i ddysgu. Bydd danfon plentyn i swyddfa'r pennaeth yn rhyddhau'r athro o'i drafferthion yn y tymor byr, ond fe all gynyddu camymddygiad disgybl yn y tymor hir. Bydd llawer o blant yn cael eu hatgyfnerthu wrth fynd i swyddfa'r pennaeth oherwydd y sylw a gânt gan y pennaeth a'r ysgrifenyddes, neu gan ymateb eu cyd-ddisgyblion. Os bydd y canlyniad yma'n cael ei or-ddefnyddio, bydd llifeiriant o blant yno ac ni fydd y gweinyddwyr yn gallu cynnig llawer o gymorth iddynt. I reoli ymddygiad bydd yn llawer mwy llesol i'r plentyn os yw'r athro'n parhau i ddefnyddio dulliau rhagweithiol o ddisgyblu megis rhoi cymhellion neu rybuddion, ailgyfeirio, defnyddio dulliau hunan-arsylwi, anwybyddu, colli breintiau neu Amser Allan o fewn y dosbarth. Bydd danfon plant i swyddfa'r pennaeth i'w dychryn er mwyn iddynt ufuddhau yn cymysgu dirnadaeth y plant o rôl pennaeth. Bydd yn datblygu'n rym mileinig.

### Galw rhieni

Mae defnyddio'r bygythiad o alw rhieni os bydd plentyn yn parhau i gamymddwyn yn ddull arall a ddefnyddir gan athrawon. Dim ond gyda'r plentyn sydd â pherthynas dda gyda'i rieni ac sy'n ofni eu hanghymeradwyaeth a'u siomedigaeth y bydd y dull yma fel arfer yn llwyddiannus. Mae'n annhebygol o fod yn llwyddianus ar gyfer plentyn sydd â llawer o broblemau teuluol a pherthynas negyddol gyda nhw. Gall plentyn mewn sefyllfa felly hyd yn oed gael cosb ormodol gan y rhieni a fydd yn ei wneud yn fwy heriol fyth. Dyma'r plant sydd wedi arfer cael eu cosbi a ddim fel pe baent yn hidio. Nid yw hynny'n golygu na ddylai rhieni gael eu gwahodd i gyfarfod i drefnu cynllun i helpu plentyn problemus. Ond dylid defnyddio bygythiadau i alw rhieni, yn gynnil ac yn ddoeth.

### Osgoi danfon plentyn adref neu ei orfodi i aros gartref

Weithiau bydd athrawon yn credu mai rhoi gwaharddiad o'r ysgol i'r plant aros gartref yw'r canlyniad dwysaf y gallant ei ddefnyddio fel disgyblaeth am gamymddygiad aflonyddgar ac ymosodol. Mae hwn yn ganlyniad amhriodol i blentyn ifanc am nifer o resymau, er ei fod yn datrys y sefyllfa dros dro i'r athro.

Yn gyntaf, mae'r canlyniad yma'n rhy hir ac nid yw'n rhoi cyfle i'r plentyn roi cynnig arall ar ymddwyn yn briodol. Yn ail, bydd y disgybl yn gweld hyn fel math o gefnu arno, a bydd yr ymddiriedaeth o fewn y berthynas rhwng y disgybl, y teulu a'r athro yn dioddef llawer. Yn drydydd, mae'n bosib y bydd y sefyllfa a drafodwyd yn gynharach yn digwydd, gyda rhieni blin yn gor-gosbi'r plentyn am iddo gael ei wahardd, yn arbennig os yw hynny'n peryglu swydd y rhiant. Yn bedwerydd, mae'n debygol y bydd rhiant sy'n gweithio yn methu cael gofal plant ar fyr rybudd, ac yn gorfod gadael plentyn ar ei ben ei hun yn y cartref. Mae gadael plentyn aflonyddgar ar ei ben ei hun yn y cartref, ac yntau â dim ond ychydig o sgiliau hunan ofal, yn debygol o arwain at fwy o broblemau ymddygiad yn y dyfodol agos. Mae'r broblem wedi cael ei symud o'r ysgol i'r strydoedd. Ac yn bumed, i blentyn sy'n cael anhawster yn yr ysgol, gall cael aros gartref fod yn llawer mwy deniadol iddo nag ymdrechu o fewn sefyllfa ddosbarth. Gall gwaharddiad yn y cartref weithredu fel atgyfnerthiad i ymddygiad negyddol plentyn yn yr ysgol. Bydd yn llawer mwy effeithiol i athro ddelio gyda phroblem yn syth drwy ddefnyddio Amser Allan neu fath o waharddiad o fewn yr ysgol megis colli egwyl neu golli breintiau ychwanegol ar y diwrnod hwnnw.

Ond, os yw ymddygiad mor eithafol nes y teimlir fod angen gwaharddiad, yna fe ddylai'r penderfyniad gael ei wneud gan dîm yn hytrach nag athro unigol. Mae'n bwysig hefyd bod yn ofalus i beidio rhoi statws arwr i ddisgybl sydd wedi cael ei wahardd. Hefyd, dylid danfon gwaith iddo'i wneud gartref, fel nad yw'n syrthio'n ôl gyda'i dasgau.

### Gwaharddiad o fewn yr ysgol

Os mai rhoi gwaharddiad yw'r penderfyniad, yna fe ddylid ystyried gwaharddiad o fewn yr ysgol yn hytrach nag yn y cartref. Bydd plentyn yn cael ei dynnu allan o weithgareddau dosbarth am ran o'r dydd i gyflawni ei dasgau dosbarth ar ei ben ei hun.

## Rhai o egwyddorion eraill disgyblaeth

### Osgoi croesholi a phregethu – bod yn gryno a pharchus

Mae'n siŵr fod sefyllfa fel a ganlyn yn gyfarwydd i chi. Mae athro'n sylwi ar Elonzo'n taflu dyrnaid o lwch at blentyn arall ar yr iard. Mae'n ei alw ato ac yn dweud yn flin, 'Beth wnes di?' Gan feddwl nad yw'r athro wedi gweld y digwyddiad mae Elonzo'n ateb, 'Dim byd.' Mae'r athro wedi'i gythruddo ac yn ymateb yn syth, 'Rwyt yn dweud celwydd. Fe welais i beth wnes di. Pam wnes di hynna?' Mae Elonzo'n codi ei ysgwyddau, yn edrych ar y llawr ac yn dweud, 'Pam lai!' Mae'r athro'n ymateb, 'Paid â siarad efo fi yn y tôn llais yna ac edrych arna i.'

Mae athrawon yn dueddol o fod eisiau i blant gyfaddef eu camgymeriadau, a'u gorfodi i ddweud pam y gwnaethant gamymddwyn.

Ond mae'n ddigon anodd i oedolyn gyfaddef iddo wneud camgymeriad heb sôn am blentyn ifanc nad yw'n deall y rheswm pam y gwnaeth rywbeth. Bydd croesholi caled fel arfer yn arwain at yr athro'n moesoli a phregethu am ddylanwad camymddygiad ar ddyfodol y plentyn yn yr ysgol. Yn yr enghraifft uchod, mae'r athro, drwy ddefnyddio llais ymosodol a gweld bai, mewn gwirionedd yn dysgu'r disgybl i fod yn fwy amharchus.

Ceisiwch beidio croesholi disgybl am yr hyn a wnaeth, yn arbennig os ydych wedi gweld y digwyddiad. Osgowch ofyn pam y gwnaeth y weithred, a phregethu yn ei chylch, gan y bydd hynny'n dwysau'r sefyllfa. Yn hytrach, cydnabyddwch gamymddygiad y plentyn yn uniongyrchol a gweithredwch y canlyniad. Fe allai'r athro ddweud, 'Elonzo, fe welais i ti'n taflu llwch at Ricardo. Bydd raid i ti golli gweddill yr egwyl a sefyll gyda mi.' Tra'n wynebu disgyblaeth, bydd plant yn clywed y 20 eiliad cyntaf o'r traethu yn unig, felly fe ddylech fod mor gryno â phosib. Byddwch yn modelu parch drwy aros yn dawel a chwrtais.

## Osgoi dwyster emosiynol a gwaethygu'r sefyllfa

Mae gormod o emosiwn neu weiddi wrth ddisgyblu yn gallu cynyddu'r camymddygiad. Yn achos Elonzo, fe allai'r athro fod wedi ymateb i'r celwydd drwy weiddi a phregethu, 'Bydd ddistaw! Rwyt mewn trwbwl mawr rŵan. Byddi'n gorfod aros i mewn. Pam na elli aros allan o drwbwl am unwaith yn dy fywyd? Byddi'n cael dy wahardd o'r ysgol ryw ddiwrnod. Gydag ymddygiad o'r fath beth fydd dy ddiwedd dywed? Allan o waith ac ar y dôl fyddi di!' Mae'n debyg na fydd Elonzo'n clywed yr athro o'r pwynt yma ymlaen gan y bydd yn meddwl wrtho'i hun mai dyma enghraifft arall eto fyth o athro hunanol nad yw'n ystyried ei safbwynt ef. Gall hyd yn oed ddial drwy ddatgan, 'Dim ots gen i o gwbl. Athro sâl ydych chi ac mae'n gas gen i'r ysgol yma!' Mae'r athro wedyn yn ymateb ymhellach drwy ddweud, 'Paid â meiddio siarad fel yna efo fi!' Ac ymlaen yr aiff pethau o ddrwg i waeth.

Ceisiwch osgoi ymateb yn emosiynol i gamymddygiad plant, gan y bydd hynny'n cynyddu'r gwrthdaro ac yn denu sylw plant eraill, heb son am gynyddu dymuniad Elonzo i fod yn fwy heriol. Os yw athro'n gweiddi, bydd hynny'n gwneud i blant weiddi mwy. Bydd rhai plant yn cael eu taflu oddi ar eu hechel, yn aniddigo, anesmwytho a chynhyrfu'n ormodol. Yn hytrach, dylai athro ymateb yn dawel drwy ddweud, 'Rwy'n gwybod dy fod yn difaru dy fod wedi taflu'r llwch. Ond dyna wnes di ac felly fe fydd raid i ti golli gweddill amser egwyl. Dydw i ddim yn meddwl y gwnei di hynna eto.' Yn yr achos yma, mae'r athro'n arafu'r sefyllfa. Mae'n ymateb yn dawel a di-emosiwn i gamymddygiad yn allweddol i lwyddiant athro wrth iddo ddilyn drwodd gyda chanlyniadau.

## Datblygu cynlluniau disgyblu gyda chontinwwm ymddygiad

Weithiau bydd athrawon yn disgyn i'r trap o sefydlu cynllun disgyblaeth cynhwysfawr i wella pob camymddygiad. Bydd cynllun o'r fath yn sicr o fethu gyda phlentyn sydd â llawer o broblemau, gan y bydd y disgwyliadau iddo newid yn ormodol. Beth am i ni ystyried enghraifft plentyn o'r enw Rhys. Mae Rhys yn blentyn wyth oed sy'n teimlo rhwystredigaeth yn hawdd. Yn aml bydd yn rhedeg allan o'r dosbarth mewn tymer flin gan regi'r athro. Bydd wedyn yn gadael tir yr ysgol, a chael ei wahardd o ganlyniad. Bydd athro sydd â chontinwwm ymddygiad mewn golwg, yn sylweddoli mai'r cam cyntaf i Rhys fydd dysgu sut i aros yn y dosbarth. Bydd rheoli ei iaith fras yn digwydd wedi llawer o gamau ar y continwwm. Felly, mae'r athro'n trefnu cynllun disgyblaeth sy'n rhoi dau bwynt iddo am aros yn y dosbarth bob dydd. Caniateir iddo sibrwd geiriau aflan, a bydd yr athro'n egluro i weddill y dosbarth y byddant yn anwybyddu'r rhegi tra'i fod yn dysgu ymdawelu. Caiff ddau docyn bob wythnos gan yr athro sy'n caniatáu iddo adael y dosbarth pan fydd yn teimlo'n rhwystredig. Yn ystod yr amser hynny bydd yn mynd i ystafell arbennig a dychwelyd mewn 5 munud. Os bydd yn cydymffurfio bydd yn cael un pwynt. Os mai dim ond un tocyn fydd wedi ei ddefnyddio mewn wythnos bydd yn ennill tri phwynt. Yn yr enghraifft yma, mae'r athro'n cynllunio dull disgyblu sydd yn datblygu fesul cam yn raddol. Mae'n gosod targedau ar gyfer un neu ddau o ymddygiadau yn unig i'w hybu ar yr un pryd.

## Pwysigrwydd goruchwyliaeth athro

Cofiwch fod gan blant sydd ag anhwylderau diffyg canolbwyntio, ac anawsterau ymddygiad byrbwyll ac ymosodol, ddiffygion mawr yn eu sgiliau cymdeithasol. Mae eu sgiliau hunan-reoli'n brin. Golyga hyn y bydd angen eu goruchwylio'n gyson, a'u cynnal gan athrawon a fydd yn defnyddio'r holl strategaethau rhagweithiol a nodwyd eisoes, ynghyd ag ail-gyfeirio, rhybuddio a rhoi canlyniadau'n syth. Gall athrawon edrych ar yr oruchwyliaeth ychwanegol a'r ddisgyblaeth glir a ddefnyddir fel buddsoddiad nid yn unig i'r plentyn problemus ond i'r dosbarth cyfan. Bydd defnyddio'r dulliau yma'n arwain at amgylchedd diogel a gofalgar, a'r math o amgylchedd a fydd yn darparu'r addysg orau yn gymdeithasol ac yn academaidd i'r holl ddisgyblion. Ond, bydd y dulliau yma'n cymryd amser, cynllunio, amynedd ac ailadrodd. Yn bwysicaf oll, bydd angen gweithredu mewn ffordd dawel a pharchus.

**I grynhoi**

- Nid oes raid i ganlyniadau fod yn llym i fod yn effeithiol.
- Dilynwch 'ddeddf yr ymyriad lleiaf trafferthus' – anwybyddu, hunan-arsylwi, ailgyfeirio geiriol neu ddi-eiriau, rhybuddio ac atgoffa cyn gweithredu canlyniadau.
- Gweithredwch ganlyniadau naturiol neu resymegol yn syth, yn ddi-ddialedd, yn briodol i oedran y plant , yn ddi-wrthdaro ac yn fyr.
- Dylai canlyniadau negyddol fod wedi cael eu teilwra i'r amgylchiadau – rhywbeth fydd yn effeithiol gyda phlentyn penodol oherwydd ei fod yn amddifadu'r plentyn hwnnw o rywbeth sy'n hoff ganddo (colli braint) neu rywbeth sy'n berthnasol i'r camymddygiad (canlyniadau naturiol a rhesymegol).
- Ni ddylai canlyniadau byth anafu plentyn yn gorfforol nac yn seicolegol, na sarhau, na chodi cywilydd arno.
- Dylid cyflwyno canlyniadau fel dewis a wneir gan y disgybl pan fo hynny'n bosib.
- Byddwch yn gyfeillgar a pharchus, ond yn gadarn. Rheolwch eich emosiynau negyddol.
- Byddwch yn barod i gael eich profi gan y disgyblion pan fyddwch yn anwybyddu, neu pan fydd canlyniad negyddol yn cael ei weithredu.
- Ceisiwch osgoi danfon plant i swyddfa'r pennaeth.
- Byddwch yn barod i gynnig cyfleoedd dysgu newydd a rhowch sylw ar unwaith fel athro pan fydd ymddygiadau rhyng-gymdeithasol yn digwydd.
- Sicrhewch fod eich cynllun ymddygiad yn addas i oedran y plant.

**Deunydd darllen**

Brophy, J. E. (1996) Teaching Problem Students, New York: Guilford.
Stage, S. A. and Quiroz, D. R. (1997) A meta-analysis of interventions to decrease disruptive classroom behaviour in public education settings, *School Psychology Review*, 26, 333-68.

# Rheoli camymddygiad: Amser Allan

Fe fydd angen strategaeth ddwysach i ddelio gyda phlentyn sy'n gwylltio'n gorfforol neu'n eiriol. Bydd plentyn o'r fath yn taro plentyn arall neu athro, yn sgrechian mor uchel nes bod plant eraill yn methu talu sylw, yn gwylltio a gwthio dodrefn neu'n gwrthod cydymffurfio gyda dymuniadau'r athro drwy'r amser. Bydd strategaethau o'r fath o reidrwydd yn fwy aflonyddgar na'r dulliau a drafodwyd yn gynharach. Dangosodd ymchwil (Bear,1998; Martens and Meller, 1990) fod rhai o'r dulliau disgyblu arferol (ac aflonyddgar!) a drafodwyd ym Mhennod 6 a 7 a ddefnyddir gan athrawon, megis gweiddi, rhoi enwau'r plant ar y bwrdd gwyn, neu ddanfon plant at swyddfa'r pennaeth, yn aneffeithiol. Yn wir, canlyniad beirniadu, dadlau a gweiddi gan athrawon yw bod y disgyblion hefyd yn dysgu beirniadu, dadlau a gweiddi gyda chyd-ddisgyblion ac athrawon. Mae dadlau gyda disgyblion, neu roi eu henwau ar fwrdd gwyn tra'u bod yn siarad yn amharchus neu'n peidio cydymffurfio, yn medru rhoi sylw iddynt. Fe allai atgyfnerthu'r ymddygiad dan sylw neu ychwanegu at hunanddelwedd negyddol y disgyblion. Ar y llaw arall, mae'n bosibl nad yw danfon disgybl adref am ymddwyn yn ymosodol yn gosb o gwbl i blentyn mae'n well ganddo fod adref nag yn yr ysgol. Gall y rhieni ymateb drwy gam-drin y plentyn yn gorfforol neu'n eiriol ar achlysuron o'r fath, a hynny'n dwysau problemau'r disgybl a dieithrio'r rhieni oddi wrth yr athrawon.

Tasg athrawon yw darparu dull moesegol *(ethical)* o ddisgyblu, dull sy'n dysgu disgyblion na ellir goddef ymddygiadau gwyllt, dull sy'n sefydlu disgwyliadau cadarnhaol am ymddygiadau priodol i'r dyfodol, a dull sy'n cyfleu i'r disgyblion eu bod yn cael eu gwerthfawrogi er gwaethaf eu camgymeriad. Yn ddelfrydol fe ddylai'r cynllun disgyblaeth hwn fod yn fater i'r *ysgol gyfan* ac nid yn gonsyrn i un athro dosbarth. Mae gan bob athro'r rôl o ofalu am bob disgybl y tu allan i'w ddosbarth a dylai pob ysgol fod yn ymroddedig i gefnogi pob athro sydd â chyfrifoldeb dros ddisgyblion â phroblemau disgyblaeth anodd. Mae'n bwysig fod gan holl staff ysgol ddull disgyblu cyson.

Mae dulliau disgyblu a drafodwyd eisoes megis hunan-arsylwi, anwybyddu, defnyddio canlyniadau rhesymegol, a cholli breintiau, yn ddulliau disgyblu effeithiol ar gyfer llawer o ymddygiadau aflonyddgar gan ddisgyblion. Ond dylai'r strategaeth Amser Allan neu Amser Ymdawelu gael ei chadw'n arbennig ar gyfer problemau dwys iawn megis gwylltineb tuag at gyd-ddisgyblion ac athrawon, a malurio. Mae'n ddull defnyddiol hefyd ar gyfer plant sy'n gwrthod cydymffurfio, rhai sy'n wrthwynebus ac yn heriol (mae unrhyw blentyn sy'n gwrthod ufuddhau i chi 75% o'r amser yn disgyn i'r categori yma). Cael plentyn i gydymffurfio yw conglfaen gallu athro neu riant i gael plentyn i gymdeithasu. Amser Allan, mae'n debyg, yw'r dull tymor byr mwyaf ymwthgar y bydd athro'n ei ddefnyddio ar gyfer ymddygiad aflonyddgar. Gall ddigwydd yn y dosbarth fel amser ymdawelu ffurfiol neu rannol-ffurfiol, neu gall gynnwys symud o'r dosbarth i ddosbarth arall neu fan arbennig wedi ei glustnodi'n bwrpasol.

Ymestyniad o anwybyddu yw Amser Allan. Yn ystod y cyfnod yma bydd plant yn cael eu tynnu allan am gyfnod byr oddi wrth bob dim a all fod yn atgyfnerthiad positif iddynt, yn arbennig sylw athrawon a chydddisgyblion. Mae llawer o fanteision i Amser Allan o gymharu â dulliau disgyblu traddodiadol megis pregethu neu ddanfon plentyn adref, os caiff y dull ei weithredu'n gywir. Mae'n modelu ymateb di-drais i wrthdaro, gall stopio gwrthdaro a rhwystredigaeth a rhydd amser ymdawelu i'r disgyblion a'r athrawon. Mae'n cynnal perthynas barchus ac ymddiriedol lle bydd plant yn gallu bod yn onest gyda'u hathrawon am eu problemau a'u camgymeriadau. Mae Amser Allan hefyd yn rhoi amser i blant adfyfyrio ynghylch yr hyn a ddigwyddodd ac ystyried canlyniadau eraill. Mae hefyd yn meithrin datblygiad eu cydwybod a chyfrifoldeb mewnol. Mae Amser Allan yn fwy effeithiol na danfon plentyn adref oherwydd ei fod yn dilyn y camymddygiad yn syth ac am ei fod wedyn yn caniatáu i'r plentyn ddychwelyd i'r dosbarth i gymryd rhan mewn profiad dysgu newydd a chael cyfle unwaith eto i fod yn llwyddiannus. Mae danfon plentyn adref, ar y llaw arall, fel arfer yn digwydd o leiaf awr wedi'r digwyddiad (wedi cysylltu â'r rhieni) ac oherwydd y cyfnod o aros bydd grym y ddisgyblaeth fel canlyniad negyddol wedi lleihau. Ni fydd gan blentyn a ddanfonwyd adref y cyfle i ddychwelyd i'r dosbarth a gwrthdroi'r ymddygiad neu wella'r sefyllfa. Mae Amser Allan yn rhoi cyfle i athro addysgu'r disgyblion na chaniateir ymddygiadau peryglus, ac mai canlyniad cyson ymddygiadau o'r fath fydd cael gwaharddiad dros dro. Bydd hyn yn gwarchod hawliau'r plant nad ydynt yn aflonyddu hefyd.

# Camau ar gyfer trefnu Amser Allan neu Amser Ymdawelu

Mae Amser Allan yn golygu gwahanol beth i wahanol bobl. Fel unrhyw strategaeth ddisgyblu, gall fod yn agored i gael ei chamddefnyddio os na fydd y protocol a'r athroniaeth wedi cael eu disgrifio'n eglur cyn ac wedi defnyddio'r broses. Ni ddylai Amser Allan sefyll ar ei ben ei hun fel dull disgyblu. Dylai fod yna bolisi ysgol gyfan gyda chefnogaeth a chymorth wrth gefn.

Mae nifer o gamau i'w cymryd wrth drefnu Amser Allan llwyddiannus (Brophy,1996; Doles *at al.*, 1976; Forehand and McMahon, 1981; Gardner, Forehand and Roberts, 1976). Dylai athrawon ymarfer a chwarae rôl gyda'r camau efo athrawon eraill fel bod ganddynt ddealltwriaeth lwyr ohonynt cyn gweithredu Amser Allan gyda disgybl.

### CAM 1: Lleoliad yr Amser Allan

Dylech ystyried lleoliad Amser Allan ar gyfer eich dosbarth yn ofalus. Byddai cadair wag mewn cornel o'r dosbarth yn ddewis da (yn ddelfrydol y tu ôl i bartisiwn i gadw allan o olwg gweddill y dosbarth). Bydd angen i ddosbarth arall hefyd fod ar gael i'w ddefnyddio fel lleoliad wrth gefn rhag ofn na fydd plentyn yn aros ar gadair yn y gornel. Dylai'r ystafell yma fod yn lle saff i blentyn fod ar ei ben ei hun ac yn lle mor ddiflas â phosib. Ni ddylai fod yno unrhyw lyfrau na theganau, na neb yn pasio heibio i'r plentyn siarad â nhw. Er na ddylai plentyn gael unrhyw sylw yn ystod Amser Allan fe ddylai fod oedolyn yn agos *bob amser* i gadw golwg arno. Mewn rhai achosion bydd athrawon wedi gwneud trefniadau gydag athrawon eraill (neu gwnselydd) i ddefnyddio'u hystafell nhw fel lle wrth gefn. Yn aml, ni fydd disgybl yn dangos yr un ymddygiad aflonyddgar yn nosbarth athro arall. Wedi iddo gael ei ddanfon i'r ystafell wrth gefn nifer o weithiau, bydd disgybl fel arfer yn dysgu bod yn well ganddo aros yn y dosbarth ac eistedd ar y gadair Amser Allan yno. Mae llawer o enwau megis 'cadair dawel', 'lle tawel' neu 'lle ymdawelu' wedi cael eu rhoi ar Amser Allan, ond mae'n bwysig nad yw'n cael ei alw'n 'gornel ddrwg' nac yn 'gadair ddrwg.'

### CAM 2: Y math o ymddygiadau sy'n arwain at Amser Allan

Bydd raid i chi benderfynu pa ymddygiadau sy'n arwain at Amser Allan. Ymddygiadau fydd y rhain na ellir eu caniatáu o gwbl megis ymddygiadau gwyllt a dinistriol neu gamymddygiad geiriol gyda chyd-ddisgyblion ac athrawon. Ar y dechrau, bydd yn bwysig dewis yr ymddygiadau mwyaf aflonyddgar i ganolbwyntio arnynt (e.e. gwylltineb corfforol). Gellid defnyddio Amser Allan hefyd ar gyfer disgyblion sy'n herio'n gyson neu'n peidio cydymffurfio. Yn yr achos yma, dylid rhoi rhybudd o Amser Allan cyn danfon plant yno. Ar y llaw arall fe ddylai ymddygiad gwyllt gael Amser Allan awtomatig (heb rybudd). Ni ddylid defnyddio Amser Allan ar gyfer mân ymddygiadau aflonyddgar megis gweiddi, dod yn hwyr i'r dosbarth, chwarae'n wirion, etc.

## CAM 3: Cyfnod yr Amser Allan

Canllaw cyffredinol yw 3 munud i blant 3 oed, 4 munud i blant 4 oed, a 5 munud i blant 5 oed a hŷn. Mae nifer o astudiaethau ymchwil wedi dangos nad yw *Amser Allan sy'n hirach na 5 munud yn fwy effeithiol*. Ond, ni ddylai plant gael eu rhyddhau o Amser Allan nes bod yna 2 funud o dawelwch wedi pasio, a hynny'n arwyddo fod y plant wedi ymdawelu. Felly, efallai y bydd Amser Allan cyntaf plentyn yn parhau am gyfnod hirach na 5 munud os bydd y plentyn yn dal i weiddi neu sgrechian. Unwaith y bydd plant yn sylweddoli fod rhaid iddynt fod yn dawel cyn y bydd yr Amser Allan yn dod i ben, yna fe fydd yn bosib cyfyngu'r amser i 5 munud. Y prif syniad yw gwneud y cyfnod mor fyr â phosib, ac yna rhoi cyfle'n syth i'r disgybl roi cynnig arall ar fod yn llwyddiannus.

Mae cael amseryddion tywod neu amseryddion berwi wy yn hanfodol i gadw golwg ar hyd y cyfnod. Nid yw llawer o blant ifanc yn deall y cysyniad o amser, felly fe allant gynhyrfu pan ofynnir iddynt eistedd yn llonydd am unrhyw gyfnod o amser. Mae canolbwyntio ar amserydd, nid yn unig yn tawelu ond mae hefyd yn symbol gweledol o faint o amser sydd ar ôl.

## CAM 4 Gwneud defnydd effeithiol o'r Amser Allan

Rhowch rybudd oni bai fod yr ymddygiad yn wyllt (ymosodiad neu ddifrod). Arhoswch am ymateb y plentyn i'r rhybudd. Yna, os bydd yn parhau i gamymddwyn (neu'n methu ufuddhau), dywedwch wrtho mewn llais tawel a chadarn fod yr hyn a wnaeth yn annerbyniol ac y bydd raid iddo fynd am Amser Allan. Mae'n bwysig fod y disgybl yn gwybod pam ei fod yn cael ei ddanfon i gael Amser Allan. Dyma enghraifft am beidio cydymffurfio:

*Athro:*    Seth, cer i eistedd a dechrau ar dy waith mathemateg, plîs.

*Plentyn:*    (gan gerdded o gwmpas y dosbarth) Na, dydw i ddim eisiau gwneud hynny, ac ni ellwch fy ngorfodi.

*Athro*: Os na wnei di gychwyn ar dy fathemateg, yna bydd raid i ti gael Amser Allan.

*Plentyn*: Wna i ddim. Peidiwch colli'ch tempar!

*Athro*: Seth, fe wnes i ofyn i ti ddechrau ar dy waith mathemateg ac rwyt wedi bod yn anufudd. Dos i gael Amser Allan rŵan.

Yn yr achos yma, roedd yna orchymyn, roedd rhybudd 'os . . . yna' a gorfodaeth o Amser Allan. Dylai Amser Allan ddigwydd yn syth os oes plentyn wedi taro. Er enghraifft, os gwelwch Seth yn taro disgybl arall, ni fyddai'n briodol i ddweud, 'Os gwnei di daro Sally eto, byddi'n mynd am Amser Allan' gan y byddai hynny'n rhoi ail gyfle i Seth daro plentyn arall. Dylech ddweud:

*Athro:* Seth, fe wnes di daro Johnny. Dos am Amser Allan rŵan.

### CAM 5 Gosod amserydd

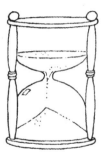 Pan fydd eich disgybl yn cael Amser Allan dylech osod amserydd am 3-5 munud a gadael y disgybl ar ei ben ei hun. Gellir cael dwy botel lemonêd (1 litr yr un wedi eu huno gyda thâp i edrych fel gwydr awr). Bydd angen llenwi un botel gyda thywod, a gadael iddo lifo i'r botel arall i ddangos treigl amser. Pan fydd y cyfan o'r tywod wedi cyrraedd yr ail botel, bydd hynny'n arwydd i'r plant fod y cyfnod Amser Allan drosodd. Mae'n bwysig peidio siarad gyda'r plentyn yn ystod ei Amser Allan.

### CAM 6: Ailadrodd y gorchymyn

Os byddwch yn defnyddio Amser Allan am anufudd-dod, yna pan fydd y cyfnod Amser Allan drosodd, dylech *ailadrodd y gorchymyn gwreiddiol*.

*Athro:* Seth, cychwyn ar dy waith mathemateg rŵan.

*Plentyn:* Iawn.

*Athro:* Rwy'n falch dy fod wedi cychwyn ar dy waith. Fe wnes di ddewis da.

(Pe bai Seth wedi gwrthod cychwyn ar ei fathemateg, yna byddai raid ailgychwyn yr holl drefn. Os defnyddir Amser Allan am daro neu wneud difrod, yna unwaith y bydd yr Amser Allan drosodd, dylech edrych am ymddygiad cadarnhaol cyntaf y plentyn, fel y gellir ei atgyfnerthu.)

*Athro:* Seth, mae'n braf dy weld yn cydweithio gyda dy ffrind.

## CAM 7: Bydd pob disgybl yn profi ffiniau'r drefn Amser Allan

Os bydd disgyblion o dan 6 oed yn gwrthod mynd i gael Amser Allan gellir eu tywys yno, yn dyner ond yn gadarn. Gyda phlant hŷn, dylid ychwanegu 1 funud o am bob gwrthodiad i fynd i gael Amser Allan, *hyd at 8 munud.* Bryd hynny, dylid rhoi rhybudd i fynd i'r lleoliad neu golli braint – dim cyfrifiadur, dim egwyl, mwy o waith cartref.

*Athro:*    Seth, eistedd i lawr a dechrau ar dy waith mathemateg, plîs.
*Plentyn:*  Na, dydw i ddim eisiau.
*Athro:*    Os na wnei di gychwyn ar dy waith mathemateg, bydd raid i ti gael Amser Allan.
*Plentyn:*  Dydw i ddim yn poeni. Fedrwch chi ddim fy ngorfodi i.
*Athro:*    Mae hynna'n 1 munud ychwanegol o Amser Allan.
*Plentyn:*  Pwy sy'n poeni? Dwi'n hoffi mynd yna beth bynnag.
*Athro:*    Mae hynna'n 6 munud rŵan.
*Plentyn:*  Felly, rydych yn gallu cyfrif, hyh?
*Athro:*    Mae hynna'n 7 munud rŵan. Os nad ei di rŵan, chei di ddim mynd allan i chwarae amser egwyl heddiw.
*Plentyn:*  Ond, dydi hynna ddim yn deg! *(cerdded at leoliad yr Amser Allan gan rwgnach yn anhapus)*
*Athro:*    Diolch, rwyt wedi gwneud dewis da.

## CAM 8: Gwrthod eistedd yn lleoliad yr Amser Allan – defnyddio ystafell Amser Allan wrth gefn neu ddosbarth arall

Os bydd plentyn yn gadael lleoliad yr Amser Allan yn y dosbarth, yna arweiniwch ef yn ôl yn dawel gyda rhybudd o golli braint: 'Os byddi'n dod oddi yna eto cyn i'r amser ddod i ben, chei di ddim mynd ar y cyfrifiadur am 24 awr.' Neu gellwch rybuddio plentyn y bydd yn cael ei ddanfon i gael Amser Allan mewn lleoliad y tu allan i'r dosbarth, 'Os na wnei di aros ar y gadair Amser Allan, yna fe fydd raid i ti fynd i gael Amser Allan yn nosbarth Mrs. C.'

   Mae'n well bob amser, os yn bosib, cadw plentyn o fewn pedair wal y dosbarth gan y bydd yn dysgu mwy o fewn yr amgylchedd hwnnw. Ond, os yw plentyn yn y lle cyntaf yn gwrthod eistedd ar y gadair Amser Allan yn y dosbarth, neu'n gwrthod setlo wedi iddo gael ei rybuddio, yna bydd raid defnyddio'r ystafell wrth gefn neu ddilyn drwodd gyda'r canlyniad sydd wedi cael ei ohirio. Peidiwch â danfon plant i'r neuadd gan y gallant redeg i ffwrdd.

## CAM 9: Ar y dechrau: bydd y camymddygiad yn gwaethygu

Cofiwch, pan fyddwch yn dechrau defnyddio Amser Allan gyda phlentyn, bydd ei ymddygiad yn gwaethygu cyn y bydd yn gwella. Byddwch yn barod i gael eich profi.

## CAM 10: Byddwch yn bositif pan fydd Amser Allan drosodd

Pan fydd y cyfnod Amser Allan drosodd, peidiwch â dwrdio na phregethu. Rhowch groeso i'r disgybl yn ôl i'r grŵp – mae rhoi croeso'n ôl yn hanfodol! Er enghraifft, hwyrach y dywedwch, 'Mae dy Amser Allan drosodd. Tyrd yn ôl at y bwrdd. Beth am i ni roi cynnig arall arni? Mi wn i y byddi'n llwyddiannus. Tyrd i ni weld, roeddet yn gwneud gwaith mathemateg, ac rwy'n meddwl i ti ddod yn agos at gael yr ateb. Beth am i ni edrych ar hwnna?' Edrychwch allan, yn syth, am gyfleon dysgu newydd pryd gall y disgybl fod yn llwyddiannus.

Weithiau bydd athrawon yn meddwl y dylai disgybl benderfynu pa bryd y mae'n barod i ddwyn yr Amser Allan i ben. Nid ydym yn argymell y dull yma oherwydd mewn sefyllfaoedd disgyblu mae'n bwysig *mai'r athro sydd â gofal* o'r Amser Allan. Dylai fod yn nod i ddychwelyd plentyn i'r amgylchedd dysgu mor fuan â phosib.

## CAM 11: Paratoi plant eraill i anwybyddu plentyn sy'n cael Amser Allan – chwarae rôl

Mae'n bwysig i'r athro, ar ddechrau'r flwyddyn, adael i'r plant wybod rheolau'r dosbarth a gwybod o dan ba amgylchiadau y bydd Amser Allan yn digwydd. Dylai disgyblion gael eu dysgu i anwybyddu disgybl yn ystod ei Amser Allan a deall ei bod yn bwysig iddynt fynd ymlaen gyda'u gwaith. Os yw disgyblion yn gwneud hwyl am ben disgybl sy'n cael Amser Allan, bydd hynny'n ei fychanu. Yn wir, fe allai derbyn sylw cyd-ddisgyblion atgyfnerthu camymddygiad y plentyn yn ystod ei Amser Allan. Syniad da yw chwarae rôl gyda phypedau, a chreu sefyllfa lle bydd un pyped yn mynd am Amser Allan wedi iddo dorri un o reolau'r dosbarth. Yn ystod Amser Allan y pyped (yn ymdawelu ac yn anadlu'n ddwfn) caiff y disgyblion eraill eu dysgu i'w anwybyddu.

## CAM 12: Dysgu ystyr Amser Allan i'r disgyblion, a sut i ddygymod â chael Amser Allan

Fel rhan o'r dysgu cychwynnol, bydd angen i chi egluro i'r disgyblion beth yw ystyr Amser Allan. Hwyrach y dywedwch, 'Os byddi'n gorfod cael Amser Allan, bydd hynny am i ti wneud camgymeriad. Mae pawb yn gwneud camgymeriad o bryd i'w gilydd. Mae Amser Allan (fel Amser Allan mewn gêm gystadleuol) yn rhoi cyfle i ti ymdawelu a meddwl am yr hyn yr wyt wedi'i wneud. Pan fydd y cyfnod drosodd, bydd gen ti gyfle i geisio eto.'

Yn ogystal â helpu plant i ddeall fod Amser Allan yn amser i adfyfyrio ac ennill rheolaeth, rydym hefyd yn dysgu'r plant i hunan-siarad yn bositif yn ystod eu Hamser Allan. Hwyrach y bydd athro'n dweud wrth y dosbarth, 'Beth fydd disgybl yn ddweud wrtho'i hun os bydd raid iddo gael amser Allan?' Ar yr un pryd, gall yr athro helpu gyda'r geiriau, 'Aros, Ymdawelu, Meddwl – Gallaf ymdawelu. Gallaf wneud hyn. Gallaf ddelio gyda hyn. Gallaf gadw fy nwylo i mi fy hun. Rwyf wedi gwneud camgymeriad ond fe allaf wneud yn well. Fe wnaf anadlu'n ddwfn. Fe geisiaf eto.' Bydd gan blant sydd â phroblemau ymddygiad feddyliau negyddol, hunanddinistriol pan fyddant yn cael Amser Allan, meddyliau megis, 'Mae fy athro'n fy nghasáu. Rwy'n fethiant. Fedra i ddim gwneud hyn. Mae'r plant eraill yn meddwl mai fi yw'r plentyn gwaethaf. Does neb yn fy hoffi.' Bydd addysgu plant sut i ddefnyddio hunan-siarad positif wrth gael Amser Allan yn helpu'r disgyblion yma i ennill hunanreolaeth a dysgu ymdawelu'n gynt. Unwaith eto, bydd defnyddio pypedau a chwarae rôl yn gallu helpu'r disgyblion i ymarfer hunan-siarad priodol i'w ddefnyddio wrth gael Amser Allan.

---

### Sgript enghreifftiol i athrawon ei defnyddio i egluro Amser Allan

Yn gyntaf, eglurwch i'r disgyblion y bydd Amser Allan yn cael ei weithredu os bydd yna ymddygiad ymosodol megis taro plant eraill, siarad yn amharchus a thorri pethau. Gall athrawon efallai gyflwyno rhaglen Amser Allan megis yr un sy'n dilyn:

'Rwyf mor falch ohonoch chi fel dosbarth yn eistedd ar eich cadeiriau mor sydyn heddiw. Rwan, rwyf am i chi fy helpu i reoli eich dicter. Mae pawb weithiau'n teimlo'n flin, ond ni allaf ganiatáu i chi anafu eraill. Felly rwyf am eich dysgu sut i reoli eich dicter drwy roi Amser Allan i unrhyw un sy'n taro rhywun arall. Bydd raid i chi fynd i gael Amser Allan i gadair yng nghornel y dosbarth am 5 munud. Yno, bydd raid i chi fod yn dawel am o leiaf 2 funud cyn y cewch ddod oddi ar y gadair. Os na ellwch ymdawelu ar y gadair, bydd raid i chi fynd i ddosbarth Miss Smith i gael Amser Allan. Gellwch helpu eich hun i ymdawelu yn ystod Amser Allan drwy ddefnyddio'r 'dull crwban.' Rwyf hefyd am gadw cofnod ar y siart yma o'r troeon y byddaf yn sylwi ar blant yn cadw'n dawel mewn sefyllfaoedd rhwystredig ac yn siarad am eu teimladau mewn ffordd dderbyniol. Pan fydd y dosbarth wedi ennill 35 o bwyntiau, yna fe fyddwn yn trefnu parti.'

**CAM 13: Gwneud yn siŵr fod amgylchedd y dosbarth yn bositif**

Cofiwch na fydd Amser Allan yn llwyddiant os na fydd yr athro wedi gweithio'n galed i ddatblygu perthynas gadarnhaol gyda'r disgybl, ac wedi sicrhau fod awyrgylch y dosbarth yn ei ysgogi a'i foddhau. Yr hyn sy'n gwneud Amser Allan yn strategaeth ddisgyblu effeithiol yw bod colli cefnogaeth a sylw athro yn digwydd, a gwahaniaeth rhwng awyrgylch dosbarth sy'n rhoi boddhad ac awyrgylch Amser Allan sy'n

# Amser Allan yn y dosbarth i blant 4-6 oed am ymddygiadau dinistriol

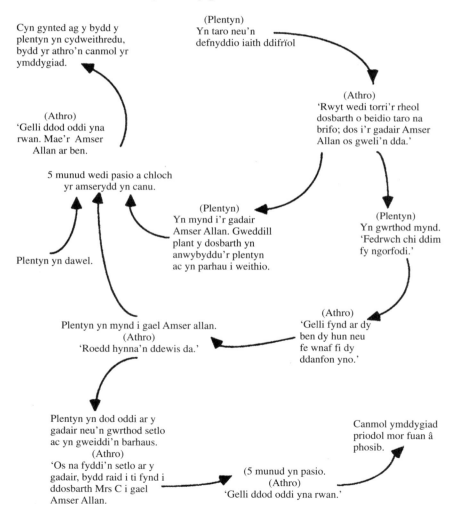

rhoi llawer llai o foddhad. Mae ymchwil wedi dangos mai'r athrawon mwyaf effeithiol wrth reoli disgyblion anghyfeillgar ac ymosodol yw'r rhai sy'n defnyddio disgyblaeth megis Amser Allan, rhybuddion, a cholli breintiau'n gynnil, gan gyfuno'r rhain gydag amrywiaeth o strategaethau positif (Brophy, 1996; Steinberg, 1996).

## Amser Allan yn y dosbarth i blant 6-8 oed am ymddygiadau dinistriol

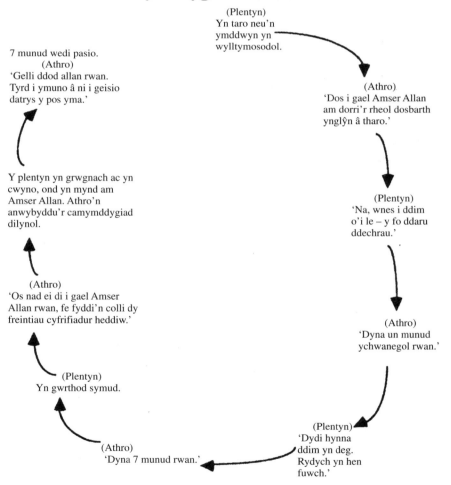

(Plentyn)
Yn taro neu'n ymddwyn yn wylltymosodol.

7 munud wedi pasio.
(Athro)
'Gelli ddod allan rwan. Tyrd i ymuno â ni i geisio datrys y pos yma.'

(Athro)
'Dos i gael Amser Allan am dorri'r rheol dosbarth ynglŷn â tharo.'

Y plentyn yn grwgnach ac yn cwyno, ond yn mynd am Amser Allan. Athro'n anwybyddu'r camymddygiad dilynol.

(Plentyn)
'Na, wnes i ddim o'i le – y fo ddaru ddechrau.'

(Athro)
'Os nad ei di i gael Amser Allan rwan, fe fyddi'n colli dy freintiau cyfrifiadur heddiw.'

(Athro)
'Dyna un munud ychwanegol rwan.'

(Plentyn)
Yn gwrthod symud.

(Plentyn)
'Dydi hynna ddim yn deg. Rydych yn hen fuwch.'

(Athro)
'Dyna 7 munud rwan.'

**CAM 14: Rhoi gwybodaeth i rieni am y defnydd o Amser Allan**

Mae'n bwysig fod athrawon ar ddechrau'r flwyddyn ysgol yn egluro eu cynllun disgyblu wrth y rhieni. Byddant yn egluro pryd a sut y byddant yn defnyddio Amser Allan, gan wneud hynny'n deg. Byddai'n ddoeth i chi greu rhestr o'r ymddygiadau dinistriol fydd yn arwain at gael Amser Allan, ac yna'n gofyn i rieni arwyddo eu bod yn rhoi caniatâd i chi ddilyn y drefn pan fydd yr ymddygiadau yma'n digwydd. Dangoswch y trefniadau Amser Allan ar y wal yn agos at y gadair Amser Allan. Yn ddelfrydol, fe ddylai'r cynllun disgyblu fod yn bolisi ysgol gyfan a weithredir ar gyfer holl ddisgyblion yr ysgol.

# Peryglon wrth weithredu Amser Allan

Mae llawer o beryglon i'w hosgoi wrth ddefnyddio Amser Allan. Ar y tudalennau sy'n dilyn efallai y canfyddwch rai o'r problemau y deuwch ar eu traws, a ffyrdd o'u goresgyn.

## Beirniadaeth ac ymatebion blin

Gall fod yn anodd iawn i beidio cynhyrfu pan ddowch wyneb yn wyneb â phlentyn yn gwrthod cydymffurfio'n haerllug, neu'n ymddwyn yn ymosodol. Weithiau bydd athrawon yn beirniadu disgyblion neu'n gwneud gosodiadau sarhaus neu greulon i gyd-fynd gyda'r Amser Allan. Er enghraifft: 'Pam na elli di wneud rhywbeth yn iawn am unwaith? Dos i gael Amser Allan,' 'Rwyf wedi cael llond bol! Dwyt ti byth yn gwrando arna i! Dos i gael amser Allan', 'Rwyt wedi bod yn ofnadwy heddiw. Dos i gael amser Allan', 'Pa sawl gwaith sydd raid i mi ddweud wrthyt ti i stopio?' Bydd beirniadaeth o'r math yma'n fwy tebygol o arwain at ddisgyblion yn gwrthod mynd i gael Amser Allan, neu'n ymateb mewn ffyrdd eraill. Efallai y bydd athrawon wedyn yn ymateb gyda mwy o ddicter ac angerdd, gyda'r canlyniad fod y cecru'n cynyddu.

Mae'n ddealladwy fod athrawon yn teimlo'n flin a dolurus pan fydd eu disgyblion yn camymddwyn neu'n herio'u hawdurdod. I osgoi cynnydd mewn cyfnewid geiriau llymion bydd raid i athrawon benderfynu peidio beirniadu, a bod yn dawel a chwrtais er bod eu disgyblion yn gynhyrfus ac anghwrtais. Ceisiwch leihau'r siarad am gamymddwyn oherwydd y cyfan a wna hynny yw cynyddu eich dicter chi. Ceisiwch gadw eich mynegiant wyneb yn ddiemosiwn. Mae hynny'n cynnwys peidio rhoi pregeth i'r disgybl wedi iddo gael Amser Allan. Weithiau bydd athrawon yn teimlo bod rhaid iddynt atgoffa disgyblion pam y bu raid iddynt gael Amser Allan, 'Fe gefaist ti Amser Allan oherwydd i ti daro plentyn arall. Cofia nad ydym yn caniatáu i neb sy'n taro fod yn y dosbarth yma.' Mae hyn yn rhoi halen ar y briw. Unwaith y bydd Amser Allan drosodd, dylech wedyn ddechrau o'r newydd gyda llechen lân – cyfle i'r plentyn roi cynnig arall ar bethau a bod yn llwyddiannus!

## Oedi cyn ymateb

Weithiau bydd athrawon yn dygymod ag ymddygiad diflas am gyfnod, ac yna'n ffrwydro mewn dicter wrth iddynt gyrraedd pen eu tennyn! 'Dos i gael Amser Allan rwan!' Mae nifer o broblemau yma. Yn gyntaf, nid yw disgyblion yn cael unrhyw adborth nes bod yr athrawon wedi cynhyrfu gyda dicter ac ar fin colli rheolaeth. Yn ail, nid yw'r disgyblion yn derbyn rhybudd ac, o ganlyniad, nid ydynt yn cael cyfle i gywiro'r ymddygiad. Yn drydydd, gall fod yn aneglur i'r disgybl pam ei fod yn cael ei ddanfon i gael Amser Allan (gan na fu canlyniad wedi iddo bwnio plentyn cyfagos y deg tro blaenorol). Drwy ymateb fel hyn y cyfan a wnewch yw modelu ymateb ffrwydrol i rwystredigaeth y disgyblion.

Hwyrach na fyddwch yn ymwybodol o'r dicter cynyddol y mae rhai ymddygiadau yn ei greu, nes y byddwch yn ffrwydro. Os yw hyn yn digwydd, ceisiwch ystyried a chadw golwg ar eich ymatebion i ymddygiadau penodol. O ganfod fod rhai ymddygiadau yn ysgogi ymateb emosiynol cryf ynoch, hwyrach y penderfynwch nad yw'n bosib i chi anwybyddu'r ymddygiad yma am hir iawn. Bydd hyn yn amser da i chi gyflwyno'r rheol 'Tri chynnig ac allan' i'r disgyblion. Er enghraifft, fe ddywedwch wrthynt mai canlyniad torri ar draws dair gwaith fydd Amser Allan. Y tro cyntaf y bydd plentyn yn torri ar draws, hwyrach y dywedwch, 'Dyna'r torri ar draws cyntaf,' yna, 'Dyna'r ail dorri ar draws,' ac yna 'Dyna'r trydydd torri ar draws. Dos i gael Amser Allan.' Bydd hyn yn rhybuddio disgybl fod ei ymddygiad yn annerbyniol, ac yn eich gwneud chi'n ymwybodol eich bod yn cynhyrfu. Gyda'r dull yma, mae pawb yn gwybod yn union pa fath o ymddygiad fydd yn cael Amser Allan ac ar yr un pryd rydych yn modelu agwedd dawel, effeithiol a synhwyrol o ddelio ag ymddygiad problemus.

## Disgwyl edifeirwch

Cred rhai athrawon y bydd raid i ddisgyblion fynegi edifeirwch am eu camymddygiad os yw Amser Allan yn mynd i fod yn effeithiol. Maent o'r farn na fydd plentyn yn dysgu oddi wrth y profiad os nad yw'n ymddiheuro. Os na cheir edifeirwch ac ymddiheuriadau bydd athrawon yn credu, yn anghywir, nad yw Amser allan yn llwyddiannus, ac yna'n stopio defnyddio'r broses. Byddant wedyn yn ystyried ffordd fwy dwys o gosbi, megis hysbysu rhieni neu ddiarddel, gan y bydd y dulliau yma'n fwy tebygol o arwain at ddagrau a mynegiant o edifeirwch. Ond, fel y gwelwyd yn barod, mae cosbi eithafol hyd yn oed pan gaiff wared ar ymddygiad annerbyniol yn y tymor byr, yn tueddu i achosi mwy o broblemau yn y tymor hir. Nid yw'r cosbau yma'n dysgu plant i ddatrys problemau nac i ymdawelu fel y gallant ddygymod mewn ffordd fwy llwyddiannus. Gall dagrau ac ymddiheuriadau fodloni angen athro am roi ei haeddiant i blentyn ond nid ydynt o reidrwydd yn gyfystyr â disgyblaeth effeithiol.

Peidiwch â synnu os bydd eich disgyblion yn dweud wrthych nad ydynt yn poeni am Amser Allan, a pheidiwch â chael eich twyllo. Dim ond blyffio y maen nhw (Cofiwch stori'r blaidd!) Nid pwrpas Amser Allan yw dial a chael edifeirwch ond yn hytrach dwyn y camymddygiad i ben ac atal effeithiau cynhaliol sylw negyddol gan athrawon a chyd-ddisgyblion. Mae'n rhoi cyfnod i blant ymdawelu, a siawns iddynt feddwl am yr hyn a wnaethant.

### Ymestyn neu roi heibio Amser Allan

Hawdd meddwl mai da o beth yw gweithredu Amser Allan am gyfnod hir, yn arbennig os yw'r disgyblion wedi cyflawni rhywbeth drwg iawn fel dweud celwydd, taro neu dorri rhywbeth. Bydd rhai athrawon yn ychwanegu amser os bydd y plentyn yn gweiddi neu'n camymddwyn wrth gael Amser Allan. Mae hyn yn broblemus iawn os yw athrawon yn rhoi adborth parhaus yn ystod y cyfnod Amser Allan, er enghraifft, 'Un munud arall am y sgrech yna'. Mewn gwirionedd, bydd y sylw parhaus *cynyddu'r* camymddygiad. Gall cyfnodau rhy hir o Amser Allan dueddu i fagu casineb yn y plant a bydd eu cadw ar eu pennau eu hunain yn eu hamddifadu o brofiadau dysgu newydd a chael rhoi cynnig arall ar fod yn llwyddiannus. Cofiwch, gyda phlant, nid oes raid i'r gosb adlewyrchu'r drosedd.

Mae ymateb i'r gwrthwyneb yn broblem hefyd. Weithiau bydd athrawon yn defnyddio Amser Allan am un funud ac yna'n rhyddhau'r plant pan fyddant yn curo ar y drws, yn crio neu'n addo ymddwyn yn briodol. Yn anffodus, bydd rhyddhau plant o Amser Allan tra byddant yn dal i gamymddwyn yn atgyfnerthu'r camymddygiad penodol hwnnw. Y neges a drosglwyddir yw, 'Os byddi'n cicio (yn crio neu'n addo) yn ddigon taer, yna deuaf â'r cyfnod Amser Allan i ben.'

Nid oes angen i'r Amser Allan mwyaf llwyddiannus fod yn fwy na 5 munud, cyn belled â bod 2 funud dawel ar ddiwedd y cyfnod. (Bydd rhai plant yn cymryd mwy o amser i ymdawelu na'i gilydd.) Os ydych yn ychwanegu amser am dramgwyddo mwy dwys, neu yn gadael plant allan yn gynnar, bydd hynny'n lleihau effaith Amser Allan. Yn wir, fe all y camgymeriadau yma hyd yn oed waethygu ymddygiad y plant.

## Gorddefnyddio Amser Allan

Mae Amser Allan yn aml yn cael ei ddefnyddio ar gyfer amrywiol ymddygiadau, yn ymestyn o gwyno i weiddi a sgrechian, i beidio eistedd ar gadair, i daflu, taro a dweud celwydd. Mae rhai athrawon yn adrodd eu bod yn defnyddio Amser Allan rhwng 6 ac 8 gwaith y dydd gyda disgyblion sy'n arbennig o anodd. Mae gorddefnydd o'r fath yn tynnu plant oddi wrth gyfleoedd i ddysgu neu arddangos ymddygiad da. Nid yw Amser Allan yn dysgu ymddygiadau newydd mwy priodol i'r plant. Tra bo Amser Allan yn aml yn cadw plant allan o drwbl yn y tymor byr, yn y tymor hir bydd gorddefnydd yn achosi iddynt chwerwi a theimlo na allant gyflawni dim yn iawn.

Os ydych yn 'ffoli ar Amser Allan' sicrhewch mai ar gyfer camymddygiadau penodol y byddwch yn ei ddefnyddio ac nid am fân ymddygiadau aflonyddol megis pwdu, osgoi cyflawni tasg neu gyffwrdd plentyn arall yn ysgafn (gall yr ymddygiadau yma gael eu hanwybyddu'n dactegol). Bydd defnyddio Amser Allan am ymddygiad crwydro yn y dosbarth, neu ddanfon plentyn 6 oed i gadair am iddo beidio talu sylw neu fod yn orfywiog, yn sicr yn arwain at orddefnydd o Amser Allan. Byddai hynny, mae'n debyg yn disgwyl i blentyn wneud rhywbeth nad yw'n ddatblygiadol abl i'w gyflawni. Mwy addas i blentyn o'r fath fyddai cael 'lle symud' *(wiggle space)* neu 'swyddfa' lle gall fynd am ychydig o funudau pan fydd angen symud o gwmpas. Yna, pan fydd yn barod, gall ail-ymuno a'i grŵp heb deimlo cywilydd. Er mwyn gwneud yn siŵr nad ydynt yn gorddefnyddio Amser Allan dylai athrawon gael rhestr ysgrifenedig o ymddygiadau peryglus penodol a fydd yn arwain at Amser Allan. Yna, pan ddefnyddir Amser Allan, bydd yr athro fydd yn dechrau'r broses yn cadw cofnod o'r ymddygiad a sbardunodd yr Amser Allan, beth ddigwyddodd, pa mor hir fu'r digwyddiad a pha gynllun ymddygiad dilynol a drefnwyd ar gyfer y disgybl. Yn bwysicaf oll, rhaid i chi sicrhau eich bod yn treulio mwy o amser yn *cynnal, yn dysgu ac yn cefnogi ymddygiadau priodol* na'r hyn a dreuliwch yn canolbwyntio ar ymddygiadau negyddol. Bydd Amser Allan yn llwyddo os bydd yna ganlyniadau cadarnhaol aml a sylw athro'n cael ei roi i ymddygiadau priodol.

Cofiwch beidio ystyried effeithiolrwydd Amser Allan yn nhermau'r lleihad yn y niferoedd o weithiau y defnyddir y broses. Lleihad yn y cyfnod o amser a dreulir yn cael Amser Allan yw'r arwydd cyntaf o lwyddiant.

## Peidio dilyn drwodd, a gwneud bygythiadau gwag

Weithiau bydd athrawon yn bygwth Amser Allan heb fod â'r ymroddiad i'w ddilyn drwodd. Hwyrach y dywedwch, 'Wyt ti eisiau Amser Allan!' neu, 'Rwyt yn gofyn am Amser Allan!' neu, 'Wyt ti'n barod am Amser Allan?' Mae'r bygythiadau gwag yma'n gwanhau awdurdod yr athro. Daw plant i gredu na ddefnyddir Amser Allan, a'r canlyniad tebygol yw cynnydd yn eu gwrthwynebiad i Amser Allan pan gaiff ei weithredu go iawn.

Mae'n fwy effeithiol i ddefnyddio gosodiad 'os . . . yna' na bygythiad gwag o Amser Allan. 'Os na wnei di ddod oddi wrth y cyfrifiadur, yna bydd raid i ti gael Amser Allan.' Wedyn, dilynwch drwodd gydag Amser Allan ar ôl i chi roi amser i'r plentyn gydymffurfio. Peidiwch â sôn am Amser Allan oni bai fod gennych yr amser a'r egni i'w ddilyn drwodd. Fel arall, byddai'n well i chi anwybyddu'r camymddygiad.

Mae dilyn drwodd yn golygu y bydd raid i chi fod yn barod i ailadrodd yr Amser Allan os na fydd y disgybl wedi cydymffurfio wedi iddo dderbyn yr Amser Allan cyntaf. Os rhoddodd athrawes Donna Amser Allan iddi am beidio dilyn cyfarwyddiadau, yna bydd raid i'r athrawes ailadrodd y gorchymyn wedi iddo gyflawni'r Amser Allan. Os bydd Donna'n gwrthod unwaith eto, bydd raid ailadrodd y rhybudd a'r Amser Allan nes y bydd yn cydymffurfio. Os methwch y rhan bwysig yma o'r dilyn drwodd, fe all eich disgyblion ddefnyddio Amser Allan i osgoi gwneud rhywbeth nad ydynt yn dymuno'i gyflawni.

## Tanseilio Amser Allan drwy roi sylw

Bydd rhai athrawon, yn ddifeddwl, yn rhoi sylw i ddisgyblion yn ystod eu Hamser Allan. Er enghraifft, mae plentyn yn cael ei ddanfon at swyddfa'r pennaeth, a'r ysgrifenyddes yn rhoi bisged iddo! Mae Timmy'n sgrechian wrth gael Amser Allan, a'r athrawes yn ymateb i bob sgrech drwy ddweud, 'Rhaid i ti fod yn dawel cyn y cei ddod oddi yna.' Bydd athrawon eraill yn mynd i mewn ac allan o'r ystafell Amser Allan, naill ai i gadw golwg ar y disgybl neu i'w ddychwelyd yno. Mae gweithredu fel hyn yn dadwneud pwrpas Amser Allan ac, yn wir, yn atgyfnerthiad i'r plant.

Ni ddylai fod unrhyw gyfathrebu gyda'r plant yn ystod eu cyfnod Amser Allan. Os ydych yn debygol o fynd i safle'r Amser Allan rhag ofn i'r disgybl falurio rhywbeth, tynnwch yr eitemau a all gael eu torri oddi yna neu chwiliwch am leoliad newydd. Os byddwch yn defnyddio cadair ar gyfer Amser Allan, a disgybl yn llwyddo i dynnu sylw'r disgyblion eraill, efallai y byddwch angen symud y gadair oddi wrth weddill y dosbarth neu osod y disgybl mewn dosbarth athro arall i dreulio ei Amser Allan.

## Atal corfforol

Weithiau, pan fydd plant yn dod o'r gadair neu'r lleoliad Amser Allan dro ar ôl tro, bydd athrawon yn eu llusgo'n ôl neu yn eu dal yn gorfforol yn y gadair. Maent yn cyfiawnhau'r fath gyfyngu drwy ddweud eu bod yn gwneud hynny fel ymgais a cham olaf. Ac am fod hynny'n llwyddiannus, credant ei bod yn iawn i weithredu felly. Y broblem wrth dybio fod llwyddiant yn cyfiawnhau'r dull *(the end justifies the means)* ydi fod hyn yn tanseilio pwrpas Amser Allan ac yn canolbwyntio ar lwyddiant tymor byr o gael y plant i gydymffurfio ac ufuddhau. Yn anffodus, mae'r anfanteision tymor hir yn llawer gwaeth na'r manteision tymor byr, gan gynyddu teimladau ymosodol y plentyn a rhoi model o ddefnyddio trais mewn sefyllfaoedd o wrthdaro. Mae'n well ymdrin â sefyllfaoedd o'r fath drwy gyfuno Amser Allan gyda cholli breintiau, neu rybuddio y bydd Amser Allan yn cael ei weithredu mewn lleoliad arall. Er enghraifft, 'Os na wnei di fynd yn ôl i gael Amser Allan rŵan, ac aros yno nes bydd y cyfnod yn dod i ben, yna fe fyddi'n colli egwyl heddiw,' neu, 'Os na wnei di gael Amser Allan tawel yn y fan yma, bydd raid i ti fynd i gwblhau'r cyfnod yn nosbarth Miss D.' Mae'r dull yma'n modelu ymdriniaeth ddi-drais sy'n cynnal perthynas dda gyda'r disgyblion.

Fe allai atal corfforol fod yn beryglus ac nid yw'n cael ei argymell am nifer o resymau. Yn gyntaf mae atal corfforol, a'r sylw oedolyn sydd o reidrwydd yn dod law yn llaw, yn medru cyfrannu tuag at atgyfnerthu ymddygiad gwrthwynebus plentyn sy'n cael ei atal yn gorfforol. I rai plant sy'n cael eu hesgeuluso, cael eu hatal yn gorfforol yw'r sylw oedolyn dwysaf a dderbyniant yn ystod eu bywydau, a byddant yn cynyddu eu camymddygiad er mwyn cael y sylw yma. Yn ail, rhaid cofio fod plant ifanc yn eithaf cryf. Bydd llawer o oedolion yn canfod wrth atal plant ei bod yn hawdd iddynt eu dal mor dynn nes eu bod yn eu hanafu'n ddamweiniol. Mae atal plentyn yn gorfforol neu ei lusgo i leoliad Amser Allan yn creu tensiwn aruthrol i'r athro a gweddill y dosbarth. Yn drydydd, mae cael eu hatal yn gorfforol yn dysgu plant i

ddibynnu ar gael athrawon i'w dal i lawr i'w hymdawelu. Nod Amser
Allan, i'r gwrthwyneb, yw bod y plentyn yn priodoli ei allu i ymdawelu
i'w ymddygiad ei hun yn y pen draw. Bydd y gallu yma i ymdawelu
drwy ei ymdrechion ei hun yn strategaeth a fydd yn fwy llesol iddo yn y
tymor hir.

Os na ellwch dynnu plentyn oddi wrth ei gynulleidfa mewn ffordd
resymol pan fydd yn ymddwyn yn negyddol, y mae'n bosibl ichi
dynnu'r gynulleidfa oddi wrth y plentyn. Bydd yr athro'n rhoi rhybudd
ei fod eisiau athro cynorthwyol i warchod y plentyn sy'n camymddwyn,
tra'i fod ef yn dawel yn arwain y dosbarth i leoliad arall. Bydd y disgybl
angen treulio amser oddi wrth y dosbarth nes ei fod wedi setlo ac yn
gallu meddwl a thrafod ei amodau dychwelyd. Y cyfnod arferol o amser
y mae angen i'r plentyn a'r dosbarth fod ar wahân yw oddeutu 15
munud.

### Gwrthod mynd i gael Amser Allan

Pan fydd plentyn ifanc (4-6 oed) yn gwrthod mynd i gael Amser Allan fe
allwch ddweud, 'Gelli fynd am Amser Allan fel plentyn mawr neu fe
fydd raid i mi fynd â thi yno.' Bydd cael dewis yn aml yn ddigon i
ysgogi plant i fynd ar eu pennau eu hunain. Os na fydd hynny'n
digwydd, yna fe fyddwch yn dawel ac yn ddi-droi'n-ôl yn gafael yn
llaw'r plentyn a'i dywys i gael Amser Allan. Os bydd yr athrawes yn
gadarn ac yn siŵr ohoni'i hun, yna fe fydd arwain yn gorfforol fel hyn
yn llwyddiannus.

Os yw'r plant yn ddigon hen i fod â pheth dealltwriaeth o'r cysyniad
o amser (fel arfer 6-7 oed), ac yn gwrthod mynd i gael Amser Allan y tro
cyntaf, yna ychwanegwch funud o Amser Allan. Er enghraifft, 'dyna 1
funud o Amser Allan ychwanegol i ti am ddadlau a pheidio mynd i gael
Amser Allan.' Gellwch barhau â hynny nes cyrraedd 9 munud. Yna,
rhowch rybudd o golli braint: ' Mae dy Amser Allan yn 9 munud rwan.
Os na fyddi'n mynd am Amser Allan ar unwaith, ni fyddi'n cael cymryd
rhan yn y gêm bel droed heno.' Unwaith y bydd athro wedi dilyn
drwodd gyda cholli braint bwysig i'r plentyn, fe fydd y plentyn yn
dysgu'n fuan ei bod yn well iddo fynd am Amser Allan yn dilyn y
gorchymyn cyntaf. Mantais y dull yma yw bod yr athro'n osgoi bod yng
nghanol brwydr am oruchafiaeth gyda'r disgybl, a bod y plentyn wedi
cael cyfle i ddewis: naill ai mynd i gael Amser Allan (am 10 munud) neu
golli gêm bêl droed.

Os bydd breintiau megis colli egwyl, colli gêm bêl droed neu golli
trip maes yn cael eu tynnu oddi ar blentyn, mae'n bwysig fod hynny'n

digwydd ar y dydd a dim ond am y dydd. Nid yw cosbau hirach megis colli egwyl neu gyfnodau cyfrifiadur am wythnos, yn fwy llwyddiannus. Y gwrthwyneb sy'n wir – bydd y plant yn teimlo'u bod yn cael eu cosbi'n annheg a byddant yn digio wrth yr athro yn hytrach na mewnoli eu rhan hwy yn y broblem. Bydd cosbau hirach yn atgoffa plentyn drwy'r wythnos am gamymddygiad a ddigwyddodd ar ddydd Llun. Mae cosbau byrrach yn caniatáu i blentyn gael *dechrau newydd* a chyfleoedd i fod yn fwy llwyddiannus. Pe baech yn tynnu amser cyfrifiadur oddi ar blentyn am wythnos, ac yntau'n ymddwyn yn amhriodol wedyn, yna byddai raid i chi dynnu braint arall. Gall plentyn, mor hawdd, ddisgyn i bydew dwfn na all weld ei hun yn ennill ei ffordd allan ohono. Yn fuan, ni fydd gennych ddim arall i'w dynnu oddi arno. (Gweler Pennod 7 am y drafodaeth yma.)

**Gwrthod dod o'r Amser Allan**

Gall sawl math o wrthdaro ddigwydd yn ystod y dilyniant Amser Allan. Y cyntaf yw plant yn gwrthod dod yn ôl wedi i'r Amser Allan ddod i ben. Bydd rhai athrawon yn ymateb drwy adael i'r disgyblion aros yn yr ystafell Amser Allan mor hir ag y dymunant. Mae'n amhriodol defnyddio Amser Allan yn y modd hwn fel canlyniad i beidio cydweithredu. Nid yw athrawon yn dilyn drwodd gyda'u gorchymyn gwreiddiol a bydd y disgyblion yn dysgu y gallant osgoi cyflawni tasg drwy aros yn yr ystafell Amser Allan.

Os bydd disgybl yn gwrthod dychwelyd i'r dosbarth, yna fe ddylech ychwanegu 2 funud o amser at y cyfnod. Gellir parhau â hyn nes cyrraedd 10 munud, ac yna dylid tynnu braint oddi ar y plentyn. Os yw'r plentyn yn cael ei gosbi am daro, gallwch ddweud, 'Mae'r amser ar ben. Gelli ddod oddi yna rwan.' Os nad yw'r plentyn yn ufuddhau, yna gellwch roi rhybudd, 'Os na ddoi di allan rwan, yna fe fydd raid i ti golli egwyl.'

**Ymdrechion eraill am oruchafiaeth**

Enghraifft arall o wrthdaro yw athro'n gwrthod siarad gyda disgybl am gyfnodau hir yn dilyn Amser Allan. Mae hyn mewn gwirionedd yn estyniad ar yr Amser Allan ac, fel y crybwyllwyd eisoes, nid yw'n yn dysgu plant sut i ddelio gyda gwrthdaro mewn ffordd briodol. Yn hytrach mae'n eu dysgu sut i encilio oddi wrth y gwrthdaro.

Ni fydd gwrthod siarad gyda'r disgyblion am gyfnodau hir wedi iddynt gamymddwyn ond yn cynyddu tensiwn a dicter. Yn y sefyllfa yma, dylech ystyried beth sy'n eich poeni, pa ymddygiad a ddisgwyliwch, ac wedyn mynegi hynny'n eglur.

# Egwyddorion eraill Amser Allan

## Dal plant yn gyfrifol

Nid yw'n anghyffredin i blant ymateb yn gryf i Amser Allan, yn arbennig ar y dechrau. Efallai y byddant yn taflu pethau, yn curo desg neu wal, neu'n bod yn ddinistriol. Os bydd plentyn yn difrodi pethau yn ystod Amser Allan, gellwch ymateb mewn amrywiol ffyrdd. Yn gyntaf, (os mai Amser Allan am beidio cydymffurfio ydyw) dylid ailadrodd y gorchymyn cyntaf. Er enghraifft, os oedd y disgybl yn cael Amser Allan am beidio cyflawni aseiniad, yna bydd raid iddo'n gyntaf gyflawni'r aseiniad. Wedyn, bydd raid gofyn iddo glirio'r ystafell Amser Allan. Os cafodd rhywbeth ei dorri, bydd raid dal y plentyn yn gyfrifol am drwsio'r difrod os yw hynny'n bosib, neu fe ddylai golli braint y diwrnod hwnnw.

## Disgwyl dyfalbarhad

Gall clywed sŵn plentyn yn gweiddi, yn sgrechian, yn rhegi neu'n taro wal yn ystod Amser Allan fod yn brofiad blinderus iawn i athro. Mae'n anodd gwrando ar blant yn camymddwyn heb gynhyrfu a theimlo'n isel neu flin. 'A fydd o byth yn stopio gwneud hyn?' neu, 'Beth wnes i yn anghywir?' neu, 'All o ddim bod yn dda iddo gynhyrfu fel yma.' Bydd teimladau o'r fath yn ei gwneud yn anodd cyflawni Amser Allan am y 5 munud llawn, neu hyd yn oed ei ddefnyddio eto o gwbl. Gall athrawon gael y teimlad 'byth eto' wedi defnyddio Amser Allan, ac osgoi ei ddefnyddio yn y dyfodol. Os bydd hynny'n digwydd, fe fydd y disgyblion wedi llwyddo i wneud i'r athrawon ildio a chamu'n ôl.

Disgwyliwch i Amser Allan fod yn anodd ar adegau gan y bydd pob disgybl yn profi'r ffiniau. Os defnyddiwch Amser Allan am daro, yna bydd y plant yn debygol o daro nifer o weithiau i benderfynu a yw'r ymateb yn un disgwyliedig a chyson. Os bydd plant yn dysgu na fyddwch bob amser yn ymateb i ymosodedd gydag Amser Allan, hwyrach y byddant yn parhau i daro wrth ddelio gyda gwrthdaro neu ddicter. Er mwyn aros yn gyson a dygymod â'r straen o orfodi Amser Allan anodd, ceisiwch ailgyfeirio eich hun neu alw am gymorth athro arall neu'r pennaeth.

## Peidio ag anghofio am y plentyn sy'n cael Amser Allan

Gwelsom Amser Allan yn cael ei weithredu mewn dosbarth pryd y rhoddwyd Amser Allan i blentyn neu ei ddanfon i ystafell y pennaeth, ac yna anghofio amdano. Ni ddefnyddiodd yr athro amserydd i ddynodi amser terfynu'r Amser Allan ac fe ymgollodd gymaint gyda'r plant eraill nes iddo anghofio am y plentyn oedd yn cael Amser Allan! Gall hyn ddigwydd ar yr iard lle bydd llawer o blant a dim ond ychydig o oedolion yn eu gwarchod. Mae'n hanfodol dwyn yr Amser Allan i ben i sicrhau fod y plentyn yn cael cyfle i ddysgu o'r newydd.

## Gwneir yn glir y defnyddir y drefn Amser Allan neu Ymdawelu am ymddygiad ymosodol

Yn aml bydd athrawon yn teimlo nad oes ganddynt yr amser i weithredu Amser Allan. Byddant yn brysur yn dysgu gweddill y dosbarth pan fydd disgyblion yn camymddwyn. Pan ddaw'r foment i weithredu Amser Allan a stopio gwaith y dosbarth, penderfynant anwybyddu'r ymddygiad neu roi mewn i'r camymddygiad. O ganlyniad, bydd y defnydd o Amser Allan yn mynd yn anghyson ac, fel arfer, bydd hynny'n cynyddu ymddygiadau amhriodol yn ystod cyfnodau prysur. Cofiwch ddechrau drwy ddefnyddio Amser Allan yn gyson ond yn gynnil am gamymddygiad dwys. Hwyrach y bydd rhai dyddiau anodd wrth i'r disgyblion brofi eich ymroddiad i'r rheol newydd ond yn y tymor hir bydd y dosbarth yn rhedeg yn esmwythach.

## Cynllunio Amser Allan ar yr iard ac yn y ffreutur

Mae plant yn fwyaf tebygol o fod yn ymosodol ar yr iard yn ystod egwyl neu yn y ffreutur ginio lle mae'r drefn yn llai ffurfiol. Felly mae angen trefnu sut y bydd Amser Allan yn cael ei weithredu yn y mannau hynny. Hwyrach y bydd gan ysgolion feinciau wedi cael eu peintio'n arbennig neu fannau penodol i'r plant fynd iddynt yn ystod Amser Allan. Bydd angen digon o staff yn y mannau yma i ofalu fod Amser Allan yn cael ei weithredu'n llwyddiannus. Dylai pob un Amser Allan gael ei gofnodi mewn llyfr monitro a'i ddilyn i fyny gyda'r athrawes. Efallai, gyda chamymddygiad dwys, y bydd angen danfon y disgyblion i ystafell benodol ar gyfer Amser Allan yn yr ysgol.

## Cefnogi eich gilydd a gweithio gyda'ch gilydd i reoli Amser Allan anodd

Weithiau, pan fydd athro'n gweithredu Amser Allan, fe fydd athro arall neu aelod arall o'r staff yn torri ar draws drwy siarad gyda'r plentyn neu ddadlau ynglŷn â defnyddio Amser Allan. Bydd hyn yn ei gwneud yn anodd gweithredu'r Amser Allan, ac fe wêl y plentyn gyfle i chwarae'r naill yn erbyn y llall.

Mae ymchwil wedi dangos y gall gwrthdaro rhwng disgyblion arwain at wrthdaro rhwng athrawon. Felly, os bydd athro'n gweithredu dilyniant Amser Allan neu Amser Ymdawelu, fe ddylai fod yna gytundeb y bydd yr athrawon eraill yn gefnogol. Dylai athrawon sy'n rhannu dosbarth fod yn siŵr eu bod wedi trafod, datrys unrhyw broblemau a chytuno ar y canlynol cyn dechrau defnyddio Amser Allan:

- pa ymddygiadau sy'n arwain at Amser Allan
- sut i benderfynu pwy sy'n arwain gweithredu Amser Allan
- ffyrdd y gall pob un ddangos cefnogaeth wrth gadw golwg ar yr Amser Allan
- sut y gall athro roi arwydd i athro arall ei fod angen cymorth i gwblhau'r Amser Allan
- ffyrdd derbyniol o roi adborth am y defnydd o ddisgyblaeth
- lle gellir gweithredu'r Amser Allan os na ellir gwneud hynny yn y dosbarth, a phwy fydd yn mynd a'r plentyn yno

Yn ddelfrydol, os bydd athro ar ei ben ei hun mewn dosbarth ac yn cael anhawster i weithredu Amser Allan yno, dylai fod tîm o athrawon cefnogi wrth gefn 'ar alwad'. Byddant ar gael i helpu athro i symud y plentyn allan o'r dosbarth i leoliad Amser Allan arall. Dylai fod gan ysgolion brotocol argyfwng wedi'i gyhoeddi, a threfn gydnabyddedig i'w defnyddio pa bryd bynnag y bydd athro angen cymorth ar frys oherwydd plentyn aflonyddgar iawn sy'n fygythiad posib i ddiogelwch rhywun arall. Os na fydd gan athro system intercom, yna fe ddylai fod ganddo god penodol megis cerdyn coch y gellir ei roi i blentyn cyfrifol i'w ddanfon i'r swyddfa fel arwydd fod yr athro angen cymorth. Dylai fod athrawon penodol wedi cael eu hyfforddi'n arbennig, ar gael i ddod yn syth i'r dosbarth pan weithredir y drefn cerdyn coch.

Bydd yr athrawon penodol yma yn gallu hebrwng plentyn aflonyddgar iawn i ystafell Amser Allan neu i 'lecyn ymdawelu a meddwl.' Bydd y mannau yma'n lleoedd saff sy'n cael eu goruchwylio, ac fe fydd cyfle yno i blentyn ymdawelu ac ailgyfeirio. Ni ddylai'r amser sy'n cael ei dreulio yn yr ystafell Amser Allan fod yn atgyfnerthol o gwbl. Gellir rhoi posteri ar furiau'r ystafell sy'n dangos y canlynol i'r disgyblion:

1. Anadla'n ddwfn a dwêd wrthyt dy hun, 'Aros, Ymdawelu, a Meddwl.'
2. Dwêd wrthyt dy hun, 'Gallaf reoli hyn. Gallaf ymdawelu.'
3. Meddylia pam y gofynnwyd i ti adael y dosbarth.
4. Gofynna i ti dy hun, 'Pan reol wnes i ei thorri?'
5. Meddylia am ateb neu ffordd o ddatrys y sefyllfa

Gellir gofyn i blentyn a anfonwyd o'r dosbarth am Amser Allan ac sydd bellach wedi ymdawelu, i lenwi holiadur Amser Allan (yn llafar neu'n ysgrifenedig). Ar gyfer plant ifanc nad ydynt yn gallu darllen, gellir gosod lluniau'n dangos ffyrdd o adfeddiannu rheolaeth wrth ymyl y gadair Amser Allan. Bydd y rhain yn atgoffa'r plant am strategaethau ymdawelu (Pennod 11).

Mae'n bwysig hefyd nad yw athrawon yn gweld galw am gymorth fel arwydd o wendid ond yn hytrach fel polisi ysgol ar gyfer delio gyda disgyblion aflonyddgar.

## TAFLEN DATRYS PROBLEMAU

Enw_____ Dyddiad_____

1. Beth oedd y broblem?
_____
_____
_____
_____

2. Sut oeddet ti'n teimlo?

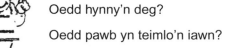

OFN          BLIN          CYFFROUS          EMBARAS          TRIST          ARALL

3. Sut wnes ti ddatrys y broblem?
_____
_____

Oedd hynny'n saff?                    OEDD neu NAC OEDD

Oedd hynny'n deg?                    OEDD neu NAC OEDD

Oedd pawb yn teimlo'n iawn?          OEDDENT neu NAC
                                      OEDDENT

4. Wyt ti'n gallu meddwl am ffyrdd eraill o ddatrys y broblem y gallet fod wedi rhoi cynnig arnynt?

_____
_____
_____
_____

5. Beth ydi'r ateb gorau?

_____

Ydi o'n ateb saff?                 YDI neu NAC YDI
Ydi o'n ateb teg?                 YDI neu NAC YDI
A fydd pawb yn teimlo'n iawn?      BYDDANT neu
                                   NA FYDDANT

6. Beth wnei di rwan i wella pethau?

_____
_____
_____

*Arwyddwyd:*

Disgybl: _____         Athro: _____

Rhiant: _____          Pennaeth: _____

## Cofio nad oes ateb parod a chyflym

Mae rhai athrawon yn honni nad yw Amser Allan yn gweithio iddynt hwy. Gall y problemau a drafodwyd ynghynt wrth weithredu'r broses gyfrannu tuag at Amser Allan aneffeithiol neu fe all athro, yn syml, fod wedi rhoi'r gorau iddi'n rhy fuan. Camgymeriad yw meddwl fod treialu Amser Allan bedair neu bum gwaith yn mynd i ddileu problemau ymddygiad.

Nid dewiniaeth yw Amser Allan! Mae plant angen treialu'r dysgu drosodd a throsodd. Bydd plant angen *llawer o gyfleoedd* i gamymddwyn a gwneud camgymeriadau, ac wedyn dysgu oddi wrth ganlyniadau'r camymddygiad. Yn yr un modd ag y mae babi'n ymgeisio gannoedd o weithiau i ddysgu cerdded, mae plentyn hefyd angen llawer o dreialon i ddysgu sut y mae ymddwyn yn y dosbarth. Cofiwch felly mai'n araf y bydd ymddygiad yn newid hyd yn oed pan fydd Amser Allan yn cael ei ddefnyddio'n effeithiol. Byddwch yn amyneddgar. Cymer o leiaf deunaw mlynedd i ddisgyblion ddysgu'r holl ymddygiadau oedolion aeddfed yr hoffech eu gweld.

## Cofio nad yw Amser Allan yn addysgu ymddygiadau cadarnhaol

Datrysiad tymor byr yw Amser Allan i stopio ymddygiad ymosodol. Nid yw'n cynnig cyfle i'r disgyblion ddysgu ymddygiadau cymdeithasol. Nid yw'n ysgogi disgyblion i gyflawni eu gwaith ysgol. Os mai ein nod wrth reoli ymddygiad yn y dosbarth yw helpu plant i wneud gwell dewisiadau, dysgu ymddygiad mwy derbyniol a rhoi cyfle iddynt fod yn fwy llwyddiannus, ni fydd Amser Allan ar ei ben ei hun yn helpu iddynt gyrraedd y nod. Yn hytrach, mae o gymorth pan fydd strategaethau megis canmol, anwybyddu, ailgyfeirio, rhybuddio, defnyddio canlyniadau naturiol neu resymegol a thynnu breintiau wedi methu. Yn ogystal â defnyddio Amser Allan i leihau ymddygiadau ymosodol, bydd angen i athrawon ganolbwyntio ar ddatblygu cynlluniau rheoli ymddygiadau. Bydd y rhain yn canolbwyntio ar ddysgu dulliau datrys problemau'n ddi-drais i'r disgyblion fedru rheoli gwrthdaro yn ogystal â rhoi sgiliau cymdeithasol pwrpasol iddynt. (gweler Penodau 9, 10 ac 11).

## Bod yn effro i'ch angen eich hun am Amser allan

Gall athrawon fod yn or-sensitif i gamymddygiad eu disgyblion oherwydd eu bod wedi blino'n lân, yn ddig neu'n teimlo'n isel eu hysbryd am nad oes cynnydd amlwg i'w weld yn ymddygiad eu disgyblion er iddynt ymdrechu'n galed i'w dysgu. Gall athro deimlo'n flin neu'n isel hefyd oherwydd digwyddiadau yn ei fywyd personol neu broffesiynol y tu allan i'r ysgol. Efallai fod athro sy'n gwylltio gyda disgybl yn flin oherwydd bod y pennaeth wedi rhoi gormod o ddisgyblion iddo i'w dysgu, neu heb roi cymhorthydd iddo. Gall athro ddwrdio disgyblion am wneud sŵn oherwydd ei fod dan bwysau oherwydd ei sefyllfa bersonol yn y cartref (megis plentyn sâl neu helbulon priodasol). Yn ddibynnol ar hwyliau a lefel egni athro, gall ymddygiad plentyn ymddangos yn ddigon ciwt un diwrnod ond yn wrthun ar ddiwrnod arall.

Bydd hyd yn oed yr athrawon mwyaf caredig a'r rhai sydd â'r bwriadau gorau yn mynd yn rhwystredig a blin gyda'u disgyblion. Nid oes neb yn berffaith. Y dasg bwysig yw i chi adnabod yr hidlyddion a'r hwyliau sydd arnoch wrth ddirnad plentyn, a bod â'r strategaethau i ddygymod â'ch teimladau chi eich hun. Os ydych yn teimlo'n isel oherwydd problemau gwaith, hwyrach ei bod yn amser i chi gymryd Amser Allan eich hun, i ffwrdd oddi wrth y dosbarth er mwyn ymlacio am rai munudau ac ennill persbectif. Os ydych yn flin gyda'r pennaeth neu gyd athro, hwyrach eich bod angen Amser Allan i ddatrys problem. Wrth helpu disgyblion i fod yn llai ymosodol ac yn fwy abl i ddatrys problemau a delio gyda gwrthdaro yn adeiladol, mae'n hanfodol eich bod yn modelu Amser Allan i reoli eich dicter a'ch rhwystredigaeth eich hun.

Yn yr un modd ag y buom yn trafod athro'n defnyddio arwydd i alw am gymorth gan staff eraill yr ysgol i reoli sefyllfa gorfforol beryglus, fe ddylai fod yna beirianwaith wrth gefn i athro arwyddo ei fod angen 'toriad' neu gyfnod byr o Amser Allan yn syth. Rhaid bod yna hinsawdd o beidio gweld bai i hyn fod yn llwyddiannus. Hwyrach y bydd athro'n defnyddio'r cod, 'mae yna neges i mi yn y swyddfa,' i arwyddo ei fod angen toriad byr. Neu, pe bai athro arall yn gweld fod dosbarth cyfagos yn anhrefn llwyr, gallai ddefnyddio arwydd cod, 'Alla i fenthyg nifer o'r disgyblion (y rhai trafferthus) am rai munudau?' Yna byddai'n cael sgwrs gyda nhw am eu hymddygiad allan o olwg yr ystafell. Gall cael cynhaliaeth tymor byr gan gydweithiwr fod o gymorth mawr i gynnal a pharhau agwedd dawel wrth wynebu ymddygiadau anodd gan ddisgyblion.

## Datblygu eich hierarchaeth disgyblaeth

Fel y dywedwyd, mae angen i athrawon gael cynllun disgyblaeth dosbarth neu hierarchaeth o ganlyniadau ar gyfer camymddygiadau disgyblion. Fe drafodwyd y pwysigrwydd o ddefnyddio'r ymyriadau athrawon sy'n tarfu lleiaf ar y dosbarth i reoli'r mwyafrif o gamymddygiadau disgyblion. Dulliau yw'r rhain megis ailgyfeirio, atgoffa, anwybyddu, rhybuddio a hunan-arsylwi (a drafodwyd ym Mhenodau 3 a 6). Ond os yw'r camymddygiad yn parhau er i athro ddefnyddio'r ymyriadau rhagweithiol yma, yna bydd raid iddo symud i lefel uwch yn yr hierarchaeth. Bryd hynny bydd yn defnyddio canlyniadau negyddol megis tynnu breintiau, rhoi tasgau, trefnu canlyniad rhesymegol neu sgyrsiau a gynlluniwyd (trafodwyd ym Mhennod 7). Yn olaf, ar gyfer camymddygiadau dwys iawn megis ymddygiadau ymosodol a dinistriol, bydd yr athro'n gallu defnyddio'r drefn Amser Allan neu Ymdawelu'r funud honno.

Dylai athrawon ofalu fod y cynllun ymddygiad yn weledol yn y dosbarth, wedi ei arddangos ar y wal i'w egluro i'r disgyblion yn ogystal ag i'r rhieni yn y noswaith agored gychwynnol. Gall sampl o hierarchaeth ar gyfer ymddygiad aflonyddol edrych fel a ganlyn:

---

### Sampl o hierarchaeth ar gyfer ymddygiad aflonyddol

*Y tro cyntaf:*     *Rhybudd o ganlyniadau*
                     *('Rwyf wedi dy atgoffa i weithio'n dawel ddwywaith rwan. Os na wnei di beidio tynnu sylw dy gymydog a siarad allan, yna bydd raid i ti gymryd amser i ffwrdd ar dy ben dy hun').*

*Yr ail dro:*     Pum munud i ffwrdd oddi wrth y grŵp neu gael
*(yr un diwrnod)*     cerdyn melyn.

*Y trydydd tro:*     Amser Allan a cholli 3 munud o amser egwyl / cerdyn coch.

*Y pedwerydd tro:*     Amser Allan a cholli egwyl gyfan.

### Sampl o hierarchaeth ar gyfer ymddygiad dinistriol

*Y tro cyntaf:*     *5 munud o Amser Allan yn y dosbarth:*
                     (Chloe, rwyt wedi dewis peidio cydymffurfio gyda rheolau'r dosbarth, felly 5 munud o Amser Allan i ti.)

*Yr ail dro:*     *Amser Allan yng Nghornel neu Gadair Dawel y dosbarth.*

*Y trydydd tro:*     *Amser Allan (a chynllunio cyfarfod gyda'r rhieni)*

*Y pedwerydd tro:*     *Amser Allan (gydag aros i mewn amser egwyl i ddal i fyny gyda thasgau a gollwyd).*

Os na ellir gorffen yr Amser Allan yn y dosbarth, bydd raid i'r athro benderfynu a yw am weithredu canlyniad gohiriedig (h.y. colli egwyl) neu drefnu i gael tywys y disgybl i ddosbarth arall i gwblhau'r cyfnod o 5 munud.

### Defnyddio cardiau golau gwyrdd, melyn a choch

Un dull effeithiol o sefydlu hierarchaeth disgyblu sy'n apelio at blant ifanc yw system troi cardiau goleuadau gwyrdd, melyn a coch. Bydd athro'n gosod amlenni bach ar hysbysfwrdd yn y dosbarth gydag un i bob disgybl, a'i enw arno. Ym mhob amlen bydd tri cherdyn – un gwyrdd, un melyn ac un coch. Bydd yr athrawon yn defnyddio'r system yma i roi rhybuddion a chanlyniadau ar gyfer camymddygiadau a ddewiswyd yn benodol. Er enghraifft, efallai y bydd athro am stopio siarad cas gydag eraill a siarad allan amharchus yn y dosbarth. Pan fydd Latasha'n siarad yn amharchus bydd yr athro'n ymateb, 'Latasha, rwyf am i ti droi dy gerdyn i fod yn felyn. Roeddet yn siarad yn amharchus gyda Jenny.' Wedi i Latasha droi ei cherdyn, bydd yr athro'n cofio fod rhaid iddo wrando a yw Latasha'n siarad yn gwrtais er mwyn ei chanmol. Os bydd Latisha'n parhau i siarad yn anghwrtais, bydd yr athro'n gofyn iddi droi ei cherdyn i goch. Yn yr achos yma, bydd yr athro wedi egluro wrthi ymlaen llaw fod cerdyn coch yn golygu colli egwyl y bore.

Wedi amser egwyl, bydd unrhyw gardiau melyn a choch a fydd gan y disgyblion yn cael eu troi'n ôl yn wyrdd, cânt gyfle o'r newydd i ddysgu a bod yn llwyddiannus. Bydd yr athro'n cadw golwg ar y nifer o gardiau melyn a choch y bydd disgybl yn eu cael mewn diwrnod. Yn ystod y cyfnod nesaf, y cyfnod cyn cinio, mae Latisha'n aros yn wyrdd a'r athro'n dweud, 'Mi wnes di'n ardderchog yn aros yn wyrdd. Beth wnes di i aros yn wyrdd?' Mae Latisha'n ymateb, 'Fe wnes i siarad yn dawel ac yn gwrtais pan ddaru chi alw fy enw.' Mae dweud ar lafar yr ymddygiadau priodol yn helpu'r disgybl i gofio'r hyn sy'n ddisgwyliedig ganddi. Bydd y rhaglen yn parhau drwy'r dydd gyda chyfle bob awr neu ddwy i'r cardiau gael eu troi'n ôl yn wyrdd a'r disgyblion yn cael cyfle newydd gyda llechen lan.

Gellir graddoli'r cardiau ar gyfer gwahanol ymddygiadau aflonyddol megis gadael ei gadair, peidio cydymffurfio a herio. Gall athro benderfynu fod taro'n cael cerdyn coch yn syth am y cyfnod hwnnw. Gall hefyd gynnig sialens bersonol bob dydd i ddisgyblion anodd, megis peidio cael cerdyn coch na melyn drwy'r bore, neu leihau'r nifer o gardiau melyn o gymharu â'r diwrnod cynt etc. Gall y disgyblion gymryd rhan mewn gwneud penderfyniadau ynglŷn â'r nifer o gardiau gwyrdd y tybiant y gallant eu cael y diwrnod hwnnw. Hwyrach y bydd yr athro'n

gosod sialens i'r holl ddosbarth gael pob cerdyn yn wyrdd drwy'r cyfnod darllen neu'r cyfnod chwarae rhydd etc. Gall gynnig gwobr i ddisgybl unigol neu ddosbarth cyfan am iddynt gwrdd â'r sialens.

*Nodyn o rybudd:* Gwnewch yn siŵr fod rhaglenni troi cardiau yn cael eu trefnu i'r dosbarth cyfan – er enghraifft, ar gyfer pob plentyn sy'n anghwrtais, yn anufudd neu'n ymosodol. Cofiwch y dylid rhoi'r un canlyniadau i bawb – hynny yw, dylent fod yr un fath am yr un camymddygiad, waeth pwy sy'n camymddwyn. Bydd plant yn sydyn iawn yn canfod annhegwch athro sy'n rhoi canlyniadau i rai plant, a dim canlyniadau i eraill.

## Datblygu cynllun ymddygiad ar gyfer disgyblion unigol gyda phroblemau

Mae'r ymyriadau a drafodwyd mewn penodau blaenorol, yn ogystal â'r rhai a ddisgrifiwyd uchod, yn strategaethau rheoli dosbarth generig i'w defnyddio ar adegau pan fydd unrhyw ddisgybl yn y dosbarth yn camymddwyn.

# CYNLLUN YMDDYGIAD
## ar gyfer

_____

Datblygwyd gan: _____

Dyddiad; _____

Mae'r cynllun yma i'w greu gan athrawon, therapyddion neu gwnselwyr sy'n gweithio'n uniongyrchol gyda disgybl neu rieni, a hynny mewn cydweithrediad â'i gilydd. Dylai'r cynllun bara drwy'r flwyddyn, ac yna cael ei ddefnyddio i ddatblygu cynllun pontio ar gyfer athrawon y flwyddyn ddilynol. Byddwch mor benodol â phosib gydag enghreifftiau.

### 1.Strategaethau rhwystro
Mae'r strategaethau rhwystro canlynol yn arbennig o lwyddiannus gyda'r disgybl yma:

> *Er enghraifft: cael y plentyn i eistedd wrth ymyl yr athro gyda'i gefn tuag at y dosbarth wrth weithio ar ei eistedd; siart dilyniant lluniau ar y ddesg yn dangos trefn y diwrnod er mwyn helpu gyda chyfnodau newid gweithgaredd; rhoi cyfle i symud o gwmpas; cliwiau ac arwyddion di-eiriau.*

### 2. Annog ymddygiadau priodol
**Targedu ymddygiadau cadarnhaol i'w cynyddu** Mae'r ymddygiadau cadarnhaol canlynol wedi cael eu targedu i dderbyn cefnogaeth ac atgyfnerthiad ychwanegol:

> *Er enghraifft: cadw'i ddwylo iddo ef/iddi hi ei hun; canolbwyntio ar ei waith; dangos llaw dawel; dilyn cyfarwyddiadau athro; rhannu syniadau gyda grŵp; gwrando ar eraill yn dawel; ymarfer darllen.*

**Ysgogiadau a chymhellion effeithiol:** Mae'r strategaethau dysgu canlynol yn effeithiol i ysgogi'r disgybl yma a chynyddu ei ymddygiadau cymdeithasol a'i lwyddiant academaidd:

*Er enghraifft: derbyn canmoliaeth eiriol yn aml gan ddisgrifio'n glir yr ymddygiadau cadarnhaol mae'r plentyn wedi eu cyflawni; canmol plant sydd yn agos ato pan nad yw ar dasg; ennill sticeri neu docynnau pan fydd yn ymddwyn yn bositif; y rhain wedyn yn cael eu gosod ar siart sticeri ymddygiad a'u cyfnewid am wobrau pan fydd wedi casglu 25; sticeri wynebau hapus yn cael eu cyflwyno am gyflawniad arbennig: mae'r plentyn hwn yn hoffi ennill amser ychwanegol ar y cyfrifiadur neu gyfle i helpu'r athro ac mae sylw athro'n ysgogydd arbennig o bwerus; mae hefyd yn hoffi bod yn arweinydd gweithgareddau dosbarth ac fe fydd yn gweithio am y fraint yma.*

## 3. Lleihau ymddygiadau amhriodol

**Ymddygiadau targed i'w prinhau.** Mae'r ymddygiadau canlynol eisoes wedi cael eu dileu'n llwyddiannus:

Cynlluniwyd canlyniadau ar gyfer yr ymddygiadau canlynol i brinhau'r achlysuron y byddant yn digwydd

*Er enghraifft: torri ar draws yn y dosbarth; breuddwydio a pheidio cymryd diddordeb yng ngwaith y dosbarth, yn arbennig yn ystod gweithgareddau grŵp mawr; peidio cydweithredu gyda chyfarwyddiadau athro.*

**Strategaethau effeithiol i ddelio gyda chamymddygiad.** Mae'r strategaethau rheoli dysgu canlynol o gymorth gyda'r disgybl yma:

*Er enghraifft: roedd cliwiau di-eiriau eglur ac atgoffa yn gymorth i'w ailgyfeirio yn ôl at dasg yn achos ymddygiadau nad oeddent yn tarfu ar weddill y dosbarth; roedd rhybudd o ganlyniadau yn aml yn rhwystro'r camymddygiad rhag cynyddu; roedd rhybudd o Amser Allan am ymddygiadau aflonyddol megis gwrthod dilyn cyfarwyddiadau yn aml yn stopio camymddygiad; roedd Amser Allan yn cael ei ddyfarnu'n syth wedi taro,sef cadair dawel yng nghornel yr ystafell am 5 munud; os nad oedd plentyn yn eistedd ar y gadair, byddem yn galw'r swyddfa ac ef/hi'n mynd i'r ystafell nesaf am 5 munud o Amser Allan; colli breintiau cyfrifiadur os cafodd Amser Allan ddwywaith mewn un diwrnod.*

## 4. Barn y rhieni a'r athrawon ynglŷn ag anian a diddordebau'r disgybl – awgrymiadau a allai fod o gymorth i gysylltu ag ef/hi

> *Er enghraifft: diddordebau – casglu cardiau pêl droed, dawnsio. Anian – hoffi anwes, gwgu llawer ac osgoi cyswllt llygaid ond yn mewnoli gwybodaeth yn rhwydd; pryderus ynghylch digwyddiadau newydd a datgelu ei deimladau ei hun, casáu ysgrifennu ond y cyfrifiadur yn helpu.*
> *Teulu – mae ganddo gi anwes o'r enw 'Ruffle', mae'n dechrau dygymod ag ysgariad.*

**5. Cynllunio cyfathrebu gyda rhieni:** byddai rhieni'n hoffi cael eu cynnwys i gefnogi llwyddiant eu plentyn yn yr ysgol. Cytunwyd y byddai'r dulliau canlynol yn gefnogol i bawb:

> *Er enghraifft: siart sticeri ymddygiad am ymddygiadau cadarnhaol yn cael eu danfon adref bob dydd; cael cyfnewid ei sticeri am freintiau ychwanegol gan y rhieni; rhieni'n mynd i fod yn gefnogol, yn gadarnhaol ac yn obeithiol gyda'u plentyn; byddant yn canolbwyntio ar ei lwyddiannau; y rhieni'n cytuno gyda chynllun disgyblaeth; byddant yn osgoi cosbi pan fydd yna ddyddiau ddim cystal yn yr ysgol gan adael i'r athro ddisgyblu pan fydd camymddygiad yn digwydd; galwadau ffôn positif i'r fam i ddweud wrthi am yr ymddygiadau positif; mam yn awyddus i gymryd rhan mewn ymweliadau maes neu sesiynau darllen yn y dosbarth; mam yn gallu helpu gyda newid gweithgaredd os bydd problem; y rhieni'n awgrymu pethau a ysgogodd ddiddordeb eu plentyn; athrawon a'r rhieni'n mynd i geisio cyfathrebu'n wythnosol drwy ddanfon nodyn, neges ffôn neu e-bost.*

**Trafodwyd a chytunwyd ar y cynllun (dyddiad)**_____

**Byddwn yn ail-werthuso'r cynllun:**_____ **(yn ôl yr angen)**

Mae'n bwysig datblygu cynllun ymddygiad unigol ar gyfer y plentyn sy'n camymddwyn yn ddi-baid. Bydd hynny'n helpu'r athro i fod yn fwy penodol am y ffyrdd y bydd yn canolbwyntio'i sylw a'r modd y bydd yn dilyn drwodd gyda'r canlyniadau y cytunwyd arnynt. Gall y daflen rheoli ymddygiad gael ei defnyddio i ddatblygu'r cynllun yma.

## Adnabod ymddygiadau negyddol

Yn gyntaf, mae angen i chi adnabod yr ymddygiadau negyddol penodol yr ydych yn am eu gweld yn prinhau – pwnio, gweiddi allan, rhegi, crwydro, gadael sedd, encilio cymdeithasol etc. Mae'n bwysig fod y rhain yn cael eu disgrifio'n eglur. Er enghraifft, beth a olygir wrth ymddygiad amharchus? Bydd rhai athrawon yn meddwl fod rowlio'r llygaid yn amharchus tra bydd eraill yn canolbwyntio ar ymddygiadau sy'n fwy amlwg yn amharchus megis rhegi neu alw enwau enllibus.

Wedyn, dewiswch pa ymddygiadau o blith y rhain y bwriadwch eu targedu gyntaf gyda golwg ar eu newid. Unwaith y byddwch wedi dewis yr ymddygiadau negyddol i'w targedu, arsylwch a chofnodwch pa mor aml y digwyddant, eu hyd, eu dwyster, a'r sefyllfaoedd a'r achlysuron pryd y byddant yn digwydd. Er enghraifft, a yw'r ymddygiadau penodol yn fwy tebygol o ddigwydd ar adegau anstrwythuredig (h.y. ar yr iard, yn y ffreutur neu'r coridorau yn hytrach nag yn y dosbarth)? Ydi'r ymddygiadau fel arfer yn digwydd ar ddyddiau penodol megis ar ddydd Llun wedi penwythnos lawn straen adref? Ydi'r ymddygiadau'n fwy tebygol o ddigwydd yn y prynhawn nag yn y bore? A ydynt fel arfer yn digwydd gyda disgyblion arbennig? A ydynt yn digwydd o dan amgylchiadau arbennig, er enghraifft pan fydd llai o oruchwyliaeth gan athrawon, neu yn ystod cyfnod newid gweithgaredd? A oes yna sbardun sy'n cychwyn y camymddygiad fel arfer? Er enghraifft, ydi'r plentyn yn camymddwyn pan gaiff ei bryfocio, ei wrthod gan grŵp o gyfoedion, ei adael allan o drafodaeth neu pan fydd yn dysgu tasg sy'n rhy anodd neu'n rhwystredig iddo?

Nid yw cadw cofnod parhaol yn hawdd, ond bydd y wybodaeth a gesglir yn dyngedfennol i chi wrth ddatblygu ymyrraeth a seiliwyd ar anghenion penodol y disgybl. Er enghraifft, os bydd y broblem yn digwydd yn amlach yn ystod y prynhawn, mae angen trefnu i'w wobrwyo'n amlach bryd hynny. Neu os nad yw'r broblem ond yn digwydd yn y ffreutur, pan nad oes cymaint o oruchwyliaeth gan oedolion, fel rhan o'r ymyriad hwyrach y bydd angen goruchwyliaeth ychwanegol yn ystod amser cinio. Os yw'r problemau yma'n digwydd yn y lle cyntaf gyda disgyblion arbennig, hwyrach y byddwch eisiau trefnu grwpiau chwarae fydd yn gwahanu'r plant perthnasol. Bydd eich cofnodion yn eich galluogi i gadw golwg ar eich strategaethau ymyrryd.

## Pam fod y camymddwyn yn digwydd?

Ystyriwch pam fod y plentyn yn camymddwyn. Bydd y rhestr wirio ganlynol yn eich helpu i ddeall y plentyn drwy ystyried pam efallai ei fod yn ymddwyn mewn ffordd arbennig:

| Deall y Camymddwyn | |
|---|---|
| | Ydi neu Nac ydi |
| Y plentyn yn camymddwyn i gael sylw. | |
| Y plentyn yn cael gwared â'i rwystredigaeth drwy gamymddwyn. | |
| Y plentyn heb fod â'r gallu datblygiadol i ymddwyn yn wahanol. | |
| Y plentyn yn camymddwyn i osgoi straen neu dasg annymunol. | |
| Y plentyn o'r farn fod camymddwyn yn hwyl. | |
| Y plentyn ddim yn ymwybodol ei fod yn camymddwyn. | |
| Y plentyn yn camymddwyn i gael grym eraill. | |
| Y plentyn yn camymddwyn er mwyn dial. | |
| Y plentyn heb gael ei ddysgu i ymddwyn yn fwy priodol a chymdeithasol. | |
| Oherwydd amgylchedd cartref y plentyn neu hanes o'r gorffennol ni chafodd brofiad o oedolion rhagweladwy a dibynadwy. | |
| Cymuned y plentyn yn cymeradwyo'r ymddygiad. | |
| Ymddygiad y plentyn yn adlewyrchu teimladau'r plentyn ei fod yn anghymwys. | |

Mae deall cymhellion a hunanymwybyddiaeth y plentyn o'r ymddygiad yn allwedd hefyd i ddatblygu cynllun ymyrraeth unigol a phwrpasol iddo. Er enghraifft, ni fydd gan blentyn gydag anawsterau talu sylw neu orfywiogrwydd y gallu i eistedd yn llonydd am gyfnodau hir o amser, ac efallai na fydd yn ymwybodol ei fod yn symud yn ddibaid neu'n mwmian o dan ei wynt. Byddai'n amhriodol i ddisgyblu plentyn o'r fath nad oes ganddo'r gallu datblygiadol na'r cyneddfau i berfformio ymddygiad mwy derbyniol. Ar y llaw arall, bydd plentyn sy'n defnyddio camymddygiad i gael grym dros rywun arall, neu sylw gan eraill, angen cael ymyriad sy'n caniatau iddo ennill grym a sylw am ymddygiadau priodol yn hytrach na rhai amhriodol. Bydd plentyn sy'n mynd yn rhwystredig yn hawdd neu'n osgoi sefyllfaoedd annymunol ac ingol hwyrach angen dysgu strategaethau hunanreolaeth. Ac efallai y bydd plentyn sy'n fudur ac yn ddrewllyd angen dysgu am arferion glanweithdra personol gan nad oes neb gartref a'i dysgodd am bwysigrwydd y sgil gymdeithasol hon.

## Adnabod ymddygiadau cadarnhaol i'w targedu ar gyfer eu cynyddu

Ar gyfer pob ymddygiad negyddol mae angen i chi adnabod ymddygiad cadarnhaol i gymryd ei le. Er enghraifft, i'r plentyn sy'n encilio ac yn gwrthod cymryd rhan yn nhrafodaethau'r dosbarth, hwyrach y byddwch yn targedu ymuno gyda'i gyfoedion a chymryd rhan mewn trafodaethau dosbarth fel ymddygiad cymdeithasol i'w gynyddu. I'r plentyn sy'n fyrbwyll, hwyrach y nodwch aros a dangos llaw dawel neu ddysgu cymryd tro fel ymddygiadau gwahanol i'w cefnogi. Gyda'r plentyn sy'n gyson angen cefnogaeth gan ei athro, hwyrach mai'r nod fydd iddo gyflawni rhyw agwedd o'r aseiniad ar ei ben ei hun yn gyntaf. Mae'n bwysig fod y targedau yma'n gyraeddadwy (h.y. fod y plentyn yn gallu eu cyflawni) ac yn fesuradwy. Y cam hwn o adnabod y nodau neu ymddygiadau cadarnhaol yw'r allwedd i lwyddiant y cynllun ymddygiad yn y pen draw. Nid yw ymdrechu i gyrraedd targedau negyddol megis dileu pwnio, strancio neu weiddi allan yn debygol o fod yn llwyddiannus gan nad yw'r targedau yma'n helpu plant i weld y dewis positif.

## Penderfynu ar atgyfnerthwyr penodol ar gyfer yr ymddygiadau a ddymunir

Unwaith y bydd yr ymddygiadau cadarnhaol wedi cael eu hadnabod, y dasg nesaf wrth gynllunio fydd adnabod yr atgyfnerthwyr cadarnhaol a fydd yn llwyddo i ysgogi'r plentyn dan sylw. Bydd rhai plant yn ymateb i ganmoliaeth a chefnogaeth athro, ac eraill yn amheus ohono. Bydd rhai disgyblion yn cael eu hysgogi gan wobr ddiriaethol tra bydd eraill yn gweithio am y cyfle i gael helpu'r athro. Bydd deall y cymhellion gwaelodol posibl sy'n achosi'r camymddygiad yn eich helpu i ddewis pa mor aml y mae angen i chi weithredu'r cynllun cymell. Er enghraifft, hwyrach y bydd plentyn sy'n cael mwy o anawsterau yn y pnawn angen rhaglen gymell wedi ei selio ar gyfnodau o 15 munud bryd hynny o gymharu â chyfnodau o 1 awr yn y bore. Wrth benderfynu ar atgyfnerthwyr, ceisiwch ystyried pob strategaeth ragweithiol bosib a all fod yn llwyddiannus gyda'r disgybl. Ceisiwch hefyd ganfod gan y rhieni pa gymhellion y maent hwy'n ei feddwl a fydd yn llwyddiannus. (Gweler Pennod 9 am drafodaeth ar raglenni cymell).

## Dewis canlyniadau penodol am ymddygiadau negyddol

Rhaid i ganlyniadau penodol am gamymddygiadau penodol gael eu penderfynu a'u hamlinellu'n glir yn y cynllun. I'r plentyn sy'n gweiddi allan, heb ddefnyddio iaith anweddus, hwyrach y penderfynwch ddefnyddio'r dull anwybyddu, ynghyd â chanmoliaeth am ddangos llaw dawel. Ond, gyda'r plentyn sy'n bloeddio rhegfeydd, hwyrach gweithredwch ganlyniad ysgafn (megis colli 2 funud o amser egwyl) ynghyd â derbyn pwyntiau am siarad cwrtais. Gyda phlentyn sy'n cael anhawster rheoli'i fyrbwylledd, hwyrach y penderfynwch ddefnyddio Amser Allan am daro; ynghyd â phwyntiau am gydweithredu gydag eraill, hunan-arsylwi a dysgu sgiliau cymdeithasol.

Unwaith y byddwch wedi cytuno ar y cynllun, dylid gosod ar bapur y drefn i'w gweithredu. Dylid nodi pwy sy'n gyfrifol am y cymhellion, pwy sy'n cofnodi'r data, pwy sy'n galw'r rhieni, pwy sy'n dysgu'r sgiliau cymdeithasol, pwy sy'n rhoi'r cynllun hunan arsylwi yn ei le etc. A dylid trefnu dyddiad ar gyfer adolygu'r deilliannau.

Cofiwch nad yw disgybl sydd â chynllun ymddygiad unigol ar ei gyfer yn cael breintiau arbennig am ddilyn cynllun. Yn hytrach, bydd yn derbyn cefnogaeth arbennig yn yr un ffordd ag y byddai plentyn gyda phroblem academaidd yn derbyn hyfforddiant ychwanegol.

## Cadw cofnod o gynnydd a dadansoddi eich system ddisgyblu

Fel y gwelsom uchod, mae cynllun ymddygiad ar gyfer plentyn unigol yn cynnwys cyfuniad o wahanol strategaethau (canlyniadau a chymhellion) yn hytrach na dim ond un datrysiad. Os yw'r cynllun yn gweithio dylai fod llai o gamymddygiad o fewn rhai wythnosau. Ond cofiwch, fel y trafodwyd gyda'r strategaethau anwybyddu ac Amser Allan, bydd yr ymddygiad fwy na thebyg yn gwaethygu cyn gwella. Os na fydd y camymddygiad yn prinhau dros gyfnod o amser, gyda'r cynllun yn cael ei weithredu'n gyson, yna fe ddylid ailedrych arno i sicrhau fod yna ddigon o gymhellion cadarnhaol cryf o fewn y cynllun, a phenderfynu a oes gorddefnydd o ganlyniadau negyddol.

Os ydych yn cadw cofnod manwl, mae'n haws dadansoddi'r cynllun er mwyn asesu a lwyddodd i brinhau'r ymddygiadau targed. Byddwch angen system i ddilyn y math o gamymddygiad, pa mor aml mae'n digwydd, y canlyniadau a ddefnyddiwyd, a'u heffeithiau. Dylid cofnodi'r camymddygiadau ar dudalen graff am nifer o wythnosau i weld a ydynt yn prinhau wrth i'r drefn ddisgyblu gael ei gweithredu. Bydd y drefn yma o gofnodi nid yn unig o gymorth i wybod lle mae'r disgyblion ar eich hierarchaeth o strategaethau disgyblu ond bydd hefyd yn eich helpu i gofnodi pa mor aml y mae'r disgyblion yn derbyn y canlyniadau mwyaf dwys megis Amser Allan neu golli breintiau.

Er enghraifft, bu athrawes yn gweithredu'r system troi cardiau ar gyfer disgyblion a oedd yn defnyddio iaith anghwrtais ac yn peidio cydweithredu. Roedd yn troi unrhyw gardiau melyn a choch yn ôl i

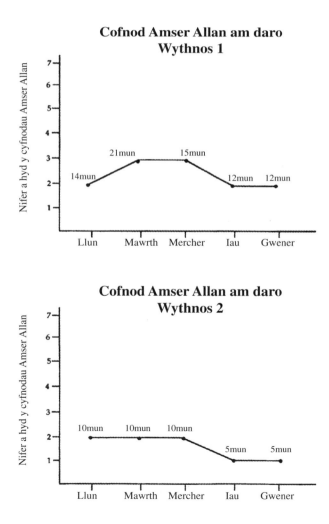

wyrdd deirgwaith neu bedair bob diwrnod. Ar ddiwedd yr wythnos, dadansoddodd ei system a gwelodd fod Robbie, un o'r disgyblion, yn cael o leiaf dri cherdyn coch y dydd a heb arwydd ei fod yn gwella o gwbl. Sylweddolodd y byddai'n rhaid iddi newid ei disgwyliadau yn achos Robbie a gweithio ar un camymddygiad ar y tro, gan leihau'r cyfnodau amser cyn troi'r cardiau'n ôl yn wyrdd, fel y gallai Robbie fod yn fwy llwyddiannus. Penderfynodd newid y system i roi cardiau coch a melyn am ei ddiffyg cydweithrediad ac anwybyddu'r siarad anghwrtais dros dro. Roedd hefyd yn troi cardiau Robbie nôl i wyrdd chwe gwaith y dydd. Gyda'r system wedi cael ei hadolygu, roedd Robbie'n derbyn rhai cardiau melyn a dim ond ambell gerdyn coch erbyn diwedd yr wythnos. Yn ddiweddarach, wedi i'w broblem o beidio cydweithredu wella'n sylweddol, adolygwyd y rhaglen ac fe ychwanegwyd siarad yn anghwrtais unwaith eto. Yr allwedd i lwyddiant cynllun ymddygiad yr athrawes yma oedd ei dadansoddi manwl.

Y rheswm arall pwysig dros gael cofnod gwrthrychol a siartiau yn mapio'r camymddygiadau yw y bydd athrawon ar ddiwrnod gwael yn cymryd yn eu pennau nad yw'r cynllun ymddygiad yn llwyddo pan nad yw hynny'n wir. Bydd disgyblion sydd â chynlluniau ymddygiad ar eu cyfer yn cael dyddiau gwael, ond yn raddol cânt fwy o ddyddiau da. Proses ara' deg yw llwyddo i oresgyn problemau ymddygiad a chael pellter cynyddol rhwng y dyddiau gwael.

## Bod yn barod am ddisgyblion yn llithro'n ôl – canolbwyntio ar ymarferiadau dysgu a chardiau ailgychwyn

Weithiau bydd athrawon yn teimlo'n siomedig ac yn ddig pan fyddant wedi gweithio'n galed iawn yn trefnu cynllun ymddygiad effeithiol gyda disgybl, ei fod yn ymddangos fel pe bai'n llwyddiannus am nifer o wythnosau, ond yn sydyn mae ei ymddygiad yn dirywio ac yntau'n cyflawni'r un hen ymddygiadau aflonyddol. Ystyriwch pa mor aml y clywsoch athro'n dweud 'Sut gelli di ymddwyn fel yna wedi'r cyfan a wnes i ti!' Weithiau, bydd llithro'n ôl o'r fath yn digwydd oherwydd nad yw athrawon mwyach yn darparu cymaint o sylw positif gan fod ymddygiad y plentyn wedi gwella'n sylweddol. Gall y llithro'n ôl fod yn rhybudd i'r athro fod y plentyn yn parhau i fod angen cymeradwyaeth a chefnogaeth ychwanegol. Mae llithro'n ôl yn rhan ddisgwyliedig ac angenrheidiol o broses ddysgu plant! Natur datblygiad plant yw dysgu pethau newydd gan symud ymlaen i aeddfedrwydd, annibyniaeth a hunanhyder cynyddol, yna llithro'n ôl i batrwm ymddygiad cynharach, llai aeddfed. Bydd y llithro'n ôl yma'n helpu plant i gofio eu man cychwyn, sylweddoli fod cyfyngiadau'n dal i fodoli, ond y gallant symud ymlaen unwaith eto. Mae'r hen ddywediad, 'dau gam ymlaen ac un cam yn ôl' yn berthnasol i bawb ohonom, yn blant ac oedolion wrth i ni ddysgu rhywbeth newydd.

Peidiwch â meddwl, os yw plentyn yn llithro'n ôl, ei fod wedi dychwelyd i'r cychwyn cyntaf un. Dros dro y bydd y rhan fwyaf o lithriadau, a bydd modd eu gwrthdroi ynghynt na'r tro cyntaf. Un ffordd o ddelio gyda llithro'n ôl yw defnyddio 'cardiau ailgychwyn,' hynny yw, rhoi cerdyn i'r plentyn yn nodi'r ymddygiadau sydd i'w gwella. Hwyrach y dywedwch wrth y plentyn, 'Mae pawb yn cael diwrnod gwael weithiau, ac rwyt tithau wedi bod yn gwneud mor dda. Byddi'n ôl ar y cledrau'n fuan iawn. Pan fydd y cerdyn yma'n llawn o sticeri am i ti aros ar dy sedd, byddwn yn gwybod dy fod ar y llwybr cywir unwaith eto.'

Cofiwch fod plant angen llawer o gyfleoedd dysgu cyn y bydd sgiliau cymdeithasol priodol yn dod yn rhan sefydlog o'u perthynas rhyngbersonol gydag eraill. Bydd plant sydd ag anawsterau dysgu, yn orfywiog, yn fyrbwyll, neu blant sydd wedi cael eu hamddifadu gan eu teuluoedd mewn rhyw ffordd, angen hyd yn oed fwy o ymarferiadau dysgu na phlant sydd wrth reddf yn fwy myfyrgar ac yn gwrando'n well, neu blant o gartrefi lle mae mwy o bwyslais ar ddysgu sgiliau cymdeithasol. Gydag ymatebion cyson, cynnes a gofalgar gan eu hathrawon, gall pob plentyn ifanc, yn hwyr neu'n hwyrach, ddysgu cymdeithasu a chyfrannu'n gadarnhaol yn eu dosbarthiadau.

## Cael cymorth rhieni i baratoi cynlluniau disgyblu

Un allwedd i lwyddiant y cynlluniau disgyblu a baratoir gan athrawon dosbarth yw'r graddau y derbyniwyd cefnogaeth rhieni. Yn ystod eich cyfarfod cychwynnol, rhannwch gyda'r rhieni eich dull hierarchaidd o ddisgyblu. Gan fod Amser Allan / Amser Ymdawelu yn un o'r canlyniadau disgyblu mwyaf sensitif ac aflonyddgar, mae'n hanfodol fod yna bolisi ysgol gyfan eglur ynglŷn â'r defnydd ohonynt, a'r polisi hwnnw wedi cael ei gyhoeddi a'i egluro i rieni. Bydd angen i'r polisi nodi'r canlynol:

- Pwrpas amser allan (i warchod diogelwch disgyblion ac athrawon; rhoi amser i ymdawelu ac adennill rheolaeth; dysgu disgybl fod ymddygiad ymosodol yn sicr o gael ei stopio).
- Pa ymddygiad fydd yn arwain at Amser Allan
- Sut y bydd Amser Allan yn cael ei weithredu yn ddiogel, a gyda pharch
- Sut y bydd y defnydd o Amser Allan yn cael ei reoli a'i gofnodi

- Sut y bydd amser Allan yn cael ei ddefnyddio ar yr iard ac yn y ffreutur
- Pa gynllun a ddarparwyd wrth gefn ar gyfer plentyn nad yw'n gallu cwblhau Amser Allan yn y dosbarth
- Pa bryd y bydd rhieni'n cael eu hysbysu
- Pa gynlluniau dilynol, yn ychwanegol at Amser Allan, a drefnwyd i gynorthwyo'r gwaith o ddysgu sgiliau datrys problemau a rheoli dicter er mwyn atal ymddygiad ymosodol.

Mae'n bwysig hefyd eich bod, yn ystod eich cyfarfod cychwynnol yn trafod y dulliau a ddefnyddiwch i gyfathrebu gyda rhieni ynglŷn â phroblemau ymddygiad a all ddigwydd yn yr ysgol (e.e. ffonio gyda'r nos). Ceisiwch ymateb i anghenion unigol drwy adael i rieni ddewis yr amser gorau i'w galw, neu iddynt hwy ddewis ffordd arall ichi gysylltu â nhw megis gadael neges ar beiriant ateb, danfon nodyn adref neu yrru neges testun neu ebost. Dylai'r dull a ddefnyddiwch i gyfathrebu gyda rhieni ynglŷn â chamymddygiadau eu plentyn yn yr ysgol gael ei ddewis gyda mewnbwn gan y rhieni, a'i addasu yn ôl sefyllfa'r rhieni, gan wneud hynny'n ddelfrydol cyn i'r broblem ymddygiad ddigwydd. Gadewch i rieni wybod yr amser gorau i gysylltu gyda chi hefyd.

Pan fo hynny'n bosib, fe ddylai athrawon a rhieni gydweithredu i drefnu cynllun ymddygiad a phenderfynu ar systemau cymell ystyrlon. Mae hynny'n caniatau i rieni atgyfnerthu yn y cartref lwyddiant eu plant yn yr ysgol. Ond fe ddylai cynlluniau ymddygiad ysgol sefyll ar eu pennau eu hunain heb ddibynnu ar rieni i fod yn llwyddiannus. Os bydd cynlluniau'n dibynnu ar rieni byddant yn anffafrio'r plentyn sydd â'i rieni'n methu ymwneud a'r cynllun oherwydd salwch meddwl, gofynion gwaith neu ddiffyg diddordeb. Bydd angen i gynlluniau sy'n cynnwys rhieni fod yn realistig ynglŷn â'r hyn y gall rhieni ei gyflawni yn y cartref. Er enghraifft, bydd rhieni sy'n byw o dan lawer o bwysau yn ei chael yn anodd i weithredu siartiau gwobrwyo a sylwi ar ymddygiadau. Yn yr achosion yma, bydd angen i athrawon gydweithredu gyda rhieni i benderfynu i ba raddau y maent am gymryd rhan yn y broses. Waeth faint fydd y rhieni'n ymwneud â chynllun ymddygiad plentyn, mae'n bwysig bod athrawon yn rhoi adborth iddynt ynglŷn â'r modd y mae eu plentyn yn dod yn ei flaen, ac yn atgyfnerthu eu hymdrechion hwy. Gall danfon llythyr neu wneud galwad ffôn yn dwyn sylw at lwyddiannau eu plentyn yn yr ysgol sbarduno cefnogaeth y rhieni i ymdrechion y plentyn yn y cartref.

**Sut ddylai athrawon adael i rieni wybod am broblemau ymddygiad eu plentyn yn yr ysgol? A ddylai disgrifiad naratif o ymddygiad problemus plant yn yr ysgol gael ei ddanfon adref gyda'r plentyn?**

Yn aml bydd rhieni eisiau gwybod am ddiwrnod ysgol eu plant, ac eisiau ymwneud yn agos ag ef. Serch hynny, maent yn gyndyn o beri trafferth i'r athro drwy ei ffonio. Yn yr un modd, bydd athrawon yn brin o amser ac yn ei chael yn anodd i gyrraedd rhieni. Pan fydd rhieni ac athrawon yn methu trafod pethau, efallai y bydd athrawon yn danfon llythyrau amhersonol am broblemau i'r cartref, a hwythau'n meithrin chwerwder ar ran y rhieni, a chamddealltwriaeth ar y ddwy ochr. Pan fo plant yn cael eu hadnabod fel rhai ag ymddygiad arbennig o heriol yn y dosbarth, dylai rhieni ac athrawon fod â chynllun hawdd i'w drafod gyda'i gilydd yn nodi sut y byddant yn cyfathrebu â'i gilydd ac yn rhannu gwybodaeth yn ôl ac ymlaen.

Peidiwch â danfon llythyrau dyddiol adref i'r rhieni gyda disgrifiadau o ymddygiadau problemus plant yn y dosbarth. Ni fydd llawer o rieni'n gwybod sut i ddehongli'r llythyrau hyn. Bydd rhai yn tybio fod eisiau iddynt ddisgyblu eu plentyn yn y cartref am gamymddwyn yn yr ysgol ac yn ymateb drwy gosbi a bod yn eithafol o feirniadol o'r plentyn. Bydd y plentyn felly yn derbyn cosb ddwbl. Nid yn unig y bydd yr ymateb yma'n tanseilio perthynas rhiant a phlentyn, ond mae'r gosb gan y rhiant yn digwydd mor bell o ran amser oddi wrth yr ymddygiad problemus yn yr ysgol fel ei fod yn annhebygol o fod yn effeithiol. Yn wir, gall y ddisgyblaeth yma greu problemau pellach oherwydd y sylw a roddir i ymddygiadau negyddol y plentyn. Weithiau bydd rhieni'n ymateb i lythyrau negyddol ynglŷn â'u plentyn drwy fynd yn amddiffynnol a blin, a hwyrach y byddant yn beio'r athro am y broblem. Mewn achosion fel hyn, rydym yn argymell fod athrawon yn trefnu cyfarfodydd personol gyda rhieni i siarad am broblemau ymddygiad yn y dosbarth ac yna'n cydweithio a rhannu'r cynllun disgyblaeth ar gyfer delio â'r sefyllfa.

Mae'n hanfodol hefyd i athrawon fod yn adeiladu 'cronfa ewyllys da' gyda rhieni drwy ddanfon 'wynebau hapus' ac adroddiadau cadarnhaol eraill am yr amseroedd da, gan gysylltu â'r rhieni'n rheolaidd i adrodd wrthynt am gyflawniad positif gan eu plentyn. Bydd cael seiliau cadarn yn creu perthynas ymddiriedol rhwng athro a rhieni. O ganlyniad, os bydd angen trafod problem ymddygiad, fe fydd y rhieni'n fwy agored ac yn gallu cydweithio'n well gyda'r athro i'w datrys.

Un o fanteision eraill danfon wynebau hapus neu lythyrau canmol i rieni yw bod hynny'n helpu'r rhieni i ganolbwyntio ar lwyddiant eu plentyn. Bydd hefyd o gymorth i'r *plentyn* ganolbwyntio ar ei lwyddiannau ei hun, a hynny'n ei baratoi i ymddwyn mewn ffyrdd tebyg y diwrnod canlynol.

# Symud tu hwnt i ddisgyblaeth

### Atgyweirio ac ailadeiladu

Bydd angen i athrawon gadw golwg ar, a rhoi cynhaliaeth gyson i blant sy'n fyrbwyll, gwrthwynebus, di-wrando ac ymosodol. Bydd angen eu hatgyfnerthu drwy ailgyfeirio, rhybuddio, atgoffa a dilyn drwodd yn gyson gyda chanlyniadau. Fodd bynnag, un o'r pethau pwysicaf a mwyaf anodd ei gyflawni pan fydd plentyn yn aflonyddgar yw edrych y tu hwnt i ddisgyblaeth Amser Allan er mwyn atgyweirio ac ailadeiladu'r berthynas sydd dan straen rhyngoch chi a'r plentyn, a rhwng y plentyn a phlentyn arall. Bydd hynny'n golygu peidio parhau gyda grwgnach a dicter wedi i ganlyniadau gael eu gweithredu. Byddwch yn croesawu'r disgyblion yn ôl fel rhai sy'n cael eu derbyn a'u gwerthfawrogi fel aelodau gwerthfawr o'r dosbarth bob dydd. A byddwch yn parhau i ddysgu iddynt ffyrdd mwy effeithiol o ddatrys problemau. Rhaid cymryd un dydd ar y tro ac ymarfer maddeuant. Yn hytrach na dweud, 'Rwy'n gobeithio na fydd heddiw fel ddoe, oherwydd os byddi'n.................' bydd yr athro'n rhoi anogaeth i'r disgybl ac yn rhagweld diwrnod llwyddiannus: 'Rwy'n falch dy weld. Mae heddiw'n ddiwrnod arall, a chyfle i ddysgu rhywbeth newydd.'

### Symud ymlaen tuag at hunan-reoli

Ar y dechrau, gyda phlant ymosodol ac anodd, bydd athro angen cael rheolaeth dynn a disgyblaeth gyson i gadw ymddygiad dan reolaeth. Mae ymchwil wedi dangos fod defnydd athro o gymhellion, atgyfnerthwyr gwahaniaethol, Amser Allan a chanlyniadau negyddol yn arwain at leihad mewn ymddygiadau annerbyniol yn y dosbarth a chynnydd mewn sgiliau cymdeithasol cadarnhaol ( e.e. Charlop *et al.,* 1998). Ond y nod yn y pen draw yw symud i ffwrdd oddi wrth reolaeth neilltuol athro, tuag at gynyddu'n raddol sgiliau hunanreolaeth y plant eu hunain. Mae hyn yn angenrheidiol er mwyn i'r disgyblion ddod yn llai dibynnol ar athrawon i roi cyfarwyddiadau a chymhellion er mwyn annog ymddygiad da. Mae'n bosibl i ymyriadau o'r fath arwain at welliant mwy cyffredinol a pharhaol mewn ymddygiad mewn sefyllfaoedd y tu allan i'r dosbarth (Nelson *et al* 1991).

Yn sicr, un o nodweddion canolog llawer o blant sydd â phroblemau ymddygiad yw absenoldeb sgiliau hunan-reoli. Rhan o'r rheswm am hyn yw bod gan blant o'r fath yn aml hunanddelwedd a synnwyr realaeth ystumiedig (Webster-Stratton and Lindsay Woolley, 1999), a byddant yn gwneud hunan-ddatganiadau camaddasol *(maladaptive)* (Dush, Hirt & Schroder, 1989). Byddant hefyd yn cael anhawster gwerthuso eu hymddygiad eu hunain, gan dybio weithiau fod eu perfformiad yn llawer gwell nag ydyw, ac ar adegau eraill yn teimlo'n negyddol iawn am eu galluoedd. Hwyrach y byddant yn cam-ddehongli bwriadau pobl eraill tuag atynt fel rhai anghyfeillgar pan fyddant mewn gwirionedd yn ceisio bod o gymorth. Mae'r gallu hunan-reoli sy'n ddisgwyliedig oddi wrth ddisgyblion yn amrywio yn ôl oedran, gallu datblygiadol ac anian y plentyn. Serch hynny, gall athrawon ddechrau meithrin rhai sgiliau hunangyfeirio mewn plant oedran cyn-ysgol ac mewn plant sydd ag anawsterau dwys. Yn anffodus, yn anaml y caiff y sgiliau yma eu dysgu i ddisgyblion, yn arbennig disgyblion gyda phroblemau ymddygiad.

Mae ymyriadau hunan-reoli'n cynnwys amrywiol strategaethau gyda'r bwriad o newid a chynnal eich ymddygiad eich hun (Shapiro and Cole, 1992). Maent yn cynnwys dulliau hunan-arsylwi a hunan atgyfnerthu. Gall athrawon wahodd disgyblion i feddwl am eu perfformiad yn ystod y dydd er mwyn cael syniad o gywirdeb eu gallu i hunan-arsylwi a hunan-amgyffred. I blant y mae eu geirfa emosiynol a'u sgiliau iaith yn wan, hwyrach y bydd gan yr athro thermomedr yn dangos graddfa'n ymestyn o dawel (glas am oer) i or-frwdfrydig (coch am boeth). Gall ofyn i'r disgybl ddangos ar y thermomedr pa mor weithredol a fu, neu pa mor dda y canolbwyntiodd ar ei dasgau yn ystod y dydd yn ei farn ef. Mae hyn yn rhoi cyfle i athro roi adborth penodol i'r disgyblion am gywirdeb eu hunan-ddirnadaeth. Gall roi cyfle hefyd i'r athro atgoffa disgyblion am y troeon y bu iddynt ymdawelu neu aros ar dasg yn llwyddiannus. Gellir defnyddio thermomedrau o'r fath i ddisgyblion hunan-arsylwi eu gallu i reoli eu dicter neu lefel eu hymglymiad i weithgareddau'r dosbarth. Bydd plant sydd â phroblemau ymddygiad yn aml yn canolbwyntio ar eu camgymeriadau. Wrth edrych ar yr agweddau positif o ddiwrnod plentyn bydd yr athro'n gallu helpu'r plentyn i feddwl yn gadarnhaol amdano'i hun.

Dull arall o hunan-arsylwi yw cael y plant i lenwi taflen megis taflen hunan-gymell (gwelir enghraifft ym mhennod 5) neu siart balŵn Wali sy'n cyfeirio at rannau arbennig o'r dydd (e.e. amser darllen, Amser Cylch, amser chwarae rhydd, amser cinio etc). Ar ôl diffinio'r ymddygiad a ddymunir (e.e. dangos llaw dawel, gweithio'n galed, aros

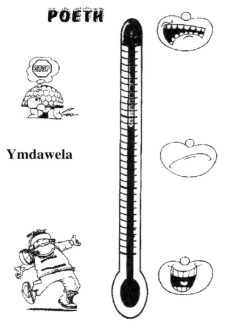

**POETH**

**Ymdawela**

**Thermomedr Dicter**

ar sedd etc.) bydd y disgybl yn gwerthuso ei lwyddiant yn cyflawni'r dasg honno, gyda lliwiau megis gwyrdd am ardderchog, glas am dda, melyn yn dynodi gweiddi allan, a choch yn dynodi colli braint neu gael Amser Allan. Gan fod y rhain yn cael eu llenwi ar wahanol adegau penodol o'r dydd, yn ddelfrydol dylai'r athro'n edrych drostynt ar ddiwedd y dydd a gofyn, 'Tyrd i ni weld sut y gwnes ti heddiw? Sut ddiwrnod oedd hi?' Efallai y bydd y plentyn yn ymateb, 'Mae yna lawer o wyrdd heddiw!' Gall yr athro wedyn ei longyfarch drwy ddweud, 'Rwyt yn iawn, roedd hwn yn ddiwrnod gwyrdd ardderchog gyda dim ond dau fyth o wyrdd! Wyt ti'n cofio beth sydd raid i ti ei wneud i gael gwyrdd?' Drwy ddefnyddio'r balŵns a'r lliwiau gall y plentyn bwyso a mesur ei ddiwrnod yn yr ysgol gyda'r athro, a bydd hynny'n ei helpu i ganolbwyntio ar ei lwyddiannau. Os bydd y plentyn yn digwydd cael mwy o felyn a choch nag o wyrdd a glas, yna bydd raid i'r cyfnodau arfarnu llwyddiant fod yn fyrrach a bydd raid i'r cynllun disgyblu gael ei ail werthuso.

Mae mesurau hunan-reoli hefyd yn cynnwys dulliau hunan-arsylwi, tebyg i'r hyn a welwyd yn yr enghraifft ym Mhennod 6 lle gosodwyd 'taflen dangos llaw dawel a siart gweiddi allan' ar fyrddau'r disgyblion er mwyn iddynt gofnodi pan na fyddent yn gweiddi allan yn y dosbarth. Efallai y bydd yr athro hefyd yn gosod sialens i'r plant (e.e. deg llaw dawel i fyny) a fydd yn arwain at wobr o ddewis y plant os ydynt yn llwyddo i gwrdd â'r her a osodwyd. Fe all rhai plant deimlo'n wangalon oherwydd eu hanallu i gyflawni'r sialens, a phlant eraill deimlo y gallant basio'r sialens a chyrraedd yr uchafswm yn hawdd. Mewn sefyllfa fel hon, hwyrach y dymuna'r athro ddefnyddio 'sialens ddirgel.' Mae'n ysgrifennu'r sialens ar bapur, a'i rhoi mewn amlen. Ar ddiwedd cyfnod penodol agorir yr amlen ac mae'r disgyblion yn cymharu eu perfformiad gyda'r criteria dirgel. Os ydynt yn ennill y nifer angenrheidiol o bwyntiau neu fwy, bydd y disgyblion yn ennill gwobrau. Mae defnyddio

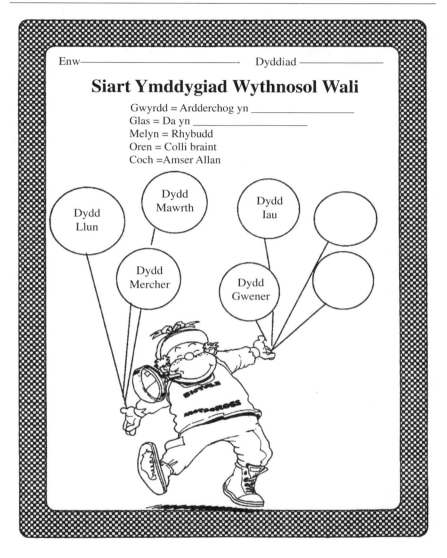

dull o'r fath yn gwneud hunan-arsylwi'n hwyl gyda'r canlyniad fod y disgybl â rhan bwysig yn y broses. Gellir trefnu rhaglenni tebyg i hunan-wylio ymddygiadau eraill megis canolbwyntio ar dasg neu weithio'n galed, defnyddio iaith gwrtais yn y dosbarth neu gwblhau gwaith penodol.

Dull arall o hunan-reoli ymddygiad problemus yw dysgu'r plant i fewnoli hunan-osodiadau (Meichenbaum,1993). Er enghraifft, efallai bod plentyn gydag anawsterau academaidd sy'n crwydro oddi wrth ei dasg am lawer o amser, yn meddwl meddyliau negyddol sy'n gwneud ei broblemau'n waeth (e.e. 'Mae'n gas gen i ysgol' neu, 'Fedra i byth wneud hwn, mae'n hurt'). Gall dysgu hunan-osodiadau cadarnhaol i blentyn ('Gallaf gyflawni hwn cyn bo hir, Rwyf angen parhau i weithio arno') wella gallu'r plentyn i ganolbwyntio ar dasg. (Gweler hunan ganmol ym Mhennod 4 a'r defnydd o 'Medraf' ym Mhennod 6). Ym Mhennod 11 mae enghreifftiau o hunan-osodiadau ymdawelu a allai helpu disgyblion i ddysgu rheoli eu dicter. Yn olaf, mae'r hyfforddiant datrys problemau cymdeithasol a ddisgrifir yn helaeth yn y ddwy bennod nesaf wedi cael ei ddatblygu i helpu plant i ddysgu'r sgiliau cymdeithasu a meddwl sydd ynghlwm â gwneud dewisiadau da a chymryd cyfrifoldeb am eu hymddygiad eu hunain.

## I grynhoi

- *Paratoi yw'r allwedd* – cynlluniwch yn ofalus hierarchaeth o ymatebion i gamymddygiadau.
- Byddwch yn barod i gael eich profi.
- Gwyliwch am arwyddion dicter er mwyn osgoi ffrwydradau sydyn; rhowch rybuddion.
- Rhowch Amser Allan am 5 munud, gyda 2 funud i ymdawelu ar y diwedd.
- Dewiswch yn ofalus y mathau o ymddygiad fydd sy'n arwain at Amser Allan.
- Defnyddiwch Amser Allan yn gyson ar gyfer yr ymddygiadau a ddewiswyd.
- Peidiwch â bygwth Amser Allan oni bai eich bod yn fodlon ei ddilyn drwodd.
- Anwybyddwch y plentyn yn ystod ei Amser Allan.
- Defnyddiwch ymdriniaeth ddi-drais megis colli breintiau fel dull o gefnogi Amser Allan.
- Dilynwch drwodd a chwblhau Amser Allan.
- Gwnewch y plant yn gyfrifol am glirio llanast neu ddifrod a all ddeillio o Amser Allan.
- Cefnogwch gyd-athrawon sy'n defnyddio Amser Allan.
- Peidiwch â dibynnu'n ormodol ar Amser Allan; cyfunwch y dull yma gyda dulliau eraill o ddisgyblu megis anwybyddu, rhoi canlyniadau rhesymegol a datrys problemau.
- Gwnewch yn siŵr eich bod yn gwobrwyo'r ymddygiadau cadarnhaol disgwyliedig.
- Disgwyliwch gael eich profi drosodd a throsodd.

- Defnyddiwch Amser Allan eich hun i ymlacio ac adeiladu stôr o egni.
- Datblygwch hierarchaeth ddisgyblu ar gyfer ymddygiadau penodol – system troi cardiau lliw.
- Sicrhewch gefnogaeth rhieni i'ch cynllun disgyblu.

## Deunydd darllen

Bear, G. G. (1998) School discipline in the United States: prevention, correction and long-term social development, *School Psychology Review*, 2(1), 14-32.

Brophy, J. E. (1996) Teaching Problem Students, New York: Guilford.

Charlop, M. H., Burgio, L. D., Iwata, B. A. and Ivancic, M T. (1988) Stimulus variation as a means of enhancing punishment effects, *Journal of Applied Behaviour Analysis*, 21, 89-93.

Doles, D. W., Wells, K. C., Hobbs, S. A., Roberts, M. W. and Cartelli, L. M. (1976) The effects of social punishment on non-compliance: a comparison with time-out and positive practice, *Journal of Applied Behaviour Analysis* (9), 471-82.

Dush, D. M., Hirt, M. L. and Schroeder, H. E. (1989) Self-statement modification in the treatment of child behaviour disorders: a meta-analysis. *Psychological Bulletin*, 106, 97-106.

Forehand, R. L. and McMahon, R. J. (1981) *Helping the noncompliant child: A clinician's guide to Parent Training*, New York: Guilford.

Gardner, H. L., Forehand, r. and Roberts, M. (1976) Time-out with children: effects of an explanation and brief parent training on child and parent behaviours, *Journal of Abnormal Child Psychology*, 4, 277-88.

Martens, B. K. and Meller, P. J. (1990) The application of behavioural principles to educational settings. In T. B. Gutkin and C. R. Reynold (eds) *Handbook of School Psychology* (pp.612-34), New York: Wiley.

Meichenbaum, D. (1993) Changing conceptions of cognitive behaviour modification: retrospect and prospect, *Journal of Consulting and Clinical Psychology*, 61, 202-4.

Nelson, J. R., Smith, D. J., Young, R. K. and Dodd, J. (1991) A review of self-management outcome research conducted with students who exhibit behavioural disorders, *Behavioural Disorders*, 16, 169-79.

Shapiro, E. S. and Cole, C. L. (1992) Self-monitoring. In T. Ollendick and M. Hersen (eds) Handbook of Child and Adolescent Assessment (pp 124-39), New York: Pergamon Press.

Steinberg, L. (1996) *Beyond the classroom: Why school reform has failed and what parents need to do*, New York: Simon and Schuster.

Webster-Stratton, C. (1997) From parent training to community building, Families in society: *The Journal of Contemporary Human Services*, March/April, 156-71, 61, 202-4.

Webster-Stratton, C. and Lindsey Wooley, D. (1999) Social Competence and early –onset conduct problems: issues in assessment, Journal of Child Clinical Psychology, 28, 25-93.

# Dangos i ddisgyblion sut i ddatrys problemau

## Pam fod angen dangos i ddisgyblion sut i ddatrys problemau?

Mae plant ifanc yn aml yn ymateb i'w problemau mewn ffyrdd aneffeithiol. Mae rhai'n crio, yn taro, yn cael stremp a gweiddi, a rhai yn malurio. Bydd eraill yn achwyn neu'n dweud celwydd wrth eu rhieni neu athrawon. Ychydig iawn o gymorth yw ymatebion o'r fath i'r plant ganfod atebion boddhaol i'w problemau. Yn wir, maent yn creu rhai problemau newydd. Mae ymchwil yn dangos fod plant yn defnyddio strategaethau amhriodol am ddau reswm. Yn gyntaf, ni chawsant ddysgu ffyrdd mwy priodol o ddatrys problemau ac yn ail cafodd eu strategaethau amhriodol eu hatgyfnerthu'n ddamweiniol gan rieni neu eraill sy'n gofalu am eu plant.

Dangoswyd hefyd fod natur neu anian plant yn dylanwadu ar eu gallu i ddysgu sgiliau mwy effeithiol i ddatrys problemau. Yn arbennig, mae plant sy'n orfywiog, yn fyrbwyll, yn methu canolbwyntio ac yn ymosodol yn fwy tebygol o gael trafferthion gwybyddol *(cognitive)* gyda datrys problemau cymdeithasol (Asarnow and Callan, 1985). Bydd y plant risg uchel yma'n gweld sefyllfaoedd cymdeithasol mewn ffordd elyniaethus. Byddant yn defnyddio llai o ddulliau cymdeithasol derbyniol i ddatrys gwrthdaro rhyngbersonol ac yn cael trafferth i weld canlyniadau bod yn ymosodol (Dodge & Price, 1994; Rubin & Krasnor,1986; Slaby & Guerra,1988). Gweithredant yn ymosodol ac yn fyrbwyll heb stopio i feddwl am atebion llai ymosodol (Asher *et al*,1990) a meddwl am safbwynt y person arall. Ar y llaw arall, mae tystiolaeth fod plant sy'n gallu defnyddio sgiliau datrys problemau yn chwarae'n fwy adeiladol, yn fwy poblogaidd gyda'u cyfoedion ac yn fwy cydweithredol yn y cartref ac yn yr ysgol (Shure, 1983). O ganlyniad, mae gan athrawon rôl ganolog wrth ddysgu plant ymosodol a byrbwyll i feddwl sut i ymateb mewn ffordd fwy cymdeithasol i'w problemau, ynghyd â gwerthuso pa atebion yw'r dewis gorau a'r rhai sy'n fwyaf tebygol o arwain at ganlyniadau cadarnhaol. Yn ei hanfod, mae'r disgyblion risg uchel yma'n dysgu strategaeth feddwl sy'n cywiro'r diffygion yn eu dull o ddatrys problemau, ac mae'n lleihau'r perygl iddynt ddatblygu problemau hir dymor yn eu perthynas gyda'u cyd-ddisgyblion.

Tra bydd dysgu sgiliau datrys problemau o gymorth arbennig i ddisgyblion risg uchel, dylid ymdrechu hefyd i wella sgiliau cymdeithasol a gallu datrys problemau gwybyddol *pob* disgybl wrth addysgu'r cwricwlwm. Bydd cynnwys disgyblion risg uchel a rhai gydag anghenion arbennig gyda phlant prif lif yn yr hyfforddiant yma'n cyflawni nifer o ddibenion. Yn gyntaf, bydd hyn yn lleihau'r posibilrwydd i'r plant risg uchel gael eu gwrthod yn gymdeithasol a'u stereoteipio'n negyddol. Yn ail, bydd y dull cynhwysol yma'n hyrwyddo cydlyniad cymdeithasol yn y dosbarth, empathi ymysg y disgyblion a mwy o ddysgu cydweithredol.

Un o swyddogaethau athrawon a rhieni yw paratoi plant heddiw i fod yn ddinasyddion cyfrifol a all wneud penderfyniadau ystyrlon a dygymod â gwrthdaro rhyngbersonol yn ofalus ac yn sensitif, yn arbennig pan fyddant o dan bwysau. Fel y dangoswyd gan Gardner (1993) mae deallusrwydd mewnol a rhyngbersonol yr un mor hanfodol i weithredu'n llwyddiannus ag yw gallu mathemategol. Mae datblygiad llwyddiannus plant tuag at fod yn oedolion ac yn rhan o gymdeithas ddemocrataidd yn dibynnu ar eu gallu i bwyso a mesur yn feirniadol, defnyddio sgiliau effeithiol wrth wneud penderfyniadau a chymryd safbwynt, beth bynnag yw eu gallu cynhenid a'u cefndir teuluol neu ddiwylliannol. Gall dysgu'r sgiliau yma'n gynnar mewn bywyd rwystro a gwarchod rhag ymddygiadau problemus megis camddefnyddio cyffuriau, beichiogi, dieithrio oddi wrth addysg, hunanladdiad a phroblemau tebyg.

## Pa dystiolaeth empeiraidd sy'n bodoli dros ddefnyddio dulliau datrys problemau?

Mae adolygiadau o raglenni dysgu sgiliau cymdeithasol a datrys problemau gwybyddol ar gyfer plant, yn gyffredinol, wedi dangos canlyniadau addawol (Belman, Pfingste & Losel,1994; Schneider,1992). Cafodd un o'r rhaglenni arloesol cyntaf, '*I can problem solve*' (ICPS), a ddatblygwyd gan Shure ar gyfer plant 3-11 oed, ei gwerthuso am gyfnod o fwy na 25 mlynedd. Dangosodd y canlyniadau gynnydd tymor byr mewn ymddygiad rhyngbersonol ac academaidd. Mae rhaglenni eraill megis, 'Skillstreaming' (Miller, Midgett & Wicks,1992) a 'Social Problem Solving' (Camp & Bash,1985) ac eraill (e.e. Battistich *et al*, 1989, Elias & Clabby, 1989) wedi arwain at gynnydd sylweddol mewn sgiliau cymdeithasol a strategaethau cydweithredol ar gyfer datrys problemau. Ond, mae adroddiadau diweddarach am y rhaglenni yma a rhai tebyg iddynt wedi dangos na fydd y deilliannau hyn yn wir ym mhob math o leoliad ac yn y tymor hir oni bai eu bod yn digwydd yn barhaus, yn cael eu hintegreiddio i amgylchedd dosbarth ac yn cynnwys partneriaethau gyda rhieni. Yng nghanlyniadau nifer o astudiaethau, dangoswyd cynnydd cyffredinol a pharhad pan ddarparwyd hyfforddiant a chynhaliaeth ar gyfer rhieni'n ogystal â phlant ifanc ymosodol iawn gyda phroblemau ymddygiad. (Kazdin *et al* 1987; Lochman & Curry, 1986; Webster-Stratton & Hammond, 1997).

## Yr athro'n fodel

Rydych eisoes yn dysgu tactegau datrys problemau mwy priodol i'ch disgyblion heb sylweddoli hynny, yn enwedig os yw eich disgyblion yn cael cyfleoedd i'ch gweld chi'n datrys problemau yn y dosbarth. Mae'n brofiad dysgu cyfoethog i'r disgyblion eich gwylio chi'n datrys gwrthdaro gyda disgybl neu gydweithiwr ac yn gwerthuso canlyniad eich ateb. Ystyriwch yr enghraifft a ganlyn: ychydig o arian sydd gennych i brynu holl anghenion y dosbarth am y flwyddyn. Rydych yn rhannu eich ffyrdd o geisio datrys y broblem gyda'r disgyblion – y modd y bwriadwch flaenoriaethu eich anghenion a sut y penderfynwch pa ganlyniad fydd yr un pwysicaf i'r disgyblion. Byddant hwy hefyd yn dysgu drwy sylwi ar eich ymateb i helbulon a phroblemau dyddiol yn y dosbarth a'r modd yr anogwch ddatrys problemau rhwng disgyblion yn y fan a'r lle pan fydd gwrthdaro. Gellwch hyrwyddo'r broses hon o ddysgu ymhellach drwy adrodd yn uchel yr hyn sydd ar eich meddwl a modelu eich strategaethau datrys problemau positif. Er enghraifft, wrth wynebu sefyllfa rwystredig megis cyfrifiadur yn torri neu baent yn colli ar lawr y dosbarth, hwyrach y dywedwch yn uchel, 'Sut y galla i ddatrys hyn? Rhaid i mi yn gyntaf aros a meddwl. Rhaid imi ymdawelu ac anadlu'n ddwfn. Pa gynllun alla i feddwl amdano i ddatrys y broblem yma?'

## Dysgu camau datrys problemau drwy gemau, pypedau, a sefyllfaoedd problemus damcaniaethol

Gwyddom fod llawer o sgiliau ynghlwm â datrys problemau wedi cael eu selio ar lenyddiaeth datrys problemau (D'Zurilla & Goldfried, 1971). Dangosodd ymchwilwyr fod modd rhannu'r broses o ddatrys problemau i blant yn chwe cham o leiaf. Mae'r cwestiynau a ganlyn yn amlygu'r chwe cham:

1. Beth yw fy mhroblem? (diffinio'r broblem a'r teimladau sydd ynghlwm)
2. Beth yw 'ateb' neu 'ddatrysiad'? A oes mwy nag un ateb posibl? (trafod gwahanol ffyrdd o oresgyn y broblem)
3. Beth fyddai'r canlyniad gweithredu'r atebion a awgrymwyd – h.y. beth fyddai'n digwydd nesaf?
4. Pa un yw'r ateb neu'r dewis gorau? (a yw'r ateb yn ddiogel, yn deg ac yn arwain at deimladau da?)
5. Ydw i'n defnyddio fy nghynllun? (gweithredu)
6. Sut y gwnes i? (gwerthuso'r canlyniad a'r ymdrechion atgyfnerthu)

Gyda phlant 3-8 oed mae'r ail gam sef cynhyrchu atebion posibl yn fedr allweddol i'w dysgu. Gall plant hŷn weithredu a gwerthuso'n haws, ond rhaid i blant ifanc yn gyntaf ystyried atebion posibl a dechrau deall fod rhai atebion yn well na'i gilydd. Mae'r gallu i feddwl ymlaen at ganlyniadau posibl i bob ateb yn gam datblygiadol sylweddol ac fe fydd hyn yn arbennig o anodd i blant ifanc gorfywiog a byrbwyll.

Yn y rhan nesaf nodir dulliau a strategaethau a all gael eu defnyddio gan athrawon i ddysgu pob un o'r sgiliau datrys problemau yma.

### CAM 1: Beth yw fy mhroblem? Sut ydw i'n gwybod fod gen i broblem?

**1. Beth yw fy mhroblem?**

Ffordd hwyliog o ddechrau trafodaethau datrys problemau gyda disgyblion yw gofyn iddynt gymryd arnynt eu bod yn dditectifs sydd yn ceisio datrys problem. Anogwch nhw i wisgo eu hetiau ditectif dychmygol ar gyfer y trafodaethau hyn. Yna, cyflwynwch sefyllfa broblemus ddychmygol iddynt ei datrys.

Y cam cyntaf wrth helpu plant i sylweddoli fod ganddynt broblem yw gofyn iddynt roi sylw i'w teimladau. Os byddant yn teimlo'n anghyffyrddus (yn drist, yn flin neu'n bryderus) bydd hynny'n gliw fod yna broblem i'w datrys. Dylid dysgu'r plant i dalu sylw i'w 'harwyddion' teimladau (Elias & Clabby, 1989) – sef ffyrdd unigryw'r corff o arwyddo gofid. I rai, hwyrach mai'r arwydd fydd dwylo'n tynhau neu'n chwysu, i eraill poen yn y bol neu galon yn curo'n gyflym, neu arwyddion eraill mae'n siŵr. Mae adnabod neu 'labelu' yr arwyddion hyn yn gam cyntaf pwysig iawn i'r disgyblion ddysgu datrys problemau gan fod yr arwyddion yn cyflwyno'r neges fod angen datrys problem. Unwaith y bydd disgyblion wedi adnabod a labelu eu teimladau eu hunain, gellwch eu dysgu sut i ddiffinio'r broblem yn fanwl. Er enghraifft, fe allai'r broblem gael ei diffinio fel hyn, 'Rwy'n teimlo'n flin am nad yw ffrind yn y dosbarth yn fodlon rhannu ei bêl droed gyda mi' neu, 'Os nad ydynt yn gadael i mi chwarae efo nhw, rwy'n teimlo'n rhwystredig ac yn flin.'

Agwedd arall o'r broses o ddiffinio'r broblem yw annog y disgyblion i feddwl am deimladau'r rhai eraill sydd ynghlwm â'r sefyllfa. Er enghraifft, gofynnwch 'Beth ydych chi'n feddwl yw teimladau'r bachgen sy'n chwarae gyda'r bel?' Efallai y bydd rhai disgyblion yn cael anhawster bod yn ymwybodol o'r cliwiau sy'n datgelu teimlad a greddf pobl eraill mewn sefyllfaoedd o'r fath. Hwyrach, yn wir, y byddant yn camddehongli eu teimladau gan arwain at wneud penderfyniadau anaddas. Hwyrach na fydd o fewn gallu rhai disgyblion i labelu emosiynau gan nad oes ganddynt yr eirfa i wneud hynny, heblaw geiriau syml fel 'trist' a 'hapus'. I blant o'r fath allu datrys problemau'n effeithiol fe fydd angen ymestyn eu geirfa i gynnwys teimladau megis balchder, pryder, bodlonrwydd, straen, brwdfrydedd, ofn, dryswch, embaras, siom etc. (Gweler Pennod 11 am drafodaeth ynglŷn â hyn). Unwaith y bydd gan blant labeli am ystod o deimladau bydd ganddynt ffordd o ddisgrifio'r hyn y maent yn ei deimlo a rheoli eu hemosiynau, yn hytrach nag adweithio neu gael eu llethu ganddynt.

2. Beth yw 'ateb' neu 'ddatrysiad'?

## CAM 2: Canfod Atebion Posibl

Ar ôl diffinio'r broblem, y cam nesaf i chi yw helpu'r plentyn i gynnig cymaint o atebion a dewisiadau â phosib i ddatrys y broblem. Mae'r broses yma o ystyried y dewisiadau yn dysgu'r disgyblion i fod yn hyblyg eu meddwl. Mae'n creu agwedd sy'n eu hannog i sylweddoli fod yna fwy nag un ffordd resymol o ddatrys problem. Osgowch feirniadu neu fychanu syniadau'r plant, pa mor wirion bynnag y bônt. Yn hytrach, anogwch hwy i ddefnyddio'u dychymyg a cheisiwch fodelu atebion creadigol eich hun. Gwnewch yn siŵr eich bod yn eu canmol am eu hymdrechion i ddatrys y broblem. Yn arbennig, mae canmol eu hatebion *gwahanol* o gymorth (e.e. 'Cynnig ardderchog. Mae hwnna'n syniad newydd'). Bydd hyn yn annog amrywiaeth eangach o atebion yn hytrach nag amrywiadau ar yr un syniad.

Os bydd disgyblion yn cael anhawster i ganfod atebion, hwyrach y byddwch yn awgrymu rhai syniadau eich hun neu'n gofyn iddynt edrych ar y llyfr *'Wally's Solution Detective Manual'* am syniadau eraill. Yn y llyfr yma mae lluniau o amrywiol atebion posibl megis cerdded i ffwrdd, aros am gyfnod, dweud 'os gwelwch yn dda', symud at rywbeth arall sy'n hwyl, cyfnewid, cynnig rhannu, gofyn am gymorth gan riant neu athro, siarad am eich teimladau, anwybyddu, gofyn yn gwrtais, ymdawelu, cyfaddef camgymeriad, ymddiheuro, siarad yn glen, a maddau i chi eich hun.

**A oes yna atebion eraill?**

Weithiau, gyda phlant oedran ysgol hŷn, gellwch ofyn iddynt beth yw eu nod er mwyn eu helpu i gynhyrchu atebion. Er enghraifft, 'Beth wyt ti'n ei ddymuno i ddigwydd? Sut fyddet ti'n hoffi i hyn ddod i ben?'

Bydd yn ychwanegu at bleser y plant yn ystod y trafodaethau cynhyrchu atebion os byddwch yn defnyddio gemau, pypedau a storïau i gyflwyno'r sefyllfaoedd problemus dychmygol. Mae'r gemau canlynol yn rhai i chi roi cynnig arnynt i ddysgu camau 1 a 2 o'r broses datrys problemau.

*Y Gêm Tybio*
Mae'r gêm tybio yn gêm pryd mae disgybl yn dewis 'cerdyn tybio' o ffolder. Ar y cerdyn bydd llun a disgrifiad o sefyllfa broblemus i'r disgyblion ei datrys. Bydd y plentyn yn darllen y cerdyn tybio (neu'r athro'n ei ddarllen iddo os nad yw'n gallu darllen) ac yna bydd y dosbarth yn cynhyrchu atebion posibl. Mae'n hawdd i'r athro lunio cardiau tybio drwy ddefnyddio achlysuron sy'n digwydd bob dydd yn yr ysgol. Mae mwy o sefyllfaoedd o'r fath i'w canfod mewn dau lyfr plant lliwgar, *'Wally's Detective Book for Solving Problems at School'* a *'Wally's Detective Book for Solving Problems at Home'* (Webster-Stratton, 1998).

## Y Gêm Tybio

Dyma rai enghreifftiau o sefyllfaoedd dychmygol ar gyfer cardiau y gallech roi cynnig arnynt yn eich dosbarth. Mae'r rhain wedi eu cymryd o'r Cwricwlwm Dina – rhaglen ar dâp fideo i ddysgu empathi, sgiliau cymdeithasol a datrys problemau i blant ifanc (Webster-Stratton, 1991).

- Mae plentyn llawer iau na chi yn cychwyn eich taro. Beth fyddech yn ei wneud?
- Mae plentyn wedi bod yn chwarae am amser hir iawn gyda'r cyfrifiadur ac rydych chi eisiau chwarae efo'r cyfrifiadur. Beth fyddech yn ei wneud?
- Does yna ddim ond un darn o bizza ar ôl ac rydych chi a'ch chwaer am ei fwyta. Beth fyddech yn ei wneud?
- Rydych wedi torri hoff lamp dad. Beth fyddech yn ei wneud?

- Rydych yn cael eich pryfocio'n gyson gan blentyn arall yn yr ysgol. Beth fyddech yn ei wneud?
- Rydych eisiau cwrdd â ffrind newydd. Beth fyddech yn ei wneud?
- Mae eich athro'n gwneud i chi aros i mewn amser egwyl oherwydd i chi alw enw ar gyd-ddisgybl. Dydi o ddim wedi gweld y plentyn arall yn galw enwau arnoch chi'n gyntaf. Beth fyddech yn ei wneud?
- Rydych wedi rhwygo'r trywsus newydd sbon mae eich tad wedi ei brynu i chi ar gyfer achlysur arbennig. Beth fyddech yn ei wneud?
- Rydych wedi gweld pâr cŵl o esgidiau mewn siop ac rydych yn wir eu heisiau, ond mae eich mam yn dweud eu bod yn rhy ddrud. Beth ydych yn ei wneud?
- Roeddech wedi cadw darn o deisen i'w bwyta ond mae wedi diflannu. Rydych yn gweld eisin ar geg eich chwaer. Beth ydych yn ei wneud?
- Mae plentyn arall yn eich galw'n fabi am chwarae gyda doliau neu'n dweud eich bod yn hyll. Beth ydych yn ei wneud?
- Rydych yn gofyn i blentyn arall i chwarae gyda chi ac mae ef/hi yn gwrthod. Beth ydych yn ei wneud?
- Mae eich brawd yn malu model yr ydych wedi bod yn gweithio arno ers pythefnos. Beth ydych yn ei wneud?
- Mae gan eich ffrind gorau ffrind newydd ac nid ydych yn ei hoffi. Beth ydych yn ei wneud?
- Mae yna grŵp o blant 'poblogaidd,' ond mae nhw'n 'bosio' ac yn gwrthod gadael i chi chwarae'r pethau a ddymunwch. Beth ydych yn ei wneud?
- Mae yna grŵp o blant sy'n ffurfio clwb ond dydyn nhw ddim yn eich gwahodd chi i ymuno â nhw. Beth ydych chi'n ei wneud?
- Rydych yn cael trafferth gyda darllen ac weithiau'n cael atal dweud. Bydd y plant eraill yn chwerthin am eich pen. Beth ydych chi'n ei wneud?
- Rydych yn chwarae tic ar yr iard, ond mae pethau'n dechrau mynd dros ben llestri gyda gwthio a thaflu. Beth ydych yn ei wneud?
- Mae'r plentyn sy'n eistedd wrth eich ochr yn chwarae gyda'ch gwallt ac yn eich cicio o dan y bwrdd. Beth wnewch chi?
- Mae grŵp o blant yn chwarae gyda rhaff sgipio ac rydych am ymuno â nhw. Beth ydych yn ei wneud?

Unwaith y bydd y plant wedi trafod yr atebion posibl i broblem 'cerdyn tybio', gellwch ofyn iddynt chwarae rôl neu actio'r ateb a awgrymwyd ganddynt. Er enghraifft, os bydd disgybl wedi awgrymu 'anwybyddu' fel ateb posibl i sefyllfa plentyn yn gwrthod rhannu pêl droed, gofynnwch i'r plant ddangos i chi sut y byddent yn gwneud hynny. Dewiswch un plentyn i fod yn chwaraewr pêl droed sy'n cadw'r bêl iddo'i hun, a phlentyn arall i fod y ffrind dosbarth sydd eisiau chwarae gyda'r bêl. Bydd disgyblion wrth eu bodd yn cymryd rhan yn y 'dramâu' yma a bydd yr actio'n eu helpu i weld yn union pa ymddygiadau sydd ynghlwm â gweithredu'r canlyniadau gan roi cyfle iddynt ymarfer y sgiliau priodol. Weithiau, bydd athrawon yn gyndyn o chwarae rôl ar y cychwyn. Ond yn fuan fe ddysgant fod y sesiynau ymarfer sgiliau a defnyddio ymddygiadau datrys problemau yn llawer pwysicach i wir addysg y disgybl na thrafodaethau damcaniaethol nad ydynt yn nodi'n glir yr ymddygiadau priodol. Yn ddelfrydol, ni ddylid trafod mwy na dau neu dri o'r cardiau tybio mewn un sesiwn ddysgu, er mwyn caniatáu amser digonol i ymarfer pob un yn iawn.

*Defnyddio pypedau i ymarfer sefyllfaoedd chwarae rôl*
Mae plant ifanc wrth eu bodd gyda sioe bypedau ac fe ellwch ddefnyddio pypedau i ddal sylw plant a dod â sefyllfaoedd datrys problemau'n fyw. Awgrymwn ddefnyddio pypedau reit fawr, maint bywyd go iawn (os oes modd, pypedau sydd a'u cegau'n symud). Bydd y pypedau hyn yn dod i'r dosbarth yn rheolaidd i ofyn i'r plant eu helpu i ddatrys problemau arbennig. Gall pypedau megis 'Wali Datrys Problemau' neu 'Moli Moesau' gyflwyno problem i'w thrafod mewn un sesiwn ac yna dod yn ôl i ddweud wrth y disgyblion beth a ddigwyddodd pan weithredwyd y syniadau. Gall pypedau ddweud sut y gwnaethant ddygymod gyda sefyllfaoedd anodd. Drosodd mae rhai enghreifftiau o broblemau y gall pypedau fel Wali a Moli ddod i'r disgyblion iddynt eu helpu i'w datrys.

## Wali a Moli'n gofyn am gymorth y disgyblion i ddatrys problemau

**Dweud a gwrando**

- Mae Wali ofn dod a'i waith cartref (neu ei siart ymddygiad) adref am nad yw wedi llwyddo'n dda iawn.
- Mae Wali'n cwffio gyda phlant eraill sy'n gwrthod gadael iddo chwarae gyda nhw, ar iard yr ysgol.
- Mae Wali a Moli'n cwffio dros ba sianel i'w gwylio ar y teledu ac yn cael eu danfon am Amser Allan.
- Nid yw Moli'n cael gwahoddiad i fynd i barti pen blwydd tra bod y rhan fwyaf o blant y dosbarth yn mynd.
- Mae Wali'n cymryd pêl droed ei ffrind am na wnaiff ei fam brynu pêl iddo fo.
- Mae Oscar yr Estrys yn cuddio'i ben yn y tywod ac yn teimlo'n ofnus am fod ei rieni'n ymladd – mae'n tybio eu bod yn ymladd o'i achos o.
- Mae Caradog y Crwban yn ofni oedolyn sy'n mynd yn flin efo fo.
- Mae Wali'n dweud celwydd am ei fod yn ofni mynd i drwbwl.
- Mae plant yn pryfocio Wali oherwydd y ffordd y mae'n edrych ac nid yw eisiau mynd i'r ysgol ddim mwy.

Dyma enghraifft o sut y byddai Wali'n cyflwyno'r broblem olaf uchod i'r disgyblion:

## Sgript enghreifftiol i bypedau – 'Wali'n cael ei bryfocio'

*Wali:* Heddiw roedd y plant yn yr ysgol yn fy mhryfocio ac yn fy ngalw'n wyneb mwnci!

*Athro:* Sut oedd hynny'n gwneud i ti deimlo?

*Wali:* Roeddwn i'n teimlo'n flin iawn. Fe alwais i enwau arnyn nhw'n ôl!

*Athro:* Oedd hwnnw'n ateb da 'ti'n meddwl?

*Wali:* Ddim yn dda iawn. Wedyn roeddent yn fy ngalw'n fabi a dweud na allwn chwarae efo nhw.

*Athro:* Tybed oedd yna ateb arall a fyddai wedi gweithio'n well? Wyt ti eisiau gofyn i'r plant yma am eu syniadau nhw?

*Wali:* Ie, ond mi fentra i nad ydyn nhw byth yn cael eu pryfocio.

*Athro:* Dwi'n meddwl fod pob plentyn yn cael ei bryfocio ryw dro.

*Wali:* Wir? Wel, sut ydych chi'r plant yn teimlo pan fyddwch yn cael eich pryfocio?

*Athro:* (yn annog y plant i labelu eu teimladau)

*Athro:* Dwi'n meddwl fod y teimladau yna'n gliwiau fod yna broblem. Ydw i'n dweud y gwir? Felly, Wali sut byddet ti'n disgrifio'r broblem?

*Wali:* Y broblem yw fy mod yn teimlo'n flin iawn am eu bod yn fy mhryfocio?

*Athro:* Iawn, felly beth fedri di ei wneud i ddatrys y broblem yna? Beth yw rhai o'r atebion neu'r dewisiadau posibl? *(Mae'n annog y disgyblion i gynhyrchu syniadau – anwybyddu, cerdded i ffwrdd, defnyddio hiwmor, anadlu'n ddwfn ac ymdawelu, egluro teimladau).*

*Athro:* Wali, mae'r plant yma'n dditectifs datrys problemau ardderchog, maent wedi meddwl am lawer o atebion posibl.

*Wali:* Gawn ni ymarfer rhai o'r syniadau gan nad ydw i'n siŵr sut i wneud rhai pethau?

*Athro:* Iawn, beth am i ni ddewis dau ddisgybl i ddangos sut i ymateb pan fydd rhywun yn eich pryfocio. A Wali, fe gei di fod yr un sy'n pryfocio, iawn? *(mae dau ddisgybl yn gwirfoddoli)*

*Wali:* Ni...na, ni...na...wyneb mwnci!

*Disgyblion:* (yn chwarae rôl rhai o'r atebion a drafodwyd)

*Wali:* Roedd hynna'n cŵl – ddaru chi ddim ymateb o gwbl pan wnes i eich pryfocio – ac felly doedd o ddim yn llawer o hwyl eich pryfocio. 'Dwi am roi cynnig ar hynna y tro nesaf y bydd rhywun yn fy mhryfocio i. Fe adawaf i chi wybod beth fydd yn digwydd.

### Y sesiwn nesaf

*Wali:* Wyddoch chi, roedd rhywun yn fy mhryfocio eto ac yn dweud fy mod yn dwpsyn a ddim hyd yn oed yn gallu cicio pêl. Wyddoch chi beth wnes i?

*Athro:* Dywed wrthym ni Wali.

| | |
|---|---|
| *Wali:* | (*Wali'n arddangos*) Roeddwn yn teimlo'n flin iawn. Er fy mod yn gwybod fy mod i fod i ddweud sut roeddwn yn teimlo am y pryfocio, roeddwn i'n methu'n lân a gwneud hynny. Yna, mi wnes i anadlu'n ddwfn ac ymdawelu, a meddwl wrthyf fy hun 'Dydw i ddim yn mynd i dalu unrhyw sylw iddo fo. 'Dwi'n gallu bod yn gryfach na fo.' Fe gerddais i ffwrdd a chanfod rhywun arall i chwarae efo fo. |
| *Athro:* | Sut oeddet ti'n teimlo am hynna? |
| *Wali:* | Yn cŵl iawn. Roeddwn yn teimlo mor bwerus. |
| *Athro:* | (*wrth y disgyblion*) Sut ydych chi'n meddwl y gwnaeth Wali? Oedd ei ateb yn un teg? Ddaru'r ateb arwain at deimladau da? Oedd yr ateb yn un saff? |

*Chwarae 'Het y Ditectif' i ymarfer cynhyrchu atebion*

Gêm arall y gellir ei chwarae i gyflwyno problemau dychmygol i'r disgyblion eu datrys yw gêm 'Het y Ditectif.' Mae hon yn gêm ardderchog i'w chwarae yn ystod Amser Cylch. Mae sefyllfaoedd problemus dychmygol a chwestiynau (megis y rhai uchod) yn cael eu hysgrifennu ar ddarnau bach o bapur ac yna'n cael eu rhoi mewn het Sherlock Holmes. Mae'r plant yn eistedd mewn cylch a'r het yn cael ei phasio o amgylch y cylch tra bod cerddoriaeth yn cael ei chwarae. Pan fydd y gerddoriaeth yn stopio, bydd y plentyn sydd â'r het yn ei gôl yn dewis problem allan o'r het ac yn ceisio ateb y cwestiwn. Os bydd yn methu ateb y cwestiwn, bydd yn gofyn i ffrind ei helpu. Bydd y pypedau a'r athrawon yn ymuno yn y gêm yma drwy helpu i ddarllen y broblem gyda'r plant nad ydynt yn gallu darllen, a modelu siarad teimladau mewnol yn uchel. Efallai y byddant yn ychwanegu rhai atebion gwahanol sydd heb gael eu hawgrymu gan y plant. Er enghraifft, hwyrach y bydd y pyped neu'r athro'n dweud, 'Gadewch i ni weld, mae gen i broblem. Rwy'n cael fy mhryfocio, a dydw i ddim yn hoffi hynny – beth allaf ei wneud? Roedd Johnny'n awgrymu y gallwn ei anwybyddu ac roedd Anna'n awgrymu y gallwn ofyn iddo stopio. Mae'r rheina'n ddau ateb da – oes gan rywun syniadau eraill?' Dyma rai awgrymiadau ar gyfer y gêm Het y Ditectif er mwyn ymarfer atebion posibl.

**Gêm Het y Ditectif i ymarfer cynhyrchu atebion posibl**

- Mae ffrind yn dod atoch ac mae eisiau gwybod beth i'w wneud pan fydd yn cael ei bryfocio
- Beth yw 'ateb' neu 'ddatrysiad' *(solution)*?

- Sut ydych chi'n gwybod bod gennych broblem?
- Mae rhywun wedi cymryd eich rhaff sgipio heb ofyn. Beth yw rhai o'r atebion posibl?
- Rydych am fynd ar y siglen ond mae eich ffrind yn ei defnyddio (gallai'r siglen fod yn llyfr neu raglen deledu etc.) Beth yw rhai o'r atebion posibl?
- Rydych yn eistedd wrth ochr rhywun sy'n niwsans. Mae'n cyffwrdd eich gwallt ac yn sibrwd yn eich clust drwy'r amser. Beth yw rhai o'r atebion posibl?
- Mae'r plant eraill yn chwarae pêl droed ac rydych eisiau ymuno â nhw. Beth yw rhai o'r atebion posibl?
- Rydych yn cyflwyno eich prosiect o flaen y dosbarth ac mae un o'ch ffrindiau'n dechrau tynnu ystumiau arnoch. Beth yw rhai o'r atebion posibl?

Cynhwyswch storïau digrif yn yr het fel bod y disgybl weithiau'n gofyn cwestiwn digrif i'r dosbarth yn hytrach na chyflwyno problem.

## CAM 3: Beth yw canlyniadau'r atebion a awgrymwyd? Beth yw'r Cynllun Gorau?

Wedi cynhyrchu llawer o wahanol atebion posibl, y cam nesaf yw edrych ar yr hyn a fyddai'n digwydd pe bai ateb penodol yn cael ei weithredu. Er enghraifft, pe bai disgybl yn awgrymu cipio'r bel neu daro er mwyn ei chael yn ôl, helpwch ef i ystyried y canlyniadau posibl drwy ofyn, 'Dychmyga beth fyddai'n digwydd pe baet ti'n cipio'r bêl.' Bydd y disgyblion yn debygol o ddychmygu colli ffrind, mynd i helynt gyda'r athro neu gael ei hunain yn cwffio. Dylid trafod mewn ffordd anfeirniadol hyd yn oed os yw'r ateb a awgrymwyd yn

**Beth sy'n digwydd nesaf?**
**(canlyniadau)**

anaddas. Os bydd disgyblion yn teimlo'u hunain yn cael eu beirniadu am eu hatebion efallai y byddant yn osgoi awgrymu syniadau yn y dyfodol.

Yna gofynnwch i'r disgyblion ddychmygu canlyniadau posibl atebion gwahanol i'r broblem, megis gofyn i ffrind yn gwrtais am y bêl neu gynnig rhannu. Canlyniad hyn fyddai cael ei wrthod gan y ffrind, cael ei anwybyddu neu hwyrach lwyddo i gael y bêl. Yn aml, bydd plant yn rhyfeddu neu'n teimlo'n siomedig pan na fydd pethau'n digwydd yn unol â'u cynllun. Gellir osgoi rhan o'r anhawster hwn os bydd y plant yn oedi a rhagweld nifer o ganlyniadau a allai ddeillio o'u hymddygiad. Fodd bynnag, gwnewch yn siŵr na fydd hyn yn dod yn weithgaredd diflas ac nad ydych yn ei orddefnyddio. Nid oes angen i'r disgyblion drafod canlyniadau pob un achos.

### CAM 4: Beth yw'r ateb neu'r dewis gorau?

Wedi adolygu canlyniadau posibl rhai atebion, y cam nesaf yw helpu'r disgyblion i benderfynu pa un neu ddau ateb fyddai'r gorau i roi cynnig arnynt. Trwy ei gyflwyno fel dewis mae'n rhoi'r cyfrifoldeb am ddatrys y broblem i'r plentyn.

Mae dewis yr ateb gorau'n golygu fod y plant yn gofyn tri chwestiwn: Ydi'r dewis yn saff? Ydi o'n deg? Ydi o'n arwain at deimladau da? Os yw'r dewis yn cwrdd â'r meini prawf hyn, yna mae'r plant yn cael eu hargymell i roi cynnig arni drwy ymarfer chwarae rôl. Mae plant ifanc wrth eu bodd yn actio ac mae'r profiad o actio'r atebion yn helpu pawb i weld canlyniadau'r gwahanol ddulliau ac yn cynnwys pawb yn y broses ddysgu.

Pa un yw'r ateb gorau?

---

**Sgript enghreifftiol i bypedau – 'Felicity'n dwyn rhywbeth'**

*Felicity:* Mae gen i broblem ac rwy'n gobeithio cael eich help i'w datrys.

*Athro:* Mae'r plant yma'n rhai ardderchog am ddatrys problemau. Rwy'n siŵr y gallant helpu.

*Felicity:* Yn yr ysgol yr wythnos yma roedd gan fy ffrind Susie degan meddal yn ei drôr yn y dosbarth. Roeddwn i eisiau'r tegan yn ofnadwy, felly mi wnes i ei gymryd! Roedd hi'n ddigalon iawn gan mai hwn oedd ei hanifail arbennig.

*Athro:*        Beth ddigwyddodd wedyn?

*Felicity:*     Dyma'r athro'n gofyn, 'Pwy sydd wedi mynd ag anifail Felicity?' Doeddwn i ddim eisiau cyfaddef, felly mi wnes i ddweud celwydd, 'dim fi.' Roeddwn i'n meddwl y byddwn yn mynd i drafferthion mawr os byddai'n canfod mai fi ddaru. Rwy'n gwybod na ddylwn fod wedi cymryd yr anifail, ond meddyliais y byddwn yn colli Susie fel ffrind os byddai'n canfod mai fi ddaru. Byddai'r athro yn danfon nodyn adref ac fe fyddwn i'n bendant yn cael cerydd ac yn gorfod aros yn y tŷ.

*Athro:*        Wel, fe wyddost fod Wali'n dweud dy fod i ddewis syniad sy'n arwain at ganlyniad da. Wyt ti'n meddwl fod hwnna'n syniad da?

*Disgyblion:* *(trafod pam fod y disgyblion yn meddwl nad yw ei syniad yr un gorau yn nhermau bod yn ateb diogel, ateb teg ac ateb sy'n arwain at ganlyniadau da).*

*Felicity:*     O diar, rwyf wedi gwneud un broblem yn ddwy drwy ddweud celwydd. Beth ddylwn ei wneud rŵan?

*Disgyblion:* *(cynhyrchu atebion posibl megis cyfaddef camgymeriad, dweud wrth yr athro a Susie, ymddiheuro, a dychwelyd yr anifail).*

*Susie:*        Ydych chi wedi cael eich siomi ynddo i – ydych chi'n meddwl fy mod yn ofnadwy yn gwneud hynna?

*Athro:*        Rwyt yn gwybod, Felicity, fod pawb yn gwneud camgymeriad weithiau. Sut ydych chi'r disgyblion yn teimlo am Felicity rwan?

*Disgyblion:* *(yn dweud wrthi sut maent yn teimlo)*

*Felicity:*     Rwy'n poeni na fyddaf yn ddigon cryf i gyfaddef fy nghamgymeriad. Gawn ni ymarfer gwneud hynna?

*Athro:*        Iawn, beth am i ni gael rhywun i fod yn athro, rhywun i fod yn Susie a rhywun arall i fod yn Felicity. *(disgybl yn chwarae rôl o flaen y dosbarth yn cyfaddef ei chamgymeriad wrth Susie a'r athro ac yn profi'r canlyniadau).*

*Felicity:*     Beth am i ni roi cynnig arni i weld sut gwnaf fi? 'Susie, mae'n wir ddrwg gen i gymryd dy degan, dyma fo yn ôl i ti. Ddylwn i ddim bod wedi ei gymryd ac rwyf eisiau gwneud yn iawn am hynny gyda thi. Hoffet ti gael un o fy nheganau i am gyfnod? Wyt ti'n meddwl y gallwn ni barhau i fod yn ffrindiau?' Wel, sut y gwnes i?

### Gêm pasio het y ditectif i ymarfer beth i'w wneud pan na fydd ateb a awgrymir yn gweithio!

Mae'n bwysig fod disgyblion yn ymarfer sut y byddant yn ymateb os na fydd yr atebion a awgrymant yn llwyddo. Er enghraifft, er i'r disgybl ofyn yn gwrtais am gael chwarae pêl droed, roedd y plentyn arall yn parhau i wrthod rhannu'r bêl a chwarae gydag o. Mae'n bwysig i blant ddeall nad yw gwneud dewis da wrth geisio datrys problem yn sicrhau llwyddiant bob tro. Rhaid iddynt ddysgu y dylent wneud dewis arall os methodd eu dewis da cyntaf. Dyma rai sefyllfaoedd dychmygol eto i chi eu trafod, chwarae rôl a helpu disgyblion i ddelio gyda sefyllfa pan na fydd eu syniad yn gweithio.

---

### Gêm 'Het y Ditectif' i ymarfer beth i'w wneud pan na fydd ateb a awgrymir yn gweithio

- Rydych yn gofyn yn gwrtais i ffrind chwarae gêm efo chi ac mae'n dweud nad yw'n hoffi'r gêm honno.
- Rydych yn gofyn i ffrind sy'n eich poenydio i beidio sibrwd pethau cas (neu yn anwybyddu'r sibrwd a'r cyffwrdd) ond mae'n parhau. Beth wnewch chi nesaf?
- Rydych yn aros yn amyneddgar i gael tro ar y cyfrifiadur ond mae'r plentyn arall yn aros yno'n rhy hir.
- Mae eich mam yn gofyn i chi osod y bwrdd ond mae eich hoff raglen deledu ar fin cychwyn. (Mae hyn yn dysgu aros a meddwl am safbwyntiau a theimladau rhywun arall.)

---

Gellwch ymarfer rhai o'r atebion canlynol ar gyfer y sefyllfaoedd problemus a restrir uchod: meddwl am safbwynt a theimlad rhywun arall; gofyn yn gwrtais eto; aros; anwybyddu; cerdded i ffwrdd; gwneud rhywbeth difyr arall; meddwl meddyliau helpu a defnyddio hunan siarad sy'n ymdawelu. Gwnewch yn siŵr mai dim ond yr atebion cadarnhaol y mae eich disgyblion yn eu hymarfer ac nid y rhai amhriodol. Os ydych am chwarae rôl mewn sefyllfa sy'n arwain at ganlyniadau anaddas, yna'r pyped ddylai arddangos y dewis gwael ac nid y disgyblion.

### CAM 5: Gweithredu sgiliau datrys problemau

Mae'r pumed cam, pan gaiff ei weithredu mewn gemau datrys problemau dychmygol, yn cael y plentyn i feddwl am sefyllfa pryd y gallent ddefnyddio'r ateb y cytunwyd arno. Neu, os bydd yr athro'n nes ymlaen yn y dydd yn sylwi ar broblem debyg yn digwydd mewn bywyd go iawn, gall helpu'r plant i ddefnyddio'r ateb i geisio datrys y broblem honno. Er enghraifft, wedi i chi gael y trafodaethau datrys problemau, mae un o'ch disgyblion yn rhedeg atoch yn cwyno fod un o'i gymheiriaid yn aros wrth y cyfrifiadur am amser hir, neu ddisgybl arall yn dod atoch yn ei ddagrau am iddo gael ei adael allan o'r gêm hopscots. Gellwch ymateb drwy ddefnyddio'r camau datrys problemau a amlinellwyd uchod. Gall fod yn demtasiwn i chi ddweud wrth ddisgyblion beth i'w wneud, ond mae'n fwy effeithiol eu dysgu nhw i feddwl am atebion. Mae datrys problemau yng nghanol helbulon bywyd yn llawer anos na datrys problemau mewn sefyllfa niwtral neu smalio. Gall plant fod mor flin ac yn gofidio cymaint nes eu bod yn methu meddwl yn glir. Hwyrach y gellwch eu tawelu drwy drafod fel y gallant feddwl am rai atebion. Ar rai adegau bydd plant yn gallu bod mor emosiynol nes eu bod angen cael Amser Allan neu Ymdawelu neu eu bod yn teimlo'n llai cynhyrfus. Weithiau, os bydd problem yn helbulus iawn, bydd yn well ei thrafod yn ddiweddarach pan fyddwch chi a'r plentyn wedi cael cyfle i ymdawelu a meddwl yn gliriach.

Unwaith y bydd plant wedi dysgu'r camau datrys problemau a'u hymarfer gyda sefyllfaoedd dychmygol, byddant yn barod i drafod eu problemau personol eu hunain. Yn hytrach na bod yr athro'n dod â phroblemau dychmygol i'r dosbarth i'w trafod, gall gychwyn sesiwn yn y dosbarth drwy ofyn, 'Oes gan rywun angen help i ddatrys problem heddiw?' Cyn bo hir, bydd y disgyblion yn edrych ymlaen at y trafodaethau yma gan eu bod yn gwybod y gallant rannu eu hanawsterau a chael syniadau ynglŷn â sut i ddygymod â nhw. Mae'n debyg y byddwch yn bresennol pan fydd rhai cwerylon yn digwydd a bydd hynny'n rhoi cyfle ichi arwain y disgyblion drwy'r broses.

A allaf ddefnyddio'r cynllun?

## CAM 6: Gwerthuso canlyniad:

Pa mor aml y clywsoch eich hun neu rieni un o'r disgyblion yn dweud, 'Mae Joey'n gwneud yr un camgymeriadau drosodd a throsodd. Dydi o ddim fel petai'n dysgu oddi wrth ei brofiad nac yn cofio beth ddigwyddodd y troeon cynt.' Y rheswm am hyn yw nad oes gan rai plant y gallu i ddefnyddio'r gorffennol i oleuo'r dyfodol. Dydyn nhw ddim yn gwybod sut i ddwyn i gof brofiadau'r gorffennol nac yn gwybod sut y gall y profiadau hynny fod yn berthnasol i'r hyn sy'n digwydd rŵan. Dyma pam fod y chweched cam mor bwysig gan y bydd yn helpu'r plant i ddysgu sut i werthuso pa mor llwyddiannus y buont wrth ddatrys problemau (damcaniaethol neu fywyd go iawn). Byddant hefyd yn gallu ystyried a wnaent yr un peth eto yn y dyfodol. Gellwch helpu'r plant i werthuso'r sefyllfa a'i chanlyniadau drwy ofyn yr un tri chwestiwn a ofynnodd y plant i'w hunain wrth ddewis ateb da:

**Sut y gwnes i?**

**Ydi'r ateb yn saff?**

1. Oedd o'n ddiogel? A gafodd rhywun ei anafu?
2. Oedd o'n deg?
3. Sut oeddech chi'n teimlo amdano, a sut oedd y person arall yn teimlo?

Os yw'r ateb i unrhyw un o'r tri chwestiwn yn negyddol, anogwch y plant i feddwl am atebion eraill. Gellwch ddweud, 'Felly, nid hwnna oedd y dewis gorau, ac ni fyddem eisiau gwneud hynna eto gan iddo arwain at deimladau gwael. Oes yna ddewis arall posibl pe bai hynna'n digwydd eto?' Yr agwedd bwysicaf o'r cam yma yw eich bod yn atgyfnerthu ymdrechion y disgyblion i ddatrys problemau. Canmolwch nhw, ac anogwch nhw i ganmol eu hunain am eu meddyliau da – beth bynnag yw ansawdd yr atebion a gynigir ganddynt.

**Ydi'r ateb yn deg?**

# Datrys problemau'n fwy effeithiol

Mae'r adran ganlynol yn canolbwyntio ar rai o'r problemau y mae athrawon yn dod ar eu traws wrth geisio dysgu sgiliau datrys problemau i'w disgyblion. Fe gynhwysir hefyd rai dulliau effeithiol o fod yn llwyddiannus.

### Yn gyntaf – canfod sut mae eich plentyn yn gweld y broblem

Weithiau mae athrawon yn dod i benderfyniad yn rhy fuan ynglŷn â beth yn union yw problem eu disgybl. Er enghraifft, mae athro Juan yn penderfynu ei fod yn cael trafferth rhannu pethau gyda phlant eraill. Nid yw'n sylweddoli safbwynt Juan tuag at y broblem, sef bod ei ffrind wedi cipio'r bêl oddi arno yn y lle cyntaf ac yna gwrthod rhoi cyfle iddo ymuno a'r gêm. Hwyrach fod Maria wedi rhannu'r creonau gyda'i ffrind ond bod ei ffrind yn gwrthod eu dychwelyd iddi. Os yw'r athro'n gwneud penderfyniad rhy frysiog ynglŷn â phroblem fe all ddod i'r casgliad anghywir. Trwy gamddehongli'r sefyllfa fe allai roi pregeth i Maria am rannu, a hynny'n arwain at wrthwynebiad gan y plentyn i'r broses o ddatrys problemau. Mae plentyn sy'n cael bai ar gam yn debygol o deimlo'n flin iawn am iddo gael triniaeth annheg. Ac os yw ei feddwl wedi canolbwyntio'n llwyr ar yr annhegwch, a sut i gael y creonau neu'r bêl yn ôl, ni fydd yn clywed gair o awgrymiadau da'r athro.

Eich tasg gyntaf yw ceisio deall y broblem o safbwynt y plentyn. Fel arfer, bydd angen i chi ofyn cwestiynau megis, 'Beth a ddigwyddodd?', 'Beth wyt ti'n ei weld fel y broblem?' neu 'Fedri di ddweud wrthyf sut wyt ti'n teimlo amdano?' Mae'r math yma o gwestiwn nid yn unig yn helpu'r plentyn i grisialu'r broblem yn ei feddwl ond mae hefyd yn eich arbed rhag neidio i'r casgliad anghywir am y digwyddiad. Unwaith eich bod yn siŵr eich bod yn deall, fe allech ddweud

**Ydi eich ateb yn arwain at deimladau da?**

mewn sefyllfa fel un Tanya, 'Rŵan dwi'n deall beth ydi'r broblem. Rwyt ti wedi rhannu dy bêl efo ffrind, ac mae hi wedi chwarae efo'r bel yn rhy hir ac yn gwrthod ei rhoi'n ôl i ti. Ac mae hynny wedi dy wneud yn flin iawn.' Er mwyn i blant ddysgu unrhyw beth oddi wrth broblem, mae'n bwysig fod yr ateb yn berthnasol i'w canfyddiad *hwy* o'r sefyllfa.

Pan fydd disgybl yn credu eich bod yn deall ei safbwynt, fe fydd yn debygol o gael ei gymell i gydweithredu i ddelio efo'r broblem.

## Annog eich plant i feddwl am amryw o atebion posibl

Weithiau bydd athrawon yn meddwl fod dweud wrth blant sut i ddatrys problem yn eu helpu i ddysgu datrys problemau. Er enghraifft gall dau blentyn fod yn cael trafferth i rannu beic, ac mae'r athro'n ymateb drwy ddweud, 'Dylech naill ai chwarae efo'ch gilydd neu gymryd eich tro. Dydi cipio ddim yn neis.' neu 'Rhaid i chi rannu. Bydd Lamar yn mynd yn flin iawn a fydd o ddim yn ffrind i ti os nad wyt yn rhannu. Fedri di ddim mynd o gwmpas yn cipio pethau. Fyddet ti'n hoffi iddo fo wneud hynna i ti?' Y broblem gyda'r ymdriniaeth yma yw bod yr athro'n dweud wrth eu plant beth i'w wneud cyn canfod beth yw'r broblem o'u safbwynt hwy. Yn ogystal, nid yw dweud wrth ddisgyblion beth i'w wneud (neu beidio'i wneud) yn eu helpu i feddwl am eu problem a sut i'w datrys.

Mae'n fwy effeithiol arwain eich plentyn i feddwl am yr hyn a allai fod wedi achosi'r broblem yn y lle cyntaf nag i ddweud yr ateb wrthynt. Gwahoddwch nhw i gynnig atebion posibl. Os ydych am iddynt ddatblygu arferiad o ddatrys eu problemau eu hunain dylid eu cymell i feddwl drostynt eu hunain. Dylid eu hannog i fynegi eu teimladau am y sefyllfa, siarad am eu syniadau am ddatrys y broblem a rhagweld beth a allai ddigwydd pe baent yn rhoi cynnig ar un o'r syniadau. Gellwch gynnig rhai o'ch syniadau personol eich hun i'r disgyblion i ymestyn eu syniadau nhw wedi iddynt awgrymu syniadau eu hunain.

## Datrys problemau gydag arweiniad

Mae problem i'r gwrthwyneb yn digwydd pan fydd athrawon yn meddwl eu bod yn rhoi cymorth i'w plant ddatrys gwrthdaro drwy ddweud wrthynt am ddatrys y broblem drostynt eu hunain. Gall yr ymdriniaeth yma weithio os oes gan y plant sgiliau datrys problemau da, ond i'r mwyafrif o blant ifanc, ni fydd hyn yn gweithio. Os yw Max a Tyler yn ymladd dros lyfr, mae'n debyg mai'r canlyniad fydd dadlau parhaus rhwng y plant a Tyler, fel yr un mwyaf ymosodol yn cael y llyfr. Felly mae Tyler yn cael ei atgyfnerthu am ei ymddygiad amhriodol gan iddo gael yr hyn a geisiai, ac mae Max yn cael ei atgyfnerthu am ildio, gan i'r ymladd stopio pan ildiodd.

Gall athrawon helpu'r disgyblion i ddysgu canfod atebion ar eu pennau eu hunain drwy eu harwain drwy'r camau datrys problemau. Awgrymwch eu bod yn siarad yn uchel wrth feddwl a chanmolwch eu syniadau a'u hymdrechion i ganfod atebion. Yn y ffordd yma rydych yn atgyfnerthu datblygiad dull o feddwl a fydd yn helpu'r plant i drin pob math o broblemau. Anogwch nhw i gynnig nifer o atebion posibl. Yna, rhowch gymorth iddynt symud ymlaen a chanolbwyntio ar ganlyniadau pob ateb. Y cam olaf yw rhoi cymorth i'r plant werthuso pa atebion yw'r rhai gorau.

---

**Sgript enghreifftiol o athro'n ceisio datrys problem mewn ffordd wael gyda disgybl 'Fi piau!'**

Mae dau blentyn yn ymladd dros bêl droed gyda'r ddau'n ei chipio.

*Athro:* Rwyf wedi dweud wrthych fil o weithiau am beidio cipio teganau eich gilydd.

*Plentyn cyntaf:* Ond, fi piau'r bêl.

*Ail blentyn:* Fo ddaru ei chymryd hi. Gen i oedd hi gyntaf.

*Plentyn cyntaf:* Na, wnes i ddim.

*Athro:* Allwch chi'ch dau ddim dysgu chwarae gyda'ch gilydd? Rhaid i chi ddysgu rhannu *(Y cwffio'n ail-gychwyn)*

---

**Sgript enghreifftiol o athro'n datrys problemau mewn ffordd effeithiol gyda disgybl 'Mae hi wedi fy nharo i!'**

Mae Tina'n crio ac yn dal ei braich.

*Athro:* Pwy sydd wedi dy daro?

*Tina:* Sarah.

*Athro:* Beth ddigwyddodd? *(athro'n ceisio cael safbwynt y plentyn)*

*Tina:* Mae hi wedi fy nharo i.

*Athro:* Wyt ti'n dweud fod Sarah wedi dy daro di am ddim rheswm? *(Yr athro'n annog Tina i feddwl am yr achos)*

*Tina:* Wel, fi ddaru ei tharo hi gyntaf.

*Athro:* Pam?

*Tina:* Roedd hi'n gwrthod gadael i mi edrych ar ei llyfr.

*Athro:* Mae'n siŵr fod hynna wedi dy wneud yn flin. Sut wyt ti'n meddwl oedd hi'n teimlo pan wnes di ei tharo hi? (yr *athro'n helpu Tina i feddwl am deimladau pobl eraill)*

*Tina:* Yn flin iawn.

*Athro:* Rwy'n meddwl mai dyna pam y gwnaeth hi dy daro'n ôl. Wyt ti'n gwybod pam ei bod yn gwrthod gadael i ti edrych ar ei llyfr? *(athro'n helpu Tina i weld safbwynt y plentyn arall)*

*Tina:*  Na.

*Athro:*  Sut gelli di ganfod hynny?

*Tina:*  Fe allwn i ofyn iddi.

*Athro:*  Mae hynna'n syniad da *(athro'n argymell fod Tina'n ceisio'r ffeithiau a chanfod beth yw'r broblem)* Yn ddiweddarach

*Tina:*  Fe ddywedodd hi nad ydw i byth yn gadael iddi hi edrych ar fy llyfrau i.

*Athro:*  Wel, rwyt ti'n gwybod rŵan pam roedd hi'n dweud 'na'. Alli di feddwl am rywbeth y gelli ei wneud iddi adael i ti edrych ar y llyfr? *(yr athro'n annog Tina i feddwl am atebion)*

*Tina:*  Fe allaf ddweud na fyddaf yn ffrind iddi os na fydd yn ei roi i mi.

*Athro:*  Ie, mae hynna'n un syniad. Beth fyddai'n digwydd pe byddet yn gwneud hynna? *(Mae Tina'n cael ei harwain i feddwl am ganlyniadau ei ateb)*

*Tina:*  Hwyrach na fydd yn chwarae efo fi eto, nac yn bod yn ffrind i mi.

*Athro*  Mae hynny'n ganlyniad posibl. Wyt ti eisiau iddi fod yn ffrind i ti?

*Tina:*  Ydw.

*Athro:*  Elli di feddwl am ateb arall er mwyn iddi barhau i fod yn ffrind i ti? *(yr athro'n annog mwy o atebion)*

*Tina:*  Gallwn gyfnewid llyfrau gyda hi.

*Athro:*  Mae hynna'n syniad da. Beth allai ddigwydd pe byddet yn gwneud hynna?

Yn yr enghraifft yma, mae athro Tina'n ei helpu i feddwl pam y cafodd ei tharo, a diffinio'r broblem. Wedi iddo ganfod mai Tina a darodd gyntaf, nid yw'n rhoi pregeth iddi nac yn cynnig cyngor, ond mae'n helpu'r disgybl i feddwl am deimladau Sarah. Mae'n annog Tina i ystyried y broblem, a ffyrdd gwahanol o'i datrys.

**Sgript enghreifftiol o ddatrys problem mewn bywyd go iawn gyda disgybl 'Mae hi'n gwrthod i mi chwarae gyda hi.'**

*Lizzie:* (yn rhedeg i mewn amser egwyl yn crio) Nid yw Kimmi'n mynd i fod yn ffrind gorau i mi. Rwy'n ei chasáu. Roedd yn gwrthod gadael i mi chwarae efo hi.

*Kimmi:* Na, wnes i ddim dweud hynna! Wnes i ddim! Mae hi'n dweud celwydd!

*Athro:* Rwy'n gweld fod y ddwy ohonoch wedi cael eich brifo ac yn teimlo'n wael. Rwy'n meddwl fod angen i'r ddwy ohonoch ymdawelu cyn y gallwn ganfod beth yw'r broblem a gweld sut y gallwn ddatrys pethau. (*Hwyrach y bydd yr athro'n arwain y plant i seddau gwahanol i eistedd am rai munudau neu'n trefnu amser penodol iddynt amser cinio i drafod y mater*).

*Athro:* Ydych chi'n cofio ein rheolau datrys problemau? (*yn adolygu'r rheolau peidio sarhau na thorri ar draws*) Nawr te Lizzie, ti'n gyntaf. Beth wyt ti'n ei weld fel y broblem? (*Lizzie'n dweud y broblem*) Sut wyt ti'n teimlo? Kimmi, sut wyt ti'n gweld y broblem? (*yn dweud y broblem*). Sut wyt ti'n teimlo? Beth ydych chi'n feddwl y gellwch chi'ch dwy ei wneud i ddatrys y broblem? (*os nad ydynt yn gallu meddwl am syniadau yna cyfeiriwch nhw at y cynllun datrys problemau*).

Os bydd gormod o gynnwrf emosiynol, ni fydd y plant yn gallu datrys y broblem. Yn yr enghraifft yma felly, mae'r athro'n gyntaf yn eu cysuro ac yn rhoi amser iddynt ymdawelu. Hwyrach y bydd yr athro am ddefnyddio'r cardiau cliwiau datrys problemau i'w helpu i ddilyn y camau priodol er mwyn datrys y broblem.

## Bod yn bositif ac yn hwyliog

Weithiau bydd athrawon yn ceisio bod o gymorth i'w plant drwy ddweud wrthynt fod eu hatebion yn wirion, yn anaddas neu'n annhebygol o fod yn llwyddiannus. Gall hyn wneud iddynt deimlo'u bod yn cael eu gwawdio ac mae'n debygol o wneud iddynt beidio â chynnig atebion. Mae math arall o broblem yn digwydd pan fydd athrawon yn mynd yn obsesiynol am y broses ac yn gorfodi eu plant i feddwl am gymaint o atebion a chanlyniadau nes bod y drafodaeth yn mynd yn ddryslyd.

Osgowch wawdio, beirniadu neu fynegi barn negyddol am syniadau'r plant. Yn hytrach, anogwch nhw i feddwl am gymaint o atebion â phosib gan roi rhwydd hynt i'w dychymyg. Os bydd y plant yn diflasu'n hawdd neu ddim ond yn gallu canolbwyntio am gyfnodau, nid oes raid edrych ar bob un ateb a chanlyniad posibl mewn manylder. Yn hytrach, canolbwyntiwch ar ddau neu dri o'r rhai mwyaf addawol.

## Trafod teimladau

Pan fydd rhai athrawon yn datrys problemau byddant yn osgoi trafod teimladau. Maent yn canolbwyntio'n gyfan gwbl ar y dull o feddwl, yr ateb a'r canlyniadau. Maent yn anghofio gofyn i'w plant sut maen nhw'n teimlo am y broblem, neu sut roedd y person arall yn y sefyllfa'n teimlo. Mae hefyd yn bwysig i athrawon fod yn ymwybodol o'u teimladau eu hunain. Mae clywed un o'ch disgyblion yn adrodd iddo gael ei ddanfon oddi ar yr iard am daro rhywun yn gallu creu teimladau o ddicter, rhwystredigaeth a diymadferthedd. Fe fydd angen i chi ennill rheolaeth o'r emosiynau yma cyn ceisio helpu'r plentyn gyda'i deimladau am y sefyllfa.

Anogwch eich disgyblion i feddwl am eu teimladau wrth ymateb i broblem neu i ganlyniad posibl yr ateb a gynigir. Cymhellwch nhw i ystyried safbwynt y person arall. Fe allech ofyn, 'Sut wyt ti'n meddwl oedd Julie'n teimlo pan wnaethost ti hynna?' Sut oeddet ti'n teimlo pan wnaeth hi hynna?' Holwch y plentyn sut y gall ddarganfod beth mae rhywun arall yn ei deimlo neu feddwl. 'Sut y gelli di ganfod a yw hi'n hoffi dy syniad? Sut y gelli di ddweud a yw hi'n hapus neu yn drist?' Bydd hyn yn helpu'r plant i ddangos mwy o empathi ac wrth geisio deall teimladau a safbwyntiau pobl eraill, byddant yn fwy parod i ddatrys problemau, cyfaddawdu a chydweithio. Yn ogystal, mae trafod eich teimladau chi yn helpu'r plant i sylweddoli eich bod yn dangos empathi tuag atynt hwy.

## Annog llawer o atebion

Fel y bydd y plant yn meddwl am atebion, byddwch yn ofalus i beidio beirniadu'r syniadau hynny am nad ydynt yn ddigon da. Gadewch iddynt feddwl am gymaint â phosib heb i chi fynegi barn am eu hansawdd nau'u heffeithiolrwydd posibl. Yna, gellwch gynnig rhai o'ch syniadau creadigol chi – gan ofalu gwneud hynny ar ffurf awgrymiadau ac nid fel gorchmynion. Dangosodd ymchwil mai un gwahaniaeth rhwng plentyn sydd wedi addasu'n dda a phlentyn nad yw wedi addasu'n dda yw bod y plentyn sydd wedi addasu'n dda yn debycach o feddwl am gymaint mwy o atebion i broblemau. Y nod felly yw cynyddu'r tebygolrwydd y bydd plant yn cynhyrchu llu o syniadau.

### Defnyddio cwestiynau agored ac aralleirio

Bydd defnyddio cwestiynau agored yn hyrwyddo gallu plentyn i feddwl am broblem. Mae'n siŵr y cewch eich temtio i ofyn cwestiynau 'pam' ('Pam wnest ti hynna?') neu gwestiynau amlddewis ('Wnes di ei daro am dy fod yn flin neu am ei fod yn gwneud hwyl am dy ben . . .?') neu gwestiynau caeedig (Wnes di ei daro fo?). Osgowch y dulliau yma gan y bydd yr atebion yn naill ai 'ie' neu 'na', neu fe fydd y drafodaeth yn gorffen oherwydd teimlad o amddiffyn neu gael y bai. Yn hytrach gofynnwch gwestiynau 'beth' neu 'sut' megis, 'Beth a ddigwyddodd?' neu 'Sut wyt ti'n teimlo?' neu 'Pa deimladau eraill sydd gen ti?' neu 'Sut wyt ti'n meddwl fod y person arall yn teimlo?' Bydd cwestiynau agored fel hyn yn fwy tebygol o gael y plentyn i gymryd rhan yn y broses o ddatrys problemau.

Mae aralleirio neu adlewyrchu'r hyn a ddywed eich plant hefyd yn helpu iddynt deimlo fod rhywun yn gwrando arnynt a'u bod yn cael eu gwerthfawrogi am eu syniadau. Mantais aralleirio yw y gallwch ail-drefnu rhai o osodiadau plentyn mewn iaith fwy priodol. Er enghraifft, pan ofynnwyd i'ch plentyn sut roedd yn teimlo, atebodd, 'Mae o'n rêl ffŵl.' Gall hyn gael ei aralleirio fel 'Rwyt yn swnio'n flin iawn efo fo.' Bydd hyn yn raddol yn helpu'r plentyn i ddatblygu gwell geirfa ar gyfer datrys problemau.

### Defnyddio cardiau cliwiau gyda darluniau arnynt i ysgogi'r disgyblion

Mae cardiau cliwiau megis cardiau chwe cham Wali i ddatrys problemau a ddangoswyd uchod, yn gliwiau di-eiriau defnyddiol i helpu plant i gofio'r camau a threfnu eu meddyliau. Mae'n ddefnyddiol i ddangos y cardiau yma'n aml neu eu gosod ar waliau'r dosbarth fel bod yr athrawon yn gallu cyfeirio atynt yn hawdd pan fo sefyllfa'n codi. Gall cardiau datrys sy'n cynnig nifer o atebion posibl gael eu rhoi mewn ffeil neu fag wedi'i labelu, 'Llyfr y Ditectif Datrys Problemau.' Gall athrawon gyfeirio'r disgyblion at y llyfr yma pan fyddant yn cael anhawster i feddwl am ateb i broblem real.

### Paratoi llyfrynnau 'Atebion y Ditectif'

Gall athrawon gryfhau trafodaethau datrys problemau disgyblion drwy ddefnyddio rhai syniadau a gynhyrchwyd ganddynt yn ysgrifenedig ac mewn ymarferion gwaith cartref. Er enghraifft, gallech roi gwaith cartref i'r disgyblion i ysgrifennu (neu dynnu llun) problem a ddigwyddodd a sut y gwnaethant ei datrys. Gellwch lunio llyfr datrys problemau'r ditectif allan o'r trafodaethau a'r lluniau yma. Yna, bydd y llyfr ar gael i rieni, disgyblion ac athrawon eraill ei weld yn yr ysgol.

## Meddwl am ganlyniadau cadarnhaol a negyddol

Pan fydd athrawon yn trafod canlyniadau posibl i atebion, byddant weithiau'n canolbwyntio ar rai negyddol. Er enghraifft, gallai athro a phlentyn fod yn siarad am un canlyniad posibl i sefyllfa lle mae'r plentyn yn taro'i ffrind i gael pêl oddi arno. Un canlyniad amlwg yw y bydd y plentyn arall yn crio, yn anhapus, ac yn cael y sawl a wnaeth y taro i drwbl efo'i athrawon. Byddai'r rhan fwyaf o athrawon yn rhagweld y canlyniad yma. Fodd bynnag, bydd llawer ohonynt yn methu gweld y ffaith y *gallai* taro fod yn ffordd lwyddiannus o gael y bêl yn ôl. Mae'n bwysig bod yn onest efo plant ac ymchwilio i'r canlyniadau cadarnhaol a negyddol. Os yw taro'n llwyddiannus yn y tymor byr, mae angen i'r plentyn feddwl wedyn pa effaith fyddai ymddygiad o'r fath yn ei gael ar awydd y plentyn arall i chwarae efo fo yn y tymor hir. Drwy werthuso'r holl ganlyniadau posibl, gall y plant farnu'n well pa mor effeithiol yw pob ateb.

## Modelu eich 'meddwl yn uchel'

Mae'n bwysig fod plant yn gweld datrys problemau dyddiol yn digwydd yn y dosbarth. Gallant ddysgu drwy eich gwylio chi ac oedolion eraill yn penderfynu pwy sy'n mynd i gyflawni gwahanol dasgau, paratoi gwersi neu benderfynu lle bydd y trip maes yn mynd. Mae cyfleoedd diddiwedd i blant arsylwi arnoch yn trafod problem neu wrthdaro, cynhyrchu atebion ac yna cyd-weithio i ystyried pa ateb fydd orau. Mae hefyd o gymorth i'r plant eich gweld yn gwerthuso ateb sydd efallai heb arwain at ganlyniad da a'ch clywed yn trefnu strategaeth wahanol i'r dyfodol. Mae ymchwil yn awgrymu fod y cyfle y mae plant yn ei gael i arsylwi ar oedolion yn trafod ac yn datrys gwrthdaro'n allweddol nid yn unig i ddatblygu eu sgiliau datrys problemau eu hunain ond hefyd i leihau straen a phryder am faterion sydd heb eu datrys ganddynt.

## Canolbwyntio ar y broses feddwl a hunan reoli

Yn aml bydd athrawon yn meddwl mai pwrpas datrys problemau yw dod o hyd i'r ateb gorau i sefyllfa benodol. Er mor hyfryd fyddai hyn pe bai'n digwydd, prif bwrpas mynd drwy'r broses gyda'ch plant yw dysgu iddynt sut i feddwl a hunan reoli yn hytrach na chynhyrchu'r ateb 'cywir.'

Pan fyddwch yn datrys problemau gyda'r plant, canolbwyntiwch ar *sut* maent yn meddwl yn hytrach nag ar ganlyniadau penodol. Eich nod yw helpu'r plant i deimlo'n gyffyrddus wrth feddwl am wrthdaro a datblygu sail gwybodaeth er mwyn cynhyrchu atebion a dewisiadau da. Nod arall yw datblygu sgiliau'r plentyn i ddychmygu a deall beth fyddai canlyniadau posibl y gwahanol atebion. Bydd y sgiliau datrys problemau cymdeithasol gwybyddol yma ymhen hir a hwyr yn arwain at hunanreolaeth pan ddaw'r plant wyneb yn wyneb â gwrthdaro mewn bywyd go iawn. Ceisiwch ddefnyddio'r dulliau datrys problemau bob tro y gallwch yn ystod y dydd i helpu'ch plant i ganfod atebion i'w problemau. Mae'r enghraifft sy'n dilyn yn esiampl o athro'n defnyddio'r strategaeth yma i helpu disgybl ansicr oedd yn ddibynnol iawn arno i ddod yn fwy hyderus ac annibynnol.

## Sampl o sgript datrys problemau mewn ffordd aneffeithiol gyda disgybl 'Ond rwyf eisiau help rŵan!'

*Plentyn:* Dwi angen eich help gyda hwn.

*Athro:* Dwi'n brysur. Fedra i ddim.

*Plentyn:* Ond plîs. Athro dowch i fy helpu.

*Athro:* Rhaid i mi orffen hwn yn gyntaf. Mi wna i dy helpu wedyn.

*Plentyn:* Plîs? Dwi eisiau i chi weithio efo fi rŵan. Dwi'n methu gwneud hwn!

*Athro:* Dos i weithio ar dy ben dy hun tra dwi'n gorffen hwn. Rhaid i ti ddysgu sut mae gweithio ar dy ben dy hun. Fedri di ddim cael pob dim ar unwaith.

Pum munud yn ddiweddarach

*Plentyn:* Ydych chi wedi gorffen eto?

*Athro:* Mi ddyweda i wrthot ti pan fydda i wedi gorffen. Paid â swnian neu fydda i ddim yn dy helpu o gwbl.

## Sampl o sgript datrys problemau mewn ffordd effeithiol i hyrwyddo dysgu annibynnol

*Marty:* Wnewch chi fy helpu?

*Athro:* Dwi'n gweithio gydag Anna rŵan. Pan fydda i'n gorffen gyda hi, yna fe allaf dy helpu.

*Marty:* Plîs wnewch chi fy helpu rŵan.

*Athro:* Alla'i ddim, gan fy mod ar ganol gwneud rhywbeth gydag Anna.

| | |
|---|---|
| *Marty:* | Ond dwi wir angen help! Alla i ddim gwneud hwn! |
| *Athro:* | Fedri di feddwl am rywbeth arall i'w wneud tra rwy'n gorffen hwn *(athro'n helpu Marty i feddwl am weithgaredd arall)* |
| *Marty:* | Na. |
| *Athro:* | Tynnu fy nghoes i wyt ti! Pa ran o'r gwaith elli di gychwyn arno? |
| *Marty:* | Fe allwn i dynnu llun. |
| *Athro:* | Ie, mae hwnna'n rhywbeth y gelli ei wneud. |
| *Marty:* | Neu fe allwn wneud rhan arall y dudalen a gadael hwn tan yn nes ymlaen. |
| *Athro:* | Da iawn. Rwyt wedi meddwl am ddau ateb da. Rwyt ti'n medru meddwl yn dda pan fydd gen ti broblem. A phan fydda' i wedi gorffen gydag Anna, fe ddof atat i roi cymorth i ti gyda'r rhan sy'n rhoi anhawster i ti. |

Gellir osgoi gwrthdaro emosiynol pan fydd Marty a'r athro'n adnabod y broblem a safbwyntiau ei gilydd. Gall Marty ddysgu derbyn na all gael yr hyn a geisia yn syth, a dysgu aros amdano os bydd yn cael ei arwain i feddwl sut mae'r athro'n teimlo, a gwybod fod yr athro'n deall sut mae o'n teimlo.

### Gwneud i'ch pypedau ddod yn fyw

Fel y trafodwyd, mae pypedau'n gymorth mawr i ddysgu cysyniadau datrys problemau i blant. Mae plant ifanc yn cael eu cyfareddu gan bypedau, a byddant yn siarad am faterion sensitif a phoenus gyda phypedau'n haws na gydag oedolion. Peidiwch â phoeni os nad ydych wedi cael eich hyfforddi i drin pypedau, fydd y plant ddim yn sylwi – yr hyn sy'n bwysig yw eich bod yn chwareus ac yn hwyliog gyda nhw. Cofiwch fod y pypedau'n dod yn fyw i'r plant, felly bydd raid i chi roi enw, oedran, personoliaeth, diddordeb a sefyllfa deuluol i bob pyped. Os oes gennych fwy nag un pyped, yna gellwch gael pypedau i gynrychioli gwahanol anianau a sefyllfaoedd teuluol, megis y plentyn gwyllt neu swil, yr un sydd wedi cael ei fabwysiadu ac yn byw gyda rhiant sengl neu nain a taid. Dylai'r un rheolau a disgyblaeth dosbarth gael eu gweithredu gyda'r pypedau a'r plant. Felly, defnyddiwch nhw i ennill braint arbennig am lwyddo i ddatrys problem arbennig o anodd neu am ddelio'n briodol gyda rhwystredigaeth neu ddygymod ag anhawster dysgu. I gadw eu hygrededd gellwch hyd yn oed yn newid eu dillad bob wythnos!

## Cynnal cyfarfodydd dosbarth neu Amser Cylch yn rheolaidd

Cynhaliwch gyfarfodydd neu Amseroedd Cylch yn wythnosol gyda'r disgyblion i ddysgu iddynt y camau datrys problemau a thrafod unrhyw bryderon sydd wedi cael eu hadnabod gan yr athro neu'r disgyblion. Mae'r cyfarfodydd yma'n fwy effeithiol pan gynhelir nhw mewn cylch neu hanner cylch, mewn cadeiriau bach wedi eu lleoli ymaith oddi wrth y byrddau. Wrth ddechrau'r cyfarfodydd yma dylai'r athro drafod y rheolau sylfaenol gyda'r disgyblion drwy ddweud, 'Ydych chi'n cofio ein rheolau ar gyfer Amser Cylch?'

---

### Rheolau ar gyfer cyfarfodydd dosbarth neu Amser Cylch

- Un person i siarad ar y tro.
- Gwrando ac edrych ar y sawl sy'n siarad.
- Un broblem i'w thrafod ar y tro.
- Dim sarhau neb wrth fynegi barn (am unrhyw unigolyn, rhieni neu ddisgyblion eraill y tu allan i'r dosbarth).
- Cadw eich dwylo a'ch traed i chi eich hun.
- Cyfarfodydd i beidio bod yn hwy na 30 munud.
- Croesawu'r atebion a awgrymir gan bawb.
- Pob un â'r hawl i basio.

---

Unwaith y bydd pawb wedi cael eu hatgoffa o'r rheolau sylfaenol, bydd yr athro a'r disgyblion yn gosod agenda drwy ofyn a oes rhywun â phroblem i'w thrafod. Os bydd nifer o ddisgyblion â phroblem, yna bydd un neu ddwy yn cael eu dewis ar gyfer y cyfarfod hwnnw a'r lleill yn cael eu rhaglennu ar gyfer cyfarfodydd wythnosol diweddarach. I blant hŷn (sy'n gallu ysgrifennu) gall fod yn ddefnyddiol i gael 'bocs agenda' yn y dosbarth. Bydd modd i'r disgyblion ysgrifennu eu pryderon neu syniadau ar gyfer y trafodaethau Amser Cylch a'u rhoi yn y bocs agenda yn ystod yr wythnos. Gellwch egluro na fydd pob dim yn cael ei drafod yn syth, ond fe fydd y plant yn gallu rhoi gwybod i chi am eu pryderon.

Pan fyddwch wedi penderfynu pa broblem sy'n mynd i gael ei thrafod, bydd y disgyblion yn trafod eu teimladau am y broblem ac yn symud ymlaen i awgrymu ffyrdd i'w datrys. Rydym yn argymell fod y disgyblion yn mynegi eu syniadau ar gyfer datrys problemau ar ffurf awgrym. Er enghraifft, ' A fyddai'n helpu pe baech yn..............?' Weithiau mae'n helpu plentyn sy'n siarad neu'n rhannu awgrym i gael rhywbeth arbennig i afael ynddo (e.e. tedi neu feicroffon tegan). Yna, bydd pawb yn y grŵp yn gwybod pwy sy'n siarad a phwy sy'n gwrando. Wedi gorffen siarad bydd y plant yn trosglwyddo'r meicroffon i blentyn arall ei ddefnyddio i siarad. Gall unrhyw blentyn nad yw'n dymuno siarad ddweud 'pasio' a'i symud ymlaen. Weithiau, bydd plant sy'n cael anhawster i siarad yn gadael i'r tedi siarad ar eu rhan. Yn ystod Amser Cylch mae'n bwysig fod yr athro'n gwerthfawrogi pob sylw, yn crynhoi'r hyn a ddywedir gan y plant, yn osgoi torri ar draws neu feirniadu ac yn dilyn rheolau Amser Cylch yn yr un modd â'r disgyblion (e.e. athro'n codi llaw dawel i fyny i ofyn cwestiwn). Mae'n bwysig fod y disgyblion yn teimlo'n saff yn ystod Amser Cylch os ydynt am gael yr hyder i fynegi eu teimladau.

Hwyrach y bydd athro, o bryd i'w gilydd, eisiau gofyn am gymorth gyda phroblem. Gall problemau fod yn unrhyw beth o faterion ar yr iard, pryfocio a bwlio, hyd at faterion megis twyllo, dweud pethau cas yn y dosbarth a lefelau sŵn. Er enghraifft, roedd athro plant 7-8 oed yn bryderus fod pethau cas yn cael eu dweud yn y dosbarth, felly dyma godi'r mater mewn cyfarfod. Dechreuodd fel hyn, 'Yn ein dosbarth mae gennym reol cwrteisi ac rydym yn defnyddio iaith sy'n gwneud i bobl deimlo'n dda amdanynt eu hunain a dangos parch tuag at eraill. Mae hynny'n golygu fod y dosbarth yn 'ardal dim siarad cas.' Ond rwyf wedi sylwi fod yna bethau cas yn cael eu dweud, ac wedi meddwl hwyrach nad yw rhai ohonoch yn sylweddoli fod eich geiriau yn rhai cas. Yn gyntaf, fe hoffwn sôn am rai enghreifftiau o siarad cas. Mae'r dosbarth wedyn yn cynnig enghreifftiau megis, 'Rwyt yn grinc, twpsyn, wîrdo' neu 'Dyna syniad boncyrs' neu 'Mae gan dy fam wyneb fel mwnci'. Hwyrach fod y plant yn gweld iaith o'r fath fel iaith ddigrif yn hytrach nag fel iaith sy'n brifo. Bydd yr athro'n parhau'r drafodaeth drwy ofyn i'r disgyblion sut y byddent hwy'n teimlo pe baent yn cael eu galw'n enwau o'r fath. Yna, byddai'n trafod pam fod pobl yn siarad yn y fath fodd. Mae'n gofyn i'r plant feddwl am ffyrdd mwy priodol o fynegi anghytundeb. Yn ddiweddarach mae'n awgrymu syniad o 'ganmol' yn hytrach na dweud pethau cas. Hwyrach y bydd yn cynllunio gyda'r dosbarth i roi sticer pan fydd yn sylwi ar ddisgybl yn canmol cyd-ddisgybl. Ac i orffen y cyfarfod, mae'r athro'n gofyn i'r disgyblion ymarfer ffyrdd gwahanol o roi canmoliaeth.

*Gwahodd eraill i ymuno yn yr Amser Cylch*
Bydd pypedau yn ogystal â disgyblion ac athrawon yn cael eu hannog i ddod â'u problemau gyda nhw i'w trafod yn ystod Amser Cylch. Mae rhai problemau'n rhy sensitif i ddisgyblion fod yn agored ynglŷn â nhw. Bydd pypedau'n gallu codi'r materion yma. Er enghraifft, gall materion yn ymwneud a bwlio, dwyn, ofni athro neu riant, neu ofni cael eu cyffwrdd mewn mannau preifat gael eu cyflwyno gan y pypedau Wali neu Moli. Gall

problemau amser egwyl neu amser cinio hefyd gael eu trafod yn ystod Amser Cylch. Er enghraifft, dylid annog gwarchodwyr amser cinio neu yrwyr bws i ddod i'r cyfarfodydd yma iddynt gael cyfle i fynegi eu pryderon ynglŷn ag arferion dymunol wrth y bwrdd, bod yn or gystadleuol neu ymddwyn yn amhriodol ar y bws ysgol. Bydd y disgyblion yn cael cyfle i'w helpu i ddatrys y problemau. Ac i derfynu, byddai gofyn i rieni ymuno a'r Amser Cylch yn achlysurol o gymorth i hyrwyddo cydweithio ac adeiladu cysylltiad cryf rhwng yr ysgol a'r cartref.

### Trefnu gweithgareddau i ymarfer datrys problemau ac atgyfnerthu atebion cymdeithasol eu natur

Mae'n hanfodol fod athrawon yn trefnu gweithgareddau cydweithredol mewn grwpiau bach i ymarfer y cysyniadau a drafodwyd yn ystod Amser Cylch neu mewn cyfarfodydd yn y dosbarth. Gweler Pennod 10 am ddisgrifiadau o'r gweithgareddau yma. Rôl yr athro yn ystod y gweithgareddau hyn fydd hyrwyddo a chanmol y plant pa bryd bynnag y byddant yn defnyddio strategaethau priodol i ddatrys problemau.

### Canmol, a mwy o ganmol – gosodwch sialensau personol a sialensau dosbarth

Drwy'r dydd, yn y dosbarth, ar yr iard ac yn y ffreutur, chwiliwch am adegau pan fydd y disgyblion yn gwneud dewisiadau da ac yn datrys problemau'n effeithiol. Gwnewch amser i ganmol eu defnydd o'r strategaethau yma. Er enghraifft, dywedwch 'Waw, roedd y ddau ohonoch yn datrys y broblem yna fel dau dditectif go iawn! Rydych yn ardderchog am ddatrys problemau a pheidio cynhyrfu.' Gellwch gynnig sialens bersonol neu sialens i'r dosbarth cyfan i gwrdd â'r nod o gyflawni nifer penodol o atebion da. Er enghraifft, dywedwch 'Rwy'n mynd i gofnodi bob tro y byddaf yn gweld rhywun yn datrys problemau ac yn gwneud dewisiadau da. Pan fyddaf wedi cofnodi 50 o weithiau fe gawn ni ddathliad.' Neu, i'r disgybl unigol sy'n cael anhawster i reoli gwrthdaro hwyrach y dywedwch, 'Mathew rwyf am roi sialens bersonol i ti – pan fyddaf wedi sylwi arnat yn meddwl am ddeg ateb da a gwahanol fe gei di ddod yn aelod lefel un o'r clwb ditectif.' Gellwch hyd yn oed roi cerdyn i Mathew gyda rhifau arno i'w ticio bob tro y bydd yn gwneud dewis da.

### Cynnwys rhieni

Bydd y plant yn dysgu'r camau datrys problemau yma hyd yn oed yn well os bydd y rhieni'n cael eu hysbysu amdanynt ac yn gallu atgyfnerthu'r drefn yn y cartref. Gellwch ddanfon taflenni newyddion a darluniau yn egluro'r chwe cham datrys problemau ac yn annog rhieni i ddefnyddio'r derminoleg yn y cartref pan fydd yna wrthdaro. Er enghraifft, pan fydd brawd a chwaer yn dadlau, gall rhieni gychwyn ar y broses datrys problemau drwy ofyn, 'Beth yw'r broblem?', 'Beth yw rhai o'r atebion?', 'Beth ydych chi'n feddwl fyddai'n digwydd pe baem yn gwneud hynna?', 'Oes yna atebion eraill?', 'Pa ddewis ydych chi'n feddwl yw'r dewis gorau? (Hyn wedi ei selio ar fod yn deg, yn saff ac yn arwain at deimladau da). Drwy ddefnyddio'r un derminoleg yn y cartref ag a ddefnyddir yn yr ysgol fe fydd y plant yn cael eu harwain i ddilyn y ffordd hon o feddwl yn reddfol pan fyddant yn teimlo'n ddigalon. Pe bai athrawon yn gallu cynnig gweithdai ar gyfer rhieni i ddysgu'r strategaethau datrys problemau iddynt, byddai hynny'n arwain at sicrwydd pellach fod rhieni'n defnyddio'r broses gartref. Yn olaf, rhowch aseiniadau datrys problemau fydd yn gofyn i'r plant drafod problemau penodol gyda'u rhieni yn waith cartref i'r plant. Er enghraifft, mae'r Cwricwlwm Ysgol Dina'n cynnwys gweithgareddau i'w cwblhau gyda rhieni neu ofalwyr. Dyma un enghraifft: 'Mae'n ymddangos fod materion fel pwy sy'n eistedd yn y sedd flaen neu pa raglen deledu sy'n cael ei dewis yn achosi i ti a dy frawd ymladd llawer. Wedyn mae dy fam yn mynd yn flin iawn efo chi pan fyddwch yn ymladd. Siaradwch gyda'ch rhiant am ffyrdd y gellwch ddatrys y broblem yma a dowch a'ch syniadau i'r dosbarth.' Fe allai'r llyfrau disgyblion, *Wally's Detective Book for Solving Problems at Home,* a *Wally's Detective Book for Solving Problems at School* (Webster-Stratton, 1998) gael eu rhannu i'r disgyblion eu darllen gartref gyda'u rhieni. Mae'r llyfrau yma'n cynnwys casgliad cynhwysfawr o atebion i ddewis ohonynt wrth wynebu amrywiaeth o broblemau cyffredin.

# I grynhoi

Nid yw addysgu'r camau datrys problemau cymdeithasol yn fwy anodd nag addysgu unrhyw set o sgiliau academaidd cymhleth eraill, megis rhannu hir neu ddaearyddiaeth. Yn gyntaf, rhaid ichi addysgu'r drefn sydd i'w dilyn gam wrth gam, wedyn modelu'r sgiliau, ac yna ymarfer drosodd a throsodd mewn gwahanol sefyllfaoedd. Yn raddol gydag amser, ymarfer a dyfalbarhad bydd y 'sgriptiau' hyn yn cael eu defnyddio'n otomatig mewn gwahanol fathau o sefyllfaoedd. Yn yr un modd ag wrth ddysgu mathemateg nid yw'n ddisgwyliedig i'r sgiliau gael eu meistroli mewn un flwyddyn neu ar un cwrs, ond yn hytrach bydd angen hyfforddiant a mewnbwn cyson i addysg y plentyn. Fel y mae rhai plant yn cael anhawster gyda phynciau academaidd megis darllen ac ysgrifennu, bydd eraill yn cael anawsterau gyda darllen cliwiau cymdeithasol, deall sut i ddatrys problemau a gwybod sut i fynegi eu teimladau amdanynt. Gydag anogaeth barhaus gan yr athrawon daw'r plant i ystyried eu hunain fel rhai sy'n gallu gwneud penderfyniadau cymwys a byddant wedi'u harfogi gyda'r sgiliau angenrheidiol i wynebu sialensau fel pobol ifanc ac fel oedolion.

## Cofiwch

- Ddefnyddio gemau, llyfrau a phypedau gyda phlant i gyflwyno problemau damcaniaethol y gallant ddod ar eu traws, er mwyn iddynt ymarfer y camau datrys problemau.
- Helpu'r plant i ddiffinio'r broblem yn glir ac adnabod y teimladau sydd ynghlwm.
- Gyda phlant cyn ysgol, canolbwyntiwch ar gynhyrchu llawer o atebion.
- Byddwch yn bositif, yn greadigol ac yn hwyliog.
- Gyda phlant oedran cynradd, canolbwyntiwch ar eu helpu i feddwl trwodd at yr amrywiol ganlyniadau sydd i wahanol atebion.
- Helpwch y plant i ragweld beth i'w wneud nesa pan na fydd ateb yn llwyddiannus.
- Modelwch ddatrys problemau effeithiol eich hun.
- Cofiwch mai'r broses o ddysgu sut i feddwl am wrthdaro sy'n allweddol, yn hytrach na chael atebion cywir.

## Deunydd darllen

Asarnow, J. R. and Callan, J. W. (1985), Boys with peer adjustment problems: social cognitive processes, *Journal of Consulting and Clinical Psychology*, 53, 80-7.

Asher, S. R., Parkhurst, J. T., Hymel, S. and Williams, G. A. (1990), Peer rejection and Loneliness in childhood. In S. R. Asher and J. D. Coie (eds) *Peer Rejection in Childhood* (pp. 253-73), Cambridge: Cambridge University Press.

Battistich, V., Schaps, E., Watson, M., Solomon, D. and Schaps, E. (1989), Effects of an elementary school program to enhance prosocial behaviour on children's cognitive social problem-solving skills and strategies, *Journal of Applied Developmental Psychology*, 10, 147-69.

Beelmann, A., Pfingste, U. and Losel, F. (1994), effects of training social competence in children: a meta-analysis of recent evaluation studies, Journal of Abnormal Child Psychology, 5, 265-75.

Camp, B. W. and Bash, M. A. S. (1985), *Think Aloud: Increasing Social and Cognitive Skills – a Problem-Solving Program for Children in the Classroom*, Champaigne, IL: Research Press.

D'Zurilla, T. J. and Goldfried, M. R. (1971), Problem solving and behaviour modification, *Journal of Abnormal Psychology*, 78, 107-26.

Dodge, K. A. and Price, J. M. (1994), On the relation between social information processing and socially competent behaviour in early school-aged children, *Child Development*, 65, 1385-97.

Elias, M. J. and Clabby, J. F. (1989), *Social Decision Making Skills: A Curriculum Guide for the Elementary Grades*, Gaithersburg, MD: Aspen.

Gardner, H. (1993), *The Multiple Intelligences: The Theory in Practice*, New York: Basic Books.

Kazdin, A. E., Esveldt, D. K., French, N. H. and Unis, A. S. (1987), Effects of parent management training and problem-solving skills training combined in the treatment of antisocial child behaviour, *Journal of the American Academy of Child and Adolescent Psychiatry*, 26 (3), 416-24.

Lochman, J. E. and Curry, J. F. (1986), Effects of social problem-solving training and self-instruction with aggressive boys, *Journal of Clinical Child Psychology*, 15, 159-64.

Miller, M. G., Midgett, J. and Wicks, M. L. (1992), Student and teacher perceptions related to behaviour change after skill streaming training, *Behavioural Disorders,* 17, 291-5.

Rubin, K. H. and Krasnor, L. R. (1986), Social-cognitive and social behavioural perspectives on problem-solving. In M. Perlmutter (ed) *Cognitive Perspectives on Children's Social and Behavioural Development. The Minnesota Symposia on Child Psychology* (Vol. 18, pp. 1-68), Hillsdale, NJ: Lawrence Erlbaum associates.

Schneider, B. H. (1992), Didactic methods for enhancing children's peer relationships: a quantitative review, *Clinical Psychology Review*, 12, 363-82.

Shure, M. (1994), *I Can Problem Solve (ICPS): An Interpersonal Cognitive Problem-Solving Program for Children*, Champaign, IL: Research Press.

Shure, M. (1983) Enhancing childrearing skills in lower income women. *Issues in Mental Health Nursing*, 5 (1-4), 121-38.

Slaby, R. and Guerra, N. (1988), Cognitive mediators of aggression in adolescent offender: 1. Assessment, *Developmental Psychology*, 24, 580-8.

Webster-Stratton, C. (1998), *Wally's Detective Book for Solving Problem at Home*, and *Wally's Detective Book for Solving Problems at School*, in Incredible Years Training Series for Parents, Teachers and Children, Seth Enterprises, 1411, 8th Avenue West, Seattle, WA98119, USA.

Webster-Stratton, C. and Hammond, m. (1997), Treating children with early-onset conduct problems: a comparison of child and parent training interventions, *Journal of Consulting and Clinical Psychology*, 65 (1), 93-109.

# Problemau cyfoedion a sgiliau cyfeillgarwch

Ychydig o athrawon sydd angen eu darbwyllo fod cyfeillgarwch yn bwysig i blant. Drwy ffurfio cyfeillgarwch llwyddiannus mae plant yn dysgu sgiliau cymdeithasol megis cydweithredu, rhannu a rheoli gwrthdaro. Mae cyfeillgarwch hefyd yn meithrin synnwyr plentyn o berthyn i grŵp a chychwyn hwyluso'i sgiliau empathi – hynny yw, ei allu i ddeall safbwynt rhywun arall. Mae'r gallu i ffurfio cyfeillgarwch – neu absenoldeb y gallu hwnnw – yn cael effaith barhaus ar addasiad cymdeithasol plentyn yn nes ymlaen yn ei fywyd. Dangosodd ymchwil fod problemau ymwneud â chyfoedion, megis plentyn yn cael ei ynysu neu ei wrthod, yn rhagflas o amrywiol broblemau ymddygiadol a diffyg ymaddasiad yn nes ymlaen, yn cynnwys iselder, ymgiliad o'r ysgol a phroblemau seicolegol eraill fel pobl ifanc ac fel oedolion (Ladd & Price, 1987).

## Pam fod rhai plant yn cael mwy o anhawster gwneud ffrindiau?

I lawer o blant, nid yw gwneud ffrindiau'n hawdd. Dangoswyd fod plant sydd â natur anodd – yn cynnwys plant sy'n fywiog iawn, yn fyrbwyll a chyda gallu canolbwyntio byr – yn cael anhawster neilltuol i ffurfio a chadw cyfeillgarwch (Campbell & Ewing, 1990). Mae ganddynt reolaeth annigonol o'u teimladau sy'n ysgogi ymatebion ymosodol, anhawster datrys problemau, diffyg empathi a methiant i ystyried canlyniadau posib eu gweithrediadau. Mae oediad sylweddol yn natblygiad sgiliau chwarae'r plant yma hefyd, yn cynnwys anhawster aros eu tro, derbyn awgrymiadau cyfoedion, awgrymu yn hytrach na hawlio, a chydweithio wrth chwarae gyda chyfoedion (Webster-Stratton & Lindsey Wooley, 1999). Mae'n wybyddus fod plant sydd â sgiliau sgwrsio gwael yn fwy tebygol o gael eu gwrthod gan eu cyfoedion (Gottman, Gonzoand Rasmussen,1975). Cânt anhawster gwybod beth i'w ddweud i gychwyn sgwrs a sut i ymateb yn gadarnhaol i sgwrs a gychwynnwyd gan eraill. O ganlyniad maent yn ei chael yn anodd ymuno mewn grwpiau (Putallaz & Gottman, 1981). Mae plant sydd ag anawsterau cymdeithasol yn aml yn camfarnu beth sy'n ddisgwyliedig ganddynt mewn sefyllfaoedd cymdeithasol. Efallai y byddant yn fyrbwyll neu'n ddinistriol wrth ymuno mewn grŵp, yn cael trafferth rhannu ac aros eu tro, neu'n gwneud sylwadau amhriodol neu feirniadol. O ganlyniad mae natur eu rhyngweithio'n aml yn cythruddo plant eraill. Gall plant eraill deimlo dan fygythiad oherwydd bod y plant byrbwyll yma'n cyffroi'n emosiynol neu'n mynd yn ymosodol. Gall cyfoedion ymateb drwy eu hynysu, eu gwrthod neu wneud hwyl am eu pennau. Mae plant ifanc byrbwyll sy'n cael anawsterau o'r fath gyda'u cyfoedion yn sôn am boenau mewnol megis unigrwydd a hunanddelwedd isel (Asher & Williams, 1987; Crick & Dodge, 1994). Mae'r hunan-ganfyddiadau yma'n cyfrannu ymhellach i'w hanawsterau gyda'u cyfoedion gan achosi iddynt fod yn or-sensitif i sylwadau cyfoedion, i fod â diffyg hyder wrth geisio dynesu at blant eraill ac, ymhen amser, i osgoi cymryd rhan mewn gweithgareddau grŵp. Canlyniad cadw ar wahân yw llai a llai o gyfleoedd i ryngweithio'n gymdeithasol a llai o gyfleoedd i ddysgu sgiliau cymdeithasol mwy priodol. Gall hyn arwain at gael enw drwg ymysg cyd-ddisgyblion a chyfoedion eraill, ac ynysu cymdeithasol.

Sialens fawr i athrawon yw rhwystro plant rhag cael eu gwrthod a'u cau allan gan gyfoedion ac addysgu sgiliau cymdeithasol effeithiol a chyfeillgarwch cadarnhaol i bob disgybl. Mae athrawon yn bwysicach na rhieni yn hyn o beth gan nad yw rhieni'n bresennol i helpu pan fydd eu plant yn cael anawsterau mewn sefyllfaoedd grwpiau mawr. Yn y bennod hon rydym yn trafod ffyrdd y gellwch ddysgu rhai o'r sgiliau cymdeithasol penodol a gafodd eu cynnwys mewn sawl cwricwlwm sgiliau cymdeithasol. Awgrymodd ymchwil fod y sgiliau yma'n bwysig i blant eu dysgu i ddatblygu cyfeillgarwch da. (Bierman, Miller & Stabb, 1987; Elias & Tobias, 1996; Greenberg et al, 1995; Gresham, 1995; Gresham, 1997; Gresham et al,1997; Knoff & Batsche, 1995;Webster-Stratton & Hammond, 1997).

## Dysgu plant sut i gychwyn rhyngweithio ac ymuno â grŵp

Un o'r sgiliau cymdeithasol cyntaf i'w dysgu i blant ifanc yw sut i gychwyn sgwrs neu ddod yn rhan o sgwrs gyda phlentyn neu grŵp o blant. Bydd rhai plant yn swil neu'n rhy ofnus i ddechrau sgwrs, neu i ofyn am ymuno gyda grŵp o blant sy'n brysur yn cyflawni gweithgaredd. Caiff plant eraill anhawster, nid am eu bod yn swil ond am eu bod yn orawyddus. Maent yn rhuthro i mewn at grŵp o blant sydd eisoes yn chwarae heb ofyn nac aros am gyfle. O ganlyniad, maent yn aml yn cael eu gwrthod gan y grŵp. Mae angen i'r ddau fath o blentyn ddysgu sut i fynd at grŵp, sut i aros am gyfle yn y sgwrs a sut i ofyn am gael ymuno. Gall athrawon ddysgu'r sgiliau ymuno â grŵp yma drwy sefyllfaoedd chwarae rôl lle bydd plentyn eisiau ymuno â grŵp o blant sy'n chwarae. Fel y trafodwyd ym Mhennod 9 wrth ymdrin â datrys problemau, gwelsom fod defnyddio pypedau maint pobl go iawn (Wali a Moli) yn ystod Amser Cylch yn ffordd dda o fodelu a hyrwyddo sgiliau ymuno â grŵp. Mae'r enghraifft ganlynol yn dangos math o chwarae rôl y byddech efallai'n ei ddefnyddio gyda disgyblion.

---

### Sgript enghreifftiol i bypedau – 'Ceisio ymuno â grŵp'

*(tri disgybl yn gwirfoddoli i chwarae rôl a'r athro'n gofyn iddynt gychwyn chwarae gêm fwrdd)*

*Wali:*    (dynesu at y grŵp, aros ac edrych ar y plant yn chwarae gêm fwrdd am gyfnod i ddangos diddordeb)

*Wali:*    Mae'r gêm yna'n edrych yn hwyl (dweud rhywbeth clên ac aros am ymateb)

*Wali:*    (aros am ychydig ac edrych ar y plant yn chwarae, gan nodi rheolau'r gêm) Oes modd i mi gael ymuno â chi? (gofyn caniatâd)

*Plentyn:* Iawn, rydym newydd ddechrau.

*Wali:*    Diolch, pa ddarn ydych chi am i mi ei ddefnyddio? (yn gofyn sut i ymuno)

Fersiwn arall:

*Wali:*    (dynesu at y grŵp, aros ac edrych ar y plant yn chwarae pêl droed am gyfnod)

*Wali:*    Gôl ardderchog (aros am ymateb gan ei gyfoedion)

*Wali:*    (aros am ychydig ac edrych ar y plant yn chwarae) Oes modd i mi gael chwarae gyda chi?

*Plentyn:* Na, rydym ar ganol gêm.

*Wali:*    Iawn, rhyw dro eto efallai. Pan fyddwch wedi gorffen, os byddwch eisiau gêm efo fi, fe fyddai hynny'n hwyl (yn derbyn penderfyniad) (yna'n meddwl wrtho'i hun) Gadewch i mi weld, hwyrach y gwna i ofyn i Ffred a fyddai o'n hoffi chwarae gêm o goncyrs.

Newid rôl: Y pyped Wali'n cymryd rôl un o'r cyfeillion yn y grŵp a disgybl arall yn dangos sgiliau ymuno â grŵp.

Mae'r chwarae rôl yma'n pwysleisio pedwar cam ymuno â grŵp o blant: (1) edrych o'r tu allan a dangos diddordeb; (2) parhau i edrych a dweud rhywbeth clên am y chwarae; (3) aros am saib yn y gêm cyn gofyn am gael ymuno, a (4) gofyn yn gwrtais am gael ymuno a derbyn yr ymateb. Bydd hanner ceisiadau plant i gael ymuno mewn chwarae gydag eraill yn cael eu gwrthod. Mae'n bwysig paratoi'r plant ar gyfer y posibilrwydd yma fel na chânt eu siomi'n ormodol, ac fel y gallant chwilio am grŵp arall o blant i chwarae gyda nhw.

## Dysgu plant ifanc sut i chwarae gyda'i gilydd

Tra bo angen i athrawon annog a chanmol bob plentyn am eu sgiliau chwarae cyfeillgar, dylent roi sylw arbennig i hyfforddi plant sy'n fyrbwyll, yn methu talu sylw, yn orfywiog ac yn unig yn gymdeithasol. Mae gan y plant yma oediad yn eu sgiliau chwarae ac nid yw llawer ohonynt wedi dysgu egwyddorion cydweithredu a chydbwysedd mewn perthynas o roi a derbyn. Nid oes ganddynt y sgiliau angenrheidiol i ryngweithio'n dda mewn ffordd gydweithredol. Mae dysgu mewn grŵp bach neu yn ystod Amser Cylch yn ffordd dda o wneud hyn. Gellwch gychwyn drwy ofyn nifer o gwestiynau i'r plant er mwyn canfod beth yw eu syniadau hwy am yr hyn yw ymddygiad cyfeillgar. Mae cwestiynau megis, 'Beth sy'n gwneud ffrind da?' neu 'Sut ydych chi'n chwarae gyda ffrind?' yn cael plant i ystyried eu syniadau am y modd y mae ffrind da'n ymddwyn. Yna, gofynnwch i blentyn wirfoddoli i arddangos chwarae gyda blociau neu lego gyda chi (neu un o'r pypedau). Cyn cychwyn chwarae, gofynnwch i'r plant eraill sylwi ar rywbeth cyfeillgar sy'n digwydd yn ystod y chwarae. Yn arbennig, gofynnwch i'r disgyblion sylwi ar yr ymddygiadau cyfeillgar yma:

- rhannu
- gwneud awgrym
- aros
- gofyn caniatâd
- cymryd tro
- helpu
- bod yn glên
- cytuno gyda'i gilydd
- gofyn yn gymorth
- bod yn gwrtais (e.e. gofyn 'os gwelwch yn dda', dweud 'diolch')
- Ildio tro i rywun arall

**Helpu**

**Rhannu**

Yna, cymrwch eich tro fel y bydd plant eraill yn ymarfer chwarae gyda chi gan ddefnyddio'r sgiliau yma. Unwaith y bydd y chwarae cyfeillgar yma wedi cael ei fodelu gennych yn ystod Amser Cylch, gellwch rannu'r plant yn grwpiau bach o ddau neu dri i ymarfer yr hyn fyddant wedi ei ddysgu gyda theganau anstrwythuredig a theganau cydweithredu (megis blociau a deunyddiau tynnu llun). Mae fel arfer yn well i baru plentyn sy'n abl yn gymdeithasol gydag un sydd â llai o sgiliau. Yn ystod y sesiynau chwarae yma bydd angen i chi dalu sylw i hyrwyddo a chanmol y plant sy'n llai hyderus yn gymdeithasol pan fyddwch yn sylwi arnynt yn cymryd tro, yn rhannu, yn gofyn yn gwrtais ac yn aros. Wrth gwrs, pan fydd y cymorthyddion dysgu a'r rhieni wedi derbyn hyfforddiant sgiliau chwarae, byddant hwythau'n gallu helpu yn y dosbarth fel bod pob grŵp bach yn y dosbarth yn derbyn cefnogaeth a hwb unigol gan oedolyn. Gellwch hefyd ddefnyddio myfyrwyr sydd â sgiliau cymdeithasol da (neu fyfyrwyr hyfforddedig hŷn) i fod yn hyrwyddwyr. Gofynnwch iddynt sylwi a chanmol pob ymddygiad cyfeillgar sy'n cael ei arddangos gan y plant.

## Dysgu plant sut i ddilyn cyfarwyddiadau

Wrth ddysgu chwarae gyda ffrindiau mae plant, nid yn unig yn helpu, rhannu a gwneud awgrymiadau ond maent hefyd yn bod yn barod i dderbyn syniadau a chyfarwyddiadau ei gilydd. Mae plant sy'n fyrbwyll ac amharod i gydymffurfio yn cael anhawster derbyn cyfarwyddiadau gan eu ffrindiau yn ogystal â'u rhieni ac athrawon. Gall yr athro helpu'r disgyblion i ddysgu sgiliau gwrando a dilyn cyfarwyddiadau drwy chwarae nifer o gemau cyfarwyddo gyda nhw. Er enghraifft, amrywiad o'r gêm 'Seimon yn dweud' yw 'Wali'n dweud,' 'Llygaid y ffordd yma,' 'Ceg wedi'i chau,' 'Dwylo ar eich glin,' 'Crafu'r trwyn,' a gemau eraill. Un arall o gemau cyfarwyddo Wali yw gêm lle byddwch yn cael casgliad o ddoliau 'cut out' Wali a Moli gyda dillad, tlysau, hetiau ac esgidiau ar eu cyfer wedi cael eu torri allan hefyd. Gofynnwch i'r plant wrando'n ofalus a dilyn cyfarwyddiadau. Dechreuwch drwy ddweud, 'Gwisgwch yr het gowboi a'r crys pêl droed am Wali.' Yn raddol gellwch ymestyn y nifer o eitemau, fel bydd y plant yn dod yn fwy hyderus wrth wrando a dilyn cyfarwyddiadau. Rhowch ganmoliaeth i'r plant am wrando'n ofalus a dilyn cyfarwyddiadau'r athro'n fanwl. Wedi chwarae'r gêm yma nifer o weithiau gyda'r athro'n rhoi'r cyfarwyddiadau gellir trefnu'r plant yn barau a nhw eu hunain yn cymryd tro i roi a dilyn y cyfarwyddiadau.

## Dysgu plant sut i siarad gyda ffrindiau

Fel y dywedwyd eisoes mae sgiliau sgwrsio gwael wedi cael eu cysylltu droeon gyda sgiliau cymdeithasol gwael a phlant yn cael eu gwrthod gan gyfoedion (Ladd, 1983). Ar y llaw arall, mae'n gydnabyddedig fod hyfforddi sgiliau sgwrsio yn medru gwella medrau cymdeithasol plant amhoblogaidd (Bierman, 1986; Miller & Stabb, 1987; Ladd, 1981).

Canmol

Trwy chwarae rôl a gemau gall athrawon ymarfer a hyrwyddo'r disgyblion wrth iddynt ddysgu sgiliau sgwrsio effeithiol. Gellwch ddysgu iddynt sut i gyflwyno'u hunain, gwrando ac aros i siarad, holi am deimladau plentyn arall, cymryd tro mewn sgwrs, cynnig syniad, dangos diddordeb, canmol rhywun, dweud diolch, ymddiheuro a gwahodd rhywun i chwarae. Dechreuwch drwy weithio ar un neu ddau o'r sgiliau sgwrsio yma drwy eu hymarfer i ddechrau ac yna atgoffa a chanmol y plant pryd bynnag y sylwch arnynt yn eu cyflawni yn y dosbarth, ffreutur neu ar yr iard.

Dyma rai gemau a gweithgaredd y gall athrawon eu defnyddio i ymarfer 'siarad cyfeillgar' a sgiliau gwrando.

# Gemau 'Amser Cylch' a gweithgareddau dysgu siarad cyfeillgar

**Amser Cylch Rhannu a Chanmol:** Mae'n aml yn bleserus i ddwyn diwrnod neu wythnos i ben drwy gael Amser Cylch canmol. Bydd yr athro'n gofyn am wirfoddolwr (neu'n tynnu enw allan o het) a'r plentyn hwnnw'n gwneud un sylw neis am rywbeth cyfeillgar neu garedig y mae un o'r plant eraill wedi ei wneud yn ystod y dydd. Mae pob un plentyn yn cael tro ac yn dewis disgybl gwahanol i'w ganmol, fel bod cyfle i bawb gael tro yn y pen draw. Bydd y plant yn cael eu hannog i ddweud, 'Fe hoffwn i ddweud da iawn wrth _____ oherwydd _____ .' Gyda phlant ifanc mae'n syniad da i basio tedi i'r plentyn sy'n cael ei ganmol, ac yna'r plentyn hwnnw'n ei basio 'mlaen pan fydd o yn rhoi canmoliaeth. Mae hyn yn gymorth arbennig i blant sydd â sgiliau iaith cyfyngedig gan y byddant yn gallu dangos canmoliaeth drwy basio'r tedi ymlaen i rywun arall.

Bydd cynnal Amser Cylch – Rhannu Teimladau yn rheolaidd hefyd yn gallu adeiladu ymddiriedaeth ac agosatrwydd o fewn y grŵp. Rhai enghreiffftiau o gwestiynau i gychwyn y broses yma yw, 'Beth yw'r peth mwyaf lwcus i ddigwydd i ti erioed?' neu 'Beth yw dy hoff fwyd neu dy hoff anifail?' neu 'Beth wyt ti'n hoffi ei wneud ar ddiwrnod glawog?' Dros gyfnod o amser gellir gofyn cwestiynau mwy personol megis, 'Pa bryd ddaru 'na rywun dy helpu'r wythnos yma?' neu 'Pa bryd oeddet ti'n wirioneddol flin ac wedi rheoli dy hun?' neu 'Dywed am rywbeth caredig yr wyt wedi'i wneud.' Gellir trefnu Amser Cylch – Rhannu Teimladau i ddechrau sesiwn y pnawn neu fel ffordd o newid o'r naill weithgaredd i'r llall.

**Gêm adeiladu blociau dan arweiniad:** Rhannwch y plant yn barau, gyda phob pâr yn rhannu eu blociau yn ddau bentwr sydd yn union yr un fath o ran nifer a lliwiau. Rhowch sgrin gardfwrdd rhwng y ddwy set o flociau fel nad yw'r plant ond yn gallu gweld un set. Gofynnwch i un plentyn greu adeilad gyda'i flociau. Yna gofynnwch i'r ail blentyn greu adeilad yr un fath gyda'i set yntau ond heb edrych ar adeilad y plentyn cyntaf. Bydd angen i'r ail blentyn ofyn cwestiynau a chael help gan y plentyn cyntaf er mwyn i hyn ddigwydd. (Gellir chwarae amrywiad o'r gêm yma gyda thoes chwarae). Bydd y plant yn dysgu gofyn cwestiynau, gwrando, cymryd tro wrth sgwrsio, awgrymu syniadau a bod o gymorth i'w gilydd wrth chwarae'r gêm yma.

**Ugain cwestiwn: Dyfalwch beth?** Casglwch nifer o luniau o gyfnodolion diddorol a rhowch nhw mewn ffeil. Gofynnwch i un disgybl ddewis llun dirgel o'r ffeil. Yna, caiff gweddill y dosbarth ofyn ugain cwestiwn gydag ateb 'ie' neu 'nage' i geisio dyfalu beth yw'r llun dirgel.

**Modelu clai: Dyfalwch beth?** Yn y gêm yma bydd plentyn yn creu rhywbeth allan o glai ac yna bydd gweddill y plant yn gofyn cwestiynau i ganfod beth a grëwyd ganddo.

**Gêm Wrando Moli:** Trefnwch y plant yn barau a gofynnwch iddynt siarad am destun megis eu hoff chwaraeon, amser hapus, rhywbeth cyffrous, hoff ffilm, neu eu teulu. Bydd pob un plentyn yn cael 1 munud i siarad tra bydd y plentyn arall yn gwrando gyda'i glustiau a'i lygaid. Wedi i'r siaradwr stopio, bydd yr un sy'n gwrando yn crynhoi'r hyn a ddywedwyd gan y siaradwr. Yna bydd y pâr o blant yn mynd at bâr arall ac yn ailadrodd yr hyn a ddywedodd aelodau'r grŵp.

*Pasio het y detectif i ymarfer sut i siarad gydag eraill*

Rhowch rai o'r cwestiynau canlynol i mewn yn het y detectif a gofynnwch i'r plant wirfoddoli i ddewis rhai ohonynt i'w hateb a chwarae rôl. (Gellwch hefyd basio'r het o gwmpas cylch o blant i gyfeiliant miwsig. Pan fydd y miwsig yn stopio, yna'r plentyn sy'n dal yr het fydd yn cael tro). Mae'r cwestiynau yma wedi eu bwriadu i helpu disgyblion i ymarfer sgiliau sgwrsio cyfeillgar megis bod yn gwrtais wrth dorri ar draws rhywun, gofyn caniatâd rhieni, gofyn am gymorth, dweud wrthych eich hun am aros, dysgu sut i ymuno â grŵp o blant yn llwyddiannus a meddwl am safbwynt rhywun arall.

**Dweud a Gwrando**

## 'Gêm het y detectif' i ymarfer siarad cyfeillgar

- Mae eich rhieni'n siarad, ac rydych eisiau gofyn iddynt a gewch chi fynd i dreulio'r nos yn nhŷ ffrind (Mae eich ffrind ar y ffôn) Beth ddywedwch chi?

- Mae eich athro'n siarad efo chi ar ôl ysgol ac mae eich mam wedi parcio'r car i'ch disgwyl mewn lle sy'n blocio cerbydau eraill. Beth wnewch chi?
- Mae eich mam ar y ffôn ac rydych eisiau gofyn iddi a gewch fynd i weld gêm bêl droed gyda ffrind. Sut gellwch chi dorri ar ei thraws?
- Rydych am eistedd ar y sedd flaen wrth ochr eich tad, ond mae eich chwaer wedi cyrraedd yno gyntaf. Beth ellwch chi ei ddweud?
- Mae rhai plant yn chwarae gêm fwrdd. Rydych chi eisiau chwarae ond maen nhw ar hanner y gêm. Beth ellwch chi ei ddweud?
- Mae rhywun wedi cuddio eich bocs cinio. O ganlyniad nid ydych wedi bwyta eich cinio erbyn dechrau gwersi'r pnawn. Sut fyddech chi'n egluro hyn i'ch athro?
- Mae dwy gêm bêl droed yn digwydd ar yr iard ac mae'r ddwy wedi mynd blith drafflith â'i gilydd. Sut y gallech chi ddatrys y broblem mewn ffordd gyfeillgar?
- Mae'r hogyn newydd yn y dosbarth yn chwarae ar ei ben ei hun yng nghornel yr iard. Sut gallech chi ei gynnwys yn eich gêm?

### Syniad arall i hyrwyddo cyfeillgarwch

Pasio het sy'n cynnwys enwau'r plant. Bydd pob plentyn yn dewis enw allan o'r het a'r plentyn ddewisant fydd ei ffrind dirgel am y dydd.

## Defnyddio trafodaethau a gweithgareddau dysgu cydweithredol i ddysgu sgiliau cyfeillgarwch i'r plant

Bydd cael trafodaethau rheolaidd gyda disgyblion am gyfeillgarwch, a'r hyn mae'n golygu i fod yn ffrind da, o gymorth i athrawon. Mae cysyniadau megis helpu, rhannu a bod yn aelod da o dîm yn syniadau allweddol i blant eu dysgu. Dylid cynnal y trafodaethau yma'n rheolaidd (e.e. unwaith yr wythnos) gyda'r plant efallai'n eistedd mewn cylch ar y llawr. Yn ystod y cyfarfodydd yma gall yr athro ddarllen storïau am ffrindiau'n wynebu problemau yn eu perthynas – er enghraifft, plentyn afrosgo sydd eisiau ymuno yn nhîm pêl droed ei ffrind, neu'r ffrind sy'n cael ei adael allan gan grŵp o blant eraill. Gall y storïau yma fod yn sbardun i'r athro ofyn cwestiynau megis, 'Beth fyddech chi'n ei wneud pe baech chi'n gweld ffrind yn cael ei adael allan gan grŵp o blant?'

Dylid defnyddio enghreifftiau pendant o'r dosbarth neu'r iard i helpu'r disgyblion i feddwl am ffyrdd y gallant atal cael eu hynysu'n gymdeithasol a'u bwlio.

Mae'n bwysig hefyd, mewn trafodaethau dosbarth am gyfeillgarwch, eich bod yn ymgorffori gemau a gweithgareddau dysgu cydweithredol megis rhannu, helpu a gweithio mewn tîm. Mae gweithgareddau cydweithredol sydd wedi cael eu cynllunio'n ofalus gyda'r ffocws ar berfformiad y grŵp, yn creu dibyniaeth gadarnhaol ymysg yr aelodau. Pan fydd pob un aelod o'r grŵp yn cael cyfrifoldeb am sicrhau fod pob aelod arall o'r grŵp yn dysgu'r dasg, yna bydd y disgyblion yn dechrau teimlo'n gyfrifol am ei gilydd. Yn wir, pan fydd prosiectau grŵp yn cael eu hymarfer yn aml, byddant yn creu agosatrwydd fydd yn ymestyn i'r dosbarth cyfan. Mae gweithgareddau dysgu cydweithredol mewn grŵp bach yn helpu i rwystro gwrthodiad gan gyd-ddisgyblion hefyd. Isod mae rhestr o weithgareddau cydweithredol a fyddai'n annog ymarfer ymddygiad cyfeillgar. Dylai'r nifer o blant sydd yn y grwpiau amrywio yn ôl oed ac anian y plant, a'r nifer o oedolion sydd ar gael i'w gwarchod. Dylai'r athro baru plentyn gorfywiog a byrbwyll gyda phlentyn tawel a mwy myfyriol. Dylid gosod plant unig neu blant sy'n tueddu i gael cam gyda phlant cyfeillgar a chadarnhaol. Hwyrach y bydd rhai plant angen hyfforddiant mewn parau cyn y byddant yn barod i ymuno gyda grwpiau mwy. Bydd plant sydd ag anawsterau cyfeillgarwch angen mwy o hyfforddiant a goruchwyliaeth gan athrawon na phlant sy'n fwy abl yn gymdeithasol. Mae'n bwysig fod yr athro'n cadw golwg ar bethau ac yn atgyfnerthu'r sgiliau cyfeillgarwch sy'n cael eu targedu wrth ymwneud â phob un o'r gweithgareddau a restrir.

**Gwaith tîm**

## Gemau a gweithgareddau dysgu cydweithredol

**Dianc o ddrysfa tra'n gwisgo mwgwd:** Mae'r plant yn gweithio mewn parau ac yn cael llun drysfa (maze) i ddianc ohono. Tra bydd un plentyn yn gwisgo mwgwd bydd y plentyn arall yn rhoi cyfarwyddiadau i helpu'r plentyn gyda mwgwd symud ei bensil drwy'r ddrysfa. Ar gyfer plant 3-5 oed gall yr athro baratoi drysfa ar lawr y dosbarth gyda thâp masgio, gyda phlentyn yn arwain yr un sy'n gwisgo'r mwgwd yn gorfforol drwy'r ddrysfa. Bydd pob plentyn yn cael cyfle i wisgo'r mwgwd. Cynlluniwyd y gweithgaredd yma i blant gael profiad o dderbyn cymorth gan blant eraill, ac i ddeall mai un o hanfodion cyfeillgarwch yw ymddiriedaeth. Amrywiad o'r gêm yma yw adeiladu cwrs rhwystrau gyda chadeiriau bagiau a byrddau, ac yna arwain y plentyn sy'n gwisgo mwgwd o amgylch y rhwystrau.

**Cadwyn bapur:** Mae'r plant yn cael stribedi o bapur a thâp gludiog. Maent yn lliwio eu stribed bapur eu hunain (neu'n ysgrifennu neges gyfrinachol ar y stribed). Yna bydd y grŵp yn gludo'r stribedi gyda'i gilydd i ffurfio cadwyn. Lluniwyd y gweithgaredd yma i ddysgu'r cysyniad o rannu, cydweithio a gweithio mewn tîm.

**Poster celf cydweithredol:** Mae'r plant yn cael eu rhannu'n grwpiau o 4-6 ar bob bwrdd. Dywed yr athro wrthynt am lunio poster ar y cyd ac mae'n eu hannog i rannu a chytuno gyda'i gilydd sut maent am i'r poster edrych. Bydd deunyddiau celf yn cael eu darparu (e.e. darn mawr o gardfwrdd, glud, gliter, paent, siswrn, sticeri, lluniau allan o gylchgronau) ond bydd y deunyddiau ar gyfer pob bwrdd yn gyfyngedig fel bod rhaid i'r plant gyd-drafod a chytuno i rannu adnoddau efo byrddau eraill. Yn ystod y gweithgaredd bydd yr athro'n canmol y plant pan fyddant yn gofyn cwestiynau priodol, yn rhannu, yn trafod syniadau, yn helpu'i gilydd ac yn aros eu tro. Mae'r gweithgaredd yma yn helpu plant i ymarfer yr holl sgiliau cydweithredu

**Poster cydweithredol 'Fy hoff bethau':** Mae'r plant yn cael eu rhannu'n grwpiau o 4-6 ar bob bwrdd. Bydd amrywiaeth o gylchgronau a lluniau ac un darn mawr o gardfwrdd yn cael eu darparu ar bob bwrdd. Yna, bydd yr athro'n gofyn i bob grŵp baratoi poster yn dangos hoff fwyd ac anifeiliaid y plant. I gyflawni'r dasg yma bydd raid iddynt ofyn cwestiynau i'w gilydd a rhannu gwybodaeth am eu diddordebau a'u hoff bethau. Mae'r gweithgaredd yma'n hyrwyddo sgiliau cydweithredol, yn annog hunanfynegiant ac yn adeiladu cyfeillgarwch drwy helpu'r plant ddod i adnabod ei gilydd yn well.

**Modelu cydweithredol gyda lego / clai:** Mae'r plant yn cael eu rhannu'n barau ar gyfer y gweithgaredd yma, a'r athro'n gofyn iddynt greu rhywbeth gyda'i gilydd allan o lego neu glai. Anogir nhw i fod yn gyfeillgar gan gymryd eu tro, siarad yn garedig gyda'i gilydd, rhannu, gofyn am ddarnau penodol, gwneud awgrymiadau cyfeillgar, datrys problemau ac yn y blaen. Wrth i'r plant ddod yn fwy hyderus bydd modd iddynt weithio mewn grwpiau o 3-4, a bydd hynny'n gofyn am fwy o drafod a rhannu.

**Tŵr Wali:** Bydd y plant yn gweithio'n barau gyda phapur, siswrn, tâp ac amrywiaeth o hen focsys grawnfwyd, roliau papur toiled, bocsys wyau, etc. Y dasg fydd creu gyda'i gilydd y tŵr talaf, cryfaf a harddaf.

**Cynllunio crys T thematig:** Bydd y plant yn trafod thema ar gyfer y crys T gyda'i gilydd, ac yna'n ei ddylunio ar y cyd.

**Rhannu cadair:** Bydd y plant mewn parau'n dyfeisio cymaint o ffyrdd ag y gallant i'r ddau ohonynt ddefnyddio'r un gadair gyda'u traed ar y llawr.

**Mobeil cyfeillgarwch:** Bydd pob plentyn yn creu mobeil i'w hongian yn y dosbarth allan o stribedi hir o bapur (10cm i 15cm o hyd) gyda thyllau wedi'u pwnsio arnynt i'w hongian wrth linyn. Ar bob mobeil bydd enw'r plentyn, ei hoff liw, ei hoff weithgaredd, ynghyd â nodwedd bositif y mae'r athro wedi nodi am y plentyn a dau sylw cadarnhaol amdano gan ei gyd-ddisgyblion.

**Tynnu llun corff fel gweithgaredd grŵp:** Gweithgaredd cydweithredol arall yw cael y dosbarth neu grwpiau bach o blant i dynnu llun corff fel tasg grŵp. Bydd un plentyn yn llunio'r dwylo, un arall yr ysgwyddau, un arall y llygaid, etc. Amrywiad o hyn yw cael pâr o blant gyda'r naill yn tresio llun y llall ar ddarn mawr o bapur. Bydd un plentyn yn gorwedd ar y papur a'r llall yn mynd o'i gwmpas gyda phensil. Bydd cyfle i'r athro ysgrifennu sylwadau positif am y plant wrth ochr eu lluniau.

# Chwarae rôl i geisio datrys problemau cyfeillgarwch:

Yn ogystal â thrafodaethau Amser Cylch a gweithgareddau ymarfer cydweithredol gyda disgyblion, bydd athrawon yn gallu dysgu'r plant sut i ymateb i broblemau cyfeillgarwch nodweddiadol drwy chwarae rôl dan arweiniad. Gall y defnydd o bypedau wneud hwn yn brofiad dysgu pleserus i'r plant. Isod y mae enghreifftiau o sefyllfaoedd y gellwch eu trefnu gyda'r disgyblion.

# Sgript enghreifftiol i bypedau – 'Mae'n fy mhryfocio i'

*Athro:* Mae Wali wedi cael ei bryfocio ar yr iard ac mae am siarad efo ni am y ffordd y deliodd â hynny. Felly, rwyf am i un ohonoch ddod yma a phryfocio Wali er mwyn iddo ddangos inni beth a wnaeth.

*Disgybl cyntaf:* Wali, rwyt yn dwpsyn, rwyt yn edrych fel mwnci ac rwyt ti'n anobeithiol am gicio pêl.

*Wali:* Mae'r stori yna mor hen nes ei bod wedi dechrau llwydo.

neu,

Fe syrthiais oddi ar fy neinosor pan glywais y stori yna gyntaf.

*Athro:* Waw! Wnaethost ti ddim cynhyrfu o gwbl. Yn wir, fe ddywedaist jôc am y digwyddiad! Oes rhywun yn y dosbarth yn medru meddwl am ffordd arall o ddelio gyda chael eich pryfocio? Y tro yma, Wali fydd yn pryfocio.

*Ail ddisgybl:* (Yn dod ymlaen a gwirfoddoli)

*Wali:* Ni-na, Ni-na, rwyt yn dwpsyn!

*Ail ddisgybl:* (yn troi i ffwrdd, yn anwybyddu ac yn anadlu'n ddwfn)

*Wali:* Rwyt yn dwpsyn ac mae dy fam yn dwp hefyd! Tybed pam na allaf ei gael i ymateb? Rwyf fel arfer yn llwyddo. Pam mae o'n fy anwybyddu? Alla i ddim ei gael i ymateb. Mae'n gryf iawn. Beth ydi'r anadlu dwfn yma? Dydi hyn ddim yn hwyl. Man a man i mi roi'r gorau i'w bryfocio.

*Athro:* Waw – mae anwybyddu os ydych yn cael eich pryfocio yn syniad ardderchog. Sut gwnes di allu parhau i wneud hynny?

*Ail ddisgybl:* Mi ddywedais wrthyf fy hun y gallwn!

*Athro:* Ffantastig! Mae gen ti ddau ateb rŵan pan fyddi'n cael dy bryfocio. Oes gan rywun syniad arall?

Neu

Sut deimlad ydi o i gael dy alw'n enwau annifyr? Sut mae stopio'r galw enwau?

Yn y sampl o sgript uchod mae'r pwyslais ar aros yn ddigynnwrf, defnyddio hiwmor i ddiarfogi'r pryfociwr ac anwybyddu. Gall y disgyblion feddwl am fwy o ymatebion digrif i dynnu'r hwyl allan o'r pryfocio. Wrth gwrs, mae'n bwysig pwysleisio'r pwysigrwydd o beidio pryfocio'n ôl.

---

### Sgript enghreifftiol i bypedau – 'Dydy nhw ddim yn gadael i mi chwarae gyda nhw!

Wali:    *(Yn edrych yn ddagreuol a digalon wrth siarad gyda'r disgyblion)* Mae angen i chi fy helpu gyda phroblem heddiw. Rwy'n teimlo'n ofnadwy. Roeddwn i eisiau chwarae gyda phlant eraill ar yr iard ond roeddent yn gwrthod gadael i mi wneud hynny. Roeddent yn dweud fy mod yn rhy drwsgl i chwarae pêl droed. Wn i ddim beth i'w wneud. Oes ganddo'ch chi unrhyw syniad?

*Athro:*    Wali, mae'n siŵr dy fod yn teimlo'n ofnadwy.

*Wali:*    Ydw. Dwi'n teimlo'n drist! 'Does yna neb yn fy hoffi!

*Athro:*    *(yn gofyn i'r disgyblion)* Beth ddylai Wali ei wneud rŵan?

*Disgyblion:*  (yn meddwl am atebion posib)
- meddwl am rywbeth hapus
- anadlu'n ddwfn i ymdawelu
- canfod ffrind arall i chwarae gydag o
- derbyn eu penderfyniad a chofio fod pob plentyn yn cael ei adael allan weithiau
- dweud wrthynt sut yr ydych yn teimlo
- aros a gofyn eto'n nes ymlaen

*Athro:*    Iawn, beth am i ni ymarfer rhai o'r syniadau yna. Pwy sydd am roi cynnig arni'n gyntaf?

---

Wedyn bydd y disgyblion yn symud ymlaen i chwarae rôl ac arddangos sut y byddent yn ymateb pe bai plant eraill yn gwrthod iddynt chwarae gyda nhw.

---

### Sgript enghreifftiol i bypedau – 'Delio gyda geiriau cas'

*Wali:*    (yn edrych yn ddagreuol a digalon wrth siarad gyda'r disgyblion) Rwyf weithiau'n cael fy ngwaith ysgol yn anodd iawn a dwi'n gwybod nad yw mor daclus â gwaith plant eraill. Ond heddiw daeth Katie ataf a dweud, 'Wyddost ti be Wali, mae dy lawysgrifen yn edrych fel traed brain. Mae dros bob man! Edrych ar fy llawysgrifen i. Dwi wedi gorffen yn barod ac wedi cael seren gan yr athro.

*Athro:*    Sut oeddet ti'n teimlo ar ôl clywed hynna Wali?

*Wali:*    Fe wnaeth i mi deimlo fel rhoi'r gorau iddi a rhedeg adref at mam.

*Athro:*    (yn gofyn i'r disgyblion) Beth ddylai Wali ei wneud rŵan?

*Disgyblion:* (meddwl am wahanol atebion, neu fe ellwch ofyn i ddisgyblion hŷn ysgrifennu eu syniadau ar gardiau ac yna dewis unrhyw gerdyn ar hap. Bydd y disgybl a'i hysgrifennodd yn dod i flaen y dosbarth ac yn trafod ei ateb)

- dywed wrth dy hun – 'os byddaf yn dal i ymdrechu'n galed, gwn yn iawn y bydd fy llawysgrifen yn gwella'
- meddylia am yr hyn yr wyt yn ei wneud yn dda – 'dydw i ddim yn dda am ysgrifennu, ond rwy'n wych am beintio'
- dywed wrth Katie sut yr wyt yn teimlo
- sylweddola mai siarad cas yw hyn a bod plant sy'n siarad yn gas yn aml yn anhapus yn dawel bach
- cofia fod rhai plant yn meddwl fod dweud pethau cas yn eu gwneud yn boblogaidd, ond dydi hynny ddim yn wir
- meddylia am rywbeth arall

*Athro:*    Beth am i ni ymarfer rhai o'r syniadau yma rŵan. Pwy sydd am fod yn gyntaf?

## Syniadau eraill am sgriptiau i bypedau drafod problemau perthynas

- Mae Wali'n gwybod fod rhywun yn dweud pethau cas a chelwyddau amdano y tu ôl i'w gefn.
- Mae Moli wedi dweud cyfrinach wrth ei ffrind. Yna, mae ei ffrind yn rhannu'r gyfrinach efo rhywun arall er bod Moli wedi gofyn iddi beidio dweud wrth neb.
- Mae ffrind Moli'n torri addewid.
- Mae rhywun yn y dosbarth eisiau bod yn gyntaf bob tro.

- Mae yna ddisgybl yn y dosbarth sy'n swil, heb ffrindiau ac yn teimlo'n unig iawn.
- Gofynnwch i'r disgyblion drafod ffyrdd o wneud ffrindiau newydd a helpu rhywun sy'n unig.

### Gweithgaredd arall ar gyfer Amser Cylch

Paratowch gasgliad o gardiau gyda geiriau canmol a geiriau cas wedi eu hysgrifennu arnynt. Gofynnwch i blentyn ddarllen cerdyn allan yn ystod Amser Cylch a'i roi yn y pecyn priodol (y pecyn canmol neu'r pecyn geiriau cas). Ceisiwch gael y plant i egluro pam eu bod yn meddwl fod y cardiau'n canmol neu yn bod yn gas. ('Mae dy waith fel traed brain' neu 'Diolch i ti fy helpu i ganfod fy nghôt')

*Pasio het y ditectif i ymarfer sut i fod yn gyfeillgar*
Mae het y ditectif, unwaith eto, yn ffordd hawdd o gychwyn chwarae rôl ac ymarfer sgiliau cyfeillgarwch. Dyma rai enghreifftiau o gwestiynau y gellwch eu rhoi yn yr het. Maent wedi eu cynllunio i ymarfer y sgiliau canlynol: rhannu teimladau; dweud rhywbeth cyfeillgar; helpu rhywun arall; a dweud wrth yr athro.

## Gêm 'het y ditectif' i ymarfer sgiliau cyfeillgarwch

- Sut gellwch chi helpu plentyn sy'n gwrthod rhannu?
- Rydych yn gweld eich ffrind yn cael ei adael allan o gêm a hyd yn oed yn cael ei fwlio a'i wthio gan blant ar yr iard. Beth ddylech ei wneud?
- Mae eich ffrind wedi colli ei esgidiau newydd. Beth ellwch chi ei ddweud?
- Mae eich tad yn ymddangos yn flin ac yn dweud ei fod yn cael diwrnod gwael. Beth ellwch chi ei ddweud?
- Mae un o'ch ffrindiau'n cael ei adael allan gan blant eraill. Beth ellwch chi ei ddweud neu ei wneud?
- Rydych yn sylwi ar rywun yn crio ar yr iard. Beth ellwch chi ei ddweud neu ei wneud?
- Dywedwch wrth weddill y dosbarth am amser y buoch yn helpu rhywun.

- Mae un o'ch ffrindiau yn gollwr gwael. Pan fydd y tîm yn colli mae'n cynhyrfu ac yn crio weithiau. Mae fel petai am ennill, costied ar gostio. Mae'n twyllo ac yn torri'r rheolau. Un tro, fe honnodd fod y tîm arall wedi cam-chwarae pan nad oedden wedi gwneud dim byd o'r fath. Yna bu'n dadlau gyda'r hyfforddwr. Mae'n cadw'r bêl iddo'i hun drwy'r amser. Sut y gall o fod yn chwaraewr teg?
- Dydi un o'ch cyfeillion dosbarth byth eisiau rhoi cynnig ar unrhyw beth y mae'r plant eraill yn ei wneud. Mae'n mynd i ffwrdd ar ei ben ei hun ac yn aros heb gwmni drwy'r amser. Beth ellwch chi ei wneud i helpu?
- Mae eich ffrind gorau eisiau mynd i chwarae gyda rhywun arall. Beth ellwch chi ei ddweud?
- Rydych eisiau ymddiheuro i ffrind am rywbeth yr ydych wedi'i ddweud. Beth ellwch chi ei ddweud?

## Dysgu empathi

Agwedd allweddol o lwyddiant cymdeithasol eich plentyn yw ei allu i ddechrau ystyried pryderon, dyheadau a theimladau pobl eraill. Os nad yw plentyn yn gallu gwerthfawrogi safbwynt person arall, yna gall gamddehongli cliwiau cymdeithasol a pheidio gwybod sut i ymateb. Mae datblygu empathi'n cymryd blynyddoedd ac mae pob plentyn yn hunanol ac yn 'hunan ganolog' yn yr oedran yma. Serch hynny, mae'n dal yn bosib hyrwyddo ymwybyddiaeth plentyn o deimladau a safbwyntiau eraill. Gall y gêm sy'n dilyn gael ei chwarae i helpu i hyrwyddo sgiliau empathi.

Ymddiheuro

### Pasio het y ditectif i ymarfer meddwl am deimladau pobl eraill

Y tro yma mae gêm het y ditectif yn cael ei defnyddio i helpu plant i ddeall pwysigrwydd ymddiheuro, egluro, dweud geiriau caredig, bod yn gyfeillgar, bod yn onest, bod yn chwaraewr teg, cynnig helpu i ddatrys sefyllfa, a gwrthsefyll pwysau gan gyfoedion a themtasiwn. Dyma'r cwestiynau:

## Gêm 'Het y Ditectif' i ymarfer meddwl am deimladau pobl eraill

- Rydych wedi bod yn chwarae gwyddbwyll gyda ffrind, ac wedi brwydr galed rydych yn colli'r gêm. Beth fyddech yn ei wneud?
- Rydych wedi gweiddi ar ffrind pan falodd eich model. Beth ddylech ei wneud?
- Rydych wedi colli eich siaced newydd am yr eildro. Beth ddylech chi ei wneud?
- Rydych wedi anghofio gwneud y tasgau y gofynnodd eich mam i chi eu cyflawni. Beth ddylech ei wneud?
- Mae eich ffrind eisiau i chi fynd ar eich beic i'r siop i nôl melysion ond dywed eich mam nad ydych i fynd ymhellach na'r ardd o flaen y tŷ. Beth ddylech ei wneud?
- Mae eich brawd yn cadw siocled yn ei ddesg ac rydych eisiau cael darn ohono. Beth ddylech ei wneud?
- Mae eich amser gwylio teledu'n cael ei gyfyngu i un awr y dydd. Mae eich hoff sioe yn dod ymlaen ac rydych eisoes wedi bod yn gwylio'r teledu am awr y diwrnod hwnnw. Mae eich mam yn gofyn faint o deledu ydych wedi ei wylio.
- Rydych wedi torri rheol deuluol drwy fwyta hufen iâ yn yr ystafell fyw ac mae staen ar y soffa. Mae eich mam yn ymddangos yn flin ac yn gofyn ai chi ddaru fwyta hufen iâ yn yr ystafell fyw. Beth ddylech ei wneud?
- Mae un o'ch cyfoedion yn cael trafferth dysgu darllen. Beth allech chi ei ddweud neu ei wneud?

## Dysgu disgyblion sut i ddatrys problemau a gwrthdaro

Un peth yw dechrau cyfeillgarwch ond peth arall yw ei gadw. I gadw ffrind da mae plentyn angen y sgil allweddol o wybod sut i ddatrys gwrthdaro. Os nad oes ganddo'r sgil yma, yna bydd y plentyn mwyaf ymosodol fel arfer yn cael ei ffordd ei hun. Pan fydd hynny'n digwydd, bydd pawb yn colli allan. Bydd y plentyn ymosodol yn dysgu sut i gamddefnyddio cyfeillgarwch a bydd yn cael ei wrthod gan ei gyfoedion am fod yn ymosodol. Bydd y plentyn mewnblyg yn dysgu bod yn ddioddefwr. Gweler Pennod 9 am drafodaeth o'r ffyrdd y gall athrawon helpu eu disgyblion i ddysgu datrys anghytundeb – agwedd bwysig iawn o gadw ffrindiau.

## Dysgu disgyblion sut i ddefnyddio hunan-siarad cadarnhaol

Pan fydd plant yn cael eu gwrthod gan gyfoedion, neu'n profi siomedigaeth, yn aml mae ganddynt feddyliau negyddol o'u mewn sy'n atgyfnerthu a dwysau'r emosiwn. Cyfeirir weithiau at y meddyliau yma fel 'hunan-siarad' er y bydd plant yn aml yn eu mynegi'n uchel. Er enghraifft, mae plentyn yn dweud wrthych, 'Fi ydi'r plentyn gwaethaf. Does yna neb yn fy hoffi. Fedra i wneud dim byd yn iawn.' Mae'r plentyn yma'n rhannu ei hunan-siarad negyddol gyda chi. Gall athrawon ddysgu plant i adnabod hunan-siarad negyddol a'i gyfnewid am hunan-siarad cadarnhaol i'w helpu i ddygymod â'u rhwystredigaethau a rheoli ffrwydradau blin. Er enghraifft, os yw cais plentyn i gyd-chwarae'n cael ei wrthod gan blentyn arall gall ddweud wrtho'i hun, 'Mi alla i ddelio efo hyn. Mi ffeindia i blentyn arall i chwarae,' neu 'Mi wna i aros yn dawel a cheisio eto,' neu 'Cyfrif i 10. Siarad a pheidio taro,' neu 'Stopio ac yna meddwl yn gyntaf.' Yn y ffordd yma mae plant yn dysgu rheoli eu hymatebion meddyliol, a hynny'n ei dro yn effeithio ar eu hymatebion ymddygiadol. Mae hunan-siarad cadarnhaol yn cynnig ffordd i'r plant reoli eu hemosiynau wrth ymwneud â'u cyfoedion.

Unwaith eto bydd defnyddio pyped fel Wali yn helpu i roi llais i hunan-siarad. Bydd hefyd yn dysgu'r disgyblion sut i droi hunan-siarad negyddol yn hunan-osodiadau ymdopi mwy cadarnhaol. Dyma enghraifft o sefyllfa y gellwch roi cynnig arni:

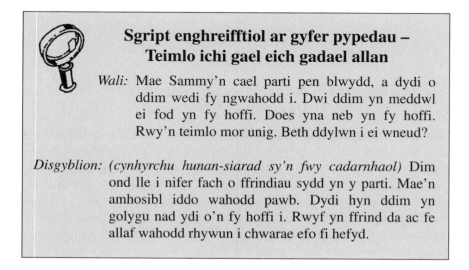

**Sgript enghreifftiol ar gyfer pypedau – Teimlo ichi gael eich gadael allan**

*Wali:* Mae Sammy'n cael parti pen blwydd, a dydi o ddim wedi fy ngwahodd i. Dwi ddim yn meddwl ei fod yn fy hoffi. Does yna neb yn fy hoffi. Rwy'n teimlo mor unig. Beth ddylwn i ei wneud?

*Disgyblion: (cynhyrchu hunan-siarad sy'n fwy cadarnhaol)* Dim ond lle i nifer fach o ffrindiau sydd yn y parti. Mae'n amhosibl iddo wahodd pawb. Dydi hyn ddim yn golygu nad ydi o'n fy hoffi i. Rwyf yn ffrind da ac fe allaf wahodd rhywun i chwarae efo fi hefyd.

## Canmol a sefydlu rhaglenni gwobrwyo ar gyfer plant gydag anawsterau cymdeithasol

I blant gydag anawsterau cymdeithasol penodol megis swildod a phryder neu, i'r gwrthwyneb, i blant ymosodol a phlant sy'n methu talu sylw trefnwch raglen wobrwyo i helpu i gryfhau sgiliau cyfeillgarwch penodol. Dechreuwch drwy ddewis un neu ddau o ymddygiadau cymdeithasol y dymunwch weld mwy ohonynt, megis cael plentyn swil i ymuno mewn chwarae neu gael plentyn ymosodol i aros ei dro. Gwnewch yn siŵr fod y disgybl yn deall yr hyn a ddisgwylir drwy ymarfer yr ymddygiadau penodol drosodd a throsodd a'u rhestru ar siart. Gellwch osod y siart ar fwrdd y plentyn neu mewn man agos sydd o fewn cyrraedd yr athro. Yna, bob tro y gwelwch y plentyn yn cyflawni'r ymddygiadau yma, rhowch ganmoliaeth dawel iddo am gofio'r ymddygiad a rhowch sticer neu stamp iddo am ymddygiad positif. Bydd plant 7 oed a throsodd yn teimlo llai o embaras os byddwch yn eu galw oddi wrth y grŵp ac allan o glyw'r plant eraill i'w canmol a'u gwobrwyo.

Wrth ganmol, gofalwch aros am fwlch naturiol yn y rhyngweithio, fel na fyddwch yn torri ar draws y sgwrs a'r gweithgaredd chwarae. Nid dim ond canmol y plentyn sydd wedi ei adnabod fel un problemus a ddylech am yr ymddygiad a gafodd ei dargedu. Canmolwch bob plentyn am ymddygiad cydweithredol a gwnewch sylw ynglŷn â'r modd y mae'r plant yn dod yn ffrindiau da. Hwyrach y dywedwch wrth ddau blentyn sy'n adeiladu tŵr gyda'i gilydd, 'Rydych chi eich dau'n cydweithio'n dda iawn! Rydych yn gyfeillgar dros ben ac yn helpu'ch gilydd i greu adeilad cŵl.' Adolygwch siart y plant, a'r sgiliau cymdeithasol yr ydych yn gweithio arnynt, yn ddyddiol. Unwaith y bydd yr un neu ddau sgil cymdeithasol cyntaf wedi dod yn gyson a dibynadwy, symudwch ymlaen i ymddygiadau cymdeithasol eraill a rhowch nhw ar y siart.

## Cyd-weithio gyda rhieni

Prin yw'r cyfleoedd sydd gan rieni i weld eu plant mewn sefyllfaoedd grwpiau mawr o blant, ac yn y sefyllfaoedd hynny y bydd plant angen ymarfer y sgiliau yma! Gall ymddygiad yn y dosbarth fod yn wahanol iawn i ymddygiad yn y cartref. Efallai bod y plentyn yn ymddwyn yn briodol yng nghwmni un ffrind sy'n ymweld ag o yn y cartref ond gall fod â phroblemau sylweddol wrth ymwneud â'i gyfoedion mewn sefyllfa grwpiau mwy. Mae'n bwysig fod athrawon yn trafod anghenion cymdeithasol plant gyda'u rhieni. Pan fo plentyn ag anawsterau cymdeithasol mae'n bwysig cydweithio gyda'r rhieni i adnabod rhai sgiliau cymdeithasol cadarnhaol y gellwch chi a'r rhieni ddechrau gweithio i'w gwella gyda'r plentyn. Er enghraifft, gall athro fod wedi trefnu siart yn y dosbarth i annog plentyn i godi llaw dawel a chydweithio gyda chyfoedion. Ar ddiwedd y dydd bydd 'cerdyn adroddiad cyfeillgarwch' yn cael ei ddanfon adref gyda'r plentyn. Gall y rhieni ychwanegu'r ticiau fydd y plentyn wedi ennill yn yr ysgol at eu siart wobrwyo nhw yn y cartref. Er enghraifft, gall ennill 5 tic yn yr ysgol gyfateb i fwy o amser stori neu weithgaredd arbennig yn y cartref. Yn ddelfrydol dylai'r athro hefyd drefnu rhaglen wobrwyo yn yr ysgol. Er enghraifft, os yw plentyn yn ennill nifer penodol o diciau, caiff ddewis gweithgaredd arbennig megis cael mwy o amser cyfrifiadur, sefyll ar flaen rhes amser cinio neu arwain trafodaeth yn y dosbarth. Gall rhoi cyfrifoldebau penodol arbennig i blentyn fod o gymorth hefyd drwy roi cyfle i weddill y disgyblion ei weld mewn goleuni cadarnhaol.

Gall fod yn gymorth i blentyn aflonyddgar iawn gael cwnselydd ysgol, cymhorthydd neu athro wedi ei ddynodi fel anogwr dysgu neu hyfforddwr ar ei gyfer. Byddai'r hyfforddwr a'r plentyn yn cwrdd dair gwaith y dydd i gael cyfnod 5 munud o fwrw golwg ar brofiadau'r dydd. Yn ystod y cyfnodau yma byddant yn adolygu siart ymddygiad y plentyn ac yn canmol unrhyw lwyddiannau a gafodd wrth gydweithio â'i gyfoedion. Ar ddechrau'r dydd, bydd yr hyfforddwr yn sicrhau fod y llyfrau angenrheidiol gan y plentyn a'i fod wedi nodi ei aseiniadau ar gyfer gweddill y bore. Ganol dydd byddant yn adolygu'r disgwyliadau ar gyfer cyfnod cinio ac amser egwyl. Yna, cyn mynd adref, byddant yn adolygu ymddygiad y dydd a sicrhau fod ei siart ymddygiad, ei lyfrau a'i waith cartref gan y plentyn yn barod i fynd adref.

## Annog rhieni i wahodd cyd-ddisgyblion adref

Yn aml, nid yw rhieni'n gwybod pwy yw ffrindiau eu plant yn yr ysgol, nac yn gwybod pa blant sy'n chwarae'n arbennig o dda gyda'u plentyn nhw. Athrawon sydd yn y sefyllfa orau i helpu rhieni i wybod pa gyfoedion sydd â diddordebau ac anian sy'n ategu anian eu plentyn hwy ac sy'n gosod esiampl gadarnhaol. Anogwch rieni a phlant i wahodd cyfoedion i'w cartrefi ar ôl ysgol neu yn ystod penwythnosau. Ar rai adegau (yn arbennig gyda phlant gorfywiog neu blant mewnblyg) bydd angen i chi helpu rhieni i ddeall yr angen i strwythuro a rheoli'r cyfnodau chwarae hyn. Rhowch gymorth i rieni ddeall pwysigrwydd cynllunio'r ymweliad gyda'u plentyn a gwneud pethau lle mae angen cydweithio gyda'u plant. Gall gweithgareddau o'r fath gynnwys adeiladu model lego , gwneud gwaith crefft, coginio bisgedi, chwarae pêl droed a llu o bethau eraill cyffelyb. Bydd y gweithgareddau yma'n helpu plant i ddysgu sgiliau cymdeithasol pwrpasol a datblygu cyfeillgarwch agosach. Dylid rhybuddio rhieni i beidio gadael i'r plant dreulio'r holl amser yn gwylio'r teledu. Ychydig o ryngweithio cymdeithasol sy'n digwydd bryd hynny, gyda llai o gyfleoedd i'r plant ddod i adnabod ei gilydd. Gyda phlant sy'n orfywiog neu'n swil hwyrach y bydd athrawon am awgrymu i'r rhieni fod yr ymweliadau cyntaf yn rhai cymharol fyr a phleserus gyda rheolaeth agos gan y rhieni fel nad yw pethau'n mynd dros ben llestri. Bydd y plant wedyn yn ffarwelio â'i gilydd wedi cael amser da.

## Annog rhieni i chwarae gartref gyda'u plant

Mae o gymorth os yw athrawon yn danfon gwybodaeth adref i rieni yn egluro pa mor bwysig yw iddynt chwarae gyda'u plant. Da o beth fyddai i athrawon bwysleisio gwerth cyd-chwarae rhwng plentyn a rhiant lle mae'r 'plentyn yn arwain'. Chwarae yw hwn lle nad yw'r rhiant yn rhoi gorchmynion, yn ymyrryd, yn cymryd drosodd na beirniadu. Yn hytrach bydd y rhiant yn dilyn arweiniad y plentyn drwy wrando, rhoi sylwebaeth ddisgrifiadol ar yr hyn sy'n digwydd, aros eu tro, derbyn syniadau, cydymffurfio gyda rheolau a chanmol sgiliau chwarae'r plant. Helpwch rieni i ddeall y byddant yn dysgu sgiliau cyfeillgarwch i'w plant wrth dreulio cyfnodau rheolaidd yn chwarae gyda nhw gan adael i'w plant arwain y chwarae. Wrth i rieni fodelu'r broses o dderbyn syniadau ac awgrymiadau eu plant, bydd y plant yn dysgu bod yn fwy agored i dderbyn syniadau pobl a phlant eraill. Mae chwarae rheolaidd rhwng plentyn a rhiant yn medru bod o gymorth mawr i helpu plant i ddysgu sgiliau chwarae priodol a sgiliau cymdeithasu gyda'u cyfoedion.

## Sut y gall athro newid tybiaethau negyddol am blentyn yn y dosbarth, yr ysgol a'r gymuned

Fel y gwyddoch, gall plant mor ifanc â 5 oed fod wedi datblygu hunanddelwedd negyddol, a chael enw drwg yn yr ysgol (ac efallai yn y gymuned) o fod yn 'fwli' neu'n 'blentyn problemus'. Ambell dro, bydd athrawon wedi cael eu rhybuddio am rai disgyblion hyd yn oed cyn iddynt gychwyn yn yr ysgol, a bydd rhai plant eisoes wedi cael eu labelu fel plant 'anodd'. Wedi iddynt gychwyn yn yr ysgol bydd ymateb disgyblion eraill yn atgyfnerthu enw drwg o'r fath, 'Rwyt ti wastad mewn trwbl' neu 'Rwyt ti'n ddrwg a dydi'r athro ddim yn dy hoffi' neu 'Chei di ddim dod i fy mharti pen blwydd i, mae fy rhieni'n dweud dy fod yn creu helynt'. Os na fydd athro'n rheoli'r math yma o sylwadau, gall enw drwg y plentyn ledaenu tu hwnt i'r dosbarth i'r ysgol ac i gymdogaeth y rhieni. Er enghraifft, mae plentyn yn cwyno wrth ei rieni ei fod wedi cael ei daro unwaith eto gan Robby ar yr iard. Mae hyn yn ei dro yn creu dicter tuag at Robby ymhlith rhieni'r dosbarth. Gall hyd yn oed arwain at ddicter tuag at deulu Robby os tybia'r rhieni mai nhw sydd ar fai fod y plentyn mor ymosodol. Weithiau bydd rhieni'n gweld bai ar athro am ganiatáu i daro ddigwydd yn yr ysgol. Pan fydd rhieni'n clywed fod eu plentyn nhw a phlant eraill wedi cael eu taro neu eu bwlio gan blentyn arbennig, hwyrach y byddant yn casglu rhieni eraill ynghyd i gwyno wrth y Pennaeth, gan fynnu nad yw'r plentyn yn gymwys i fod yn y dosbarth. Gall teimladau cryf torfol o'r fath fod yn niweidiol nid yn unig i brifiant Robby yn y dyfodol ond hefyd i berthynas yr holl ddisgyblion â'i gilydd yn y dosbarth a chymdogaeth yr ysgol. Mewn gwirionedd mae'n enghraifft o oedolion yn bwlio plentyn sydd eisoes mewn trafferth. Os llwydda'r dorf i gael eu ffordd, bydd yn danfon neges nad oes gan gymdogaeth yr ysgol y cyfrifoldeb ehangach o greu cymdeithas lle mae pawb yn helpu ei gilydd. Bydd yr ymdeimlad o gymuned yn dirywio; bydd llai o gefnogaeth i athrawon; bydd ymbellhau cynyddol oddi wrth deuluoedd sydd â phlant gydag anawsterau penodol, a bydd erydiad yn y berthynas gadarnhaol rhwng athrawon a disgyblion.

## Beth all ysgolion ac athrawon ei wneud i rwystro lledaeniad teimladau negyddol?

*Sefydlu polisi ac athroniaeth ysgol*

Mae cael polisi ysgol clir yn rhan hanfodol os am rwystro bwlio a helpu plant sy'n cael eu hunain mewn sefyllfaoedd bwlio. Dylai polisïau ysgol gyflwyno'r neges glir i ddisgyblion, rhieni ac athrawon na chaniateir bwlio ac y byddir yn delio'n gadarn gydag achosion o'r fath. Dylai polisïau osod allan y rheolau a nodi'n fanwl yr hyn a ddigwydd pan fydd y rheolau'n cael eu torri. Efallai y bydd dioddefwyr yn gyndyn o ddweud eu bod yn cael eu bwlio am eu bod yn ofni dialedd gan y bwli. Ac felly, dylai'r ysgol sefydlu trefn a fydd yn galluogi plentyn i ddweud wrth oedolyn, megis cwnselydd ysgol, yn gyfrinachol. Gall y cwnselydd annog y plentyn sy'n dioddef i siarad gyda'i athro a'i rieni, a gall ddwyn i mewn bersonau perthnasol i'w helpu. Os na fabwysiadodd eu hysgol bolisïau o'r fath, gall athrawon annog eu cyflwyno. Os ydynt yn bodoli, gall athrawon helpu i'w hegluro i rieni.

*Addysgu teuluoedd i siarad am fwlio gyda'u plant*

Mae gan ysgol rôl bwysig iawn yn addysgu rhieni am ystyr bwlio – i'r bwli ac i'r dioddefwr. Gall hyn ddigwydd mewn gweithdai arbennig a chyfarfodydd rhieni rheolaidd. Mae bwlio'n broblem amlochrog sydd â'i gwreiddiau mewn amrywiol ffactorau cydgysylltiedig. Mae'r rhain yn cynnwys anian y plentyn, ei ymddygiad cymdeithasol, ei sgiliau cyfathrebu, lefel ei hunanddelwedd a hunanhyder yn ogystal â dylanwadau teuluol, ysgol a chymdeithasol. Yn hytrach na beio un ffactor yn unig, megis cymdeithas, y teulu neu'r plentyn ei hun, gall ysgolion hyrwyddo newid drwy ganolbwyntio ar rwystro bwlio beth bynnag fo'r ffactorau a gyfrannodd tuag at greu'r broblem yn y lle cyntaf.

Dylai'r ysgol ddarparu hyfforddiant llawn i geisio rhwystro a goresgyn yr anawsterau cymdeithasu sydd yn arwain at fwlio. Bydd angen i'r hyfforddiant yma ymestyn ymhellach nag ymdrechion athrawon unigol gyda disgyblion unigol. Dylai fod yn rhan o ymdrech ysgol gyfan. Mae addysg a hyfforddiant cefnogol mewn sgiliau cymdeithasol, datrys problemau, creu empathi ac adeiladu hunan-ddelwedd, yn delio gyda'r rhesymau gwaelodol am y bwlio a chael effaith gadarnhaol ar ansawdd bywyd yr ysgol yn y tymor hir.

Mae'n bwysig fod ysgolion ac athrawon yn ceisio cefnogaeth rhieni i egluro i'r plant fod bwlio'n annerbyniol. Gall athrawon annog rhieni i gyflwyno'r mater i'r plant drwy siarad am y broblem a gofyn iddynt a oes rhywun yn y dosbarth yn cael ei erlid neu'n cael ei adael allan. Gall rhieni geisio cynyddu dealltwriaeth eu plant o'r broblem drwy egluro'r cysyniad o beidio bod yn dyston goddefol i fwlio a beth yw bwlio cudd (gadael plentyn allan). Gall rhieni hefyd geisio canfod a oes gan eu plentyn gydymdeimlad gyda'r dioddefwr ac a fyddai'n fodlon gwneud rhywbeth i'w helpu. Dylai rhieni annog eu plant i ddweud am fwlio wrth eu hathrawon, gan egluro nad yw 'dweud' yn anghywir ond ei fod mewn gwirionedd er lles y bwli (a dioddefwyr posibl) yn y pen draw. Gall rhieni ymdrechu i ddatblygu empathi plentyn tuag at y dioddefwr a chynnwys eu plentyn yn y broses o ddwyn yr annhegwch i ben drwy wahodd y dioddefwr i ddod i chwarae neu gael picnic ar ôl ysgol.

*Newid enw drwg y plentyn yn y dosbarth – hyrwyddo'r ymdeimlad o deulu yn y dosbarth*

Gyda phlentyn sydd eisoes ag enw drwg yn y dosbarth, bydd angen i'r athro ddiffinio strategaethau a llunio cynllun ar gyfer newid y ddelwedd ddrwg honno. Bydd angen i'r athro weithio'n arbennig o galed i ddatblygu perthynas gadarnhaol gyda'r plentyn i gyflawni hyn. Gall gychwyn drwy nodi a mynegi sylwadau am gryfderau'r plentyn sy'n gwrthbrofi ei ddelwedd ymosodol, 'Robby, rwyt yn ffrind da. Rwyt yn rhannu'n dda ac rwyt yn dyner iawn gyda'r tegan yna. Mae Josh wrth ei fodd yn chwarae efo ti.' Hwyrach y bydd yr athro'n trefnu 'Amser

Cylch Canmol' arbennig bob dydd. Rhoddai hynny gyfle i'r plant ganmol ei gilydd yn rheolaidd. Gall yr athro ofyn i'r disgyblion eraill sylwi a nodi'r adegau y bydd Robby'n helpu a chydweithredu. Bydd yr athro, mewn gwirionedd yn helpu'r plant eraill i wybod fod Robby'n gweithio'n galed ar ddysgu ymddygiadau penodol (megis gofyn yn hytrach na chipio neu daro). Mae'n hyfforddi'r plant i sylwi ar Robby pan fydd yn helpu ac yn defnyddio'i eiriau'n dda – sef cam mawr yn natblygiad eu hamgyffrediad ohono. Gall yr athro wedyn ganmol y plant am sylwi ar lwyddiannau Robby, fel eu bod yn dangos ymroddiad a brwdfrydedd tuag ato wrth iddo ddysgu rheoli'i ddicter yn fwy priodol. Gall yr athro ddefnyddio'r un strategaeth gyda phlant eraill sy'n cael anawsterau penodol gyda dysgu darllen, sillafu neu fathemateg. Mewn geiriau eraill, mae'r athro'n creu amgylchedd dosbarth lle mae'r plant yn dysgu fod yna wahaniaethau yn eu galluoedd gwybodol, ymddygiadol a chymdeithasol unigol, a bod modd iddynt helpu eu ffrindiau i gyrraedd at eu nodau personol. Mae ymdeimlad o gymuned yn cael ei greu yn y dosbarth lle bydd plant yn gwerthfawrogi a chymeradwyo cyflawniad ei gilydd. Maent fel hyn yn datblygu perthynas ystyrlon gyda'i gilydd.

*Hyrwyddo cyfeillgarwch*
Gall athro roi gwybod i rieni am ffrindiau arbennig sy'n gweithio'n dda gyda Robby. Gellid annog y ffrindiau yma i wahodd Robby i'w cartrefi nhw neu i'r gwrthwyneb. Mae'n bwysig fod disgyblion sydd ag enw drwg yn cael un neu ddau o ffrindiau da sy'n boblogaidd ac sy'n gosod esiampl gymdeithasol briodol yn y dosbarth, yn hytrach na ffrindiau sydd ag anawsterau cyffelyb ac sy'n ymosodol. Gall athrawon helpu i lywio perthynas plant â'i gilydd drwy drefnu grwpiau mewn ffordd strategol ar gyfer aseiniadau, prosiectau cydweithredol neu dripiau maes, a sylwi pan fydd y plant yn ffrindiau da gyda'i gilydd. Er enghraifft, gall athro wneud pwynt o ddweud, 'Mae'r ddau ohonoch yn cydweithio'n dda. Mae Jimmy'n ffrind ardderchog.'

*Cyfathrebu agored gyda rhieni*
Os oes plentyn yn y dosbarth y mae'r holl rieni yn ei adnabod fel plentyn ymosodol, bydd raid i'r athro wneud yn siŵr ei fod yn cysylltu â'r rhieni bob tro y bydd digwyddiad rhwng eu plentyn nhw a'r plentyn ymosodol. Mae'n gyfle i'r athro egluro'r sefyllfa wrth y rhieni cyn i'r cyfan ddwysau (neu i'r rhieni glywed gan rywun arall). Gall adael iddynt wybod ei fod yn cadw golwg ofalus ar y plentyn sydd â thueddiadau ymosodol. Rhaid i'r athro sicrhau'r rhieni fod eu plentyn yn

saff. Hwyrach y ceisia gefnogaeth y rhieni yn yr ymdrech drwy ddweud wrthynt sut mae'n delio gyda'r broblem yn y dosbarth. Bydd y dulliau hyn yn cynnwys cydweithredu gyda'r rhieni, hyfforddiant sgiliau cymdeithasol a datrys problemau a dysgu sgiliau hunanhyder a phendantrwydd i'r holl ddisgyblion. Bydd hyder a gobaith yr athro yn ei ddull o egluro ei ymyriadau dosbarth, a'i gred yn ei allu i lwyddo, yn elfennau hanfodol wrth feithrin cefnogaeth ac amynedd rhieni. Gall yr athro dynnu sylw at y perygl fod plentyn o'r fath yn cael ei wrthod gan ei gyfoedon a gall ddwyn sylw at gryfderau a chyfraniadau unigryw'r plentyn 'anodd' yn y dosbarth. Yn olaf, gall fod o gymorth i rieni'r plant eraill yn y dosbarth sylweddoli fod holl blant y dosbarth yn cael cymorth i ddysgu ffyrdd priodol o ddelio gyda gwrthdaro mewn perthynas, wrth i chi ddelio gydag ymddygiad y 'plentyn anodd.' Esboniwch eich bod yn defnyddio strategaethau megis cyfarfodydd dosbarth, hyfforddiant arbennig, cylchoedd canmol, ac atgyfnerthiad gan gyd-ddisgyblion i ddelio â'r sefyllfa. Ni fyddai dileu'r broblem drwy wahardd y plentyn o'r dosbarth o unrhyw gymorth i ddysgu sgiliau datrys problemau, rheoli gwrthdaro a datblygu perthynas i weddill y disgyblion.

## Cyfrifoldeb ar y cyd – rhwng y cartref a'r ysgol

Fel y nodwyd uchod, mae gan ysgolion gyfrifoldeb arbennig i hysbysu rhieni am hyd a lled y broblem bwlio ac unrhyw enghreifftiau penodol. Dylid rhoi neges glir i rieni y gall bwlio fod yn fater difrifol iawn ac na fydd yr ysgol yn goddef hyd yn oed achosion bychain o fwlio ac ynysu cymdeithasol. Bydd angen i ysgolion gynghori rhieni fod gwyliadwriaeth o'r fath yn golygu y gall fod mwy o gyswllt rhyngddynt â gweinyddwyr neu athrawon yr ysgol ar y dechrau nes i'r broblem gael ei datrys. Ac ochr arall y geiniog yw y dylai ysgolion ofyn i'r rhieni gyfathrebu'n agored â nhw, gan wynebu'r broblem a chysylltu gydag athrawon os ydynt yn amau fod eu plentyn hwy neu blentyn arall yn bwlio.

Dylai ysgol hysbysu rhieni o'i bwriad i gysylltu gyda nhw i ofyn am eu cydweithrediad os canfyddir fod disgyblion yn yr ysgol yn bwlio neu'n cael eu bwlio. Dylai'r rhieni a'r ysgol gydgyfarfod i drafod y sefyllfa, a chyd-drefnu cynllun i ddatrys y broblem. Gall rhieni sy'n amau fod eu plant yn bwlio helpu drwy ganmol y plant am ymddygiad cydweithredol, trefnu system wobrwyo ar gyfer ymddygiad da, gweithredu cosbau di-drais ar gyfer cam-ymddwyn (e.e. colli breintiau, Amser Allan, tasgau gwaith) a gosod rheolau sy'n egluro eu bod yn ystyried bwlio yn fater difrifol iawn ac na fyddant yn ei ddioddef. Os bydd yr ysgol a'r cartref gyda'i gilydd yn gweithredu canlyniadau negyddol, mae'n llai tebygol y bydd y camymddygiad yn digwydd eto. I'r teulu sy'n anhrefnus a braidd yn ddi-glem, gall athrawon eu helpu i lunio ac arddangos rhai rheolau teulu, gyda set o ganlyniadau am dorri'r rheolau. Gallant annog rhieni i ganmol eu plant pan fyddant yn dilyn y rheolau. Dylid annog rhieni i dreulio amser gyda'u plentyn a dod i adnabod ei ffrindiau.

Dylai rhieni sy'n amau fod eu plentyn yn cael ei fwlio adael i athro'r plentyn wybod hynny mor fuan â phosib. Gallant hefyd geisio cynyddu hunan-hyder y dioddefwr drwy ei helpu i sefydlu cyfeillgarwch a sefyll yn bendant dros ei hawliau. Er ei bod yn ddealladwy eu bod eisiau amddiffyn plant sy'n cael eu bwlio, dylai rhieni osgoi bod yn or-amddiffynnol ohonynt. Gall hynny gynyddu synnwyr y plant o fod wedi cael eu hamddifadu gan eu cyfoedion, ac felly ddwysau'r broblem. Pan fydd athrawon a rhieni'n cydweithio ynglŷn â chael atebion, heb weld bai ar ei gilydd, gallant leihau'n sylweddol achlysuron o fwlio.

*Normaleiddio ymddygiad plentyn*
Ffordd arall o wrthbrofi labelau negyddol i ddisgyblion yw normaleiddio eu hymddygiad. Atgoffwch eich hun fod pob plentyn yn cael stremp, yn anufudd, yn anghofio cadw ei lyfrau ac yn ymddwyn yn ymosodol o dro i dro. Ffordd arall o wrthbrofi labelu negyddol o'r fath yw atgoffa eich hun o gyflawniadau cadarnhaol y disgybl. Ystyriwch yr amser pan gawsoch lun arbennig yn sypreis ganddo neu'r adeg y taclusodd fwrdd yn y dosbarth. Rhowch amser i chi eich hun ddwyn adegau arbennig cadarnhaol i gof yn hytrach na threulio amser yn meddwl am drychinebau.

**I grynhoi**

- Dysgwch eich disgyblion sut i ymuno â grŵp, sut i chwarae a sut i siarad gyda ffrindiau mewn trafodaethau ac wrth chwarae rôl.
- Trefnwch weithgareddau dysgu cydweithredol i helpu'r disgyblion i ymarfer sgiliau cyfeillgarwch.
- Canmolwch a sefydlwch raglenni gwobrwyo ar gyfer disgyblion sydd ag anawsterau cymdeithasol.
- Cyfathrebwch gyda rhieni i hyrwyddo sgiliau cymdeithasol plant yn y cartref.

## Deunydd darllen

Asher, S. R. and Williams, g. A. (1987) Helping children without friends in home and school, Children's Social Development: Information for Teachers and Parents, Urbana, IL: ERIC, Clearing House on Elementary and Early Childhood Education.

Bierman, K. L., Miller, C. M. and Stabb, S. (1987). Improving the social behaviour and peer acceptance of rejected boys: effects of social skill training with instructions and prohibitions, Journal of Consulting and Clinical Psychology, 55, 194-200.

Campbell, S. B. (1990) Behaviour problems in preschool children: Clinical and developmental issues, New York: Guilford Press.

Campbell, S. B. and Ewing, L. J. (1990). Follow-up of hard to manage preschoolers: adjustment at age 9 and predictors of continuing symptoms, Journal of Child Psychology and Psychiatry, 31 (6), 871-89.

Crick, N. R. and Dodge, K. A. (1994) A review and reformulation of social information processing mechanisms in children's social adjustment, Psychological Bulletin, 115, 74-101.

Elias, M. J. and Tobias, S. E. (1996) Social Problem Solving: Interventions in Schools, New York: Guilford.

Greenberg, M. T., Kusche, C. A., Cook, E. T. and Quamma, J. P. (1995) Promoting emotional competence in school-aged children: The effects of the PATHS curriculum. Special issue: Emotions in the developmental psychopathology, Development and Psychopathology, 7, 117-36.

Gresham, F. M. (1995) Social skills training. In A. Thomas and J. Grimes (eds) Best Practices In School Psychology – III (pp. 39-50), Bethesda, MD: national Association of School Psychologists.

Gresham, F. M. (1997) Social skills. In G. G. Bear, K. M. Minke and A. Thomas (eds) Children's Needs II: Development, Problems and Alternatives (pp. 39-50), Bethesda, MD: National Association of School Psychologists.

Grossman, D. C., Neckerman, H. J., Koepsell, T. D., Liu, P., Asher, K. N., Beland, K., Frey, K. and Rivara, F. P. (1997) Effectiveness of a violence prevention curriculum among children in elementary school, Journal of American Medical Association, 277, 1605-11.

Knoff, H. M. and Batsche, G. M. (1995) Project ACHIEVE: Analysing a school reform process for at-risk and underachieving students, School Psychology Review, 24, 579-603.

Ladd, G. W. (1981) Effectiveness of a social learning method of enhancing children's social interaction and peer acceptance, Child Development, 52 (1), 171-8.

Ladd, G. W. (1983) Social networks of popular, average, and rejected children in school settings, Merrill-Palmer Quarterly, 29, 283-307.

Ladd, G. W. and Price, J. P. (1987) Predicting children's social and school adjustment following the transition from preschool to kindergarten, Child Development, 58, 16-25.

Putallaz, M. and Gottman, J. M. (1981) An interactional model of children's entry into peer groups, Child Development, 52, 986-94.

Webster-Stratton, C. and Hammond, M. (1997) Treating children with early-onset conduct problems: a comparison of child and parent training interventions, Journal of Consulting and Clinical Psychology, 65 (1), 93-109.

Webster-Stratton, C. and Lindsay, D. W. (1999) Social Competence and early-onset conduct problems: Issues in assessment, Journal of Child Clinical Psychology, 28, 25-93.

# Helpu disgyblion i ddysgu delio gyda'u hemosiynau

Mae'n debyg mai'r ddau rwystr mwyaf i ddatrys problemau'n effeithiol a sefydlu cyfeillgarwch llwyddiannus yn ystod plentyndod yw ymddygiad ymosodol a diffyg rheolaeth ar gynyrfiadau. Mae plant ifanc sy'n flin ac yn ymosodol yn fwy tebygol o gael eu gwrthod gan eu cyfoedion oni bai eu bod yn derbyn cymorth (Cole,1990). Byddant hefyd yn parhau i gael problemau cymdeithasol am flynyddoedd wedyn (Campbell, 1995; Pope, Bierman and Mumma,1989). Fel y nodwyd yn y ddwy bennod flaenorol, dangosodd ymchwil fod gan blant o'r fath ddiffygion yn eu sgiliau datrys problemau cymdeithasol neu yn eu sgiliau rheoli gwrthdaro (Asarnow and Callan,1985; Mize and Cox, 1990). Byddant yn ymateb i sefyllfaoedd o wrthdaro rhyngbersonol mewn ffyrdd gwrthwynebus heb ystyried atebion cymdeithasol ac atebion llai ymosodol. Maent hefyd yn llai tebygol o ragweld canlyniadau eu datrysiadau ymosodol (Dodge *et al.,*1992; Rubin and Krasnor,1986). Yn syml, cânt anhawster i reoli eu teimladau negyddol wrth ymateb i sefyllfaoedd o wrthdaro.

Mae plant o'r fath hefyd yn cael anhawster gwybod sut i 'ddarllen' sefyllfaoedd cymdeithasol oherwydd eu bod yn ystumio a/neu'n gwneud defnydd annigonol o gliwiau cymdeithasol (Gouze,1987). Mae tystiolaeth fod plant ymosodol yn fwy tebygol o gamddehongli sefyllfaoedd aneglur fel rhai gelyniaethus neu fygythiol (Dodge *et al.,* 1986). Gwelwyd fod y duedd yma i briodoli bwriad gelyniaethus i bobl eraill yn un sail i'w hymddygiad ymosodol. Cânt brofiadau cymdeithasol negyddol wrth ymwneud â rhieni, athrawon a chyfoedion yn rhannol oherwydd eu diffyg gallu cymdeithasol. Mae hynny yn ei dro yn dwysau eu hanawsterau addasu, eu hymddygiad ymosodol a'u hanawsterau hunan-reoli (e.e. Patterson, Reid and Dishion, 1992). Canlyniad hyn oll yw atgyfnerthu eu canfyddiadau a rhagdybiaethau cymdeithasol drwgdybus.

Fel y gwelsom ym Mhennod 9 a 10 gall athrawon helpu plant i ddysgu delio'n fwy effeithiol gyda sefyllfaoedd o wrthdaro sy'n achosi dicter (e.e. pryfocio, taro, siomedigaeth) drwy ddysgu iddynt strategaethau datrys problemau a chyfathrebu. Mae modd hefyd eu dysgu sut i ddarllen sefyllfaoedd cymdeithasol yn fwy manwl a dangos iddynt sut i ddefnyddio hunan-osodiadau cadarnhaol a strategaethau cymodi gwybyddol *(cognitive mediation)*. Cyn y gall disgyblion ddatrys problemau'n effeithiol bydd raid iddynt adnabod a rheoli eu hymatebion emosiynol. Gall athrawon chwarae rôl hanfodol wrth helpu plant i reoli eu dicter drwy eu cynorthwyo i feddwl yn wahanol am y rheswm pam y digwyddodd rhyw achlysur. Byddant yn eu paratoi i ymateb yn briodol i sefyllfaoedd sydd fel arfer yn ennyn dicter, ac yn annog y plant i ddefnyddio strategaethau hunan-siarad ac ymlacio i gadw'u hunain yn dawel. Wrth aros yn dawel a niwtral, mae athrawon yn fodelau pwerus i ddisgyblion sy'n ymateb yn ymosodol i sefyllfaoedd negyddol yn y dosbarth.

## Beth yw rheolaeth emosiynol?

Emosiynau yw ymatebion i ysgogiadau neu sefyllfaoedd sy'n effeithio'n gryf ar berson. Mae ymatebion emosiynol yn digwydd ar dair lefel. Mae'r lefel gyntaf, a'r un fwyaf sylfaenol, yn cynnwys ymatebion niwroffisiolegol a biocemegol i symbyliadau, yn cynnwys yr holl brosesau corfforol a reolir gan y system nerfau awtomatig: curiad y galon, rhediad y gwaed, anadlu, secretiad hormonaidd (epinephrine, cortisol) ac ymatebion nerfol (EEG). Er enghraifft, mae rhywun sy'n flin yn teimlo'i galon yn carlamu a'i wyneb yn cochi. Yr ail lefel o ymatebion emosiynol yw ymatebion modurol ac ymddygiadol pryd y mae emosiwn yn cael ei fynegi drwy weithrediadau person. Mae'r lefel yma'n cynnwys ystumiau'r wyneb, ac ymddygiadau megis crio, edrych yn syn, encilio rhag rhyngweithio gydag eraill, gweithrediadau heriol ac oedi cyn ymateb. Mae'r drydedd lefel yn wybyddol ac yn cynnwys defnyddio iaith (llafar, ysgrifenedig neu feddyliol) i labelu teimladau, e.e. 'Dwi'n teimlo'n ddig.'

Mae gwahaniaethau sylweddol rhwng ymatebion emosiynol plant – o ran yr ystod o emosiynau, eu hamlder, a'r ffyrdd y byddant yn eu mynegi. Er enghraifft roedd Billy, sy'n saith oed, yn crio oherwydd bod ei dîm pêl droed wedi colli eu gêm derfynol. Ymateb Dan, un o'i gyd-chwaraewyr yn y tîm, oedd cicio'r ffens yn flin a hyrddio pêl at aelodau'r tîm arall. Cerddodd Eric, aelod arall o'r tîm, oddi ar y cae gan bwdu, mynd i'w gragen a gwrthod dweud dim. Gwaeddodd aelod arall iaith anweddus ar yr hyfforddwr gan ei fod yn credu fod annhegwch wedi annilysu gôl a fyddai wedi ennill y gêm. Yma, mae pedwar ymateb emosiynol gwahanol i'r un sefyllfa'n cael eu mynegi gan grŵp o fechgyn o'r un oedran. Mae plant yn amrywio llawer o ran y gwahaniaethau yn eu dealltwriaeth o emosiynau (eu hemosiynau eu hunain a rhai pobl eraill). Bydd amrywiaeth eang hefyd ym mynegiant y plant o bleser pan fyddant yn rhannu emosiynau positif ac yng ngallu'r plant i gymhwyso neu reoli eu hymatebion negyddol i sefyllfaoedd rhwystredig.

Mae *rheolaeth emosiynol* yn cyfeirio at allu person i fod â rheolaeth ddigonol dros ei ymatebion emosiynol (niwroffisiolegol, biocemegol, ymddygiadol a gwybyddol) mewn sefyllfaoedd o gynnwrf. Mae'r term *diffyg rheolaeth emosiynol (emotional dysregulation)* yn cyfeirio at rywun sydd â'i ymatebion emosiynol allan o reolaeth drwy'r amser, fel y plentyn y mae ei ddicter a'i ffyrnigrwydd eithafol yn ei rwystro rhag gwneud a chadw ffrindiau, neu'r plentyn sy'n cadw draw o sialensau emosiynol mor aml nes ei fod yn methu cymryd rhan mewn unrhyw weithgaredd newydd.

## Sut mae plant yn dysgu rheoli eu hemosiynau?

Fel y mae cerdded, siarad, a thoiledu i gyd yn gamau datblygiadol, mae rheoli emosiynau hefyd yn gyflawniad datblygiadol nad yw'n bresennol ar enedigaeth plentyn. Mewn geiriau eraill, rhaid iddo eu dysgu. Ar y cychwyn rhaid i reolaeth gael ei ddarparu gan yr amgylchedd. Mae'r babi bach sydd â chlwt gwlyb neu'n teimlo'n llwglyd neu wedi diflasu yn mynegi ei anfodlonrwydd drwy wneud yr unig beth a all – sef crio. Mae arno angen cymorth allanol i leihau tensiwn mewnol. Mae'r rhiant yn helpu drwy geisio deall ystyr crio'r babi a gweithredu'n bwrpasol i geisio'i ymdawelu. Ac fel y mae pawb yn gwybod, mae rhai plant yn hawdd eu tawelu ac eraill yn fwy anodd. Awgryma hyn fod gan fabis wahanol lefelau o hunanreolaeth.

Mae'r cyfnod trawsnewid o fod yn fabi hyd at ddysgu cerdded yn adeg pan fydd rheolaeth emosiynol y plentyn yn aeddfedu. Yn ystod y cyfnod yma o ddatblygiad mae'r baich o reoli'r emosiynau'n dechrau symud oddi wrth y rhiant i'r plentyn. Un o'r llwyddiannau datblygiadol pwysicaf sy'n cael ei gysylltu gydag ymddangosiad rheolaeth emosiynol yw bod y plentyn yn dysgu sgiliau iaith a chyfathrebu. Fel y mae plant yn datblygu sgiliau ieithyddol, mae eu gallu i labelu eu hemosiynau, meddyliau a bwriadau'n cynyddu. Ac fel bydd y plant yn dod i allu cyfathrebu anghenion a theimladau mwy cymhleth byddant yn gallu rheoli eu hymatebion emosiynol yn fwy effeithiol. Yn rhannol, golyga hyn y byddant yn gadael i'w rhieni a'u hathrawon wybod beth yw eu hanghenion er mwyn gallu ymdawelu.

Erbyn cyrraedd y cyfnod pontio rhwng oedran meithrin ac oedran ysgol mae plant yn cymryd mwy o gyfrifoldeb dros eu gweithredu emosiynol fel eu bod angen rhyw gymaint yn llai o reolaeth gan oedolion. Ond mae rhieni ac athrawon yn parhau i fod â rôl sylweddol wrth gefnogi rheolaeth emosiynol plant. Yn ystod oedran ysgol mae rheolaeth emosiynol yn newid i fod yn broses fwy cymhleth a haniaethol. Ar y dechrau roedd yn broses fwy greddfol yn cael ei harwain gan anghyffyrddusrwydd corfforol. Erbyn hyn daw'n broses fwy adlewyrchol, yn cael ei harwain gan synnwyr y plentyn ohono'i hun a'i amgylchedd. Yn hytrach na tharo rhywun neu ffrwydro mewn stranc wrth deimlo'n flin, bydd plant yn dadlau gyda ffrind neu'r athro. Yn hytrach na mynegi diffyg amynedd drwy swnian bydd y plant yn gallu aros. Yn hytrach na mynegi cyffro drwy redeg o gwmpas mewn cylchoedd, gall plant siarad a dweud pa mor gyffrous y teimlant. Bydd yr ymatebion emosiynol eithafol o ddicter, gofid a chyffro wedi cael eu tawelu i rai graddau erbyn cyrraedd yr oedran yma. Hefyd, fel y mae plant yn datblygu eu gallu cynhenid eu hunain i reoli emosiynau. Dechreuant wahanu eu teimladau a'u hemosiwn mewnol oddi wrth eu mynegiant allanol o emosiwn (neu effeithiau). O ganlyniad, rydym yn gweld plant oedran ysgol sydd yn fewnol wedi teimlo loes oherwydd rhyw ddigwyddiad, ond yn allanol nid ydynt yn dangos unrhyw arwydd o emosiwn. Yn ystod y cyfnod glasoed, mae hormonau'n dod yn rhan o'r darlun ac yn cynhyrfu systemau emosiynol y plentyn gan herio'r rheolaeth emosiynol a ddysgodd dros y blynyddoedd. Weithiau, bydd rhieni ac athrawon pobl ifanc yn eu harddegau yn teimlo eu bod wedi llithro'n ôl i gyfnod rheolaeth emosiynol plentyn 3-5 oed!

## Beth sy'n pennu pa mor gyflym y mae plant yn dysgu rheolaeth emosiynol?

Yn yr un modd ag y mae amrywiaeth eang yn yr adegau y mae plant yn dechrau cerdded neu ddysgu defnyddio'r toiled, mae system niwroreoli neu hunan-reoli rhai plant yn datblygu'n arafach nag eraill. Ychydig a wyddom hyd yma beth sy'n cyfrannu at y gwahanol amseriad. Fodd bynnag, mae ymchwil yn awgrymu fod o leiaf bedair proses wrth wraidd gallu plant i reoli eu hemosiynau:

1. Aeddfediad system niwrolegol ataliol y plentyn. Mae twf a datblygiad system nerfol plentyn yn darparu'r 'caledwedd' sydd ei angen yn y pen draw i reoli ymatebion emosiynol.
2. Natur y plentyn a'i gyrhaeddiad datblygiadol. Mae rhai plant yn debycach o ddioddef diffyg rheolaeth emosiynol oherwydd anawsterau dysgu, oediad ieithyddol, diffyg canolbwyntio, gorfywiogrwydd neu oediadau datblygiadol.

3. Cefnogaeth gymdeithasol ac amgylcheddol rhieni. Mae'r gwahaniaethau yn y ffyrdd y mae teuluoedd yn siarad am deimladau (eu teimladau eu hunain ac eraill) yn arwain yn nes ymlaen at wahaniaethau yn y ffyrdd y mae plant yn mynegi eu teimladau a'u gallu neu anallu cynyddol i reoli eu hemosiynau a deall teimladau pobl eraill. Mae plant sy'n profi straen dros gyfnod hir yn eu hamgylchedd, neu blant sydd heb sefydlogrwydd na chysondeb yn eu bywyd bob dydd, yn ei chael yn anoddach rheoli eu hemosiynau.

4. Y sylw a roddir gan ysgolion ac athrawon i addysg emosiynol. Mae gwahaniaethau yn y ffyrdd y mae athrawon yn siarad gyda disgyblion am deimladau, ac yn y modd y maent yn ymateb i fynegiant eu disgyblion o emosiwn negyddol mewn sefyllfaoedd o wrthdaro yn yr ysgol yn dylanwadu ar allu plant i reoli eu hemosiynau.

# Beth all athrawon ei wneud?

Er na allwn newid y ddau ffactor cyntaf a ddisgrifiwyd uchod – system niwrolegol a natur a chyrhaeddiad datblygiadol y plentyn – mae'n bwysig fod athrawon yn deall fod ganddynt ddylanwad sylweddol ar allu disgybl i reoli ei emosiynau drwy'r trydydd ffactor, sef cefnogaeth gymdeithasol ac amgylcheddol. Mae'r bennod sy'n dilyn yn egluro rhai ffyrdd y gall athrawon helpu disgyblion i ddysgu rheoli eu hemosiynau. Seiliwyd y strategaethau hyn ar ymchwil i raglenni rheoli dicter yn effeithiol (Larson,1994; Lochmann and Dunn,1993; Webster-Stratton and Hammond,1997).

## Darparu cymaint â phosib o sefydlogrwydd a chysondeb

Gall athrawon gefnogi datblygiad rheolaeth emosiynol drwy ddarparu sefydlogrwydd amgylcheddol a chysondeb yn y dosbarth yn ogystal ag awyrgylch cefnogol. Er enghraifft, mae gosod terfynau cyson, rheolau clir a threfn ragweladwy yn helpu plant i wybod beth i'w ddisgwyl. Bydd hyn yn ei dro'n gwneud iddynt deimlo'n dawelach ac yn saffach. Pan fydd y plant yn gweld y dosbarth fel lle sefydlog a saff, ac yn teimlo fod yr athrawon yn gwir ofalu amdanynt fel unigolion, byddant yn dechrau datblygu'r adnoddau emosiynol angenrheidiol i ddelio gyda'r byd llai rhagweladwy o'u cwmpas.

## Derbyn emosiynau disgyblion a'u hymatebion emosiynol

Mae'n bwysig cofio, pan fydd plant yn ymateb gyda ffrwydradau emosiynol, nad yw'r ymatebion yma'n fwriadol nac yn ymdrech bwrpasol i wneud dysgu'n anodd i chi. Derbyniwch y ffaith ei bod yn normal i bob plentyn weithiau bwdu, ymateb i awdurdod drwy weiddi neu daflu rhywbeth ar lawr, neu fod eisiau encilio a chael llonydd. Derbyniwch y ffaith y bydd rhai plant yn colli rheolaeth a chwalu'n emosiynol yn haws na phlant eraill. Nid yw hyn o reidrwydd yn arwydd fod plentyn wedi cael ei 'ddifetha' ei 'esgeuluso' na'i 'gam-drin.' Yn hytrach, hwyrach y bydd yn adlewyrchu plentyn sydd â'i anian yn fwy byrbwyll, plentyn sydd ag oediad iaith ac yn methu mynegi ei deimladau'n briodol, neu blentyn sydd mor orfywiog ac sy'n methu talu sylw i'r fath raddau nes ei fod yn colli cliwiau cymdeithasol pwysig, a hynny'n ei arwain i gamddehongli ac ymateb yn emosiynol i ddigwyddiad cymharol niwtral. Er y gall yr ymatebion emosiynol yma flino a gofidio athrawon, mae eich amynedd a'r ffaith eich bod yn derbyn y sefyllfa, yn ffactorau hanfodol i helpu'r disgyblion ddygymod â'u hymatebion emosiynol. Drwy 'fod ar yr un donfedd' a deall cyflwr emosiynol eich disgyblion gallwch eu helpu i ddygymod â thensiynau emosiynol cynyddol.

**Mynegi eich teimladau eich hun**

Un ffordd o helpu disgyblion i fynegi eu teimladau a rheoli eu hymatebion emosiynol yw i athrawon ddefnyddio 'iaith teimladau' gyda'r disgyblion. Yn yr esiampl pêl droed a drafodwyd yn gynharach, hwyrach y gallai'r athro fod wedi dweud rhywbeth fel hyn wrth y plentyn, 'Roeddwn yn teimlo mor rhwystredig ar ôl gweld dy dîm yn colli wedi i chi chwarae mor dda drwy gydol y gêm. Dwi'n flin eich bod wedi colli. Ond yr hyn sy'n bwysig yw eich bod wedi chwarae gêm wirioneddol dda. Roeddech ar eich gorau, yn chwarae'n rhagorol fel tîm ac yn cydweithio'n ardderchog. Roeddwn yn falch ohonoch.' Wrth i athrawon ddefnyddio iaith emosiynol yn rheolaidd i fynegi eu cyflwr emosiynol eu hunain a dehongli mynegiant emosiynol pobl eraill (dieiriau), ac wrth iddynt siarad yn aml am deimladau, maent yn darparu dulliau pwerus i'r disgyblion reoli eu hemosiynau. Byddant yn dysgu adnabod emosiynau'n fanwl gywir ac yn dod i arfer siarad am eu teimladau. Mae ymchwil yn awgrymu fod gan blant sy'n dysgu defnyddio iaith emosiynol fwy o reolaeth ar eu mynegiant emosiynol di-eiriau, a hynny'n ei dro'n cynyddu eu rheolaeth emosiynol. Drwy ddefnyddio iaith teimladau, bydd athrawon nid yn unig yn trosglwyddo sgil ymdopi defnyddiol i'r disgyblion, byddant hefyd yn dangos iddynt sut i ymdopi â theimladau penodol. Ar y llaw arall, bydd athrawon sy'n defnyddio iaith i ddeallusoli *(intellectualize)* eu hemosiynau neu i 'siarad eu hunain allan' o emosiwn arbennig yn annog defnydd o ddull gor-reoledig o ymdopi. Bydd eu disgyblion yn dysgu 'mygu' eu hemosiynau yn hytrach na'u rheoli.

## Osgoi ffrwydradau emosiynol

Wrth ymdrin â phlant blin roedd yn arfer bod yn ffasiynol eu hannog i sgrechian a tharo clustogau a bagiau taro. Y theori oedd bod bodau dynol, yr un fath â thegell caeedig, angen agoriad i ryddhau'r teimladau blin a oedd wedi cronni'n eu system. Fodd bynnag, nid oes tystiolaeth fod annog ffrwydradau emosiynol mewn unrhyw ffordd yn lleihau problemau rheoli dicter. Yn wir, mae plant sy'n cael eu hannog i ffrwydro, hyd yn oed drwy daro clustog neu ddol, yn mynd yn fwy ymosodol fyth! Nid yw byth yn syniad da gadael i blant ymddwyn yn ymosodol, ddim hyd yn oed efo teganau a gwrthrychau eraill pan fyddant yn flin. Yn hytrach, anogwch nhw i fynegi eu dicter mewn iaith briodol ac i ymollwng yn gorfforol mewn ffordd addas i ryddhau tensiwn. Gallai hyn gynnwys mynd i gerdded, neu redeg, neu lanhau'r ardal deganau. Mae hyn yn llawer tebycach o helpu plentyn i ymdawelu.

## Annog disgyblion i siarad am eu teimladau – osgoi cyfarwyddo teimladau

Hwyrach fod y ffaith nad yw plant yn siarad llawer am eu hemosiynau'n deillio nid yn unig o'u diffyg profiad ond hefyd o'r ffaith fod rhieni neu athrawon yn anghymeradwyo'r arfer o fynegi emosiwn neu fath arbennig o emosiwn. Hwyrach y dywed rhywun wrth Billy, a oedd yn crio wedi colli'r gêm bêl droed, am beidio crio ond yn hytrach bod yn flin. Pan fydd athrawon yn cyfarwyddo mynegiant emosiynol yn y modd hwn, hwyrach y bydd plant yn ei gweld yn anodd cadw mewn cysylltiad â'u gwir deimladau ac, o ganlyniad, yn cael problemau rheoli eu hemosiynau. Osgowch osodiadau megis, 'Paid â bod yn drist,' neu, 'Ddylet ti ddim bod yn flin am hynna.' Yn hytrach, labelwch deimladau'r plentyn yn fanwl ac anogwch ef i siarad am yr emosiwn: 'Rwy'n gweld dy fod yn flin am hynna. Dywed wrtha i beth ddigwyddodd?' Gwrandewch yn ofalus heb feirniadu na chynghori wrth i'r plentyn ddweud wrthych am y profiad. Weithiau gall rhannu profiad o'r gorffennol sy'n debyg i brofiad y plentyn fod yn gymorth. Er enghraifft, 'Rwy'n cofio pan wnes i ollwng y bêl a hynny'n achosi i ni golli'r gêm. Roeddwn i'n teimlo'n ofnadwy.'

Mae'n bwysig i blant ddeall fod pobl yn medru teimlo'n wahanol iawn am yr un digwyddiad, yn yr un modd ac mae un plentyn yn hoffi brocoli ac un arall yn ei gasáu. Mae'n bwysig i'r plant ddeall hefyd ei bod yn bosib i berson gael mwy nag un teimlad ar yr un pryd. Y wers hanfodol i'w dysgu i'r disgyblion yw nad oes dim o'i le gydag unrhyw deimlad, fod pob teimlad yn normal a naturiol. Mae rhai teimladau yn gyffyrddus a dymunol y tu mewn tra bod eraill yn brifo, ond mae pob teimlad yn real a phwysig. Fel athrawon, rydym yn ceisio dysgu disgyblion i reoli eu hymddygiad yn hytrach na'u teimladau. Gall athrawon helpu i roi neges i'r disgyblion nad yw'n iawn iddynt bob amser weithredu yn unol â'u teimladau, ond ei bod yn iawn iddynt siarad amdanynt bob amser.

Mae'r gallu i siarad am emosiynau nid yn unig yn helpu plant i reoli emosiynau negyddol ond yn rhoi mwy o rym iddynt i fynegi hoffter a chonsyrn, i ofyn am a derbyn arwyddion o hoffter, ac i feithrin caredigrwydd newydd yn eu perthynas gyda'u cyfoedion yn ogystal â'u hathrawon.

## Defnyddio gemau i hyrwyddo iaith sy'n mynegi teimlad

Mae cyfnod Amser Cylch yn ddelfrydol i drafod teimladau a chwarae gemau teimlad. Isod y mae enghreifftiau o gemau y gellwch eu chwarae gyda disgyblion i'w hannog i ddatblygu iaith y teimlad, a'u helpu i ddeall y cliwiau y maent yn ei weld ac yn ei glywed fel mynegiant o deimladau arbennig.

---

### Gemau Amser Cylch i hyrwyddo'r defnydd o iaith teimlad

**Gêm olwyn droell y teimlad:** Bydd y plant yn eistedd mewn cylch ac yn cymryd eu tro i droelli'r saeth. Pan fydd y saeth yn glanio ar wyneb bydd y plant yn enwi'r teimlad sydd ar yr wyneb, ac yn sôn am adeg pan oeddent yn teimlo felly. Os bydd y saeth yn glanio ar wyneb gwag bydd plentyn yn chwarae *charade* neu'n gwneud ystum wyneb i'r plant eraill ddyfalu pa deimlad a fynegir. Gall y plant ddefnyddio'r olwyn yma i bwyntio bys at yr wyneb sy'n dangos sut maent yn teimlo ar adegau arbennig, pan fyddant yn methu mynegi hynny.

**Gêm y ditectif dyfalu lleisiau**
Yn ystod y gêm yma bydd y plant yn cau eu llygaid tra bydd un plentyn yn siarad mewn llais hapus, blin, trist neu boenus. Gofynnir i'r plant eraill adnabod y teimlad oddi wrth dôn llais y plentyn a dweud pam eu bod yn meddwl fod y plentyn yn teimlo felly. Yma, bydd y plant yn chwilio am gliwiau teimladau oddi wrth sŵn y lleisiau.

**Gem y ditectif dyfalu ystumiau**
Yn ystod y gêm yma bydd y plant yn cymryd tro'n gwneud ystumiau wynebau (heb wneud sŵn) ac yna bydd y plant eraill yn ceisio dyfalu'r teimlad. Amrywiad o'r gêm yma yw edrych ar dapiau fideo'n dangos teimladau o *'Understanding and Detecting Feelings*

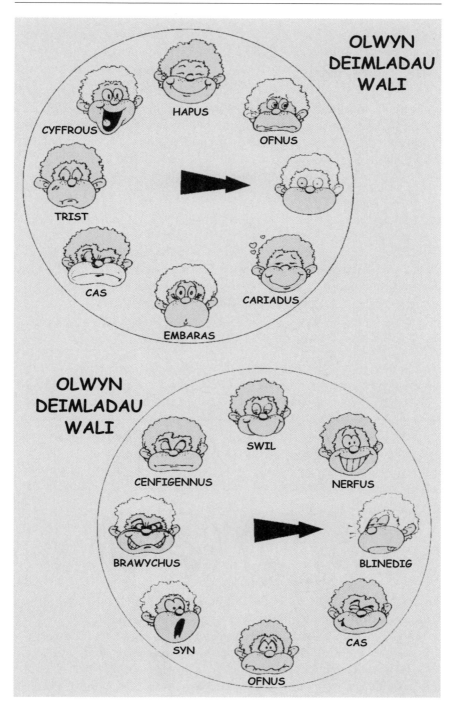

*in the Dinosaur Curriculum* (Webster-Stratton,1990) gyda'r sŵn wedi cael ei ddiffodd. Rydych yn gofyn i'r plant enwi'r teimlad oddi wrth y llun. Unwaith eto bydd y plant yn pwyntio at y cliwiau gweledol a fydd yn awgrymu'r teimladau iddynt.

**Gwneud masgiau teimladau:** Yn y gêm a'r prosiect celf yma rhoddir plât papur i'r plant a gofyn iddynt ddewis teimlad (heb ddweud wrth neb) ac yna'i ddarlunio a'i liwio ar y plât. Wedi iddynt gwblhau'r masgiau cânt gyfle i ddyfalu'r teimladau a ddarluniwyd ar blatiau ei gilydd a sôn am amser pan oeddent hwy yn teimlo felly.

# Gêm Wynebau Teimladau Wali

Gall plant chwarae'r gêm yma ar eu pennau eu hunain neu fesul pâr yn ystod Amser Cylch. Bydd pob disgybl neu bâr yn cael llun mawr o wyneb Wali gyda'r holl ddarnau sy'n dangos teimlad (aeliau, clustiau, cegau, trwynau ac yn y blaen). Byddwn yn darllen y stori isod ac yn gofyn i'r plant ddilyn y cyfarwyddiadau. Gallwch ychwanegu at y stori yma gan ddefnyddio rhannau eraill o'r wyneb.

## Wali'n cael diwrnod stormus

1. Dechreuodd hyn i gyd pan ddywedodd bachgen yn y dosbarth wrth Wali fod ganddo wyneb fel mwnci. Chwiliwch am y geg sy'n dangos sut roedd Wali'n teimlo pan ddywedwyd wrtho ei fod yn debyg i fwnci.

2. Amser cinio, doedd yna neb eisiau iddo eistedd ar yr un bwrdd â Wali. Chwiliwch am y geg sy'n dangos sut roedd Wali'n teimlo pan gafodd ei adael allan.

3. Pan orffennodd Wali fwyta'i ginio fe gerddodd heibio'r bwrdd lle'r oedd plant 12 oed yn eistedd. Yn ddamweiniol, fe darodd gwpan llefrith Mark fel bod y llefrith wedi tywallt ar y bwrdd. Ac meddai Mark: 'Hei. babi, tyrd yma! Dwi eisiau siarad efo ti!' Chwiliwch am y geg sy'n dangos sut roedd Wali'n teimlo pan welodd y bachgen mawr blin.

4. Mae Wali'n dweud wrtho'i hun i ymdawelu. 'Rhaid i mi anadlu'n ddwfn dair gwaith,' meddai. Chwiliwch am y geg sy'n dangos Wali'n anadlu'n ddwfn.

5. Mae Wali'n dweud wrth Mark nad oedd wedi bwriadu taro'r llefrith drosodd ac mae'n ymddiheuro. Mae hefyd yn cynnig helpu i glirio'r llanast. Roedd Mark yn meddwl fod Wali'n gyfeillgar iawn yn gwneud hyn, a gofynnodd iddo a fyddai'n hoffi chwarae tic gydag ef a'i ffrindiau.
   Chwiliwch am y geg sy'n dangos sut roedd Wali'n teimlo pan gafodd ymuno gyda'r plant eraill.

Amrywiaeth arall ar y gêm yma yw i'r athro enwi'r teimlad a chael y plant i roi'r mynegiant priodol ar yr wyneb.

## Defnyddio gemau i hyrwyddo dealltwriaeth o deimladau pobl eraill.

Dimensiwn allweddol i lwyddiant cymdeithasol plentyn yw ei allu i ystyried pryderon a theimladau pobl eraill yn ogystal â chyfathrebu ei deimladau ei hun (Putallaz and Wasserman, 1990). Os na fydd plentyn yn gallu gweld safbwynt rhywun arall, mae'n bosibl y bydd yn camddehongli'r cliwiau cymdeithasol, yn cam-labelu teimladau a heb fod yn gwybod sut i ymateb yn briodol. Gall athro ddefnyddio Amser Cylch i hyrwyddo trafodaethau plant ynglŷn â gwahanol deimladau a safbwyntiau mewn gwahanol sefyllfaoedd. Gellir defnyddio'r gemau a restrir isod yn ystod Amser Cylch i helpu plant i feddwl am amrywiol deimladau a gwahanol resymau pam fod pobl yn cael y teimladau hynny. Bydd y gemau yma'n helpu'r plant ddysgu sgiliau empathi.

---

### Gemau a gweithgareddau i ddeall teimladau pobl eraill

**Ditectif Teimladau:** Ar gyfer y gêm yma gellwch dorri allan luniau pobl a digwyddiadau allan o gylchgronau a phapurau newydd (a'u lamineiddio). Bydd y plant yn cymryd eu tro i ddewis llun allan o sach teimlo, ac yna'n adnabod y teimlad sydd arno. Gofynnwch gwestiynau fel y rhain:

- Sut ydych chi'n meddwl ei fod ef/hi'n teimlo? Oes yna air arall am y teimlad yna?
- Pa gliwiau sy'n dweud wrthym sut y mae'n teimlo? (llygaid, ceg, dannedd, corff etc.)
- Pam ydych chi'n meddwl ei fod yn teimlo fel yna?
- Beth ydych chi'n feddwl ddigwyddodd i wneud iddo/iddi deimlo fel yna?
- Beth ydych chi'n feddwl fydd yn digwydd nesaf? (rhagweld)

**Gêm 'Sut fyddech chi'n teimlo pe bai........................'**
Mae Wali'n gofyn i'r plant actio sut y byddent yn teimlo yn y sefyllfaoedd a restrir isod. Yna, yn ddibynnol ar lefel datblygiad y plant a'u gallu i gyfathrebu eu teimladau, gellir ymestyn y gweithgaredd drwy ofyn, 'Beth ydych chi'n feddwl fydd yn digwydd nesaf?' Yna gofynnwch, 'Sut fyddech chi'n teimlo wedyn?' a 'Sut ydych chi'n meddwl y mae'r person arall yn teimlo?' Mae'r gallu i ragweld teimladau a rhagflasu canlyniadau'n dasg anodd i blant ifanc, yn arbennig os nad oes ganddynt yr eirfa i ddisgrifio

teimladau. Os yw hynny'n wir, dylai'r athro ganolbwyntio ar ddysgu'r geiriau a chanfod cliwiau i ddeall teimladau pobl. Y cam nesaf fydd helpu'r plant i ragweld pam y gallai rhywun fod yn cael y teimladau yma, a beth fyddant yn ei wneud i ymdopi â nhw.

### Wali'n gofyn 'Sut y byddech chi'n teimlo?'

- Rydych yn disgyn oddi ar eich beic ac yn taro eich pen. (teimlo'n drist, wedi brifo, yn boenus)
- Dydych chi ddim yn cael gwahoddiad i barti pen-blwydd cyd-ddisgybl. (siomedig, trist)
- Mae eich mam yn dweud y gall ffrind ddod i aros dros nos. (cynhyrfus)
- Mae myfyriwr yn gwrthod i chi gael chwarae yn y tîm gyda'r lleill. (dig)
- Mae eich athrawes yn dweud rhywbeth neis wrthych. (hapus)
- Rydych wedi colli eich pêl droed newydd. (trist, pryderus)
- Mae oedolyn yn gweiddi arnoch. (ofnus, nerfus)
- Mae eich chwaer yn newid sianel, ac rydych wedi bod yn edrych ar raglen dda. (dig)
- Mae disgybl yn eich gwthio ac yn dweud wrthych am fynd oddi yna. (trist, dig)
- Rydych yn paratoi i fynd i lan y môr. (hapus, cynhyrfus neu ofnus)
- Rydych yn ddamweiniol yn cerdded ar faw ci. (diflas)
- Dydych chi ddim yn adnabod neb yn eich dosbarth newydd. (ofnus, swil)
- Mae eich mam yn paratoi ffa pob i ginio. (hapus, diflas)
- Mae eich athro'n rhoi eich darlun ar y wal i bawb ei weld. (balch, embaras)
- Rydych wedi cael gwahoddiad i barti. Rydych wrth eich bodd yn mynd i bartïon ond fyddwch chi ddim yn adnabod neb yno. (cynhyrfus, swil)
- Mae eich rhieni wedi ysgaru. Mae'n amser gadael tŷ eich tad. Rydych wedi cael amser arbennig o dda, ac fe hoffech aros yno'n hirach. Wrth bacio rydych yn meddwl am eich mam a'ch brawd gartref ac yn methu aros i'w gweld. (trist, cynhyrfus)

### Rwy'n teimlo'n bryderus pan ...............

Gall y gêm yma gael ei chwarae pan fydd plant yn ddigon hen i ddarllen ac ysgrifennu, ac mae'n gêm sy'n helpu i hyrwyddo empathi a sensitifrwydd tuag at eraill. Bydd pob plentyn yn cael darn o bapur gyda dechrau brawddeg arno i'w chwblhau, 'Rwy'n teimlo'n bryderus pan.....................' Yna, bydd pob plentyn yn rhoi ei ymateb, heb enw arno mewn bocs yng nghanol y cylch. Bydd y plant yn cymryd tro i dynnu papur pryder allan o'r potyn ac yn ceisio egluro pam fod yna bryder. Gall yr athro helpu plant i ddeall sut mae pobl yn pryderu am wahanol bethau.

## Gemau a gweithgareddau i ddangos fod teimladau'n medru newid

**Teimladau'n newid:** Amrywiad arall o'r gêm 'Sut byddech chi'n teimlo' yw disgrifio sefyllfa ac yna gofyn i'r plant ddweud, 'Roeddwn i'n arfer teimlo ............. am (sefyllfa – gweler rhestr isod) ac yn awr rwy'n teimlo .................. am y sefyllfa.' Pwynt y gêm yma yw helpu disgyblion i ddeall fod teimladau'n gallu newid dros gyfnod o amser, ac nad ydynt yn barhaol. Mae hefyd yn helpu disgyblion i feddwl am rai teimladau sy'n dod oherwydd newid.

• Mynd i'r ysgol
• Bwyta ffa pob
• Mynd at y doctor (deintydd)
• Brawd neu chwaer
• Dysgu darllen
• Helpu gyda thasgau
• Pan symudais i ardal newydd
• Pan gafodd fy mrawd ei eni a chael yr holl sylw
• Pan gafodd fy rhieni ysgariad
• Pan fu fy modryb farw
• Pan oedd fy ngwallt yn llanast wedi imi gael ei dorri
• Gorfod siarad o flaen dosbarth

### Gêm Adnabod Damweiniau Wali

Yn y gêm yma bydd y plant yn ymarfer meddwl am y gwahaniaeth rhwng damwain a phethau sy'n cael eu gwneud yn fwriadol. Bydd yr athro'n gofyn i'r disgyblion drafod a ydynt yn meddwl fod y digwyddiadau canlynol wedi eu cyflawni'n fwriadol yntau'n ddamweiniol. Unwaith y bydd y disgyblion wedi trafod y bwriad a oedd tu cefn i'r weithred, gall yr athro wedyn ofyn i'r disgyblion chwarae rôl neu ymarfer y sefyllfaoedd damweiniol, yna meddwl am y teimladau oedd ynghlwm a sut i ymddiheuro neu adfer cyfeillgarwch. Mae'r gêm yma o gymorth mawr i ddisgyblion sy'n aml yn priodoli cymhellion gelyniaethus i'r hyn sy'n digwydd iddynt.

**Gem Adnabod Damweiniau Wali**
- Ddim yn edrych yn ddigon gofalus wrth gasglu eich esgidiau pêl droed, a chymryd rhai eich ffrind mewn camgymeriad.
- Taflu pêl a honno'n taro plentyn arall ar ei frest.
- Tynnu cynffon y gath.
- Cuddio'r melysion a brynodd eich chwaer gyda'i harian poced
- Taro ffrind am iddo fo eich taro chi.
- Estyn am y llefrith heb edrych, a llefrith eich brawd yn tywallt ar lawr.
- Galw enwau ar blentyn arall.
- Eistedd ar gadair gyda'ch coesau wedi eu hymestyn allan, a rhywun yn baglu.
- Anghofio dymuno pen-blwydd hapus i ffrind.

## Dysgu strategaethau hunan-dawelu ac ymlacio i'r disgyblion

Bydd raid i blant ddysgu labelu eu teimladau a datblygu strategaethau hunan-dawelu i reoli dicter. Pan fydd plant yn gwybod fod ganddynt ffyrdd o dawelu eu dicter byddant yn ennill hunanreolaeth ac yn gallu rhwystro dicter rhag cynyddu hyd at strancio a hyrddio. Gall yr ymarferiad canlynol o ymlacio a delweddu gael ei ddefnyddio gan athrawon i ddysgu rhai strategaethau hunan-dawelu i'w disgyblion.

### Wali Glwt a'r Dyn Procar

Byddwn yn defnyddio'r ymarferiad yma i ddysgu plant i ddechrau adnabod pryd y byddant wedi ymlacio a phryd y byddant dan straen. Yn gyntaf, bydd y plant yn ymarfer symud fel 'Dyn Procar ' gan gerdded yn stiff fel procar o gwmpas y dosbarth a chadw tyndra yn y coesau a'r breichiau. Yna, byddant yn ymarfer bod yn 'Wali Glwt' gan wneud eu cyrff yn llipa a chwifio'r pen, y breichiau a'r coesau yn union fel doli glwt. Bydd y plant yn ymarfer gwneud pob rhan o' r corff yn llipa nes bod eu corff i gyd yn hollol lipa. Yna, pan roddir cliw dirgel, syrthiant i'r llawr yn llipa ac wedi ymlacio'n llwyr.

## Ymlacio Dychmygol

Mae llawer o blant yn ymateb yn dda i ymarferion dychmygol ac fe ddisgrifiwyd defnydd o'r rhain yn y dosbarth mewn llyfr gan yr awdur Hall (Hall, Hall and Leech,1990). Mae'r canlynol yn ddwy olygfa ymlacio o'r llyfr yma a addaswyd i'w defnyddio gyda phlant ifanc. Bydd athrawon yn gofyn i'r disgyblion gau eu llygaid a dychmygu eu bod yn eistedd ar gwmwl yn ymlacio, neu mewn lle diogel yn rhydd o'u pryderon. Unwaith y bydd y disgyblion wedi ymarfer mynd i'r lleoedd ymalciol yma'n aml yn eu meddyliau, gellwch eu hatgoffa nhw i fynd yno pan sylwch arnynt yn dechrau mynd yn flin neu'n bryderus a phoenus am rywbeth. Dyma ddwy sgript y gellwch eu defnyddio gyda'r disgyblion. Gwnewch yn siŵr eich bod yn eu darllen yn araf mewn llais ymlaciol a thawel.

### Dysgu ymlacio: 'Mae'r cwmwl yn teimlo'n esmwyth'

'Caewch eich llygaid oherwydd yr ydym yn mynd i ddychmygu ein bod yn rhywle arall. Anadlwch i mewn yn araf ac yn ddwfn . . . Gollyngwch eich anadl allan . . . Nawr, un anadl araf a hir i mewn . . . Gollyngwch yn araf . . . Heddiw rydym yn gorwedd ar ben cwmwl . . . Mae'r cwmwl yn teimlo mor esmwyth . . . Gadewch i'ch breichiau hongian i lawr fel bod eich llaw yn suddo i lawr i'r cwmwl . . . Gadewch i'ch breichiau suddo i lawr, symudwch ychydig ar fysedd eich traed . . . Beth am eich ysgwyddau, maen nhw'n suddo hefyd . . . Rydym yn dal i eistedd ar y cwmwl mawr esmwyth . . . Bob tro y byddaf yn dweud enw rhan o'r corff, yna suddwch yn ddyfnach mewn i'r cwmwl esmwyth. (Yr athro'n enwi rhannau gwahanol o'r corff) Gellwch yn awr agor eich llygaid. Rydym wedi ymlacio mewn gwahanol ffyrdd. Y tro diwethaf roeddem yn cymryd arnom mai ni oedd Wali Glwt a'r Dyn Procar. Heddiw, buom yn gorwedd ar ben cwmwl.'

### Dychmygu lle diogel ac ymlaciol

'Caewch eich llygaid . . . Anadlwch yn ddwfn ac yn araf . . . Gollyngwch eich anadl allan . . . Anadlwch yn araf ac yn ddwfn un waith eto . . . Gollyngwch eich anadl allan yn araf a gadewch i'ch corff ymlacio. Am ennyd, fe hoffwn i chi feddwl am rywbeth sydd yn eich poeni.

Meddyliwch yn awr am le diogel y gellwch fynd iddo lle na fydd angen i chi boeni am ddim byd . . . Tynnwch lun yn eich meddwl o'r math o le y gallech fynd iddo i deimlo'n ddiogel Sut le ydi o? . . . Edrychwch o'ch cwmpas yn ofalus . . . Sut fath o bethau ydych chi'n

hoffi eu cael o'ch cwmpas yn eich lle diogel? . . . Pa fath o liwiau? . . .
Sut mae'n arogli? . . . Sut mae'r pethau yn y lle diogel yn teimlo? . . .
Yn awr, meddyliwch am fod yn y lle diogel . . . Beth ydych chi'n
wneud yn y lle diogel yn awr? . . . Sut ydych chi'n teimlo? . . .
Gellwch aros yn y man yma mor hir ag y dymunwch . . . Gellwch
ddod yn ôl i'r man yma mor aml ag y dymunwch . . . Ceisiwch gofio'r
teimladau yma wrth ichi ddychwelyd i'r ystafell.'

Bydd plant ifanc weithiau'n galw allan yr atebion mewn ymateb i'r
cwestiynau a ofynnwyd uchod. Os bydd hyn yn digwydd, weithiau
mae'n well defnyddio gosodiadau yn hytrach na chwestiynau.

## Parti pen-blwydd

Yn yr ymarferiad yma gellwch ofyn i'r disgyblion anadlu'n ddwfn a
chwythu allan ganhwyllau ar gacen ben-blwydd ddychmygol yn araf.
Yna'n heddychlon, gyda'r llygaid wedi'u cau bydd y plentyn yn
gwneud dymuniad ac yn dychmygu rhywbeth hapus. Gellwch
ddefnyddio llawer o ddelweddau gwahanol ar gyfer yr ymarferiad yma,
megis arnofio mewn ysgytlaeth siocled neu chwythu balŵn.

## Cadw 'Llyfr Hapus'

Bydd plant ifanc sy'n ymosodol yn aml yn cael llawer o sylw a
thrafodaeth am eu teimladau blin. Er bod hyn yn werth chweil gan ei fod
yn helpu plant o'r fath i roi eu teimladau mewn geiriau priodol yn hytrach
na'u hactio mewn ffyrdd niweidiol, fe all gael y canlyniad o orbwysleisio
emosiwn blin. Weithiau bydd plant yn cymysgu eu hemosiynau blin
gydag emosiynau eraill megis bod yn gyffrous, yn gynhyrfus, yn
bryderus, yn drist neu'n hapus. Mae'n bwysig helpu plant i ddysgu am eu
hemosiynau a dysgu iaith a fydd yn eu galluogi i fynegi ystod eang o
deimladau. Gyda phlant sy'n drist ac yn flin yn arbennig, mae'n
ddefnyddiol canolbwyntio ar adegau pan fyddant yn teimlo'n fodlon,
hapus, chwilfrydig, tawel a balch. Hwyrach y dymuna'r athro gychwyn
Llyfr Hapus a fydd yn cynnwys enghreifftiau o adegau pan oedd y
disgyblion yn hapus ac yn dathlu amseroedd a theimladau arbennig.

## Modelu rheolaeth emosiynol – ymdawelu

Sut ydych chi'n delio gyda'ch emosiynau? Ydych chi'n gwylltio'n
hawdd neu'n encilio mewn protest bwdlyd? Yn ogystal â thensiwn
emosiynol neu or-gynnwrf cofiwch fod modelu yn ffactor arall sy'n
cyfrannu at ffrwydradau plant, h.y. plant yn gweld oedolion yn ffrwydro

mewn dicter neu rwystredigaeth ac yn eu hefelychu. Os yw oedolion yn ceisio rheoli eu rhwystredigaethau dyddiol mae'r disgyblion yn debygol o ddynwared yr esiampl honno. Gellwch helpu eich disgyblion drwy aros yn dawel a siarad yn briodol am eich emosiynau a'ch strategaethau ymdopi. Er enghraifft, yn hytrach na mynd yn rhwystredig a ffrwydro gyda'r disgyblion am beidio gwrando wrth ichi geisio'ch gorau glas i roi cyfarwyddiadau ar gyfer aseiniad, hwyrach y dywedwch yn uchel, 'Byddai'n well i mi stopio, ymdawelu ac ymlacio am ychydig cyn mynd ymlaen. Rwy'n mynd yn rhwystredig am nad yw pobl yn gwrando arnaf, a dydw i ddim eisiau gwaethygu pethau. Hwyrach, os gadawaf y sefyllfa am gyfnod o amser, y gallaf ystyried o'r newydd beth i'w wneud.' Neu, 'Byddaf yn barod i wrando unwaith y byddaf wedi ymdawelu. Rhaid i mi gael seibiant oddi wrth y sefyllfa. Yna fe fyddaf yn barod i ddelio gyda hyn.' Mae'n bwysig bob amser eich bod yn modelu'r math o ymddygiad y disgwyliwch i'r disgyblon ei arddangos. Os ydych am iddynt reoli eu hemosiynau, mae'n bwysig eu bod yn eich gweld chi'n modelu rheolaeth emosiynau a'r modd yr ydych yn gwneud hynny.

Ond bodau dynol yw athrawon! Fe fyddant yn mynd yn flin, yn gwneud camgymeriadau ac yn colli eu hamynedd o dro i dro. Nid yw ymddiheuro i ddisgyblion, pan fo hyn yn digwydd, yn lleihau eich awdurdod. Yn hytrach mae'n ei gynyddu. Mae'n helpu'r disgyblion i sylweddoli fod pawb yn gwneud camgymeriadau ac yn gallu dysgu oddi wrth y profiad. Eglurodd un athro ei broblem o fynd yn flin wrth ei ddosbarth. 'Rwyf weithiau'n teimlo'n biwis ac mewn tymer ddrwg ac fe hoffwn i chi fy helpu ar adegau felly. Rwyf am wisgo'r het yma bob tro y byddaf yn teimlo felly. Hoffwn i chi geisio bod yn arbennig o dawel yn ystod yr amser yna.' Wrth ofyn am gymorth gan y disgyblion yn y modd hwn fe all yr athro mewn gwirionedd feithrin teimlad tîm yn y dosbarth.

Mae'n hanfodol eich bod yn aros yn dawel eich hun pan fydd ymatebion emosiynol eich disgyblion yn cynyddu. Weithiau pan fydd plentyn yn rhwystredig neu'n dangos tensiwn neu ddicter cynyddol, bydd athro'n ymateb gydag ychwaneg o rwystredigaeth a phryder. Yn hytrach, fe ddylai siarad a chynnig cyngor yn dawel a chysurlon, gyda chyffyrddiad calonogol ar y fraich neu'r cefn. Gall cefnogaeth o'r fath, yn aml helpu plant i ymdawelu digon i allu sôn am eu teimladau.

### Dysgu plant i hunan-siarad yn bositif am ddigwyddiad

Pan fydd plant yn profi emosiwn negyddol megis dicter, rhwystredigaeth, ofn neu ddigalondid, yn aml bydd meddyliau cudd yn dod law yn llaw â'r emosiwn ac yn ei atgyfnerthu neu'n ei ddwysau, neu hyd yn oed yn ei achosi. Weithiau, gelwir yr ofnau yma'n 'hunan-siarad,' er y gall plant fod yn eu mynegi'n uchel hefyd. Er enghraifft, efallai y bydd plentyn sy'n teimlo'n ddigalon yn dweud wrthych chi neu wrtho'i hun, 'Dwi'n fethiant,' 'Fedra i ddim gwneud dim byd yn iawn,' 'Waeth i mi roi'r gorau iddi', 'Dydych chi ddim yn fy hoffi i', 'Dydych chi ddim ond yn ceisio gwneud i mi fethu' neu 'Does yna neb byth yn fy helpu i.'

Yn yr enghraifft pêl droed mae Billy ac Eric yn ymateb yn wahanol am eu bod yn dweud pethau gwahanol am y digwyddiad wrthynt eu hunain. Pe baem wedi gofyn i Billy pam y criodd efallai y dywedai, 'Bydd dad mor siomedig efo fi am i ni golli'r gêm. Rwy'n chwaraewr mor wael.' Pe baem wedi gofyn i Dan pam yr aeth yn flin, hwyrach y dywedai, 'Doedd o ddim yn deg, roedd y tîm arall yn twyllo.' Mae Billy'n ymateb gyda hunan-siarad negyddol a Dan yn ymateb drwy daflu'r bai ar rywun arall, ond mae'r ddau'n dangos adwaith ac emosiwn negyddol. Fe fyddent efallai wedi osgoi'r ymatebion negyddol pe baent wedi dweud rhywbeth arall gwahanol megis, 'Mi wnes i fy ngorau,' neu 'Mi fedra i ei wneud o. Mae'n rhaid i mi ymarfer. Mae pawb yn colli weithiau.'

Dangosodd ymchwil fod plant sy'n hunan-siarad yn negyddol yn debycach o fynd yn flin na phlant sy'n hunan-siarad yn bositif. Gellir dysgu plant i adnabod hunan-siarad negyddol a'i newid am hunan-siarad positif. Dysgwch eich disgyblion i wrthbwyso eu hunan-siarad rhwystredig a beirniadol drwy sibrwd meddyliau tawel wrthynt eu hunain, meddyliau a fydd yn eu helpu i reoli eu hunain, meddyliau a fydd yn rhoi'r sefyllfa mewn persbectif. Er enghraifft, gall plentyn sy'n cael ei bryfocio gan blentyn arall gael ei annog i aros yn dawel drwy feddwl wrtho'i hun fel a ganlyn, 'Mi fedra i ddelio efo hyn. Mi wna i ei anwybyddu. Dydi o ddim gwerth gofidio am y peth. Mi fedra i aros yn dawel. Rydw i'n gryf.' Yn y sefyllfa bel droed uchod, hwyrach y bydd yr athro'n helpu'r plentyn i ddechrau meddwl fel hyn drwy ddweud, 'Dywed wrthyt dy hun, 'Rwyf wedi chwarae'r gêm yn dda. Bydd fy nhad yn falch ohonof.' neu, 'Rydym wedi chwarae gêm ardderchog. Roedd yn rhaid i rywun golli. Rydym yn gollwyr da.' Fel hyn, bydd y plant yn dysgu rheoli'r ymatebion gwybyddol sydd yn eu tro'n effeithio ar eu hymatebion corfforol a ffisiolegol.

Dyma enghreifftiau o hunan-siarad positif:

- 'Anadla dair gwaith.'
- 'Meddylia am bethau hapus.'
- 'Dydi hyn ddim yn mynd i mhoeni i.'
- 'Mae pawb yn cael ei bryfocio weithiau.'
- 'Mae gan bawb rieni sy'n gwylltio efo nhw weithiau.'

- 'Mi alla i ddelio efo hyn.'
- 'Mi alla i ymdawelu.'
- 'Mae gen i ffrindiau eraill sy'n fy hoffi.'
- 'Wnaeth o ddim gwneud hynna'n fwriadol. Damwain oedd o.'
- 'Mae pawb yn gwneud camgymeriadau. Does 'na neb yn hollol berffaith. Mi wna i'n well y tro nesaf.'
- 'Gyda mwy o ymarfer, mi wna i lwyddo.'
- 'Mae o mewn hwyliau drwg heddiw. Bydd yn well yn nes ymlaen.'
- 'Mi wna i ymdawelu a siarad yn ddewr.'
- 'Mae fy ffrindiau'n dal i fy hoffi er fy mod yn gwneud camgymeriadau.'
- 'Mi fydda i'n teimlo'n hapusach cyn bo hir.'
- 'Dim ond imi ymdawelu . . .'
- 'Dydi i o'n ddim byd ofnadwy o bwysig beth bynnag.'
- 'Anadla'n ddwfn.'

### Dysgu'r 'dull crwban' a'i ymarfer yn aml

Mae dysgu'r disgyblion i ddefnyddio hunan-siarad positif a strategaethau datrys problemau'n helpu plant i ddysgu rheolaeth emosiynol ar y lefel wybyddol. Ond weithiau maent angen cymorth gyda'r agwedd niwroffisiolegol/biocemegol o gyffro emosiynol. Er enghraifft mae rhai plant, neu bob plentyn mewn rhai sefyllfaoedd, yn

2. Meddwl STOP

3. Anadlu'n araf

4. Encilio i'r gragen

cynhyrfu cymaint nes bod eu curiad calon a'u hanadlu'n cyflymu i'r fath raddau nes eu bod yn colli rheolaeth dros eu hunan siarad ac yn methu datrys problemau yn y modd angenrheidiol. Mae eu cyffro emosiynol yn cynhyrchu anhrefn meddyliol. Bydd dysgu hunan-siarad positif yn lliniaru peth o'r gor-gyffro ond mae'n bosibl y bydd y plentyn angen awgrymiadau ychwanegol i ymdawelu'n gyntaf. Mae ymchwilwyr wedi canfod fod y 'dull crwban' yn ffordd effeithiol i'r disgyblion ymdawelu fel cam cyntaf da tuag at ddatrys problemau.

Pan fyddwch yn dysgu hyn i'ch disgyblion, gofynnwch iddynt ddychmygu fod ganddynt gragen, fel crwban, y gallant encilio iddi pan fyddant yn mynd yn flin. Wedyn, gofynnwch iddynt fynd i mewn i'r gragen, anadlu dair gwaith a dweud wrthynt eu hunain, 'Stopia, anadla'n ddwfn ac ymdawela.' Fel y bydd y disgyblion yn anadlu'n ddwfn ac yn araf, gofynnwch iddynt ganolbwyntio ar eu hanadlu a gwthio'r aer i'w breichiau a'u coesau fel eu bod yn gallu ymlacio'r cyhyrau. Weithiau byddwn yn gofyn i'r disgyblion ddychmygu rhyw olygfa ymlaciol arbennig tra byddant yn y gragen. Fel y bydd y plant yn parhau gyda'r anadlu araf yma, dysgwch nhw i ddweud wrthynt eu hunain, 'Fe alla i ymdawelu. Fe alla i wneud hynny. Fe alla i ei reoli. Fe alla i osgoi ymladd.' Anogwch y plant i aros yn eu cragen nes eu bod wedi ymdawelu digon i ddod allan a cheisio eto. Bydd rhai plant angen mwy o amser nag eraill i reoli eu hymateb ffisiolegol. Pan fyddant yn dod allan o'u cragen rhowch ganmoliaeth iddynt ac adborth am eu hymdrechion.

Mae'n bwysig eich bod yn dysgu ac yn ymarfer y sgript hunan-siarad er mwyn ymdawelu gyda'r disgyblion yn aml. Byddwch am i'r geiriau 'stopia, anadla'n ddwfn, ymdawela a meddwl' sbarduno ymateb tawel ac iaith fewnol y plentyn pan fydd yn wynebu sefyllfa o wrthdaro yn y byd real. Efallai yr hoffech ddarllen y llyfr, '*Wali learns a lesson from Tiny Turtle*' i'r disgyblion neu ddangos y tâp *Tiny Turtle* allan o'r cwricwlwm Dinosor i hyrwyddo'r dysgu yma. (Webster-Stratton,1990).

Yn ychwanegol at ddysgu a chwarae rôl, modelwch y 'dull crwban' eich hun ar gyfer y disgyblion. Er enghraifft, hwyrach y byddwch yn mynd yn biwis am fod eich disgyblion mor hir yn setlo'n eu cadeiriau wedi amser egwyl. Gallech ddweud, 'Rwy'n teimlo mor rhwystredig am eich bod yn cymryd mor hir i setlo lawr a gwrando arnaf. Gwell i mi fynd i mewn i fy nghragen am gyfnod i ymdawelu. Bydd raid i mi ddefnyddio'r dull crwban ac anadlu'n ddwfn . . . Gwell i mi ddweud wrthyf fy hun, 'stopia, anadla'n ddwfn, ymdawela a meddwl'. Wel, rwy'n dechrau teimlo'n well yn barod. Hwyrach y defnyddiaf gynllun arall hefyd. Efallai y rhoddaf sticeri i'r rhai sy'n eistedd yn eu cadeiriau'n barod.'

Fel y gwelwch, yn yr un modd ag y byddwch yn defnyddio'r egwyddorion modelu , ymarfer, chwarae rôl a rhoi adborth wrth ddysgu sgiliau academaidd i'r disgyblion, byddwch hefyd yn eu defnyddio ar gyfer dysgu sgiliau cymdeithasol.

## Helpu plant i adnabod cliwiau corfforol sy'n arwydd o gynnydd mewn tensiwn

Mae'r cyfnod cyntaf o ddicter neu emosiwn negyddol yn gyfarwydd i bob rhiant neu athro, sef cyfnod yr 'arwyddion cynnar.' Mae'r plentyn yn grwgnach o dan ei wynt, yn edrych yn flin, ac yn bwdlyd o gwmpas y dosbarth. Yn yr ail gyfnod mae'r tensiwn yn cynyddu, a'r plentyn yn gynyddol anniddig ac oriog. Waeth beth fyddwch yn ei awgrymu ni fydd dim byd yn plesio nac o ddiddordeb iddo. Gall ffrwydrad tanbaid ddilyn y pryfocio lleiaf. Efallai y bydd y plentyn yn gweiddi, yn rhegi neu hyd yn oed yn torri rhywbeth. Bydd fel arfer yn gwrthwynebu unrhyw ymdrech ar ran yr athro i'w reoli yn ystod y cyfnod ffrwydrol hwn, ac efallai y bydd yn cynyddu ei wrthwynebiad i unrhyw beth a ddywed yr athro. Erbyn y trydydd cyfnod, wedi i'r strancio dawelu, mae iselder yn cymryd lle'r teimlad ymosodol. Dyma'r cyfnod 'gadewch lonydd i mi.' Mae'r plentyn yn drist neu'n llonydd ac nid yw'n dymuno cyfathrebu gyda'i athrawon na'i gyd-ddisgyblion. Yn ystod y cyfnod terfynol, y pedwerydd cyfnod, mae'r plentyn yn barod i ail afael yn y gweithgareddau arferol. Efallai erbyn hynny y bydd yn ymddwyn fel pe na bai dim wedi digwydd.

Yr adeg y bydd athrawon yn ymyrryd drwy awgrymu 'amser crwban,' neu'n helpu gyda'r sgript hunan-siarad, neu'n cyflwyno dulliau ymlacio a drafodwyd yn gynharach, yw'r cyfnod cyntaf. Yr ail a'r trydydd cyfnod yw'r rhai mwyaf anodd i ddylanwadu arnynt. Yn aml, yn ystod y cam cyntaf nid yw plant yn ymwybodol o arwyddion corfforol eu trallod, na hyd yn oed yn sylweddoli eu bod yn mynd yn flin neu'n rhwystredig. O ganlyniad, ni fyddant yn mynegi'r teimladau yma nes eu bod yn datblygu'n strancio go iawn. Bydd o gymorth yn ystod y cyfnod rhybuddio cynnar yma i helpu plant ddod yn fwy hunanymwybodol o'r arwyddion rhybuddio ffisiolegol cynnar. Gellir eu hannog i siarad am deimladau a mynegi eu rhwystredigaethau mewn ffyrdd sy'n dderbyniol yn gymdeithasol. Hwyrach y dywedwch, 'Gallaf ddweud oddi wrth y ffordd yr wyt yn siarad dan dy wynt fod rhywbeth yn dy boeni. Ydw i'n gallu dy helpu mewn unrhyw ffordd?' Os yw'r disgybl yn cael anhawster mynegi'i hun, hwyrach y ceisiwch roi'r hyn y tybiwch y mae'r disgybl yn ei feddwl neu'n ei deimlo mewn geiriau. Neu, hwyrach y gofynnwch i'r disgybl bwyntio at thermomedr dicter neu ymlacio i ddangos i chi sut mae'n teimlo (gweler isod). Gall dealltwriaeth a chonsyrn athrawon, ar y pwynt yma fynd yn bell iawn tuag at leihau teimladau negyddol a blin. Unwaith y bydd plentyn wedi dysgu adnabod yr arwyddion cynnar o drallod ffisiolegol, gellir ei gyfeirio tuag at ddefnyddio dulliau ymdawelu megis anadlu'n ddwfn, y dull crwban, a hunan-siarad ac ymarferion ymlaciol i rwystro cynnydd pellach.

Gellir hefyd ymyrryd yn ystod y pedwerydd cyfnod, pan fydd y digwyddiad drosodd. Bryd hynny, gall yr athro arwain y plentyn drwy'r broses o ddatrys problemau. Mae trafod y digwyddiad yn helpu i'w arwain tuag at ddeall yn well yr hyn a gychwynnodd yr helynt (e.e. pryfocio), pam y digwyddodd a sut y byddai'n delio gyda'r sefyllfa'n wahanol y tro nesaf. Dylai'r drafodaeth gynnwys sut yr oeddech chi a'r disgyblion yn teimlo am y digwyddiad, yr achosion a'r arwyddion rhybuddio cynnar a ffyrdd gwahanol o ddatrys y broblem yn y dyfodol. Unwaith y bydd y plentyn a'r athro'n deall beth sydd wedi gwneud i'r plentyn golli rheolaeth, byddant yn gallu dechrau chwarae rôl ac ymarfer sut i ddelio gyda chyfnodau cythryblus.

Gall defnyddio pypedau fod yn ffordd o helpu'r plant i adnabod arwyddion cynnar o gynnydd mewn dicter a chynnwrf. Dyma enghraifft o sgript posib:

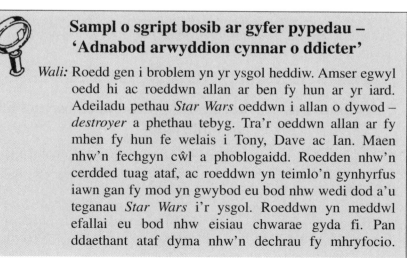

**Sampl o sgript bosib ar gyfer pypedau – 'Adnabod arwyddion cynnar o ddicter'**

*Wali:* Roedd gen i broblem yn yr ysgol heddiw. Amser egwyl oedd hi ac roeddwn allan ar ben fy hun ar yr iard. Adeiladu pethau *Star Wars* oeddwn i allan o dywod – *destroyer* a phethau tebyg. Tra'r oeddwn allan ar fy mhen fy hun fe welais i Tony, Dave ac Ian. Maen nhw'n fechgyn cŵl a phoblogaidd. Roedden nhw'n cerdded tuag ataf, ac roeddwn yn teimlo'n gynhyrfus iawn gan fy mod yn gwybod eu bod nhw wedi dod a'u teganau *Star Wars* i'r ysgol. Roeddwn yn meddwl efallai eu bod nhw eisiau chwarae gyda fi. Pan ddaethant ataf dyma nhw'n dechrau fy mhryfocio.

Dyma nhw'n dweud, 'edrychwch ar Wali, does ganddo fo neb i chwarae. Edrychwch ar y pethau *Star Wars* anobeithiol mae o wedi ei wneud. Mae ein teganau ni yn llawer mwy cŵl.' Coeliwch chi fi, roedd fy nwylo'n troi'n ddyrnau, fy wyneb yn cochi ac roeddwn yn teimlo fel ffrwydro. Yna, fe gofiais mai teimladau o ddicter yn fy nghorff oedd y rhain, ac roedd raid i mi stopio, meddwl ac ymdawelu. Oes yna rywun ohonoch wedi sylwi ar bobl eraill yn dangos arwyddion o fynd yn flin – rhywun fel eich rhieni neu eich athrawon?

*Disgyblion:* (*Y disgyblion yn trafod yr hyn maent yn sylwi arno pan fydd eu rhieni, athrawon neu ffrindiau'n mynd yn flin*)

*Wali:* Rydw i bob amser yn gallu dweud pan fydd fy athro'n mynd yn flin. Bydd yn ysgyrnygu ei ddannedd ac yn gwneud ystumiau. Beth sy'n digwydd i'ch corff chi pan fyddwch yn mynd yn flin? Oes yna rywun fel fi'n teimlo'u dwylo'n tynhau ac yn ffurfio'n ddyrnau? Beth sy'n digwydd i'ch corff chi pan fyddwch yn mynd yn flin?

*Disgyblion:* (*Yn trafod eu hymatebion corfforol a'r hyn maent yn sylwi ar ei gilydd*)

*Wali:* Waw, mae gan bob un ohonoch arwyddion corfforol gwahanol sy'n dweud wrthych pan fyddwch yn flin. Felly, beth wnewch chi y tro nesaf y byddwch yn teimlo hyn yn digwydd?

(*Trafodwch atebion megis defnyddio'r dull crwban, dweud stop, ymdawelu, meddwl, anadlu'n ddwfn, cyfrif yn ôl neu feddwl am le hapus*).

## Defnyddio Amser Allan am ffrwydradau emosiynol blin ac amhriodol

Mae ymchwil wedi dangos fod Amser Allan yn ffordd effeithiol o leihau ymddygiad amhriodol plentyn a'i helpu i ymdawelu. Pan fydd plentyn sydd wedi taro plentyn arall neu wedi bod yn ddinistriol yn cael ei ddanfon am Amser Allan, caiff ei amddifadu o sylw oedolyn am ei ymddygiad ymosodol. Mae plant yn dyheu am sylw – mae hyd yn oed sylw negyddol yn well na dim sylw o gwbl ac fe fydd yn atgyfnerthu ac annog yr ymddygiad. Felly, mae gweiddi ar blentyn am ei gamymddwyn neu roi mewn i'w ffrwydrad emosiynol yn wir yn cynyddu'r tebygolrwydd y bydd yr ymddygiadau yma'n parhau yn y dyfodol. Os nad oes 'gwobr' am y camymddygiad, ac os bydd yr athro'n tynnu ei sylw oddi ar y plentyn, bydd yr ymddygiad ymosodol yn tawelu – yn enwedig os ydych yn dysgu ymatebion eraill i'w gwobrwyo efo'ch cymeradwyaeth.

Wrth ddanfon plentyn am Amser Allan oherwydd iddo frifo rhywun gwnewch yn siŵr eich bod yn ddiemosiwn wrth orfodi'r rheol (peidiwch dangos cydymdeimlad na dicter). Fe allech ddweud, 'Mae'n ddrwg gen i Josh, rwyt wedi gwneud dewis sâl. Roedd yn ateb annheg ac nid oedd yn ateb saff. Felly, bydd raid i ti fynd am Amser Allan.' (gweler Pennod 8 am fwy o wybodaeth ynglŷn â gorfodi Amser Allan.)

**Dysgu sut i fynegi teimladau negyddol mewn ffyrdd derbyniol.**

Fel y dywedwyd yn gynharach, mae angen i blant wybod fod pob teimlad yn iawn. Dylent sylweddoli fod dicter, pryder, tristwch a theimladau negyddol eraill yn anochel ac yn normal – ond bod gwahanol ffyrdd o fynegi'r teimladau hynny, a bod ganddynt ddewis ynghylch sut i ymateb. Dylid dysgu plant i fynegi eu teimladau negyddol mewn geiriau, yn hyderus ond heb fod yn elyniaethus. Gall athrawon eu helpu i ddysgu'r gwahaniaeth rhwng sefyll dros eu hawliau eu hunain a cheisio brifo rhywun arall. Gallant eu canmol pan fynegant emosiynau anodd mewn ffyrdd priodol.

# Adnabod sefyllfaoedd heriol a'u defnyddio fel man cychwyn i ddysgu datrys problemau a rheoli dicter

Unwaith y bydd plant wedi dysgu adnabod rhai o'r cliwiau ffisiolegol yn eu cyrff sy'n arwyddo fod eu dicter yn cynyddu, bydd raid iddynt ddysgu defnyddio sgiliau lleddfu dicter megis y dull crwban, anadlu'n ddwfn neu ddelweddu ymlaciol. Bydd o gymorth i blant ymarfer ymateb i sefyllfaoedd damcaniaethol o'r math sy'n tueddu i'w harwain at ymatebion blin. Bydd hyn yn dysgu'r plant i reoli eu dicter yn y dyfodol. Unwaith y dysgant ragweld sefyllfaoedd o'r fath, a strategaethau i ddelio gyda nhw, bydd modd iddynt ddygymod â'r sefyllfa yn hytrach nag ymateb yn fyrbwyll. Mae'n bwysig eich bod wrth gyflawni'r ymarferion chwarae rôl yma yn ymdrechu i ddynwared dwyster y teimladau pan fydd y sefyllfa'n digwydd yn y byd real. Drwy ddefnyddio pypedau, gellwch gyflwyno sefyllfaoedd sydd yn wir wedi digwydd i lawer o'r plant. Enghreifftiau yw cwffio rhwng brawd a chwaer ynglŷn â phwy sy'n eistedd yn sedd flaen y car, pryfocio a galw enwau, athro neu riant yn gweiddi ar blant, plentyn yn cael ei adael allan neu'n cael ei fwlio a'i rwystro rhag gwneud neu gael rhywbeth y mae'n ei ddymuno.

### Pasio het y ditectif i reoli dicter

Mae gêm Het y Ditectif yn hwyl ac yn ffordd hawdd i gychwyn chwarae rôl ac ymarfer sgiliau rheoli dicter gyda'r disgyblion. Mae'r cwestiynau a restrir isod wedi cael eu cynllunio i ymarfer yr ymatebion canlynol: hunan-siarad sy'n tawelu, ('Ymdawelaf. Wna i ddim rhuthro. Fe ddefnyddiaf siarad dewr. Os byddaf yn cwffio gallaf fynd i lawer o drwbwl. Rwy'n gryfach na fo. Wna i ddim cwffio') anadlu dwfn, delweddu cadarnhaol (meddwl am eich lle hapus neu saff) meddwl am ganlyniadau cwffio neu ddadlau, defnyddio siarad dewr am eich teimladau, aros allan o frwydr a derbyn canlyniadau. Dyma rai cwestiynau a awgrymir:

## Gêm het y ditectif i reoli dicter

- Beth allwch chi feddwl amdano pan fyddwch yn eich cragen?
- Mae wyneb Wali'n edrych yn flin – sut mae dweud ei fod o'n flin iawn?
- Pam ei bod yn bwysig i beidio cwffio?
- Mae ffrind yn gwneud hwyl am ben eich dillad ysgol, ac yna'n dweud eich bod yn wirion ac yn dew. Beth fyddech chi'n ei wneud i reoli eich dicter?
- Mae plentyn yn gwrthod dod oddi ar siglen. Rydych wedi aros eich tro am 10 munud ac yn dechrau mynd yn flin. Beth ellwch chi ei wneud i beidio cynhyrfu?
- Enwch rai o'r lleoedd y gellwch fynd iddynt i ymdawelu?
- Pa feddyliau dymunol allai eich helpu i ymdawelu?
- Beth sydd fel arfer yn digwydd wedi Amser Allan?
- Mae eich mam wedi gofyn i chi lanhau'r ystafell fyw ac mae eich ffrind yn gwrthod helpu er i'r ddau ohonoch wneud y llanast.
- Mae cyd-ddisgybl yn taro yn eich erbyn yn ddamweiniol ac rydych yn baglu ac yn anafu eich hun. (Dydi o ddim yn ymddiheuro.) Beth yw eich meddyliau?
- Rydych yn chwarae yn nhŷ ffrind a dydi o ddim eisiau gwneud dim o'r pethau yr hoffech chi. Beth ellwch chi ei wneud?
- Mae cyd-ddisgybl yn eich cyhuddo o dwyllo wrth chwarae gêm fwrdd. Beth ellwch chi ei wneud i beidio cynhyrfu?

- Mae cyd-ddisgybl yn eich pryfocio am eich bod yn methu darllen. Sut ydych chi'n gwybod eich bod yn flin?
- Mae plentyn yn bachu pêl oddi wrthych. Beth ellwch chi ei wneud?
- Mae rhiant yn dweud wrthych, 'Rwyt ti mewn trwbwl drwy'r amser. Dwyt ti byth yn helpu nac yn rhannu gyda dy chwaer nac yn gwneud ymdrech.' Beth ellwch chi ei wneud i ddelio gyda'ch dicter?
- Mae rhai plant yn chwarae tic ond yn gwrthod gadael i chi chwarae efo nhw. Rydych yn meddwl eu bod yn eich casáu. Beth ellwch chi ei wneud am y meddyliau yma?
- Mae eich tad yn dweud nad aiff o a chi i'r gêm bêl droed am eich bod wedi cwffio efo'ch chwaer.
- Rydych wedi colli cyfle i fynd ar drip maes oherwydd eich ymddygiad. Beth ellwch chi ei wneud i ddelio gyda'ch siom?
- Rydych yn chwarae pêl droed ac yn cael eich curo gan y plant eraill drwy'r amser.
- Rydych yn cael diwrnod gwael, beth ellwch chi ei wneud i deimlo'n well?

## Gêm Tegwch

Yn y gêm yma mae plant yn meddwl am atebion i sefyllfaoedd. Gofynnir iddynt ystyried a ydynt yn atebion teg yntau annheg, a sut y mae pob person yn teimlo am y sefyllfa. Mae'r gêm yma'n helpu plant i ystyried eu hatebion yn nhermau tegwch a theimladau.

### Dywed Molly 'Dyw hyn ddim yn deg' – Ydi o'n deg neu beidio?

- Mae un person yn gwylio'r teledu ac un arall yn dod i mewn i'r ystafell ac yn newid y sianel. Ydi hynna'n deg? Pam?
- Mae un darn o bizza'n weddill ond mae yna ddau o blant. Mae un plentyn yn cymryd y pizza. Ydi hynna'n deg? Pam?
- Mae brawd a chwaer yn mynd i wersylla a does dim ond un camera. Mae'r ferch yn mynnu mai hi ddylai gael y camera. Ydi hynna'n deg? Pam?
- Mae disgybl yn gwrthod cydymffurfio gyda chais athro. O ganlyniad mae'n gorfod aros mewn amser chwarae. Ydi hyn yn deg? Pam?

### Defnyddio thermomedr dicter i hunan-reoli

Gyda disgyblion sydd â phroblemau dicter sy'n arwain at ffrwydradau blin, hwyrach y byddwch am ddefnyddio'r thermomedr dicter i ddysgu hunanreolaeth i'r disgyblion hyn, a chadw golwg ar eu cynnydd.

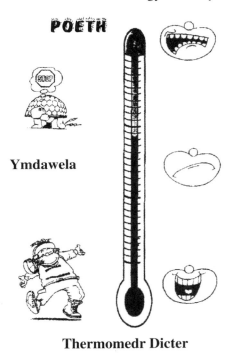

**POETH**

Ymdawela

**Thermomedr Dicter**

Gellwch ddefnyddio thermomedr fel yr un yn y llun neu fe allech greu un gyda'r disgybl. Bydd plant yn aml yn hoffi addurno'r thermomedr gyda lluniau. Hwyrach y byddwch am ychwanegu'r rhifau 1-10 ar y thermomedr gyda'r rhif 1 yn arwyddo tawel ac oer iawn a'r rhif 10 yn arwyddo poeth dros ben. Yna, ystyriwch enghraifft o wrthdaro diweddar gan ail ymweld â'r camau a arweiniodd at ffrwydrad blin y plentyn. Ysgrifennwch pa weithredoedd, meddyliau, a geiriau gan y disgybl a oedd yn awgrymu cynnydd yn ei batrwm dicter (er enghraifft gosodiadau megis 'mae o wastad yn fy mhryfocio,' neu, 'dydyn nhw byth yn gadael llonydd i mi,' gweiddi, clepian drysau, cicio etc.) Yna trafodwch gyda'r disgybl y gweithredoedd, y meddyliau a'r geiriau y gallai'r disgybl fod wedi eu defnyddio i leihau'r dicter (chwythu canhwyllau ar gacen, dychmygu lle hapus, meddwl 'aros yn dawel,' ymarfer ymlacio a thynhau'r cyhyrau etc.) Fel y byddwch yn olrhain camau'r gwrthdaro, edrychwch a oes modd cael y disgybl i ddangos pryd yr oedd yn ymwybodol ohono'i hun yn mynd yn flin. Marciwch hwn fel 'Pwynt peryglus' ar y thermomedr.

Unwaith y byddwch chi a'r disgybl wedi trafod y sefyllfa ac wedi sefydlu pwynt peryglus, gofynnwch i'r disgybl roi 'enw' neu label iddo. Er enghraifft, 'y pwynt berwi' neu'r 'pwynt pwyllo'. Y geiriau 'cod' yma fydd y geiriau a ddefnyddiwch gyda'r plentyn i arwyddo i'ch gilydd fod dicter neu densiwn ar fin digwydd. Pan fydd naill ai'r athro neu'r disgybl yn defnyddio'r geiriau yma bydd hynny'n arwyddo bod angen defnyddio un o'r ymatebion ymdawelu y cytunwyd arnynt, ac sydd wedi cael eu rhestru neu eu darlunio ar y thermomedr.

Gellir adolygu ac ymestyn y thermomedr pan fydd ffrwydradau eraill yn digwydd. Wedi cyfnod o'i ddefnyddio am ychydig wythnosau, gall yr athro adolygu eu cynnydd gyda'r disgybl gan ystyried lleihau'r defnydd o eiriau côd a gostwng nifer y ffrwydradau blin. Hwyrach y byddwch am ddiffinio rhif targed i arwyddo llwyddiant y plentyn bob wythnos (er enghraifft, llai na 4 ffrwydrad yr wythnos). Wedi cyrraedd eich targed, dathlwch.

**Canmol ymdrechion plant i reoli eu hemosiynau**

Gwnewch yn siŵr eich bod yn canmol plant am barchu'r gair côd neu'r arwydd cyfrinachol ac am ddelio gyda'u rhwystredigaeth heb golli rheolaeth ar eu dicter. 'Dwi wedi fy mhlesio'n arw gan y ffordd yr oeddet yn gweithio mor galed er dy fod yn colli.' Yn achos plant ymosodol a byrbwyll, dangosodd ymchwil eu bod yn derbyn mwy o adborth beirniadol a gorchmynion negyddol, a llai o ganmoliaeth na phlant eraill hyd yn oed pan fyddant yn ymddwyn yn briodol. Yn wir, maent yn arwain eu hathrawon i beidio â'u canmol na'u cynnal am eu hymddygiadau positif oherwydd y strach o ddelio gyda'u hymatebion emosiynol. Ond mae'r plant yma angen adborth cadarnhaol hyd yn oed yn fwy na phlant eraill oherwydd, pan fyddant yn derbyn canmoliaeth, maent yn debygol o beidio sylwi arno na'i brosesu. Mae hyn yn golygu y bydd raid i chi weithio'n arbennig o galed i ganfod yr holl ymddygiadau cadarnhaol y gellwch eu hatgyfnerthu.

Mae'n arbennig o bwysig ceisio canmol ymddygiadau sy'n cynnwys hunanreolaeth a dyfalbarhad gyda thasgau anodd, mynegiant priodol o deimladau (negyddol neu bositif) a rheolaeth dros ffrwydradau emosiynol mewn sefyllfaoedd o siomiant neu rwystredigaeth. Atgyfnerthwch unrhyw weithgareddau tawel a phwrpasol sy'n dilyn siomedigaeth neu ddigwyddiad rhwystredig. Er enghraifft, fe allech ddweud, 'Roedd hynna'n wych. Mi ddaru ti ymdawelu ar dy ben dy hun. Mi wnes di ddewis da' neu 'Rwyt ti wedi bod yn gryf iawn. Roeddet yn amyneddgar ac yn dal i drio er gwaethaf y s ms anodd.' Hefyd, gellwch ddysgu'r plant i atgyfnerthu eu hunain. Dysgwch nhw i ganmol eu hunain drwy hunan-siarad positif megis, 'Mi wnes i hwnna'n dda,' neu, 'Mi wnes i aros yn dawel iawn. Rwy'n gryf oddi mewn', neu 'Roeddwn yn amyneddgar ac mi lwyddais yn y diwedd. Fe wnes i ddewis da.'

Drwy eich canmoliaeth, byddwch yn helpu'r disgybl i newid ei hunanddelwedd nes gweld ei hun fel person sy'n gallu delio gydag emosiynau. Does dim rhaid aros nes bod y disgybl yn rheoli ei emosiynau'n hollol lwyddiannus. Defnyddiwch iaith 'datblygu i fod', megis 'Rwyt yn datblygu i fod yn berson sy'n gallu rheoli dy ddicter yn wirioneddol dda. Rwyt yn gryf iawn oddi mewn.' Byddwch yn mynegi eich hyder yng ngallu plentyn i lwyddo yn y dyfodol gyda'r agwedd yma o'i ddatblygiad.

## Gweithio mewn cydweithrediad â rhieni

Yn naturiol, cewch fwy o lwyddiant gyda helpu disgyblion i reoli eu hemosiynau os bydd y rhieni hefyd yn defnyddio iaith teimlad a sgript 'dull y crwban' o reoli dicter gyda'r plant. Gallech ddechrau drwy ddanfon nodyn wythnosol gartref gyda'r plentyn yn egluro sut mae rhai plant yn cam-labelu teimladau, a pham ei bod yn bwysig bod rhieni'n labelu teimladau eu plant yn gywir. Er enghraifft, gallech ofyn i rieni sylwi ar amseroedd pan fu eu plant yn ymddangos yn gynhyrfus, yn hapus, yn bryderus, yn flin, yn dawel, yn rhwystredig ac yn drist, ac yna labelu'r teimladau yma. Awgrymwch i'r rhieni eu bod yn defnyddio'r gêm, 'Dyfalu pa deimlad' neu'r gêm 'Pam – Oherwydd.' Bydd y rhiant yn dweud, 'Rwy'n hapus' gan ofyn i'r plant ddyfalu pam. Yna, gall y rhiant newid rôl gyda'r plentyn. Mae'n bwysig fod rhieni'n cael eu hannog i siarad am deimladau hapus, bodlon ac ymlaciol ac nid yn unig am deimladau blin, trist a rhwystredig. Mae'n bwysig hefyd fod plant yn gwybod nad nhw sydd ar fai am deimladau eu rhieni. Un syniad am aseiniad gwaith cartref yw bod rhieni a phlant yn rhannu atgofion am amseroedd hapus gyda'i gilydd, a'r plentyn wedyn yn rhannu'r profiad ymhellach y diwrnod canlynol yn ystod trafodaeth Amser Cylch.

Mae'n bwysig fod rhieni ac athrawon yn deall sgript y dull crwban, 'stopio, anadlu'n ddwfn, ymdawelu a meddwl.' Yna, pan fydd rhiant neu athro'n sylwi ar blentyn yn dechrau mynd yn flin ac allan o reolaeth, gallant ei arwain at ymatebion ymatal. Anogwch rieni i gadw at eiriau'r sgript gan y bydd hynny'n fwy effeithiol i helpu'r plentyn i ymdawelu. Pan fydd athrawon a rhieni'n cydweithio i gefnogi'r defnydd o strategaethau rheoli dicter, bydd gan y plant y gefnogaeth amgylcheddol angenrheidiol i reoli eu hemosiynau.

### I grynhoi

- Defnyddiwch iaith teimlad gyda'r disgyblion ac anogwch nhw i siarad am eu teimladau.
- Cofiwch fod gallu disgyblion i reoli eu hemosiynau yn gwahaniaethu o'r naill ddisgybl i'r llall.
- Defnyddiwch gemau a gweithgareddau i ddysgu iaith teimlad, ac i hyrwyddo dealltwriaeth o'r gwahaniaethau yn nheimladau pobl eraill.

- Defnyddiwch Amser Allan ar gyfer ymddygiad dinistriol.
- Dysgwch strategaethau hunan-siarad cadarnhaol i blant.
- Dysgwch y 'dull crwban' i reoli dicter.
- Rhowch gyfle i ymarfer ymatebion rheoli dicter mewn sefyllfaoedd o wrthdaro damcaniaethol.
- Ceisiwch gefnogaeth rhieni i'r gwaith o reoli dicter ac o ddysgu'r plant i fynegi eu teimladau.

## Deunydd darllen

Asher, S. R. and Williams, g. A. (1987) Helping children without friends in home and school, *Children's Social Development: Information for Teachers and Parents*, Urbana, IL: ERIC, Clearing House on Elementary and Early Childhood Education.

Bierman, K. L., Miller, C. M. and Stabb, S. (1987). Improving the social behaviour and peer acceptance of rejected boys: effects of social skill training with instructions and prohibitions, *Journal of Consulting and Clinical Psychology*, 55, 194-200.

Campbell, S. B. (1990) Behaviour problems in preschool children: *Clinical and developmental issues*, New York: Guilford Press.

Campbell, S. B. and Ewing, L. J. (1990). Follow-up of hard to manage preschoolers: adjustment at age 9 and predictors of continuing symptoms, *Journal of Child Psychology and Psychiatry*, 31 (6), 871-89.

Crick, N. R. and Dodge, K. A. (1994) A review and reformulation of social information processing mechanisms in children's social adjustment, *Psychological Bulletin*, 115, 74-101.

Elias, M. J. and Tobias, S. E. (1996) *Social Problem Solving: Interventions in Schools*, New York: Guilford.

Greenberg, M. T., Kusche, C. A., Cook, E. T. and Quamma, J. P. (1995) Promoting emotional competence in school-aged children: The effects of the PATHS curriculum. Special issue: Emotions in the developmental psychopathology, *Development and Psychopathology*, 7, 117-36.

Gresham, F. M. (1995) Social skills training. In A. Thomas and J. Grimes (eds) *Best Practices In School Psychology – III* (pp. 39-50), Bethesda, MD: national Association of School Psychologists.

Gresham, F. M. (1997) Social skills. In G. G. Bear, K. M. Minke and A. Thomas (eds) *Children's Needs II: Development, Problems and Alternatives* (pp. 39-50), Bethesda, MD: National Association of School Psychologists.

Grossman, D. C., Neckerman, H. J., Koepsell, T. D., Liu, P., Asher, K. N., Beland, K., Frey, K. and Rivara, F. P. (1997) Effectiveness of a violence prevention curriculum among children in elementary school, *Journal of American Medical Association*, 277, 1605-11.

Knoff, H. M. and Batsche, G. M. (1995) Project ACHIEVE: Analysing a school reform process for at-risk and underachieving students, *School Psychology Review*, 24, 579-603.

Ladd, G. W. (1981) Effectiveness of a social learning method of enhancing children's social interaction and peer acceptance, *Child Development*, 52 (1), 171-8.

Ladd, G. W. (1983) Social networks of popular, average, and rejected children in school settings, *Merrill-Palmer Quarterly*, 29, 283-307.

Ladd, G. W. and Price, J. P. (1987) Predicting children's social and school adjustment following the transition from preschool to kindergarten, *Child Development*, 58, 16-25.

Putallaz, M. and Gottman, J. M. (1981) An interactional model of children's entry into peer groups, *Child Development*, 52, 986-94.

Webster-Stratton, C. and Hammond, M. (1997) Treating children with early-onset conduct problems: a comparison of child and parent training interventions, *Journal of Consulting and Clinical Psychology*, 65 (1), 93-109.

Webster-Stratton, C. and Lindsay, D. W. (1999) Social Competence and early-onset conduct problems: Issues in assessment, *Journal of Child Clinical Psychology*, 28, 25-93.

# Diweddglo

## Cymryd yr awenau

Mae trais ac ymosodedd ymhlith plant ifanc yn cynyddu ym mhob rhan o'r byd. Wrth i ddwyster yr ymddygiad gynyddu, mae'r plant sy'n amlygu'r nodweddion hyn yn mynd yn iau ac yn iau. Mae teuluoedd ac addysgwyr yn ei chael yn anodd parhau'n obeithiol yn wyneb y darogan gwae gan newyddiadurwyr ac ystadegwyr. Yn hytrach nag ildio i ymdeimlad o analluedd a diffyg grym, rhaid i athrawon a rhieni 'gymryd yr awenau'. Gwnânt hynny drwy gefnogi ei gilydd a mynd i'r afael ag agweddau emosiynol a chymdeithasol wrth addysgu eu plant. Bydd hynny'n atal a lleihau ymosodedd ymhlith plant ifanc yn ogystal â hybu eu sgiliau cymdeithasol. Dechrau'n fuan yw'r allwedd i 'imiwneiddio' plant yn erbyn bwlio, gwrthodiad cyfoedion a thrais.

Mae mwy nag un ffordd o gael Wil i'w wely! Bydd gan bob rhaglen plentyndod cynnar a phob ysgol adnoddau gwahanol. Bydd pob athro ac athrawes yn wynebu sefyllfa unigryw. Ond, wrth ichi gymryd y cyfrifoldeb am eich rhan chi o fewn yr ymdrech, byddwch yn canfod pontydd rhyngoch ag athrawon, rhieni a darparwyr gwasanaethau cymdeithasol a fydd â diddordeb yn eich ymdrechion. Byddwch yn dechrau creu rhwydwaith cadarn o gefnogaeth i'ch ymdrechion creadigol. Drwy gymryd yr awenau a defnyddio rhai o awgrymiadau'r llyfr hwn, ochr yn ochr â'ch doethineb ymarferol, byddwch yn newid bywydau plant a theuluoedd er gwell.

# Geirfa

Amser Allan – Time Out
anhwylder diffyg canolbwyntio – attention deficit disorder
anian – temperament
anogwr dysgu – learning coach
anufudd-dod – disobedience
aralleirio – paraphrasing
arsylwi – observe
atgyfnerthu – reinforce
Blynyddoedd Rhyfeddol – Incredible Years
camaddasol – maladaptive
canlyniad naturiol – natural consequence
canlyniad rhesymegol – logical consequence
crynhoi – summarise
crynodeb – summary
Cychwyn Cadarn – Sure Start
cyfathrebu – communicate
cymhelliad – motivation
cymhellion – incentives
cyn-ysgol – pre school
cysyniad – concept
dadlwytho – unload
datblygiadol – developmental
datrysiad – solution
Dechrau'n Deg – Flying Start
dilyn drwodd – follow through
dilysu – validate
dull crwban – turtle technique
goddefol – passive
gofalwyr maeth – foster carers
gorchymyn – command
gorfywiogrwydd – hyperactivity
gweithredol – active
gwerthuso – evaluate
gwirio – to check

gwobrau materol – tangible rewards
gwrando gweithredol – active listening
gwrthrychu – objectify
gwybyddol – cognitive
hunan-arsylwi – self monitoring
hunan ganolog – egocentric
hunanddelwedd – self esteem
hunanosodiad – self-statement
hunan reoli / hunanreolaeth– self control
hunan-siarad – self-talk
hunan-arsylwi – self-evaluation
hunan-wireddol – self-fulfilling
iselder – depression
labelu – to label
lles – well being
llythrennedd emosiynol – emotional literacy
medrau – skills
'Neges Neis' – 'Happy Gram'
oediad – delay
prif lif – mainstream
rhagweithiol – proactive
rhiantu – parenting
rhyngweithiol – interactive
siarad teimladau – feeling talk
smalio – pretend
sylw disgrifiadol – descriptive comment
sylwebaeth ddisgrifiadol – descriptive commenting
tindroi – dawdling
ymddygiadol – behavioural
ymdopi – cope / coping
ymddygiad byrbwyll – impulsivity
ymddygiad ymosodol – aggressive behaviour
ymlyniad – attachment
ymyrraeth gynnar – early intervention

Y FERSIWN CYMRAEG CYNTAF O LAWLYFR
HYNOD BOBLOGAIDD A GWERTHFAWR

Gomer

Dyma ffordd ardderchog
o helpu eich plentyn …

# Y
# Blynyddoedd
# Rhyfeddol

*Arweinlyfr datrys problemau
i rieni plant 2-8 oed*

CAROLYN WEBSTER-STRATTON, PH.D.

£16.00

ISBN 978 1 84323 960 4

www.gomer.co.uk